고등
국어

HIGH SCHOOL

실전기출

문제은행

2A
2학기중간

비상 | 박안수

이 책의 단원 구성

실전기출 · 문제은행

1A

1. 읽기의 가치와 즐거움
   - ① 자화상(윤동주)
   - ② 책 속에 길이 있다(이권우)
2. 마음을 잇는 소통의 창
   - ① 매체를 읽는 눈
   - ② 책임감 있게 글 쓰기
   - ③ 서로를 존중하는 대화

1B

3. 문학을 그리는 삶
   - ① 첫사랑(고재종)
   - ② 아홉 켤레의 구두로 남은 사내(윤흥길)
   - ③ 결혼(이강백)
   - ④ 반 통의 물(나희덕)
4. 바른 말, 바른 글
   - ① 음운의 변동
   - ② 한글 맞춤법

2A

5. 책 속의 지혜, 말 속의 길
   - ① 고릴라를 못 본 이유(이은희)
   - ② 조선의 얼, 광화문
   - ③ 전시회 공간을 빌려라
6. 함께 만드는 세상
   - ① 두근두근 내 인생(김애란 원작/최민석 외 각본)
   - ② 마음을 움직이는 설득
7. 우리의 말과 글을 따라서
   - ① 국어의 문법 요소

2B

7. 우리의 말과 글을 따라서
   - ② 국어의 어제와 오늘
   - ③ 한국어의 위상과 미래
8. 한국 문학의 빛깔
   - ① 시조 두 수 (동짓달/님이 오마)
   - ② 속미인곡(정철) / 진달래꽃(김소월)
   - ③ 허생전(박지원)
9. 문제를 해결하는 힘
   - ① 옷 한 벌로 세상 보기(이민정)
   - ② 교내 휴대 전화 사용을 허용해야 한다

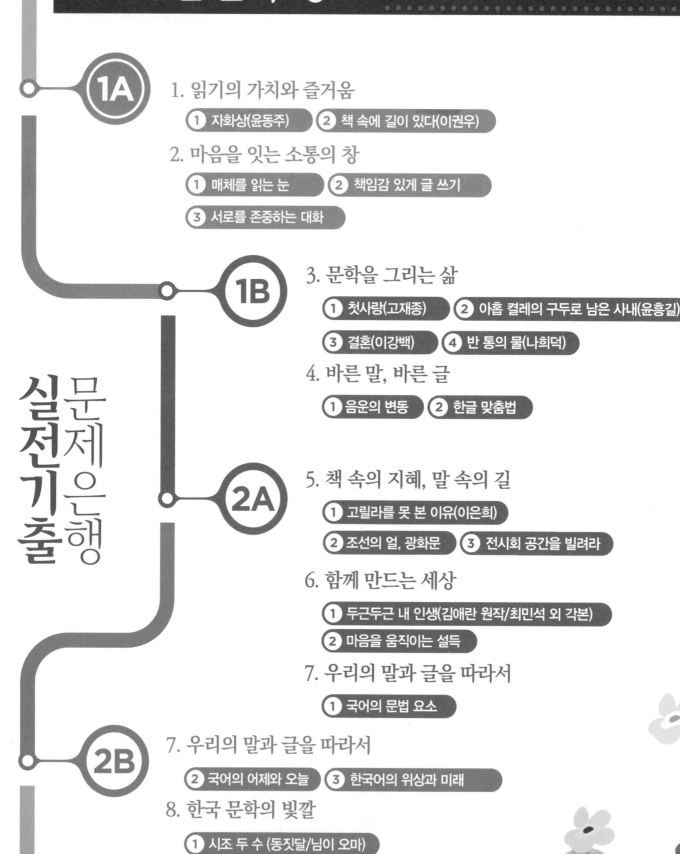

이 책의 구성 및 특징

교과서 확인학습

- 교과서 핵심내용 해설 및 확인 문제
- 교과서 지문의 핵심내용 파악, 어휘 및 구문 풀이
- O, X 문제 및 서답형 문제 학습

객관식 기본문제

- 기초단계 기출문제 제시 및 풀이능력 체크
- 각 단원의 핵심문제 제시
- 교과서 기반의 기본적인 학습능력 제공

객관식 심화문제

- 중상급 난이도 기출문제 제시 및 오답풀이
- 전국 고등학교 중요 기출문제 엄선 및 풀이
- 변별력 있는 문제 중심으로 기출유형 분석
- 교과서 밖 연계지문 활용 고난도 문제풀이

서술형 심화문제

- 서술형 기출문제 제시 및 풀이능력 향상
- 배점 높은 서술형 문제의 적중도를 높임

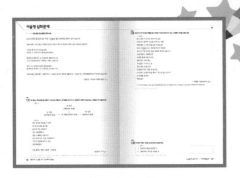

단원별 종합평가

- 단원별 학습 후 모의시험을 통한 수준평가
- 각 단원의 최종 점검 및 학습 마무리

《Contents

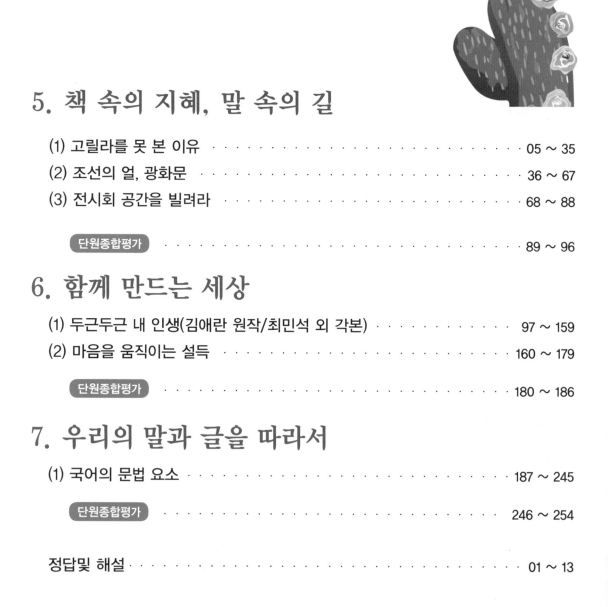

5. 책 속의 지혜, 말 속의 길

(1) 고릴라를 못 본 이유 · 05 ～ 35
(2) 조선의 얼, 광화문 · 36 ～ 67
(3) 전시회 공간을 빌려라 · 68 ～ 88

단원종합평가 · 89 ～ 96

6. 함께 만드는 세상

(1) 두근두근 내 인생(김애란 원작/최민석 외 각본) · · · · · · · · · 97 ～ 159
(2) 마음을 움직이는 설득 · 160 ～ 179

단원종합평가 · 180 ～ 186

7. 우리의 말과 글을 따라서

(1) 국어의 문법 요소 · 187 ～ 245

단원종합평가 · 246 ～ 254

정답및 해설 · 01 ～ 13

5

책 속의 지혜, 말 속의 길

(1) 고릴라를 못 본 이유

(2) 조선의 얼, 광화문

(3) 전시회 공간을 빌려라

고릴라를 못 본 이유

- 이은희 -

사람은 오감(五感), 즉 시각, 청각, 후각, 미각, 촉각을 통해 세상을 인식한다. 이 다섯 가지의 감각 중 가장 많은 역할을 하는 것은 시각으로, 사람이 습득하는 정보의 80퍼센트는 오로지 시각에 의존한 정보들이다. 대부분의 정보
　　　　　　　　　　　　　　　　　사람들이 시각 정보를 신뢰하는 이유
를 시각으로 받아들이면서 우리는 자연스럽게 시각의 능력을 높이 신뢰하게 된다. 그런데 과연 눈으로 보는 정보들
　　　　　　　　　　　　　　　　　　　　　　　　　　　　　　　　　보편적 생각에 의문을 던지면서 독자의 주의를
　　　　　　　　　　　　　　　　　　　　　　　　　　　　　　　　　환기하고 이 글에서 다룰 내용을 제시함
은 다 믿을 수 있는 것일까?

우리 눈에 보이는 것은 정말 '눈에 보이는 대로' 만 존재하는 것일까?
사람들이 시각 정보를 굳게 신뢰하는 것에 의문을 제기함

1999년 신경 과학 분야의 국제 학술지인 『퍼셉션』에 「우리 가운데에 있는 고릴라」라는 제목으로 실린 논문이 있다.
　　　　　신뢰성 있는 근거자료
당시 하버드 대학교 심리학과의 대니얼 사이먼스와 크리스토퍼 차브리스는 사람들을 대상으로 흥미로운 실험을 하였
다. 그들은 흰옷과 검은 옷을 입은 학생 여러 명을 두 조로 나누어 같은 조끼리만 이리저리 농구공을 주고받게 하고
　　　실험의 과정
그 장면을 동영상으로 찍었다. 그리고 이를 사람들에게 보여 주고 이렇게 주문하였다. "검은 옷을 입은 조는 무시하
고 흰옷을 입은 조의 패스 횟수만 세어 주세요."라고. 동영상은 1분 남짓이었으므로 대부분의 사람들은 어렵지 않게
흰옷을 입은 조의 패스 횟수를 맞히는 데 성공하였다. 그리고 그들 중 절반은 왜 이런 간단한 실험을 하는지 목적을
파악하지 못해 고개를 갸웃거렸다. ▶「우리 가운데에 있는 고릴라」 실험소개

사실 실험의 목적은 따로 있었다. 실험 참가자들에게 보여 준 동영상 중간에는 고릴라 의상을 입은 한 학생이 걸어
농구공 패스 횟수를 알아맞힐 수 있는지를 평가하려는 것이 아니라, 중간에 등장한 고릴라의 존재를 인지했는지의 여부를 실험한 것임
나와 가슴을 치고 퇴장하는 장면이 무려 9초에 걸쳐 등장한다. 「재미있는 사실은 동영상을 본 사람들 중 절반은 자신
　　　　　　　　　　　　　　　　　　　　　　　　　　　　　　　「」: 실험의 결과 - 자신이 본 것이 사실이라고 굳게 믿음
이 고릴라를 보았다는 사실을 전혀 인지하지 못했다는 것이다. 나머지 절반은 고릴라를 알아보고 황당하다는 반응을
보였다. 심지어 고릴라를 인지하지 못한 이들에게 고릴라의 등장 사실을 알려 주고 동영상을 다시 보여 주자, 분명
먼젓번 동영상에서는 고릴라가 등장하지 않았다고 말하는 사람도 있었다. 그러면서 실험자가 자신을 놀리려고 다른
동영상을 보여 준 것이 아니냐는 의심을 하기도 하였다.」 도대체 왜 이들은 고릴라를 보지 못한 것일까?
　　　　　　　　　　　　　　　　　　　　　　　　　　　　질문을 던지고 이에 답하는 방식으로 내용을 전개함

대니얼 사이먼스와 크리스토퍼 차브리스는 이를 '무주의 맹시'라고 칭했다. 이는 시각이 손상되어 물체를 보지 못
　　　　　　　　　　　　　　　　　　　　　　　　　　　'무주의 맹시'의 개념
하는 것과는 달리, 물체를 보면서도 인지하지 못하는 경우를 말한다. 두 눈을 멀쩡히 뜨고 있는데 보지 못한다고? 정
　　　　　　　　　　　　　　　　　　　　　　　　　　　　　독자의 반응을 예측하고 공감하면서 독자와 호응함
말 황당한 소리이다. 하지만 우리는 늘 이런 경험을 한다. 실연한 뒤에는 유난히 행복한 연인들의 모습이 눈에 자주
　　　　　　　　　　　　　　　　　　　　　　실생활에서 경험할 수 있는 '무주의 맹시'의 사례
띄고, 오랜만에 만난 아버지의 늙은 모습에 마음이 짠했던 날에는 유독 나이 든 어른들의 모습이 눈에 들어온다. 그
런 장면들은 어찌나 그렇게 내 마음이 요동칠 때에 잘 맞춰 나타나는지. 하지만 당연하게도 세상이 내 맘에 맞게 움
직여 줄 리는 없다. ▶ '무주의 맹시'의 개념

'보고도 인지하지 못한 대상'의 비유적 표현

*고릴라*는 어디에나, 언제나 존재한다. 다만 내가 이를 인지하지 못했을 뿐이다. 그들은 갑자기 새롭게 나타난
'무주의 맹시'는 우리 주변에서 흔히 일어날 수 있음

것이 아니라 평소에도 늘 존재하였다. 하지만 평소에는 주의 깊게 보지 않아서 인식하지 못했던 것을 비로소 오늘에

서야 뇌가 인지한 것이다. 가운데1 – 우리 가운데에 있는 고릴라 실험을 소개하고,   ▶ 주변에서 흔하게 일어나는 '무주의 맹시'
이를 통해 '무주의 맹시'의 개념을 설명함

그렇다면 우리는 어떤 경로로 세상을 보는 것일까? 우리의 신체는 눈만이 빛을 인식하고 받아들일 수 있게 진화해
질문을 통한 화제 전환

왔다. 그래서 눈이 손상되거나 다른 이유로 기능을 잃게 되면, 우리는 그 즉시 빛 한 점 없는 어둠 속에 갇히게 된다.

하지만 눈 자체가 세상을 인식하는 것은 아니다. 눈동자를 지나 눈알 안쪽으로 파고든 빛은 망막의 시각 세포에 의해
시각적 정보를 받아들여 세상을 인식하기까지의 과정

전기적 신호로 변환된다. 그리고 이 신호가 시신경을 통해 눈의 반대편, 즉 뒤통수 쪽에 위치한 뇌의 시각 피질로 들

어가야만 우리가 비로소 세상을 '본다'(고 느낀다).   ▶ 우리가 시각 정보를 인식하는 과정

시각 피질은 단일한 부위가 아니라 현재 밝혀진 것만 약 30개의 영역으로 구성된 복합적인 영역이다. 시각 정보를 가

장 먼저 받아들이고 물체의 기본적인 이미지인 선과 경계, 모서리를 구분하는 V1, V2 영역을 비롯하여 형태를 구성하

는 V3, 색을 담당하는 V4, 운동을 감지하는 V5, 그리고 이 밖의 다른 영역이 조합되어 종합적으로 사물을 인지한다.
▶ 시각 피질의 영역별 역할

이들은 각각 따로따로 의미 있는 존재가 아니다. 「여러 개의 악기가 모여 각자가 정확한 순간에 정확한 음을 연주
「 」: 유추의 방식

해야 제대로 된 음악을 전할 수 있는 오케스트라처럼」 모든 영역이 각자의 역할에 맞게 일시에 조율되어야 세상을 바

라볼 수 있다. 같은 피아니스트가 같은 곡을 동일하게 연주해도 피아노 건반이 몇 개 사라지거나 음이 제대로 조율되

지 않으면 결과물이 달라지는 것처럼, 우리의 눈이 같은 것을 보더라도 시각 피질의 각 영역이 제대로 조율되지 않으

면 세상을 같게 볼 수 없다.   ▶ 시각 피질의 각 영역이 역할에 맞게 일시에 조율되어야 하는 이유

예를 들어 시각 피질의 V4 영역이 제 기능을 하지 못하면 색맹이 아니었던 사람도 세상이 흑백으로 보이며, V5 영
앞 문단에서 설명한 내용의 구체적 예시

역이 손상되면 질주하는 자동차를 보아도 그것이 느리게 움직이는 것처럼 보인다.   ▶ 시각 피질의 영역이 제 기능을 하지 못할 경우의 예

뇌의 많은 영역이 오로지 시각이라는 감각 하나에 배정되어 있음에도, 세상은 워낙 변화무쌍하기 때문에 눈으로

받아들이는 모든 정보를 뇌가 빠짐없이 처리하기는 어렵다. 그래서 뇌가 선택한 전략은 선택과 집중, 적당한 무시와

엄청난 융통성이다. 우리는 쥐의 꼬리만 봐도 벽 뒤에 숨은 쥐 전체의 모습을 그릴 수 있으며, 빨간색과 파란색의 스
그때그때의 사정과 형편을 보아 일을 처리하는 재주

펙트럼만 봐도 그 색이 주는 이미지와 의미까지 읽어 낼 수 있다. 하지만 이것은 때와 장소, 현재의 관심 대상과 그

수준에 따라 달라진다. 앞에서 보았듯이 우리는 하나에 집중하면 다른 것은 눈에 뻔히 보여도 인식하지 못하고 지나
눈으로 보는 정보를 다 믿을 수 없는 이유

칠 수 있다. 즉, 우리는 정말로 보고 싶은 것만 보고 보기 싫은 것에는 눈을 질끈 감는 것이다.   ▶ 정보 처리를 위해 뇌가 선택한 전략

감각 기관으로 들어오는 정보를 고스란히 받아들이지 않고 제 입맛에 맞는 부분만 편식하는 것은 뇌의 보편적인
앞서 설명한 뇌의 전략인 '선택과 집중'을 이해하기 쉽게 설명함

특성으로, 다른 감각도 마찬가지이다. 그러니까 엄마의 잔소리를 흘려듣는 십 대 아이의 귀에 달린 엄청난 여과 능력
'선택과 집중'은 시각뿐 아니라 다른 감각에도 두루 적용되는 일반적 특성임

은 일부러 그러는 것이 아니라, 무의식적으로 일어나는 자연스러운 결과일 수 있다. 따라서 눈앞에서 딴전을 피우는

아이의 귀에, 아니 뇌에 소리를 흘려 넣고 싶다면, 일단은 달콤한 말로 시작해서 집중시키는 것이 그나마 효과적이다. 눈앞에 뻔히 보이는 고릴라를 보지 못했던 사람들은 눈이 잘못되거나 얼빠진 것이 아니라, <u>집중하지 않은 시각적 정보는 은근슬쩍 뭉개 버리는 지극히 자연스러운 뇌를 가지고 있기 때문이다.</u>

가운데2 - 우리의 뇌가 감각 기관으로 정보를 받아들여 처리하는 방식을 설명함

'도대체 왜 이들은 고릴라를 보지 못한 것일까?'에 대한 답

우리의 뇌는 이런 식으로 세상을 본다. 있어도 보지 못하거나 잘못 보는 경우도 많다. 그러므로 우리가 모든 것을 다 볼 수 없다는 사실을 제대로만 인정한다면, 서로 시각이 다른 현실에서 내 눈으로 본 것만이 옳다며 핏대를 세우거나 서로를 헐뜯는 일은 줄어들 것이다. 끝 - 자신이 본 것만이 옳다는 절대적 믿음으로부터 벗어나야 함을 강조함

▶ 모든 것을 다 볼 수 없다는 사실 인정의 필요성

– 이은희, 『두 눈 똑똑히 뜨고도 고릴라를 못 본 이유는?』 –

⊙ 핵심정리

갈래	설명문
성격	사실적, 과학적
제재	뇌의 정보 처리 방식.
주제	주의 집중한 시각적 정보만 받아들이는 뇌의 특성.
특징	• 핵심 개념과 관련된 실험을 소개하여 독자의 이해를 도움. • 적절한 예와 비유를 활용하여 어려운 과학적 개념을 쉽게 풀이함.

알아두기

1. 읽기의 목적과 방법

글을 읽는 목적은 매우 다양하고 독자가 어떤 목적으로 글을 읽느냐에 따라 읽기의 방법 또한 다양해진다. 정보를 얻거나 문제를 해결하기 위해 글을 읽을 때에는 글의 중심 내용이 무엇인지 파악하고, 제시된 정보의 정확성, 타당성, 적절성 등을 평가하며 읽는 것이 좋다. 타인과의 관계 유지를 위해 글을 읽을 때에는 글쓴이의 생각을 자신의 관점에서 평가해 보고 이를 친구들과 함께 이야기 해 볼 수 있다. 교양을 쌓거나 여가를 즐기기 위해 글을 읽을 때에는 글의 내용을 자신의 삶에 견주어 보거나 현실에 비추어 보는 것이 좋다.

2. 읽기 과정의 점검과 조정

글을 읽을 때 독자는 의식적으로 자신의 읽기 과정을 점검하고 조정해 볼 필요가 있다. 글을 읽으며 글의 내용을 이해하고 있는지, 읽기 목적에 맞는 읽기 방법을 활용하고 있는지 스스로 질문해 보아야 한다. 그리고 글을 읽다가 이해되지 않는 부분이 있으면 그냥 넘어가지 말고 여러 방법을 활용하여 해결해야 한다. 독자는 이와 같은 점검과 조정의 과정을 거치며 글을 읽음으로써 자신의 읽기 목적을 효율적으로 달성할 수 있을 뿐만 아니라, 글을 좀 더 깊게 이해할 수 있다.

읽기과정	읽기 방법
읽기 전	글 제목의 의미를 추론해본다.
	글을 전체적으로 훑어보며 내용을 예측해 본다.
읽기 중	중요한 정보에 밑줄을 긋고 적어 둔다.
	모르는 단어의 뜻을 찾아본다.
읽기 후	글의 중심 내용을 정리하고, 읽기 전에 예측했던 것과 비교한다.
	친구들과 글의 내용에 관한 의견을 나눈다.

01 '고릴라 실험'은 우리가 하나에 집중을 하면 다른 것은 물체가 눈에 보여도 인식하지 못할 수 있음을 알려준다.

O☐ X☐

02 뇌는 시각, 청각, 후각, 미각, 촉각의 다섯 가지 감각 기관으로 들어오는 정보를 모두 수용할 수는 없다. O☐ X☐

03 시각이 손상되어 물체를 보지 못하는 것과는 달리, 물체를 보면서도 인지하지 못하는 경우를 '무주의 맹시'라고 한다.

O☐ X☐

04 '무주의 맹시'는 주변에서 드물게 일어나는 현상이다.

O☐ X☐

05 눈동자를 지나 눈알 안쪽으로 파고든 빛은 망막의 시각 세포에 의해 물리적 신호로 변환된다.

O☐ X☐

06 복합적으로 약 30개의 영역으로 구성된 시각피질은 모든 영역이 각자의 역할에 맞게 순차적으로 조율되어야 세상을 바라볼 수 있다.

O☐ X☐

07 우리의 눈이 같은 것을 보더라도 시각 피질의 각 영역이 제대로 조율되지 않으면 세상을 다르게 보게 된다. O☐ X☐

08 복합적으로 약 30개의 영역으로 구성된 시각피질은 따로따로 각각 의미가 있는 존재이다.

O☐ X☐

09 뇌의 많은 영역이 오로지 시각이라는 감각 하나에 배정되어 있음에도, 눈으로 받아들이는 모든 정보를 뇌가 빠짐없이 처리하기는 어렵다.

O☐ X☐

10 뇌는 우리가 눈으로 받아들이는 정보 중 어떤 정보를 받아들일 것인지를 선택하여 처리한다.

O☐ X☐

11 뇌는 부분적인 정보만으로 전체를 파악할 수 있지만 이는 뇌가 꼭 그 대상에 집중할 때만 가능한 일은 아니다.

O☐ X☐

12 우리는 집중하지 않은 시각적 정보는 은근슬적 뭉개 버리는 자연스러운 뇌를 가지고 있다.

O☐ X☐

13 눈으로 보는 정보는 다른 감각과는 달리 뇌가 정보를 고스란히 받아들이지 않고 선별적으로 처리한다. O☐ X☐

14 감각 기관으로 들어오는 정보를 고스란히 받아들이지 않고 선택적으로 받아들이는 것은 뇌의 보편적인 특성이다.

O☐ X☐

15 글쓴이는 글의 마지막 부분에서 우리가 모든 것을 다 볼 수 없다는 사실을 제대로 인정한다면 서로 다툴 일이 줄어들 것이라고 과학적 정보를 바탕으로 자신의 견해를 밝히고 있다.

O☐ X☐

객관식 기본문제

[01~04] 다음 글을 읽고 물음에 답하시오.

(가) 사람은 오감(五感), 즉 시각, 청각, 후각, 미각, 촉각을 통해 세상을 인식한다. 이 다섯 가지의 감각 중 가장 많은 역할을 하는 것은 시각으로, 사람이 습득하는 정보의 80퍼센트는 오로지 시각에 의존한 정보들이다. 대부분의 정보를 시각으로 받아들이면서 우리는 자연스럽게 시각의 능력을 높이 신뢰하게 된다. 그런데 과연 눈으로 보는 정보들은 다 믿을 수 있는 것일까? 우리 눈에 보이는 것은 정말 '눈에 보이는 대로'만 존재하는 것일까?

하버드 대학교 심리학과의 대니얼 사이먼스와 크리스토퍼 차브리스는 사람들을 대상으로 흥미로운 실험을 하였다. 그들은 흰옷과 검은 옷을 입은 학생 여러 명을 두 조로 나누어 같은 조끼리만 이리저리 농구공을 주고받게 하고 그 장면을 동영상으로 찍었다. 그리고 이를 사람들에게 보여 주고 이렇게 주문하였다. "검은 옷을 입은 조는 무시하고 흰옷을 입은 조의 패스 횟수만 세어 주세요." 라고 동영상은 1분 남짓이었으므로 대부분의 사람들은 어렵지 않게 흰옷을 입은 조의 패스 횟수를 맞히는 데 성공하였다. 그리고 그들 중 절반은 왜 이런 간단한 실험을 하는지 목적을 파악하지 못해 고개를 갸웃거렸다. 실험 참가자들에게 보여준 동영상 중간에는 고릴라 의상을 입은 한 학생이 걸어 나와 가슴을 치고 퇴장하는 장면이 무려 9초에 걸쳐 등장한다. 재미있는 사실은 동영상을 본 사람들 중 절반은 자신이 고릴라를 보았다는 사실을 전혀 인지하지 못했다는 것이다.

(나) 대니얼 사이먼스와 크리스토퍼 차브리스는 이를 '무주의 맹시'라고 칭했다. 이는 시각이 손상되어 물체를 보지 못하는 것과는 달리, 물체를 보면서도 인지하지 못하는 경우를 말한다. 두 눈을 멀쩡히 뜨고 있는데 보지 못한다고? 정말 황당한 소리이다. 하지만 우리는 늘 이런 경험을 한다. 실연한 뒤에는 유난히 행복한 연인들의 모습이 눈에 자주 띄고, 오랜만에 만난 아버지의 늙은 모습에 마음이 짠했던 날에는 유독 나이 든 어른들의 모습이 눈에 들어온다. 그런 장면들은 어찌나 그렇게 내 마음이 요동칠 때에 잘 맞춰 나타나는지. 하지만 당연하게도 세상이 내 맘에 맞게 움직여 줄 리는 없다.

(다) 고릴라는 어디에나, 언제나 존재한다. 다만 내가 이를 인지하지 못했을 뿐이다. 그들은 갑자기 새롭게 나타난 것이 아니라 평소에도 늘 존재하였다. 하지만 평소에는 주의 깊게 보지 않아서 인식하지 못했던 것을 비로소 오늘에서야 뇌가 인지한 것이다.

(라) 뇌의 많은 영역이 오로지 시각이라는 감각 하나에 배정되어 있음에도, 세상은 워낙 변화무쌍하기 때문에 눈으로 받아들이는 모든 정보를 뇌가 빠짐없이 처리하기는 어렵다. 그래서 뇌가 선택한 전략은 선택과 집중, 적당한 무시와 엄청난 융통성이다. 우리는 쥐의 꼬리만 봐도 벽 뒤에 숨은 쥐 전체의 모습을 그릴 수 있으며, 빨간색과 파란색의 스펙트럼만 봐도 그 색이 주는 이미지와 의미까지 읽어 낼 수 있다. 하지만 이것은 때와 장소, 현재의 관심 대상과 그 수준에 따라 달라진다. 앞에서 보았듯이 우리는 하나에 집중하면 다른 것은 눈에 뻔히 보여도 인식하지 못하고 지나칠 수 있다. 즉, 우리는 정말로 보고 싶은 것만 보고 보기 싫은 것에는 눈을 질끈 감는 것이다.

(마) 우리의 뇌는 이런 식으로 세상을 본다. 있어도 보지 못하거나 잘못 보는 경우도 많다. 그러므로 우리가 모든 것을 다 볼 수 없다는 사실을 제대로만 인정한다면, 서로 시각이 다른 현실에서 내 눈으로 본 것만이 옳다며 핏대를 세우거나 서로를 헐뜯는 일은 줄어들 것이다.

---

01 (가)~(마)의 서술상의 특징에 대한 설명으로 적절하지 <u>않은</u> 것은?

① (가)에서는 통념에 의문을 제기해 독자의 주의를 환기한다.
② (나)에서는 개념 정의를 통해 의미 전달을 명확히 한다.
③ (다)에서는 비유의 방법을 사용해 글에 집중하도록 한다.
④ (라)에서는 예를 들어 설명해 이해를 돕는다.
⑤ (마)에서는 유추의 방법을 사용해 개념을 수용하도록 한다.

02 윗글의 작가가 글을 읽은 독자에게 궁극적으로 기대하는 반응으로 가장 적절한 것은?

① 인간의 다섯 가지 감각 중에서 시각이 가장 중요하겠군.

② 작은 방심으로 중요한 사실을 놓치지 않도록 주의를 기울여야겠군.

③ 다양한 경험을 하고 현상에 대해 깊이 생각하는 태도를 지녀야겠군.

④ 눈으로 보지 않은 것은 믿을 수 없으니 객관적인 자료만을 신뢰해야겠군.

⑤ 관점에 따라 다른 것을 볼 수 있으니 상대를 포용하는 태도가 필요하겠군.

03 윗글을 읽고 알 수 있는 내용으로 가장 적절한 것은?

① 시각이 손상되어 물체를 보지 못하는 것을 무주의 맹시라고 칭한다.

② 다섯 가지의 감각 중 사람이 정보를 습득하는 데 가장 많은 역할을 하는 것은 청각이다.

③ 시각 피질은 약 30개의 영역으로 구성되어 눈에 들어온 신호에 각 영역들이 독립적으로 작용하여 사물을 인지한다.

④ 뇌는 감각 기관 중 시각의 경우에만 선택과 집중, 적당한 무시와 융통성이라는 전략을 통해 정보의 일부분만을 받아들인다.

⑤ 자신이 잘못 보거나 보지 못한 것이 있을 수도 있다는 것을 인정하며 세상을 살아간다면 서로 갈등하는 일이 줄어들 것이다.

04 과학적 정보를 얻기 위해 윗글을 읽을 때의 읽기 방법으로 적절하지 <u>않은</u> 것은?

① 모르는 단어의 뜻과 의미를 찾아보며 읽어야겠어.

② 글의 중심 내용을 파악하고 내용을 정리하면서 읽어야겠어.

③ 상징적 표현의 의미를 추측하고 내용을 내 삶에 비추어 읽어야겠어.

④ 제시된 정보의 정확성, 타당성, 적절성 등을 평가하면서 읽어야겠어.

⑤ 중요한 정보는 밑줄을 긋고 관련 정보는 적어 두는 방법을 활용해서 읽어야겠어.

[05~08] 다음 글을 읽고 물음에 답하시오.

(가) 사람은 오감(五感), 즉 시각, 청각, 후각, 미각, 촉각을 통해 세상을 인식한다. 이 다섯 가지의 감각 중 가장 많은 ⓐ역할을 하는 것은 시각으로, 사람이 습득하는 정보의 80퍼센트는 오로지 시각에 의존한 정보들이다. 대부분의 정보를 시각으로 받아들이면서 우리는 자연스럽게 시각의 능력을 높이 신뢰하게 된다. ㉠그런데 과연 눈으로 보는 정보들은 다 믿을 수 있는 것일까? 우리 눈에 보이는 것은 정말 '눈에 보이는 대로'만 존재하는 것일까?

(나) ㉡1999년 신경 과학 분야의 국제 학술지인 「퍼셉션」에 「우리 가운데에 있는 고릴라」라는 제목으로 실린 논문이 있다. 당시 하버드 대학교 심리학과의 대니얼 사이먼스와 크리스토퍼 차브리스는 사람들을 대상으로 흥미로운 실험을 하였다. ㉢그들은 흰옷과 검은 옷을 입은 학생 여러 명을 두 조로 나누어 같은 조끼리만 이리저리 농구공을 주고받게 하고 그 장면을 동영상으로 찍었다. 그리고 이를 사람들에게 보여 주고 이렇게 주문하였다. "검은 옷을 입은 조는 무시하고 흰옷을 입은 조의 패스 횟수만 세어 주세요." 라고 동영상은 1분 남짓이었으므로 대부분의 사람들은 어렵지 않게 흰옷을 입은 조의 패스 횟수를 ⓑ맞추는 데 성공하였다. 그리고 그들 중 절반은 왜 이런 간단한 실험을 하는지 목적을 파악하지 못해 고개를 갸웃거렸다.

(다) 사실 실험의 목적은 따로 있었다. 실험 참가자들에게 보여준 동영상 중간에는 고릴라 의상을 입은 한 학생이 걸어 나와 가슴을 치고 퇴장하는 장면이 무려 9초에 걸쳐 등장한다. 재미있는 사실은 동영상을 본 사람들 중 절반은 자신이 고릴라를 보았다는 사실을 전혀 인지하지 못했다는 것이다. 나머지 절반은 고릴라를 알아보고 황당하다는 반응을 보였다. 심지어 고릴라를 인지하지 못한 이들에게 고릴라의 등장 사실을 알려주고 동영상을 다시 보여 주자, 분명 ㉣먼젓번 동영상에서는 고릴라가 등장하지 않았다고 말하는 사람도 있었다. 그러면서 실험자가 자신을 놀리려고 다른 동영상을 보여 준 것이 아니냐는 의심을 하기도 하였다. ⓓ도대체 왜 이들은 고릴라를 보지 못한 것일까?

(라) 대니얼 사이먼스와 크리스토퍼 차브리스는 이를 '무주의 맹시'라고 칭했다. ㉤이는 시각이 손상되어 물체를 보지 못하는 것과는 달리, 물체를 보면서도 인지하지 못하는 경우를 말한다. 두 눈을 멀쩡히 뜨고 있는데 보지 못한다고? 정말 황당한 소리이다. 하지만 우리는 늘 이런 경험을 한다.

(마) ㉤고릴라는 어디에나, 언제나 존재한다. 다만 내가 이를 인지하지 못했을 뿐이다. 그들은 갑자기 새롭게 나타난 것이 아니라 평소에도 늘 존재하였다. 하지만 평소에는 주의 깊게 보지 않아서 인식하지 못했던 것을 ⓔ비로소 오늘에서야 뇌가 인지한 것이다.

05 위 글을 읽는 독자가 ㉠~㉤을 읽으면서 한 읽기 활동으로 가장 적절하지 않은 것은?

① ㉠ : 필자가 제기한 질문의 답이 무엇인가를 예측하며 글을 읽어야겠군.

② ㉡ : 이 실험이 앞의 질문과 어떤 관련이 있는지 또 질문의 답이 될 수 있는지를 생각해봐야겠군.

③ ㉢ : 어떤 동영상인지 또 어떤 실험인지 궁금하니까 나도 동영상을 찾아보고 실험을 체험해봐야겠군.

④ ㉣ : 제시된 개념이 잘 이해되지 않으니, 관련 심리학 서적을 찾아 개념을 이해하면서 글을 읽어야겠군.

⑤ ㉤ : 인터넷에서 '고릴라'의 사전적인 의미를 찾아보고 대상에 대해 깊이 알아봐야겠군.

06 위 글과 〈보기〉를 읽은 학생이 '무주의 맹시'에 대해 생각한 것으로 적절하지 <u>않은</u> 것은?

┌─ 보기 ┐

　　얼마 전 인근 학교 학생이 스마트폰을 사용하면서 길을 건너던 중 오는 차를 보지 못해 교통사고를 크게 당한 적이 있습니다. 저희는 이 소식을 듣고 스마트폰에 집중한 채 걸어 다니는 것이 얼마나 심각한 위험인지 깨닫게 되었습니다. 더욱이 최근 들어 스마트폰 사용이 늘어나면서 이러한 교통사고뿐만 아니라 여러 보행 사고가 증가하고 있다고 합니다.

① 스마트폰에만 집중하다가 차에 치인 것은 '무주의 맹시'가 일어났기 때문이야.
② 스마트폰이 아니라 책이나 단어장 같은 다른 것을 보았더라도 '무주의 맹시'가 일어날 수 있어.
③ 스마트폰에만 집중하다보면 주변 상황을 보면서도 인지하지 못하는 현상인 '무주의 맹시'가 발생하기도 해.
④ 스마트폰을 하지 않는 사람도 '무주의 맹시'가 일어날 수 있으므로 길을 건널 때는 항상 주의를 기울여야 해.
⑤ 걸어 다니면서 스마트폰을 하는 것은 위험해. 제자리에서 스마트폰을 했다면 '무주의 맹시'가 발생하지 않았을 텐데.

07 ⓐ～ⓔ의 단어 중 맞춤법에 맞지 <u>않는</u> 것은?

① ⓐ　　　　　② ⓑ　　　　　③ ⓒ　　　　　④ ⓓ　　　　　⑤ ⓔ

08 다음은 학생들의 '읽기 중 과정'의 읽기 방법을 윗글에 적용한 것이다. 적절하지 <u>않은</u> 것은?

① **예원** : 시각 피질의 각 영역과 역할에 밑줄 그으며 읽어야겠어.
② **유빈** : 읽기 전에 제목을 보고 예측했던 내용과 비교해 봐야겠어.
③ **다희** : 시각 정보의 인식 과정을 그림으로 정리해 이해해 봐야겠어.
④ **희승** : 이해되지 않는 내용의 질문을 만들고 그에 대한 답을 찾으며 읽어야겠어.
⑤ **윤주** : '무시의 맹시'라는 개념이 이해되지 않으므로 인터넷 검색을 활용해야겠어.

[09~14] 다음 글을 읽고 물음에 답하시오.

사람은 오감(五感), 즉 시각, 청각, 후각, 미각, 촉각을 통해 세상을 인식한다. 이 다섯 가지의 감각 중 가장 많은 역할을 하는 것은 시각으로, 사람이 습득하는 정보의 80퍼센트는 오로지 시각에 의존한 정보들이다. 대부분의 정보를 시각으로 받아들이면서 우리는 자연스럽게 시각의 능력을 높이 신뢰하게 된다. 그런데 과연 눈으로 보는 정보들은 다 믿을 수 있는 것일까? 우리 눈에 보이는 것은 정말 '눈에 보이는 대로'만 존재하는 것일까?

1999년 신경 과학 분야의 국제 학술지인 「퍼셉션」에 「우리 가운데 있는 고릴라」라는 제목으로 실린 논문이 있다. 당시 하버드 대학교 심리학 교수 대니얼 사이먼스와 크리스토퍼 차브리스는 사람들을 대상으로 흥미로운 실험을 하였다. 그들은 흰옷과 검은 옷을 입은 학생 여러 명을 두 조로 나누어 같은 조끼리만 이리저리 농구공을 주고받게 하고 그 장면을 동영상으로 찍었다. 그리고 이를 사람들에게 보여 주고 이렇게 주문하였다. "검은 옷을 입은 조는 무시하고 흰옷을 입은 조의 패스 횟수만 세어 주세요." 라고 동영상은 1분 남짓이었으므로 대부분의 사람들은 어렵지 않게 흰옷을 입은 조의 패스 횟수를 맞히는 데 성공하였다. 그리고 그들 중 절반은 왜 이런 간단한 실험을 하는지 목적을 파악하지 못해 고개를 갸웃거렸다.

사실 실험의 목적은 따로 있었다. 실험 참가자들에게 보여 준 동영상 중간에는 고릴라 의상을 입은 한 학생이 걸어 나와 가슴을 치고 퇴장하는 장면이 무려 9초에 걸쳐 등장한다. 재미있는 사실은 동영상을 본 사람들 중 절반은 자신이 고릴라를 보았다는 사실을 전혀 인지하지 못했다는 것이다. 나머지 절반은 고릴라를 알아보고 황당하다는 반응을 보였다. 심지어 고릴라를 인지하지 못한 이들에게 고릴라의 등장 사실을 알려 주고 동영상을 다시 보여 주자, 분명 먼젓번 동영상에서는 고릴라가 등장하지 않았다고 말하는 사람도 있었다. 그러면서 실험자가 자신을 놀리려고 다른 동영상을 보여 준 것이 아니냐는 의심을 하기도 하였다. 도대체 왜 이들은 고릴라를 보지 못한 것일까?

대니얼 사이먼스와 크리스토퍼 차브리스는 이를 '무주의 맹시'라고 칭했다. 이는 시각이 손상되어 물체를 보지 못하는 것과는 달리, 물체를 보면서도 인지하지 못하는 경우를 말한다. 두 눈을 멀쩡히 뜨고 있는데 보지 못한다고? 정말 황당한 소리이다. 하지만 우리는 늘 이런 경험을 한다. 실연한 뒤에는 유난히 행복한 연인들의 모습이 눈에 자주 띄고, 오랜만에 만난 아버지의 늙은 모습에 마음이 짠했던 날에는 유독 나이 든 어른들의 모습이 눈에 들어온다. 그런 장면들은 어찌나 그렇게 내 마음이 요동칠 때에 잘 맞춰 나타나는지. 하지만 당연하게도 세상이 내 맘에 맞게 움직여 줄 리는 없다.

고릴라는 어디에나, 언제나 존재한다. 다만 내가 이를 인지하지 못했을 뿐이다. 그들은 갑자기 새롭게 나타난 것이 아니라 평소에도 늘 존재하였다. 하지만 평소에는 주의 깊게 보지 않아서 인식하지 못했던 것을 비로소 오늘에서야 뇌가 인지한 것이다.

그렇다면 우리는 어떤 경로로 세상을 보는 것일까? 우리의 신체는 눈만이 빛을 인식하고 받아들일 수 있게 진화해 왔다. 그래서 눈이 손상되거나 다른 이유로 기능을 잃게 되면, 우리는 그 즉시 빛 한 점 없는 어둠 속에 갇히게 된다. 하지만 눈 자체가 세상을 인식하는 것은 아니다. 눈동자를 지나 눈알 안쪽으로 파고든 빛은 망막의 시각 세포에 의해 전기적 신호로 변환된다. 그리고 이 신호가 시신경을 통해 눈의 반대편, 즉 뒤통수 쪽에 위치한 뇌의 시각 피질로 들어가야만 우리가 비로소 세상을 '본다'(고 느낀다.)

시각 피질은 단일한 부위가 아니라 현재 밝혀진 것만 약 30개의 영역으로 구성된 복합적인 영역이다. 시각 정보를 가장 먼저 받아들이고 물체의 기본적인 이미지인 선과 경계, 모서리를 구분하는 V1, V2 영역을 비롯하여 형태를 구성하는 V3, 색을 담당하는 V4, 운동을 감지하는 V5, 그리고 이 밖의 다른 영역이 조합되어 종합적으로 사물을 인지한다.

이들은 각각 따로따로 의미 있는 존재가 아니다. 여러 개의 악기가 모여 각자가 정확한 순간에 정확한 음을 연주해야 제대로 된 음악을 전할 수 있는 오케스트라처럼, 모든 영역이 각자의 역할에 맞게 일시에 조율되어야 세상을 바라볼 수 있다. 같은 피아니스트가 같은 곡을 동일하게 연주해도 피아노 건반이 몇 개 사라지거나 음이 제대로 조율되지 않으면 결과물이 달라지는 것처럼, 우리의 눈이 같은 것을 보더라도 시각 피질의 각 영역이 제대로 조율되지 않으면 세상을 같게 볼 수 없다.

예를 들어 시각 피질의 V4 영역이 제 기능을 하지 못하면 색맹이 아니었던 사람도 세상이 흑백으로 보이며, V5 영역이 손상되면 질주하는 자동차를 보아도 그것이 느리게 움직이는 것처럼 보인다.

뇌의 많은 영역이 오로지 시각이라는 감각 하나에 배정되어 있음에도, 세상은 워낙 변화무쌍하기 때문에 눈으로 받아들이는 모든 정보를 뇌가 빠짐없이 처리하기는 어렵다. 그래서 뇌가 선택한 전략은 선택과 집중, 적당한 무시와 엄청난 융통성이다. 우리는 쥐의 꼬리만 봐도 벽 뒤에 숨은 쥐 전체의 모습을 그릴 수 있으며, 빨간색과 파란색의 스펙트럼만 봐도 그 색이 주는 이미지와 의미까지 읽어 낼 수 있다. 하지만 이것은 때와 장소, 현재의 관심 대상과 그 수준에 따라 달라진다. 앞에서 보았듯이 우리는 하나에 집중하면 다른 것은 눈에 뻔히 보여도 인식하지 못하고 지나칠 수 있다. 즉, 우리는 정말로 보고 싶은 것만 보고 보기 싫은 것에는 눈을 질끈 감는 것이다.

감각 기관으로 들어오는 정보를 고스란히 받아들이지 않고 제 입맛에 맞는 부분만 편식하는 것은 뇌의 보편적인 특성으로, 다른 감각도 마찬가지이다. 그러니까 엄마의 잔소리를 흘려듣는 십 대 아이의 귀에 달린 엄청난 여과 능력은 일부러 그러는 것이 아니라, 무의식적으로 일어나는 자연스러운 결과일 수 있다. 따라서 눈앞에서 딴전을 피우는 아이의 귀에, 아니 뇌에 소리를 흘려 넣고 싶다면, 일단은 달콤한 말로 시작해서 집중시키는 것이 그나마 효과적이다. 눈앞에 뻔히 보이는 고릴라를 보지 못했던 사람들은 눈이 잘못되거나 얼빠진 것이 아니라, 집중하지 않은 시각적 정보는 은근슬쩍 뭉개 버리는 지극히 자연스러운 뇌를 가지고 있기 때문이다.

우리의 뇌는 이런 식으로 세상을 본다. 있어도 보지 못하거나 잘못 보는 경우도 많다. 그러므로 우리가 모든 것을 다 볼 수 없다는 사실을 제대로만 인정한다면, 서로 시각이 다른 현실에서 내 눈으로 본 것만이 옳다며 핏대를 세우거나 서로를 헐뜯는 일은 줄어들 것이다.

09 윗글의 내용과 일치하지 않는 것은?

① 우리의 신체 기관 중 눈만 빛을 인식할 수 있다.
② 사람의 오감 중 정보를 가장 많이 습득하게 해주는 것은 시각이다.
③ 시각 피질의 여러 영역이 종합적으로 조율돼야 세상을 제대로 볼 수 있다.
④ 실험에 참여한 대부분의 사람이 영상을 처음 보았을 때에는 고릴라를 발견하지 못했다.
⑤ 동물의 일부를 보고 전체를 연상할 수 있는 것은 무수히 많은 정보를 처리하기 위한 뇌의 전략 덕분이다.

10 윗글의 전개방식으로 적절하지 않은 것은?

① 질문을 던지며 화제를 전환하고 있다.
② 독자의 반응을 예측하고 그에 공감하고 있다.
③ 설명 대상을 다른 대상에 빗대어 설명하고 있다.
④ 구체적 예를 들어 설명하여 독자의 이해를 돕고 있다.
⑤ 유추의 방식을 활용하여 통해 두 대상의 차이점을 찾고 있다.

11 윗글과 같은 글을 읽는 과정을 점검하기 위한 질문으로 적절하지 <u>않은</u> 것은?

① 글의 내용을 충분히 이해하며 읽었는가?
② 글의 내용을 예상하고 확인하며 읽었는가?
③ 궁금한 점을 스스로 질문하고 답하며 읽었는가?
④ 읽기 목적에 어울리는 방법을 사용하며 읽었는가?
⑤ 글쓴이의 주장과 그 근거의 적절성을 판단하며 읽었는가?

12 윗글의 서술상 특징으로 가장 적절한 것은?

① 속담을 활용하여 글쓴이의 의견을 제시하고 있다.
② 구체적인 사례를 통해 문제의 심각성을 밝히고 있다.
③ 유추를 통해 두 대상의 차이점을 분석하여 제시하고 있다.
④ 핵심 개념과 관련된 실험을 소개하여 독자의 이해를 돕고 있다.
⑤ 전문가의 말을 직접 인용하는 방식으로 내용을 전개하고 있다.

13 윗글에 대한 이해로 적절하지 <u>않은</u> 것은?

① 눈이 손상되거나 다른 이유로 기능을 잃으면 빛을 인식하고 받아들일 수 없다.
② 무주의 맹시는 어느 한 가지에 집중하면 다른 것은 인식하지 못하는 현상을 말한다.
③ 사람은 오감(五感)을 통해 세상을 인식하는데 대부분의 정보는 시각을 통해 받아들인다.
④ 시각 피질은 V1~V5의 5가지 영역으로 구성되어 있으며 각 영역들이 복합적으로 작용하여 사물을 인지한다.
⑤ 뇌의 선택과 집중, 적당한 무시와 엄청난 융통성 전략으로 인해 사람은 자신의 눈으로 보는 정보를 다 믿을 수는 없다.

14 윗글을 읽기 방법에 맞추어 읽은 것으로 적절하지 <u>않은</u> 것은?

① 읽기 전 – 전체적으로 글을 훑어보면서 내용을 예측해 봐야 겠어.
② 읽기 중 – 제목은 무슨 뜻일까? 덩치가 큰 고릴라를 왜 보지 못했다는 것일까?
③ 읽기 중 – '무주의 맹시'라는 개념이 잘 이해되지 않아. 실험 관련 서적을 찾거나 인터넷에서 검색하며 이 개념을 좀 더 알아봐야겠어.
④ 읽기 후 – 다른 친구들은 이 글을 어떻게 읽었는지 함께 이야기를 나누어 봐야지.
⑤ 읽기 후 – 글을 읽으면서 내가 중요하다고 표시해 놓은 부분을 찾아 중심 내용을 정리해 봐야겠어.

[15~18] 다음 글을 읽고 물음에 답하시오.

(가) 사람은 오감(五感), 즉 시각, 청각, 후각, 미각, 촉각을 통해 세상을 인식한다. 이 다섯 가지의 감각 중 가장 많은 역할을 하는 것은 시각으로, 사람이 습득하는 정보의 80퍼센트는 오로지 시각에 의존한 정보들이다. 대부분의 정보를 시각으로 받아들이면서 우리는 자연스럽게 시각의 능력을 높이 신뢰하게 된다. 그런데 과연 눈으로 보는 정보들은 다 믿을 수 있는 것일까? 우리 눈에 보이는 것은 정말 '눈에 보이는 대로'만 존재하는 것일까?

(나) 1999년 신경 과학 분야의 국제 학술지인 「퍼셉션」에 「우리 가운데에 있는 고릴라」라는 제목으로 실린 논문이 있다. 당시 하버드 대학교 심리학 교수 대니얼 사이먼스와 크리스토퍼 차브리스는 사람들을 대상으로 흥미로운 실험을 하였다. 그들은 흰옷과 검은 옷을 입은 학생 여러 명을 두 조로 나누어 같은 조끼리만 이리저리 농구공을 주고받게 하고 그 장면을 동영상으로 찍었다. 그리고 이를 사람들에게 보여 주고 이렇게 주문하였다. "검은 옷을 입은 조는 무시하고 흰옷을 입은 조의 패스 횟수만 세어 주세요." 라고 동영상은 1분 남짓이었으므로 대부분의 사람들은 어렵지 않게 흰옷을 입은 조의 패스 횟수를 맞히는 데 성공하였다. 그리고 그들 중 절반은 왜 이런 간단한 실험을 하는지 목적을 파악하지 못해 고개를 갸웃거렸다.

(다) 고릴라는 어디에나, 언제나 존재한다. 다만 내가 이를 인지하지 못했을 뿐이다. 그들은 갑자기 새롭게 나타난 것이 아니라 평소에도 늘 존재하였다. 하지만 평소에는 주의 깊게 보지 않아서 인식하지 못했던 것을 비로소 오늘에서야 뇌가 인지한 것이다.

그렇다면 ㉠우리는 어떤 경로로 세상을 보는 것일까? 우리의 신체는 눈만이 빛을 인식하고 받아들일 수 있게 진화해 왔다. 그래서 눈이 손상되거나 다른 이유로 기능을 잃게 되면, 우리는 그 즉시 빛 한 점 없는 어둠 속에 갇히게 된다. 하지만 눈 자체가 세상을 인식하는 것은 아니다. 눈동자를 지나 눈알 안쪽으로 파고든 빛은 망막의 시각 세포에 의해 전기적 신호로 변환된다. 그리고 이 신호가 시신경을 통해 눈의 반대편, 즉 뒤통수 쪽에 위치한 뇌의 시각 피질로 들어가야만 우리가 비로소 세상을 '본다'(고 느낀다.)

(라) 시각 피질은 단일한 부위가 아니라 현재 밝혀진 것만 약 30개의 영역으로 구성된 복합적인 영역이다. 시각 정보를 가장 먼저 받아들이고 물체의 기본적인 이미지인 선과 경계, 모서리를 구분하는 V1, V2 영역을 비롯하여 형태를 구성하는 V3, 색을 담당하는 V4, 운동을 감지하는 V5, 그리고 이 밖의 다른 영역이 조합되어 종합적으로 사물을 인지한다.

이들은 각각 따로따로 의미 있는 존재가 아니다. 여러 개의 악기가 모여 각자가 정확한 순간에 정확한 음을 연주해야 제대로 된 음악을 전할 수 있는 오케스트라처럼, 모든 영역이 각자의 역할에 맞게 일시에 조율되어야 세상을 바라볼 수 있다. 같은 피아니스트가 같은 곡을 동일하게 연주해도 피아노 건반이 몇 개 사라지거나 음이 제대로 조율되지 않으면 결과물이 달라지는 것처럼, 우리의 눈이 같은 것을 보더라도 시각 피질의 각 영역이 제대로 조율되지 않으면 세상을 같게 볼 수 없다.

예를 들어 시각 피질의 V4 영역이 제 기능을 하지 못하면 색맹이 아니었던 사람도 세상이 흑백으로 보이며, V5 영역이 손상되면 질주하는 자동차를 보아도 그것이 느리게 움직이는 것처럼 보인다.

(마) 뇌의 많은 영역이 오로지 시각이라는 감각 하나에 배정되어 있음에도, 세상은 워낙 변화무쌍하기 때문에 눈으로 받아들이는 모든 정보를 뇌가 빠짐없이 처리하기는 어렵다. 그래서 뇌가 선택한 전략은 선택과 집중, 적당한 무시와 엄청난 융통성이다. 우리는 쥐의 꼬리만 봐도 벽 뒤에 숨은 쥐 전체의 모습을 그릴 수 있으며, 빨간색과 파란색의 스펙트럼만 봐도 그 색이 주는 이미지와 의미까지 읽어 낼 수 있다. 하지만 이것은 때와 장소, 현재의 관심 대상과 그 수준에 따라 달라진다. 앞에서 보았듯이 우리는 하나에 집중하면 다른 것은 눈에 뻔히 보여도 인식하지 못하고 지나칠 수 있다. 즉, 우리는 정말로 보고 싶은 것만 보고 보기 싫은 것에는 눈을 질끈 감는 것이다.

15 윗글을 읽는 독자의 반응으로 적절하지 <u>않은</u> 것은?

① 우리 오감의 감각 능력 중 시각의 역할이 많은 비중을 차지하는군.

② 고릴라 실험의 목적은 우리가 얼마나 정확한 집중력을 발휘할 수 있는지를 알아보는 것이군.

③ 고릴라 실험 참가자의 일부는 실험의 목적을 제대로 이해하지 못했군.

④ 고릴라 실험을 통해 뇌의 선택적 정보처리 전략을 생각해 볼 수 있군.

⑤ 실험을 통해 우리가 본 것만을 맹신하는 태도를 경계해야겠다고 생각했어.

16 윗글에 사용된 설명 방식으로 적절하지 <u>않은</u> 것은?

① 핵심 개념과 관련된 실험을 소개하면서 독자의 이해를 도왔다.

② 적절한 예를 통해 어려운 과학적 개념을 쉽게 풀이했다.

③ 이론적으로 설정한 가설에 대해 사례를 들면서 논증하고 있다.

④ 유추의 방식을 통해 시각피질의 역할과 기능에 대해 쉽게 설명했다.

⑤ 질문을 던짐으로써 독자의 주의를 환기하고 보편적 사고방식에 의문을 제기했다.

17 ㉠에 대해 공부한 학생 중 바르게 이해한 사람은?

> **가윤** - 눈 자체로 세상의 사물을 인식하게 되어 있어.
> **지우** - 눈알로 들어온 빛을 전기적 신호로 바꾸는 기관은 시각 피질이야.
> **규리** - 시신경을 통해 들어온 신호가 뇌의 뒤쪽 시각 피질로 들어와야 우리는 사물을 볼 수 있어.
> **동현** - 시각 피질은 다양한 영역으로 되어 있기 때문에 한 개의 영역이 다른 영역을 대신할 수 있지.
> **민진** - 시각 피질의 각 영역은 각자의 역할을 갖고 있어.

① 가윤, 지우   ② 지우, 규리   ③ 규리, 동현
④ 동현, 민진   ⑤ 규리, 민진

18 윗글을 통해 알 수 있는 뇌의 특징으로 적절하지 <u>않은</u> 것은?

① 뇌는 수많은 정보에 즉각적으로 반응할 수 있는 능력이 있다.

② 뇌는 때와 장소, 관심도에 따라 정보를 전략적으로 선택할 수 있다.

③ 뇌는 어떤 대상에 집중하면 부분적 정보만으로도 전체를 파악하는 능력이 있다.

④ 뇌는 시각 정보의 심층적인 의미까지도 파악해내는 능력이 있다.

⑤ 눈으로 받아들이는 수많은 정보를 뇌가 빠짐없이 처리하기는 어려운 일이다.

[01~05] 다음 글을 읽고 물음에 답하시오.

사람은 오감(五感), 즉 시각, 청각, 후각, 미각, 촉각을 통해 세상을 인식한다. 이 다섯 가지의 감각 중 가장 많은 역할을 하는 것은 시각으로, 사람이 습득하는 정보의 80퍼센트는 오로지 시각에 의존한 정보들이다. 대부분의 정보를 시각으로 받아들이면서 우리는 자연스럽게 시각의 능력을 높이 신뢰하게 된다. 그런데 과연 눈으로 보는 정보들은 다 믿을 수 있는 것일까? 우리 눈에 보이는 것은 정말 '눈에 보이는 대로'만 존재하는 것일까?

1999년 신경 과학 분야의 국제 학술지인 「퍼셉션」에 「우리 가운데에 있는 고릴라」라는 제목으로 실린 논문이 있다. 당시 하버드 대학교 심리학과의 대니얼 사이먼스와 크리스토퍼 차브리스는 사람들을 대상으로 흥미로운 실험을 하였다. 그들은 흰옷과 검은 옷을 입은 학생 여러 명을 두 조로 나누어 같은 조끼리만 이리저리 농구공을 주고받게 하고 그 장면을 동영상으로 찍었다. 그리고 이를 사람들에게 보여 주고 이렇게 주문하였다. "검은 옷을 입은 조는 무시하고 흰옷을 입은 조의 패스 횟수만 세어 주세요." 라고 동영상은 1분 남짓이었으므로 대부분의 사람들은 어렵지 않게 흰옷을 입은 조의 패스 횟수를 맞히는 데 성공하였다. 그리고 그들 중 절반은 왜 이런 간단한 실험을 하는지 목적을 파악하지 못해 고개를 갸웃거렸다.

사실 실험의 목적은 따로 있었다. 실험 참가자들에게 보여 준 동영상 중간에는 고릴라 의상을 입은 한 학생이 걸어 나와 가슴을 치고 퇴장하는 장면이 무려 9초에 걸쳐 등장한다. 재미있는 사실은 동영상을 본 사람들 중 절반은 자신이 고릴라를 보았다는 사실을 전혀 인지하지 못했다는 것이다. 나머지 절반은 고릴라를 알아보고 황당하다는 반응을 보였다. 심지어 고릴라를 인지하지 못한 이들에게 고릴라의 등장 사실을 알려 주고 동영상을 다시 보여 주자, 분명 먼젓번 동영상에서는 고릴라가 등장하지 않았다고 말하는 사람도 있었다. 그러면서 실험자가 자신을 놀리려고 다른 동영상을 보여 준 것이 아니냐는 의심을 하기도 하였다. 도대체 왜 이들은 고릴라를 보지 못한 것일까?

대니얼 사이먼스와 크리스토퍼 차브리스는 이를 '무주의 맹시'라고 칭했다. 이는 시각이 손상되어 물체를 보지 못하는 것과는 달리, 물체를 보면서도 인지하지 못하는 경우를 말한다. 두 눈을 멀쩡히 뜨고 있는데 보지 못한다고? 정말 황당한 소리이다. 하지만 우리는 늘 이런 경험을 한다. 실연한 뒤에는 유난히 행복한 연인들의 모습이 눈에 자주 띄고, 오랜만에 만난 아버지의 늙은 모습에 마음이 짠했던 날에는 유독 나이 든 어른들의 모습이 눈에 들어온다. 그런 장면들은 어찌나 그렇게 내 마음이 요동칠 때에 잘 맞춰 나타나는지. 하지만 당연하게도 세상이 내 맘에 맞게 움직여 줄 리는 없다.

고릴라는 어디에나, 언제나 존재한다. 다만 내가 이를 인지하지 못했을 뿐이다. 그들은 갑자기 새롭게 나타난 것이 아니라 평소에도 늘 존재하였다. 하지만 평소에는 주의 깊게 보지 않아서 인식하지 못했던 것을 비로소 오늘에서야 뇌가 인지한 것이다.

그렇다면 우리는 어떤 경로로 세상을 보는 것일까? 우리의 신체는 눈만이 빛을 인식하고 받아들일 수 있게 진화해 왔다. 그래서 눈이 손상되거나 다른 이유로 기능을 잃게 되면, 우리는 그 즉시 빛 한 점 없는 어둠 속에 갇히게 된다. 하지만 눈 자체가 세상을 인식하는 것은 아니다. 눈동자를 지나 눈알 안쪽으로 파고든 빛은 망막의 시각 세포에 의해 전기적 신호로 변환된다. 그리고 이 신호가 시신경을 통해 눈의 반대편, 즉 뒤통수 쪽에 위치한 뇌의 시각 피질로 들어가야만 우리가 비로소 세상을 '본다'(고 느낀다.)

시각 피질은 단일한 부위가 아니라 현재 밝혀진 것만 약 30개의 영역으로 구성된 복합적인 영역이다. 시각 정보를 가장 먼저 받아들이고 물체의 기본적인 이미지인 선과 경계, 모서리를 구분하는 V1, V2 영역을 비롯하여 형태를 구성하는 V3, 색을 담당하는 V4, 운동을 감지하는 V5, 그리고 이 밖의 다른 영역이 조합되어 종합적으로 사물을 인지한다.

01 이글의 서술에 대한 특징으로서 적절하지 않은 것은?

① 질문 형식을 취하여 글에서 다룰 내용을 제시함.
② 실제 실험 내용을 근거로 기존의 사고(思考)에 의문을 제기함.
③ 사람들의 보편적 생각에 의문을 던짐으로써 독자의 주의를 환기함.
④ 실험의 허점을 예로 들어 과학적 지식에 대한 맹목적 신뢰를 깨고자 함.
⑤ 질문과 대답의 형식으로 내용을 전개하거나 화제(話題)를 전환함.

02 글의 '읽기 전 활동'에 해당하는 것끼리 바르게 연결된 것은?

① 글 전체를 훑어보기 – 글의 내용을 예측하기
② 모르는 단어에 밑줄 긋기 – 공감하고 비판하며 읽기
③ 글 제목의 의미를 추론하기 – 본문 내용을 파악하고 확인하기
④ 예측하며 질문 만들어보기 – 인터넷, 서적 등 검색하여 알아보기
⑤ 제목에 대한 의미를 추론해 보기 – 주요 내용을 확인하고 단어의 뜻 파악하기

03 윗글을 읽고 내용을 점검하기 위해 떠올린 생각들이다. 글에 반영된 것을 바르게 모은 것은?

┤ 보기 ├
㉠ 친구들에게 물어보니 단어의 말뜻을 모르는 경우가 많았어. 단어의 뜻을 간략히 소개하는 게 좋겠어.
㉡ 관련 영상 자료를 제시하여 중요 개념의 현상을 보여주면 더 좋을 것 같아.
㉢ 고릴라 실험결과의 신뢰와 효용성을 높이기 위해 피험자에게 실험 목적을 미리 알려줘야겠어.
㉣ 글의 핵심을 간략히 대변할 수 있는 멋진 인용구를 활용하여 글을 마무리해야겠어.
㉤ 과학적이고 구체적 정보를 예를 들어 보여 주면 더 잘 이해할 수 있겠지?

① ㉠, ㉡, ㉢
② ㉡, ㉢, ㉣
③ ㉠, ㉡, ㉤
④ ㉡, ㉣, ㉤
⑤ ㉠, ㉣, ㉤

04 이 글에서 필자가 제기한 문제로 가장 적절한 것은?

① 실험의 결과를 믿을 수 있을까?
② 시각 정보는 얼마나 신뢰할 수 있을까?
③ 시각 외의 정보는 전혀 신뢰할 수 없는가?
④ 본래적 목적을 감춘 실험이 의미가 있을까?
⑤ 인지하지 못한 고릴라는 무시해야 당연하지 않을까?

05 이 글을 읽은 학생들의 이해와 반응으로 내용과 일치하지 <u>않는</u> 것은?

① 우리의 신체 중 눈만이 빛을 인식하고 세상을 인식한다.
② 복합적인 영역으로 나뉜 시각 피질이 조합되어 종합적으로 사물을 인지한다.
③ 눈동자를 지나 망막의 시각 세포에 의해 전기적 신호로 변환된다.
④ V1, V2를 다쳤다면 사과의 빨갛고 둥근 모습을 인식할 수 없다.
⑤ V3, V4, V5를 다쳤을 경우 바람에 펄럭이는 태극기를 알 수 없다.

사람은 오감(五感), 즉 시각, 청각, 후각, 미각, 촉각을 통해 세상을 인식한다. 이 다섯 가지의 감각 중 가장 많은 역할을 하는 것은 시각으로, 사람이 습득하는 정보의 80퍼센트는 오로지 시각에 의존한 정보들이다. 대부분의 정보를 시각으로 받아들이면서 우리는 자연스럽게 시각의 능력을 높이 신뢰하게 된다. 그런데 과연 눈으로 보는 정보들은 다 믿을 수 있는 것일까? 우리 눈에 보이는 것은 정말 '눈에 보이는 대로'만 존재하는 것일까?

ⓐ ┌ 1999년 신경 과학 분야의 국제 학술지인 「퍼셉션」에 「우리 가운데에 있는 고릴라」라는 제목으로 실린 논문이 있
│ 다. 당시 하버드 대학교 심리학 교수 대니얼 사이먼스와 크리스토퍼 차브리스는 사람들을 대상으로 흥미로운 실험
│ 을 하였다. 그들은 흰옷과 검은 옷을 입은 학생 여러 명을 두 조로 나누어 같은 조끼리만 이리저리 농구공을 주고받
│ 게 하고 그 장면을 동영상으로 찍었다. 그리고 이를 사람들에게 보여 주고 이렇게 주문하였다. "검은 옷을 입은 조
│ 는 무시하고 흰옷을 입은 조의 패스 횟수만 세어 주세요." 라고 동영상은 1분 남짓이었으므로 대부분의 사람들은 어
│ 렵지 않게 흰옷을 입은 조의 패스 횟수를 맞히는 데 성공하였다. 그리고 그들 중 절반은 왜 이런 간단한 실험을 하
└ 는지 목적을 파악하지 못해 고개를 갸웃거렸다.

ⓑ ┌ 사실 실험의 목적은 따로 있었다. 실험 참가자들에게 보여 준 동영상 중간에는 고릴라 의상을 입은 한 학생이 걸
│ 어 나와 가슴을 치고 퇴장하는 장면이 무려 9초에 걸쳐 등장한다. 재미있는 사실은 동영상을 본 사람들 중 절반은
│ 자신이 고릴라를 보았다는 사실을 전혀 인지하지 못했다는 것이다. 나머지 절반은 고릴라를 알아보고 황당하다는
│ 반응을 보였다. 심지어 고릴라를 인지하지 못한 이들에게 고릴라의 등장 사실을 알려 주고 동영상을 다시 보여 주
│ 자, 분명 먼젓번 동영상에서는 고릴라가 등장하지 않았다고 말하는 사람도 있었다. 그러면서 실험자가 자신을 놀리
└ 려고 다른 동영상을 보여 준 것이 아니냐는 의심을 하기도 하였다. 도대체 왜 이들은 고릴라를 보지 못한 것일까?

대니얼 사이먼스와 크리스토퍼 차브리스는 이를 '무주의 맹시'라고 칭했다. 이는 시각이 손상되어 물체를 보지 못하는 것과는 달리, 물체를 보면서도 인지하지 못하는 경우를 말한다. 두 눈을 멀쩡히 뜨고 있는데 보지 못한다고? 정말 황당한 소리이다. 하지만 우리는 늘 이런 경험을 한다. 실연한 뒤에는 유난히 행복한 연인들의 모습이 눈에 자주 띄고, 오랜만에 만난 아버지의 늙은 모습에 마음이 짠했던 날에는 유독 나이 든 어른들의 모습이 눈에 들어온다. 그런 장면들은 어찌나 그렇게 내 마음이 요동칠 때에 잘 맞춰 나타나는지. 하지만 당연하게도 세상이 내 맘에 맞게 움직여 줄 리는 없다.

ⓒ ┌ 고릴라는 어디에나, 언제나 존재한다. 다만 내가 이를 인지하지 못했을 뿐이다. 그들은 갑자기 새롭게 나타난 것
│ 이 아니라 평소에도 늘 존재하였다. 하지만 평소에는 주의 깊게 보지 않아서 인식하지 못했던 것을 비로소 오늘에서
└ 야 뇌가 인지한 것이다.

그렇다면 우리는 어떤 경로로 세상을 보는 것일까? 우리의 신체는 눈만이 빛을 인식하고 받아들일 수 있게 진화해 왔다. 하지만 눈 자체가 세상을 인식하는 것은 아니다. 눈으로 들어온 신호가 뇌의 시각피질로 들어가야만 우리가 비로소 세상을 '본다(고 느낀다). 시각 피질은 단일한 부위가 아니라 현재 밝혀진 것만 약 30개의 영역으로 구성된 복합적인 영역이다. 시각 정보를 가장 먼저 받아들이고 물체의 기본적인 이미지인 선과 경계, 모서리를 구분하는 V1, V2 영역을 비롯하여 형태를 구성하는 V3, 색을 담당하는 V4, 운동을 감지하는 V5, 그리고 이 밖의 다른 영역이 조합되어 종합적으로 사물을 인지한다.

ⓓ ┌ 이들은 각각 따로따로 의미 있는 존재가 아니다. 여러 개의 악기가 모여 각자가 정확한 순간에 정확한 음을 연주
│ 해야 제대로 된 음악을 전할 수 있는 오케스트라처럼, 모든 영역이 각자의 역할에 맞게 일시에 조율되어야 세상을
│ 바라볼 수 있다. 같은 피아니스트가 같은 곡을 동일하게 연주해도 피아노 건반이 몇 개 사라지거나 음이 제대로 조
│ 율되지 않으면 결과물이 달라지는 것처럼, 우리의 눈이 같은 것을 보더라도 시각 피질의 각 영역이 제대로 조율되지
└ 않으면 세상을 같게 볼 수 없다.

뇌의 많은 영역이 오로지 시각이라는 감각 하나에 배정되어 있음에도, 세상은 워낙 변화무쌍하기 때문에 눈으로 받아들이는 모든 정보를 뇌가 빠짐없이 처리하기는 어렵다. 그래서 뇌가 선택한 전략은 선택과 집중, 적당한 무시와 엄청난 융통성이다. 우리는 쥐의 꼬리만 봐도 벽 뒤에 숨은 쥐 전체의 모습을 그릴 수 있으며, 빨간색과 파란색의 스펙트럼만 봐도 그 색이 주는 이미지와 의미까지 읽어 낼 수 있다. 하지만 이것은 때와 장소, 현재의 관심 대상과 그 수준에 따라 달라

진다. 앞에서 보았듯이 우리는 하나에 집중하면 다른 것은 눈에 뻔히 보여도 인식하지 못하고 지나칠 수 있다. 즉, 우리는 정말로 보고 싶은 것만 보고 보기 싫은 것에는 눈을 질끈 감는 것이다.

눈앞에 뻔히 보이는 고릴라를 보지 못했던 사람들은 눈이 잘못되거나 얼빠진 것이 아니라, 집중하지 않은 시각적 정보는 은근슬쩍 뭉개 버리는 지극히 자연스러운 뇌를 가지고 있기 때문이다.

┌ 우리의 뇌는 이런 식으로 세상을 본다. 있어도 보지 못하거나 잘못 보는 경우도 많다. 그러므로 우리가 모든 것을
ⓑ 다 볼 수 없다는 사실을 제대로만 인정한다면, 서로 시각이 다른 현실에서 내 눈으로 본 것만이 옳다며 핏대를 세우
└ 거나 서로를 헐뜯는 일은 줄어들 것이다.

06 이와 같은 글을 읽는 방법으로 적절하지 않은 것은?

① 읽기 전에 글을 전체적으로 훑어보면서 글의 내용이나 제목의 의미를 예측해본다.
② 읽으면서 중요한 정보에 밑줄을 긋거나 주요 내용과 관련 정보는 메모하며 읽는다.
③ 읽으면서 자신의 수준에 맞지 않는 부분이나 자신과 다른 생각을 나타낸 부분은 건너뛰며 읽는다.
④ 읽으면서 글의 내용을 이해하고 있는지, 읽기 목적에 맞는 읽기 방법을 활용하고 있는지 점검하며 읽는다.
⑤ 읽은 후에 글의 중심 내용을 정리하고 읽기 전에 예측했던 것과 비교해 본다.

07 이 글의 서술 방식의 특징으로 알맞지 않은 것은?

① 신뢰성 있는 실험 자료를 제시하여 이해를 돕고 있다.
② 개념에 대한 다양한 관점을 제시하여 공정성을 높이고 있다.
③ 보편적인 생각에 의문을 제기하여 독자의 주의를 환기하고 있다.
④ 질문을 던지고 그 질문에 답을 제시하는 방식으로 내용을 전개하고 있다.
⑤ 생활 속의 사례를 들어 독자의 공감을 이끌어내고 내용을 뒷받침하고 있다.

08 이 글을 읽고 알 수 있는 내용으로 알맞지 않은 것은?

① 사람들은 대체로 시각 정보를 굳게 신뢰하는 경향이 있다.
② 시각 정보를 수용하는 것은 눈이지만 이에 대한 인식은 뇌에서 이루어진다.
③ 시각 손상이 없는데도 물체를 보고 인지하지 못하는 것을 '무주의 맹시'라고 한다.
④ 뇌의 많은 영역이 시각에 배정되어 있어서, 뇌에 수용된 다른 감각의 정보를 처리하는 것을 불가능하다.
⑤ 눈으로 뻔히 보면서도 대상을 인식하지 못하고 지나치는 이유는 '선택과 집중'이라는 뇌의 정보처리 전략 때문이다.

09 이 글을 읽는 과정에서 떠올린 의문으로 적절하지 <u>않은</u> 것은?

① ㉠ : 두 심리학자의 실험이 첫 문단의 질문과 어떤 관련이 있을까? 실험의 결과가 그 질문의 답이 되는 것은 아닐까?

② ㉡ : 동영상에서 고릴라를 보지 못한 참가자들은 왜 실험에 집중하여 참여하지 않았을까?

③ ㉢ : 첫 문장은 무슨 뜻일까? '고릴라'의 비유적 의미는 무엇일까?

④ ㉣ : 시각 피질의 각 영역이 제대로 기능하지 않으면 구체적으로 어떤 문제가 생길까?

⑤ ㉤ : 글쓴이는 왜 이렇게 글을 끝맺었을까? 우리가 어떤 태도로 세상을 살아가야 하는지를 말하고 싶었던 걸까?

10 ㉣에서 사용된 설명 방법과 같은 것은?

① 전쟁과 운동경기는 이기기 위해 싸운다는 공통점을 갖고 있으나, 전쟁은 사람의 생명을 위협하고 인류의 재앙이 될 수 있는 반면, 운동경기는 화합과 평화를 가져온다.

② BTS가 빌보드에서 성공할 수 있었던 이유는 소셜 미디어를 활용한 팬과의 진실된 소통과 음악적 성장을 위한 노력이라고 볼 수 있다.

③ 집은 크기, 내부구조, 시설, 쓰임 등에 따라 매우 다양한 기준으로 분류할 수 있다. 그 중 지붕의 재료에 따라 초가집, 기와집, 양철집, 양화집으로 나눌 수 있다.

④ 임금이 연날리기를 장려한 일도 있었다. 조선 시대 영조가 연날리기를 장려하여 연날리기가 전국적으로 번성했던 이야기는 유명하다. 고을마다 연날리기 대회를 열러 우승자에게 상금을 내렸다고 한다.

⑤ 주시경 선생은 언어를 순화하는 것은 방 청소를 하는 것과 같은 것이라고 하셨다. 깨끗한 방에서 맑은 정신을 유지할 수 있듯이, 깨끗한 언어를 사용하는 민족만이 깨끗한 민족 경기를 가질 수 있다.

[11~18] 다음 글을 읽고 물음에 답하시오.

사람은 오감(五感), 즉 시각, 청각, 후각, 미각, 촉각을 통해 세상을 인식한다. 이 다섯 가지의 감각 중 가장 많은 역할을 하는 것은 시각으로, 사람이 습득하는 정보의 80퍼센트는 오로지 시각에 의존한 정보들이다. 대부분의 정보를 시각으로 받아들이면서 우리는 자연스럽게 시각의 능력을 높이 신뢰하게 된다. 그런데 과연 눈으로 보는 정보들은 다 믿을 수 있는 것일까? 우리 눈에 보이는 것은 정말 '눈에 보이는 대로'만 존재하는 것일까?

1999년 신경 과학 분야의 국제 학술지인 「퍼셉션」에 「우리 가운데에 있는 고릴라」라는 제목으로 실린 논문이 있다. 당시 하버드 대학교 심리학과의 대니얼 사이먼스와 크리스토퍼 차브리스는 사람들을 대상으로 흥미로운 실험을 하였다. 그들은 흰옷과 검은 옷을 입은 학생 여러 명을 두 조로 나누어 같은 조끼리만 이리저리 농구공을 주고받게 하고 그 장면을 동영상으로 찍었다. 그리고 이를 사람들에게 보여 주고 이렇게 주문하였다. "검은 옷을 입은 조는 무시하고 흰옷을 입은 조의 패스 횟수만 세어 주세요." 라고 동영상은 1분 남짓이었으므로 대부분의 사람들은 어렵지 않게 흰옷을 입은 조의 패스 횟수를 맞히는 데 성공하였다. 그리고 그들 중 절반은 왜 이런 간단한 실험을 하는지 목적을 파악하지 못해 고개를 갸웃거렸다.

사실 실험의 목적은 따로 있었다. 실험 참가자들에게 보여 준 동영상 중간에는 고릴라 의상을 입은 한 학생이 걸어 나와 가슴을 치고 퇴장하는 장면이 무려 9초에 걸쳐 등장한다. 재미있는 사실은 동영상을 본 사람들 중 절반은 자신이 고릴라를 보았다는 사실을 전혀 인지하지 못했다는 것이다. 나머지 절반은 고릴라를 알아보고 황당하다는 반응을 보였다. 심지어 고릴라를 인지하지 못한 이들에게 고릴라의 등장 사실을 알려 주고 동영상을 다시 보여 주자, 분명 먼젓번 동영상에서는 고릴라가 등장하지 않았다고 말하는 사람도 있었다. 그러면서 실험자가 자신을 놀리려고 다른 동영상을 보여 준 것이 아니냐는 의심을 하기도 하였다. 도대체 왜 이들은 고릴라를 보지 못한 것일까?

대니얼 사이먼스와 크리스토퍼 차브리스는 이를 '무주의 맹시'라고 칭했다. 이는 시각이 손상되어 물체를 보지 못하는 것과는 달리, 물체를 보면서도 인지하지 못하는 경우를 말한다. 두 눈을 멀쩡히 뜨고 있는데 보지 못한다고? 정말 황당한 소리이다. 하지만 우리는 늘 이런 경험을 한다. 실연한 뒤에는 유난히 행복한 연인들의 모습이 눈에 자주 띄고, 오랜만에 만난 아버지의 늙은 모습에 마음이 짠했던 날에는 유독 나이 든 어른들의 모습이 눈에 들어온다. 그런 장면들은 어찌나 그렇게 내 마음이 요동칠 때에 잘 맞춰 나타나는지. 하지만 당연하게도 세상이 내 맘에 맞게 움직여 줄 리는 없다.

고릴라는 어디에나, 언제나 존재한다. 다만 내가 이를 인지하지 못했을 뿐이다. 그들은 갑자기 새롭게 나타난 것이 아니라 평소에도 늘 존재하였다. 하지만 평소에는 주의 깊게 보지 않아서 인식하지 못했던 것을 비로소 오늘에서야 뇌가 인지한 것이다.

그렇다면 우리는 어떤 경로로 세상을 보는 것일까? 우리의 신체는 눈만이 빛을 인식하고 받아들일 수 있게 진화해 왔다. 그래서 눈이 손상되거나 다른 이유로 기능을 잃게 되면, 우리는 그 즉시 빛 한 점 없는 어둠 속에 갇히게 된다. 하지만 눈 자체가 세상을 인식하는 것은 아니다. 눈동자를 지나 눈알 안쪽으로 파고든 빛은 망막의 시각 세포에 의해 전기적 신호로 변환된다. 그리고 이 신호가 시신경을 통해 눈의 반대편, 즉 뒤통수 쪽에 위치한 뇌의 시각 피질로 들어가야만 우리가 비로소 세상을 '본다'(고 느낀다.).

시각 피질은 단일한 부위가 아니라 현재 밝혀진 것만 약 30개의 영역으로 구성된 복합적인 영역이다. 시각 정보를 가장 먼저 받아들이고 물체의 기본적인 이미지인 선과 경계, 모서리를 구분하는 V1, V2 영역을 비롯하여 형태를 구성하는 V3, 색을 담당하는 V4, 운동을 감지하는 V5, 그리고 이 밖의 다른 영역이 조합되어 종합적으로 사물을 인지한다.

이들은 각각 따로따로 의미 있는 존재가 아니다. 여러 개의 악기가 모여 각자가 정확한 순간에 정확한 음을 연주해야 제대로 된 음악을 전할 수 있는 오케스트라처럼, 모든 영역이 각자의 역할에 맞게 일시에 조율되어야 세상을 바라볼 수 있다. 같은 피아니스트가 같은 곡을 동일하게 연주해도 피아노 건반이 몇 개 사라지거나 음이 제대로 조율되지 않으면 결과물이 달라지는 것처럼, 우리의 눈이 같은 것을 보더라도 시각 피질의 각 영역이 제대로 조율되지 않으면 세상을 같게 볼 수 없다.

예를 들어 시각 피질의 V4 영역이 제 기능을 하지 못하면 색맹이 아니었던 사람도 세상이 흑백으로 보이며, V5 영역이 손상되면 질주하는 자동차를 보아도 그것이 느리게 움직이는 것처럼 보인다.

뇌의 많은 영역이 오로지 시각이라는 감각 하나에 배정되어 있음에도, 세상은 워낙 변화무쌍하기 때문에 눈으로 받아들이는 모든 정보를 뇌가 빠짐없이 처리하기는 어렵다. 그래서 뇌가 선택한 전략은 선택과 집중, 적당한 무시와 엄청난 융통성이다. 우리는 쥐의 꼬리만 봐도 벽 뒤에 숨은 쥐 전체의 모습을 그릴 수 있으며, 빨간색과 파란색의 스펙트럼만 봐도 그 색이 주는 이미지와 의미까지 읽어 낼 수 있다. 하지만 이것은 때와 장소, 현재의 관심 대상과 그 수준에 따라 달라진다. 앞에서 보았듯이 우리는 하나에 집중하면 다른 것은 눈에 뻔히 보여도 인식하지 못하고 지나칠 수 있다. [A]즉, 우리는 정말로 보고 싶은 것만 보고 보기 싫은 것에는 눈을 질끈 감는 것이다.

감각 기관으로 들어오는 정보를 고스란히 받아들이지 않고 제 입맛에 맞는 부분만 편식하는 것은 뇌의 보편적인 특성으로, 다른 감각도 마찬가지이다. 그러니까 엄마의 잔소리를 흘려듣는 십 대 아이의 귀에 달린 엄청난 여과 능력은 일부러 그러는 것이 아니라, 무의식적으로 일어나는 자연스러운 결과일 수 있다. 따라서 눈앞에서 딴전을 피우는 아이의 귀에, 아니 뇌에 소리를 흘려 넣고 싶다면, 일단은 달콤한 말로 시작해서 집중시키는 것이 그나마 효과적이다. 눈앞에 뻔히 보이는 고릴라를 보지 못했던 사람들은 눈이 잘못되거나 얼빠진 것이 아니라, 집중하지 않은 시각적 정보는 은근슬쩍 뭉개 버리는 지극히 자연스러운 뇌를 가지고 있기 때문이다.

우리의 뇌는 이런 식으로 세상을 본다. 있어도 보지 못하거나 잘못 보는 경우도 많다. 그러므로 우리가 모든 것을 다 볼 수 없다는 사실을 제대로만 인정한다면, 서로 시각이 다른 현실에서 내 눈으로 본 것만이 옳다며 핏대를 세우거나 서로를 헐뜯는 일은 줄어들 것이다.

11 다음 중, 윗글의 서술상 특징으로 옳은 것끼리 묶인 것은?

> ㄱ. 질문을 던지고 답하는 방식으로 내용을 전개하고 있다.
> ㄴ. 구체적인 예시를 제시해서 핵심 개념에 대한 이해를 돕고 있다.
> ㄷ. 공신력 있는 기관의 통계자료를 인용하여 글쓴이의 주장에 신뢰성을 더하고 있다.
> ㄹ. 설명 대상과 유사한 속성을 가진 다른 대상을 가져와 그 공통점과 차이점을 견주고 있다.

① ㄱ, ㄴ   ② ㄱ, ㄷ   ③ ㄱ, ㄹ   ④ ㄴ, ㄷ   ⑤ ㄷ, ㄹ

12 윗글을 통해 알 수 있는 내용으로 적절하지 <u>않은</u> 것은?

① '고릴라는 어디에나, 언제나 존재한다.'에서 '고릴라'는 보았는데도 인지하지 못한 대상을 의미한다.
② 시각 피질의 V1, V2 영역이 손상되면 모서리의 경계를 인식할 수 없다.
③ 글쓴이는 오케스트라 연주와 시각 피질 각 영역의 조율이 유사하다고 보았다.
④ '선택과 집중'은 시각뿐 아니라 다른 감각에도 두루 적용되는 뇌의 일반적 특성이다.
⑤ 글쓴이는 우리가 본 것은 믿을 수 없기 때문에, 집중력이 좋은 사람과 의견을 신뢰하라고 주장하고 있다.

13 윗글의 [A]와 관련지어 〈보기〉의 시어들에 대해 감상한 내용으로 적절하지 <u>않은</u> 것은?

> ┤ 보기 ├
> 친구가 원수보다 미워지는 날이 많다
> 티끌만한 잘못이 멧방석만하게
> 동산만하게 커 보이는 때가 많다
> 그래서 세상이 어지러울수록
> 남에게는 엄격해지고 내게는 너그러워지나보다
> 돌처럼 잦아지고 굳어지나보다
>
> 멀리 동해바다를 내려다보며 생각한다
> 널다란 바다처럼 너그러워질 수는 없을까
> 깊고 짙푸른 바다처럼
> 감싸고 끌어안고 받아들일 수는 없을까
> 스스로는 억센 파도로 다스리면서
> 제 몸은 맵고 모진 매로 채찍질하면서
>
>   − 신경림, 「동해바다」 −

① '날'은 화자가 보고 싶은 것만을 보려는 때를 의미한다고 볼 수 있어.
② '동산'을 통해 화자가 '친구'의 잘못을 매우 엄격하게 보려고 하는 의도가 있었음을 알 수 있어.
③ '돌'은 어지러운 세상에 질끈 눈을 감아버린 화자의 모습을 빗댄 것이라고 할 수 있어.
④ '동해 바다'는 보고 싶은 것만 보려는 화자와 대비되는 모습을 지닌 대상임을 알 수 있어.
⑤ '채찍질'은 보기 싫은 것에 눈을 감아버리려는 행위로부터 벗어나려는 화자의 노력을 의미한다고 볼 수 있어.

14 〈보기〉는 윗글을 읽으며 학생이 사용한 읽기 전략을 나타낸 표이다. 적절하지 <u>않은</u> 것은?

| 보기 |

읽기 전	㉠ '고릴라를 못 본 이유'라는 제목의 의미는 무엇인가? 덩치가 큰 고릴라를 왜 보지 못했다는 것일까?
읽기 중	㉡ 글을 전체적으로 훑어보니 '시각', '고릴라', '뇌'라는 단어가 많이 나오네. 이 글은 어떤 내용일까?
	㉢ 눈알로 들어온 빛이 어떻게 전기적 신호로 변환되는 것일까? 인터넷 검색을 통해 더 알아보자.
	㉣ '뇌가 선택한 전략은 선택과 집중, 적당한 무시와 엄청난 융통성'이라는 부분은 중요하니까 밑줄을 그어두자.
읽기 후	㉤ 이 글을 읽은 다른 친구들과 이야기 하며 느낀 점을 공유해보자.

① ㉠   ② ㉡   ③ ㉢   ④ ㉣   ⑤ ㉤

15 다음 〈보기〉 중 위 글에 대한 내용으로 적절한 것을 모두 고르면?

| 보기 |

ⓐ 사람은 오감 중 시각을 통해 정보를 많이 받아들인다.
ⓑ 소개된 고릴라 실험의 목적은 흰옷을 입은 조의 패스 횟수를 알아맞힐 수 있는지를 평가하는 것이다.
ⓒ 시각 피질은 복합적인 영역이며, 각 영역이 빛을 전기적 신호로 변환한다.
ⓓ 우리 뇌는 감각으로 들어오는 정보를 선택적으로 받아들인다.
ⓔ 글쓴이는 나와 다른 주장을 무조건 수용하는 삶의 태도를 제안한다.

① ⓐⓓ   ② ⓑⓒ   ③ ⓐⓑⓔ   ④ ⓐⓒⓓ   ⑤ ⓑⓓⓔ

16 다음 중 이 글에 대한 설명으로 적절하지 <u>않은</u> 것은?

① 우리 뇌의 정보 처리 방식을 다룬 설명문이다.
② 보편적 생각에 의문을 던지면서 글을 시작한다.
③ 적절한 예시를 들어 과학적 개념을 쉽게 설명하고 있다.
④ 핵심 개념과 관련된 실험을 소개하여 독자의 이해를 돕는다.
⑤ 유추의 방식으로 자신의 과학적인 주장을 구체적으로 뒷받침하고 있다.

17 윗글의 내용과 일치하는 것은?

① 우리의 뇌는 때와 장소, 관심 정도에 따라 정보를 선택적으로 취할 수 있다.

② 빛을 인식하는 과정에서 뇌의 시각 피질은 빛을 전기적 신호로 변환 시킨다.

③ 눈으로 수용할 수 없는 나머지 20%의 정보에 대해 뇌는 선택과 집중, 적당한 무시와 융통성을 발휘한다.

④ 동영상 실험에서 흰옷을 입은 조의 패스 횟수를 세도록 하는 것은 실험의 신뢰성을 높이기 위한 조건이다.

⑤ '고릴라는 어디에나, 언제나 존재한다.'에서 '고릴라'는 물체를 보고도 인지하지 못하는 시각적 손상을 비유적으로 말한 것이다.

18 윗글을 참고하여 〈보기〉를 이해한 것으로 가장 적절하지 <u>않은</u> 것은? (답안 수정 가능)

┤ 보기 ├

걷는 행위에는 우리 뇌의 많은 부분이 작동한다. 뇌의 각 기능이 복합적으로 작용해 보행이라는 종합적인 행위가 이뤄지는데 '스마트폰 보행'은 시각을 차단하기 때문에 안전하고 올바른 걷기를 방해한다. Ⓐ'스마트폰 보행자'는 스마트폰을 들여다보고 이를 작동하는 행위와 제대로 된 보행을 동시에 수행하는 멀티태스킹이 가능하다고 여기겠지만, 이는 착각에 불과하다. 스마트폰에만 시각을 집중해 걷다 보면 주의력은 주위 상황에 미치지 못한다. Ⓑ주의력을 쓰는 것은 제로섬 게임과 같기 때문이다. 스마트폰 보행이 아예 '눈 감고 걷기'와 다름없다고 경고하는 견해도 있다.

−연합뉴스(2012) −

***제로섬 게임** : 한쪽의 이득과 다른 쪽의 손실을 더하면 제로가 되는 게임

① 윗글의 ㉠과 〈보기〉의 Ⓐ는 유사한 현상을 나타내고 있다.

② 스마트폰 보행을 하는 중에 무주의 맹시 현상이 일어날 수 있다.

③ 보행 역시 시각 피질이 사물을 인지하는 것처럼 종합적인 행위이다.

④ '스마트폰 보행자'는 시각 피질의 V5 영역이 손상된 사람이 길을 건너는 것과 같은 위험성을 가지고 있다.

⑤ Ⓑ와 같이 말한 이유는 스마트폰에 집중하면 보행 중 눈에 뻔히 보이는 것을 인식하지 못하고 지나칠 수 있기 때문이다.

[19~25] 다음 글을 읽고 물음에 답하시오.

사람은 오감(五感), 즉 시각, 청각, 후각, 미각, 촉각을 통해 세상을 인식한다. 이 다섯 가지의 감각 중 가장 많은 역할을 하는 것은 시각으로, 사람이 습득하는 정보의 80퍼센트는 오로지 시각에 의존한 정보들이다. 대부분의 정보를 시각으로 받아들이면서 우리는 자연스럽게 시각의 능력을 높이 신뢰하게 된다. 그런데 과연 눈으로 보는 정보들은 다 믿을 수 있는 것일까? 우리 눈에 보이는 것은 정말 '눈에 보이는 대로'만 존재하는 것일까?

1999년 신경 과학 분야의 국제 학술지인 「퍼셉션」에 「우리 가운데에 있는 고릴라」라는 제목으로 실린 논문이 있다. 당시 하버드 대학교 심리학과의 대니얼 사이먼스와 크리스토퍼 차브리스는 사람들을 대상으로 흥미로운 실험을 하였다. 그들은 흰옷과 검은 옷을 입은 학생 여러 명을 두 조로 나누어 같은 조끼리만 이리저리 농구공을 주고받게 하고 그 장면을 동영상으로 찍었다. 그리고 이를 사람들에게 보여 주고 이렇게 주문하였다. "검은 옷을 입은 조는 무시하고 흰옷을 입은 조의 패스 횟수만 세어 주세요." 라고 동영상은 1분 남짓이었으므로 대부분의 사람들은 어렵지 않게 흰옷을 입은 조의 패스 횟수를 맞히는 데 성공하였다. 그리고 그들 중 절반은 왜 이런 간단한 실험을 하는지 목적을 파악하지 못해 고개를 갸웃거렸다.

사실 실험의 목적은 따로 있었다. 실험 참가자들에게 보여 준 동영상 중간에는 고릴라 의상을 입은 한 학생이 걸어 나와 가슴을 치고 퇴장하는 장면이 무려 9초에 걸쳐 등장한다. 재미있는 사실은 동영상을 본 사람들 중 절반은 자신이 고릴라를 보았다는 사실을 전혀 인지하지 못했다는 것이다. 나머지 절반은 고릴라를 알아보고 황당하다는 반응을 보였다. 심지어 고릴라를 인지하지 못한 이들에게 고릴라의 등장 사실을 알려 주고 동영상을 다시 보여 주자, 분명 먼젓번 동영상에서는 고릴라가 등장하지 않았다고 말하는 사람도 있었다. 그러면서 실험자가 자신을 놀리려고 다른 동영상을 보여 준 것이 아니냐는 의심을 하기도 하였다. 도대체 왜 이들은 고릴라를 보지 못한 것일까?

대니얼 사이먼스와 크리스토퍼 차브리스는 이를 '무주의 맹시'라고 칭했다. 이는 시각이 손상되어 물체를 보지 못하는 것과는 달리, 물체를 보면서도 인지하지 못하는 경우를 말한다. 두 눈을 멀쩡히 뜨고 있는데 보지 못한다고? 정말 황당한 소리이다. 하지만 우리는 늘 이런 경험을 한다. 실연한 뒤에는 유난히 행복한 연인들의 모습이 눈에 자주 띄고, 오랜만에 만난 아버지의 늙은 모습에 마음이 짠했던 날에는 유독 나이 든 어른들의 모습이 눈에 들어온다. 그런 장면들은 어찌나 그렇게 내 마음이 요동칠 때에 잘 맞춰 나타나는지. 하지만 당연하게도 세상이 내 맘에 맞게 움직여 줄 리는 없다.

고릴라는 어디에나, 언제나 존재한다. 다만 내가 이를 인지하지 못했을 뿐이다. 그들은 갑자기 새롭게 나타난 것이 아니라 평소에도 늘 존재하였다. 하지만 평소에는 주의 깊게 보지 않아서 인식하지 못했던 것을 비로소 오늘에서야 뇌가 인지한 것이다.

그렇다면 우리는 어떤 경로로 세상을 보는 것일까? 우리의 신체는 눈만이 빛을 인식하고 받아들일 수 있게 진화해 왔다. 그래서 눈이 손상되거나 다른 이유로 기능을 잃게 되면, 우리는 그 즉시 빛 한 점 없는 어둠 속에 갇히게 된다. 하지만 눈 자체가 세상을 인식하는 것은 아니다. 눈동자를 지나 눈알 안쪽으로 파고든 빛은 망막의 시각 세포에 의해 전기적 신호로 변환된다. 그리고 이 신호가 시신경을 통해 눈의 반대편, 즉 뒤통수 쪽에 위치한 뇌의 시각 피질로 들어가야만 우리가 비로소 세상을 '본다'(고 느낀다.)

시각 피질은 단일한 부위가 아니라 현재 밝혀진 것만 약 30개의 영역으로 구성된 복합적인 영역이다. 시각 정보를 가장 먼저 받아들이고 물체의 기본적인 이미지인 선과 경계, 모서리를 구분하는 V1, V2 영역을 비롯하여 형태를 구성하는 V3, 색을 담당하는 V4, 운동을 감지하는 V5, 그리고 이 밖의 다른 영역이 조합되어 종합적으로 사물을 인지한다.

이들은 각각 따로따로 의미 있는 존재가 아니다. 여러 개의 악기가 모여 각자가 정확한 순간에 정확한 음을 연주해야 제대로 된 음악을 전할 수 있는 오케스트라처럼, 모든 영역이 각자의 역할에 맞게 일시에 조율되어야 세상을 바라볼 수 있다. 같은 피아니스트가 같은 곡을 동일하게 연주해도 피아노 건반이 몇 개 사라지거나 음이 제대로 조율되지 않으면 결과물이 달라지는 것처럼, 우리의 눈이 같은 것을 보더라도 시각 피질의 각 영역이 제대로 조율되지 않으면 세상을 같게 볼 수 없다.

예를 들어 시각 피질의 V4 영역이 제 기능을 하지 못하면 색맹이 아니었던 사람도 세상이 흑백으로 보이며, V5 영역이 손상되면 질주하는 자동차를 보아도 그것이 느리게 움직이는 것처럼 보인다.

뇌의 많은 영역이 오로지 시각이라는 감각 하나에 배정되어 있음에도, 세상은 워낙 변화무쌍하기 때문에 눈으로 받아들이는 모든 정보를 뇌가 빠짐없이 처리하기는 어렵다. 그래서 뇌가 선택한 전략은 선택과 집중, 적당한 무시와 엄청난 융통성이다. 우리는 쥐의 꼬리만 봐도 벽 뒤에 숨은 쥐 전체의 모습을 그릴 수 있으며, 빨간색과 파란색의 스펙트럼만 봐도 그 색이 주는 이미지와 의미까지 읽어 낼 수 있다. 하지만 이것은 때와 장소, 현재의 관심 대상과 그 수준에 따라 달라진다. 앞에서 보았듯이 우리는 하나에 집중하면 다른 것은 눈에 뻔히 보여도 인식하지 못하고 지나칠 수 있다. 즉, 우리는 정말로 보고 싶은 것만 보고 보기 싫은 것에는 눈을 질끈 감는 것이다.

감각 기관으로 들어오는 정보를 고스란히 받아들이지 않고 제 입맛에 맞는 부분만 편집하는 것은 뇌의 보편적인 특성으로, 다른 감각도 마찬가지이다. 그러니까 엄마의 잔소리를 흘려듣는 십 대 아이의 귀에 달린 엄청난 여과 능력은 일부러 그러는 것이 아니라, 무의식적으로 일어나는 자연스러운 결과일 수 있다. 따라서 눈앞에서 딴전을 피우는 아이의 귀에, 아니 뇌에 소리를 흘려 넣고 싶다면, 일단은 달콤한 말로 시작해서 집중시키는 것이 그나마 효과적이다. 〈중략〉

우리의 뇌는 이런 식으로 세상을 본다. 있어도 보지 못하거나 잘못 보는 경우도 많다. 그러므로 우리가 모든 것을 다 볼 수 없다는 사실을 제대로만 인정한다면, 서로 시각이 다른 현실에서 내 눈으로 본 것만이 옳다며 핏대를 세우거나 서로를 헐뜯는 일은 줄어들 것이다.

---

19 위 글의 내용 전개에 대한 설명으로 가장 옳은 것은?

① 신뢰성 있는 근거 자료를 제시하여 사람들의 보편적인 생각이 합당하다는 것을 증명하고 있다.

② 감각 기관으로서의 '눈'에 대한 과학적 정보를 바탕으로, 눈 건강에 대한 자신의 견해를 밝히고 있다.

③ 실생활에서 흔히 볼 수 있는 예들을 제시하여 사람들의 실수와 어리석음의 정도를 심화시켜 주고 있다.

④ 오케스트라의 연주라는 친숙한 개념을 사용하여 시각 피질의 영역을 이해하기 쉽게 설명하고 있다.

⑤ 독자들에게 여러 번 질문을 던짐으로써 독자들이 직접 전문 서적 등을 찾아 답을 도출하고 정리하도록 하고 있다.

20 위 글을 통해 알 수 있는 내용으로 옳은 것은?

① 빛은 시신경을 통해 눈앞 안쪽으로 들어간다.

② 망막의 시각 세포에 의해 빛은 전기적 신호로 바뀐다.

③ 눈 자체가 세상을 인식할 수 있는 것은 눈이 빛을 인식할 수 있기 때문이다.

④ 시각 피질의 각 영역은 각자 담당한 역할에 따라 개별적으로 사물을 인지한다.

⑤ 시각 피질은 V1, V2, V3, V4, V5라는 5개의 복합적인 영역으로 구성되어 있다.

21 〈보기〉는 위 글을 읽은 목적에 따라서 다양한 읽기 방법을 활용한 것에 대한 대화 내용이다. 내용 중 옳지 <u>않은</u> 것은?

┤ 보기 ├

민주 : 수업 시간에 다양한 읽기 방법에는 다음과 같은 것들이 있다고 배웠는데, 너희는 이번에 어떤 방법을 활용해서 본문을 읽었니?

┌───┐
〈다양한 읽기 방법〉
• 글을 훑어보며 내용 예측하기
• 비유적 표현의 의미 추측하기
• 모르는 단어의 뜻 찾아보기
• 글쓴이의 생각 파악하기
• 궁금한 점을 스스로 질문하고 답하며 읽기
└───┘

다현 : 나는 정보를 얻기 위해서 이 글을 읽었어. ㉠우선 '글을 훑어보며 내용 예측하기' 방법을 활용했어. 제목을 비롯해 전체 내용을 미리 훑어보니 어떤 방향으로 글을 읽어야 할지 짐작이 되더라고. ㉡다음으로 '모르는 단어의 뜻 찾아보기' 방법을 활용했어. '시각 피질' 등 어려운 용어의 의미를 인터넷에서 검색하며 읽으니 이해가 더 잘 됐어. ㉢마지막으로 '궁금한 점을 스스로 질문하고 답하며 읽기' 방법도 활용했어. 이를 테면, 첫 문단에 나오는 글쓴이의 질문과 그 다음에 나오는 실험 결과가 어떤 관련이 있을까를 스스로 묻고, 그에 대한 답을 생각해 보니 글쓴이의 의도가 더 잘 전달이 됐어.

영철 : 나는 자기 생각만 옳다고 우기는 친구에게 조언을 해 주기 위해 이 글을 읽었어. ㉣우선 '비유적 표현의 의미 추측하기' 방법을 활용했어. '고릴라는 어디에나, 언제나 존재한다.'에서 '고릴라'가 보고도 인지 못한 대상을 빗댄 것이라 추측해 보니 문장의 의미가 풀리더라고. ㉤그리고 '글쓴이의 생각 파악하기' 방법도 활용해 보았어. 글쓴이는 자신의 눈으로 본 것도 믿기 힘들 만큼 변화무쌍한 시대를 사는 현대인들이 주체적으로 가져야 할 절대적 관점의 중요성에 대해 말하고 있어.

① ㉠   ② ㉡   ③ ㉢   ④ ㉣   ⑤ ㉤

22 위와 같은 종류의 글을 읽을 때 읽기 방법으로 적절한 것을 〈보기〉에서 골라 바르게 묶은 것은?

┤ 보기 ├

ㄱ. 글의 구조도를 그리면서 내용 요약하며 읽기
ㄴ. 주장이 뚜렷하고 근거가 이치에 맞는지 확인하며 읽기
ㄷ. 문제를 해결하기 위해 입장 차이를 조정하고 타협하며 읽기
ㄹ. 정보를 전달하고자 글쓴이가 사용한 비유적 표현의 의미 추측하며 읽기
ㅁ. 글쓴이의 생각이 독자의 의식이나 행동에 영향을 주는지 생각하며 읽기

① ㄱ, ㄴ   ② ㄷ, ㄹ   ③ ㄴ, ㅁ   ④ ㄷ, ㅁ   ⑤ ㄱ, ㄹ

23 이 글을 통해 추측할 수 있는 내용으로 적절한 것은?

① 우리의 눈은 시각정보와 이미지와 색, 움직임을 동시에 인식한다.
② 시각 피질의 각 영역은 필요에 따라 다른 영역의 기능을 대체하기도 한다.
③ '보는' 행위는 시각 피질의 각 영역 간 조율을 통해 이루어지는 것이다.
④ 시각이 손상되어 물체를 보지 못하는 것은 '무주의 맹시' 현상과 관련이 있다.
⑤ 주의 깊게 보지 않아 대상이 인지되지 않는 경우는 흔하게 발생하지 않는다.

24 윗글의 내용과 일치하지 <u>않는</u> 것은?

① 위 실험에서 농구공의 패스 횟수를 세는 것은 실험의 진짜 목적이 아니었다.
② 우리는 외부 자극이 변환된 전기적 신호가 아닌, 눈 자체로 세상을 인식한다.
③ 사람의 오감 중 정보를 습득하는 과정에서 가장 많은 역할을 하는 것은 시각이다.
④ V5 영역이 제 기능을 하지 못하면 대상이 움직이는 속도를 제대로 감지하지 못할 수 있다.
⑤ 자신이 본 것만이 옳다는 태도보다 상대방의 서로 다른 시각을 인정하는 수용적 태도를 가져야 한다.

25 윗글을 읽고 '무주의 맹시' 현상에 대해 학생이 보인 반응으로 가장 적절한 것은?

① 실험에서 상당수의 참가자들이 고릴라를 인지한 것은 '무주의 맹시' 현상이라고 볼 수 있군.
② 사물을 직접적으로 보지 못하기 때문에 그 대상을 인지하지 못하는 현상을 '무주의 맹시'라고 할 수 있군.
③ '무주의 맹시'는 우리가 주의 깊게 보지 못해서 인지하지 못했을 뿐, 평소에도 빈번하게 일어나는 현상이라고 할 수 있군.
④ 핸드폰 메시지에 집중하면서도 기다리던 버스가 오는 것을 보고 버스에 탔던 경험이 바로 '무주의 맹시'를 경험한 사례라고 할 수 있군.
⑤ 특정 정보를 선택하고 집중하는 것은 뇌의 일반적인 특성이지만, '무주의 맹시' 현상은 이러한 뇌의 속성에 부합하지 않는다고 볼 수 있군.

[01~10] 다음 글을 읽고 물음에 답하시오.

(가) 사람은 오감(五感), 즉 시각, 청각, 후각, 미각, 촉각을 통해 세상을 인식한다. 이 다섯 가지의 감각 중 가장 많은 역할을 하는 것은 시각으로, 사람이 습득하는 정보의 80퍼센트는 오로지 시각에 의존한 정보들이다. 대부분의 정보를 시각으로 받아들이면서 우리는 자연스럽게 시각의 능력을 높이 신뢰하게 된다. 그런데 과연 눈으로 보는 정보들은 다 믿을 수 있는 것일까? 우리 눈에 보이는 것은 정말 '눈에 보이는 대로'만 존재하는 것일까?

[A] ┌ 하버드 대학교 심리학과의 대니얼 사이먼스와 크리스토퍼 차브리스는 사람들을 대상으로 흥미로운 실험을 하였다. 그들은 흰옷과 검은 옷을 입은 학생 여러 명을 두 조로 나누어 같은 조끼리만 이리저리 농구공을 주고받게 하고 그 장면을 동영상으로 찍었다. 그리고 이를 사람들에게 보여 주고 이렇게 주문하였다. "검은 옷을 입은 조는 무시하고 흰옷을 입은 조의 패스 횟수만 세어 주세요." 라고 동영상은 1분 남짓이었으므로 대부분의 사람들은 어렵지 않게 흰옷을 입은 조의 패스 횟수를 맞히는 데 성공하였다. 그리고 그들 중 절반은 왜 이런 간단한 실험을 하는지 목적을 파악하지 못해 고개를 갸웃거렸다. 실험 참가자들에게 보여준 동영상 중간에는 고릴라 의상을 입은 한 학생이 걸어 나와 가슴을 치고 퇴장하는 장면이 무려 9초에 걸쳐 등장한다. 재미있는 사실은 동영상을 본 사람들 중 절반은 자신이 고릴라를 보았다는 사실을 전혀 인지하지 못했다는 것이다.

(나) ⒜사실 실험의 목적은 따로 있었다. 실험 참가자들에게 보여 준 동영상 중간에는 고릴라 의상을 입은 한 학생이 걸어 나와 가슴을 치고 퇴장하는 장면이 무려 9초에 걸쳐 등장한다. 재미있는 사실은 동영상을 본 사람들 중 절반은 자신이 고릴라를 보았다는 사실을 전혀 인지하지 못했다는 것이다. 나머지 절반은 고릴라를 알아보고 황당하다는 반응을 보였다. 심지어 고릴라를 인지하지 못한 이들에게 고릴라의 등장 사실을 알려 주고 동영상을 다시 보여 주자, 분명 먼젓번 동영상에서는 고릴라가 등장하지 않았다고 말하는 사람도 있었다. 그러면서 ⒝실험자가 자신을 놀리려고 다른 동영상을 보여 준 것이 아니냐는 의심을 하기도 하였다. ㉠도대체 왜 이들은 고릴라를 보지 못한 것일까?

(다) 대니얼 사이먼스와 크리스토퍼 차브리스는 이를 '[㉮]'라고 칭했다. 이는 시각이 손상되어 물체를 보지 못하는 것과는 달리, 물체를 보면서도 인지하지 못하는 경우를 말한다. 두 눈을 멀쩡히 뜨고 있는데 보지 못한다고? 정말 황당한 소리이다. 하지만 우리는 늘 이런 경험을 한다. 실연한 뒤에는 유난히 행복한 연인들의 모습이 눈에 자주 띄고, 오랜만에 만난 아버지의 늙은 모습에 마음이 짠했던 날에는 유독 나이 든 어른들의 모습이 눈에 들어온다. 그런 장면들은 어찌나 그렇게 내 마음이 요동칠 때에 잘 맞춰 나타나는지. 하지만 당연하게도 세상이 내 맘에 맞게 움직여 줄 리는 없다.

㉡고릴라는 어디에나, 언제나 존재한다. 다만 내가 이를 인지하지 못했을 뿐이다. 그들은 갑자기 새롭게 나타난 것이 아니라 평소에도 늘 존재하였다. 하지만 평소에는 주의 깊게 보지 않아서 인식하지 못했던 것을 비로소 오늘에서야 뇌가 인지한 것이다.

(라) 그렇다면 우리는 어떤 경로로 세상을 보는 것일까? 우리의 신체는 눈만이 빛을 인식하고 받아들일 수 있게 진화해 왔다. 그래서 눈이 손상되거나 다른 이유로 기능을 잃게 되면, 우리는 그 즉시 빛 한 점 없는 어둠 속에 갇히게 된다. 하지만 눈 자체가 세상을 인식하는 것은 아니다. 눈동자를 지나 눈알 안쪽으로 파고든 빛은 망막의 시각 세포에 의해 전기적 신호로 변환된다. 그리고 이 신호가 시신경을 통해 눈의 반대편, 즉 뒤통수 쪽에 위치한 뇌의 시각 피질로 들어가야만 우리가 비로소 세상을 '본다'(고 느낀다.)

시각 피질은 단일한 부위가 아니라 현재 밝혀진 것만 약 30개의 영역으로 구성된 복합적인 영역이다. 시각 정보를 가장 먼저 받아들이고 물체의 기본적인 이미지인 선과 경계, 모서리를 구분하는 V1, V2 영역을 비롯하여 형태를 구성하는 V3, 색을 담당하는 V4, 운동을 감지하는 V5, 그리고 이 밖의 다른 영역이 조합되어 종합적으로 사물을 인지한다.

[B] ┌ 이들은 각각 따로따로 의미 있는 존재가 아니다. 여러 개의 악기가 모여 각자가 정확한 순간에 정확한 음을 연주해야 제대로 된 음악을 전할 수 있는 오케스트라처럼, 모든 영역이 각자의 역할에 맞게 일시에 조율되어야 세상을 └ 바라볼 수 있다.

(마) 뇌의 많은 영역이 오로지 시각이라는 감각 하나에 배정되어 있음에도, 세상은 워낙 변화무쌍하기 때문에 눈으로 받아들이는 모든 정보를 뇌가 빠짐없이 처리하기는 어렵다. 그래서 뇌가 선택한 전략은 선택과 집중, 적당한 무시와 엄청난 융통성이다. 우리는 쥐의 꼬리만 봐도 벽 뒤에 숨은 쥐 전체의 모습을 그릴 수 있으며, 빨간색과 파란색의 스펙트럼만 봐도 그 색이 주는 이미지와 의미까지 읽어 낼 수 있다. 하지만 이것은 때와 장소, 현재의 관심 대상과 그 수준에 따라 달라진다. 앞에서 보았듯이 우리는 하나에 집중하면 다른 것은 눈에 뻔히 보여도 인식하지 못하고 지나칠 수 있다. 즉, 우리는 정말로 보고 싶은 것만 보고 보기 싫은 것에는 눈을 질끈 감는 것이다.

(바) 우리의 뇌는 이런 식으로 세상을 본다. 있어도 보지 못하거나 잘못 보는 경우도 많다. 그러므로 ⓐ우리가 모든 것을 다 볼 수 없다는 사실을 제대로만 인정한다면, 서로 시각이 다른 현실에서 내 눈으로 본 것만이 옳다며 핏대를 세우거나 서로를 헐뜯는 일은 줄어들 것이다.

---

01 윗글을 읽고 물음에 대해 답하시오.

(1) ㉠의 이유를 완전한 문장으로 서술하시오.

(2) ㉡이 의미하는 것을 완전한 문장으로 서술하시오

02 (1) 글 (나) ⓐ에서 '실험의 목적'이 무엇인지 아래의 '에 맞게 쓰시오.

┤ 조건 ├
• '~이 아니라, ~을(를) 실험한 것이다.'의 형식으로 쓸 것
• 띄어쓰기 포함 80자 이내로 쓸 것

(2) 실험 참가자들이 글 (나)의 ⓑ과 같은 반응을 보인 이유를 쓰시오.

┤ 조건 ├
• '~ 때문이다.'의 형식으로 쓸 것
• 띄어쓰기 포함 40자 이내로 쓸 것

03 [A]에 나온 '고릴라 실험의 의미'를 〈조건〉에 맞게 서술하시오.

┤ 조건 ├
• '고릴라 실험은 ~ 의미한다.'의 문장 형식으로 쓸 것
• (라)에서 핵심어를 찾아 활용하여 쓸 것

04 〈보기〉의 ㉠에 해당되는 논지 전개 방식을 쓰고, [B]에서 그 논지 전개 방식이 활용되고 있는 양상을 〈조건〉에 맞게 **구체적으로 서술하시오.**

┤ 보기 ├
'____㉠____'란, 하나의 사건이나 사물로부터 그와 비슷한 속성을 지닌 다른 사건이나 사물로 논의를 확장해 나가는 논지 전개 방식이다.

┤ 조건 ├
• '내용 전개 방식'의 정확한 명칭이 아닌, 포괄적인 용어를 쓴 경우는 정답으로 인정하지 않음.
• 〈' ~'(와)과 ' ~'의 비슷한 속성을 토대로 논지를 전개하고 있다.〉의 형식으로 쓸 것.

05 윗글을 읽고, 읽기 과정에 따라 읽기 방법을 떠올릴 때, (1)~(4)에 들어갈 적절한 읽기 방법을 서술하시오.

읽기과정	읽기 방법
읽기 전	(1)
	(2)
읽기 중	(3)
	(4)
읽기 후	글의 중심 내용을 정리하고, 읽기 전에 예측했던 것과 비교한다.
	친구들과 글의 내용에 관한 의견을 나눈다.

06 윗글의 주제와 내용을 고려할 때, '고릴라는 어디에나, 언제나 존재한다.'가 의미하는 바가 무엇인지 서술하시오.

07 윗글의 [㉮]에 들어갈 개념을 아래를 참고하여 적으시오.

〈실험심리학 용어사전〉
[㉮] : 주의가 다른 곳에 있어서 눈이 향하는 위치의 대상이 작가되지 못하는 현상이나 상태.

08 윗글에서 글쓴이가 말한 ⓐ'우리가 모든 것을 다 볼 수 없다.'의 의미와 ⓑ글쓴이가 말하고자 하는 삶의 태도는 무엇인지에 대해 서술하시오.

09 〈보기〉는 한 학생이 윗글을 읽으면서 사용한 읽기 방법을 정리한 것이다. 단계별 읽기 방법이 적절하지 <u>않은</u> 것은?

> ┤ 보기 ├
>
> **[읽기 전]**
>
> ①제목은 무슨 뜻일까? 덩치가 큰 고릴라를 왜 보지 못했다는 것일까? 우선 글을 한번 훑어보면서 내용을 예측해봐야겠어.
>
> ②이 글에서 강조하고 있는 시각 피질의 각 영역이 제대로 기능하지 않으면 어떤 문제가 생길까? 이 글에 그런 문제를 설명한 부분은 없을까?
>
> **[읽기 중]**
>
> ③정보를 전달하고자 글쓴이가 사용한 비유적 표현의 의미를 추측하며 읽어야겠어.
>
> ④'무주의 맹시'라는 개념이 잘 이해되지 않아, 실험 관련 서적을 찾거나 인터넷에서 검색하며 이 개념을 좀 더 알아봐야겠어.
>
> **[읽기 후]**
>
> 이제 글을 다 읽었네. 우선 글을 읽으면서 내가 중요하다고 표시해 놓은 부분을 찾아 중심내용을 정리해봐야겠어. ⑤그러면 글을 읽기 전에 내가 추측했던 내용이 맞는지 자연스럽게 확인할 수 있을 거야. 그리고 나서 다른 친구들은 이 글을 어떻게 읽었는지 함께 이야기를 나누어 봐야지.

10 다음은 위 글을 읽고 정리한 내용이다. 〈조건〉에 맞게 ㉠~㉤을 서술하시오.

> 사람들이 고릴라를 보지 못한 현상은 (㉠)(으)로 설명할 수 있다. (㉠)은/는 (㉡) 것을 말한다. (㉠)와/과 같은 현상이 일어나는 이유는 뇌의 보편적인 특성으로, 뇌가 (㉢)하지 않은 시각적 정보를 (㉣) 했기 때문이다. 그러므로 사람들이 고릴라를 보지 못한 이유는 사람들이 (㉤) 때문이다.
>
> ┤ 조건 ├
>
> • ㉡에는 ㉠에 대한 정의 또는 개념을 적을 것
>
> • ㉢, ㉣에는 뇌가 선택한 전략을 적을 것
>
> • ㉤에는 색채어와 ㉢, ㉣에 쓰인 각각의 단어가 모두 포함되도록 서술할 것

조선의 얼, 광화문

– 문화재청 엮음 –

처음 – '광화문'이라는 이름의 유래와 광화문이 겪은 수난의 역사

사람은 오감(五感), 즉 시각일제 강점기의 광화문, 아픔을 겪다

「광화문은 '왕의 큰 덕이 온 나라를 비춘다[光化].'라는 뜻을 간직한, 경복궁의 남쪽 문이자 정문입니다. 1395년 조
광화문 소개
                                                                홍예문(虹霓門) – 문의 윗부분을 무지개 모양으로 반쯤 둥글게 만든 문
선 태조 때 만들어졌으며, 석축을 높게 쌓고 중앙에 홍예문을 터서 문루를 얹은 궐문의 형식을 갖추고 있습니다. 창
         돌로 쌓아 만든 옹벽   문루(門樓) – 궁문, 성문 따위의 바깥문 위에 지은 다락집
건 당시 '오문'으로 불리던 광화문이 지금의 이름을 얻게 된 것은 1426년 세종 때입니다. 이는 집현전 학사들이 나라
         오문(午門의) – 성곽의 남쪽에 있는 문. 남문(南門)
의 위엄과 문화를 널리 만방에 보여 준다는 뜻으로 새로이 붙인 것입니다.」「 」: '광화문'이라는 이름의 유래   ▶ '광화문'이라는 이름의 유래
광화문의 상징성

　　원래 경복궁은 광화문-근정전-사정전-강녕전-교태전이 남북으로 일직선 상에 놓여 관악산을 바라보고 있었습니

다. 그런데 일제가 조선 총독부를 근정전 바로 앞에 세우면서, 광화문을 삐딱하게 비틀어 관악산이 아닌 남산을 바라
                               광화문과 근정전 사이
보게 하였습니다. 원래 남산에는 단군을 비롯한 여러 신을 모신 국사당이 있었습니다. 일제는 이 국사당을 허물고 그

자리에 일본의 건국 시조를 신으로 받드는 신사를 건립하였습니다. 이 모든 것이 조선 민족의 정통성과 정기를 훼손
                                                                일제이 광화문 훼손 의도
하여, 조선 백성을 일왕의 백성으로 만들기 위함이었습니다.

　　이처럼 광화문은 이름과 달리 수난의 역사를 겪었습니다. 구한말부터 오늘에 이르기까지 우리 민족이 온몸으로 받
         '왕의 큰 덕이 온 나라를 비춘다.'라는 '광화'의 뜻과 달리, 일제에 의해 훼손당함   조선 말기에서 대한 제국까지의 시기
아 내야 했던 근현대사의 비극을 압축해 담고 있는 셈입니다.   ▶ 일제의 탄압으로 광화문이 겪은 수난

가운데 – 일제의 광화문 철거 계획과, 이로 인한 철거 반대 여론 형성 및 조선 민족의 슬픔

총독부 새 청사, 광화문을 밀어내다

우월한 군사력과 경제력으로 다른 나라나 민족을 정벌하여 대국가를 건설하려는 침략주의적 경향
　　제국주의 일본이 조선을 병탄한 지 6년째 되는 해, 조선 총독부는 새 청사를 짓겠다고 나섰습니다. 조선을 영원히
       1910년 8월 29일   남의 재물이나 다른 나라의 영토를 한데 아울러서 제 것으로 만든   관청의 사무실로 쓰는 건물
식민 통치하겠다는 그들의 야욕은 날이 갈수록 더해 갔습니다. 일제가 새 청사의 터로 선택한 곳은 오백 년 조선 왕
                        자기 잇속만 채우려는 더러운 욕심
조를 호령했던 경복궁 앞뜰이었습니다.   ▶ 새 청사를 짓기로 한 조선 총독부
       부하나 동물 따위를 지휘하여 명령했던

　　다음은 1910년 5월 15일 자 『대한매일신보』에 실린 「경복궁이 없어지네」라는 제목의 기사입니다. 이 기사를 통해

조선 총독부 청사를 짓기 이전부터 경복궁이 훼손되기 시작하였음을 알 수 있습니다.

> 「1910년 5월 10일 왕실 사무를 총괄하던 궁내부는 경복궁 내 공원 신축을 위해 전각 4,000여 칸을 경매했다.
>   '전(殿)'이나 '각(閣)' 자가 붙은 커다란 집을 이르는 말
> 조선인과 일본인 80여 명이 경매에 참여했고, 이 중 10여 명에게 전각이 매각됐다.」「 」: 조선 왕조의 상징인 경복궁이 일반인에게 팔리
>   며 훼손됨

　　일제의 총독부 새 청사가 모습을 갖춰 갈수록 경복궁은 점점 더 초라한 몰골로 변해 갔습니다. 그런데 공사를 진행

하다 보니 그들에게는 광화문이 눈엣가시였습니다. 경복궁의 다른 전각이야 조선 총독부가 앞을 가로막고 서 있으니

문제 될 것이 없는데, 광화문은 조선 총독부 앞을 떡하니 가로막고 있는 형상이었기 때문입니다. 이들이 이를 가만히

놔둘 리 없었습니다. ▶ 일제의 눈엣가시가 된 광화문

사라지려는 한 조선 건축물을 위하여
광화문

1921년 5월, 『동아일보』는 광화문 사진을 커다랗게 싣고 일제의 광화문 철거 계획을 처음으로 폭로하였습니다. 총
광화문 철거 반대 여론 형성의 시발점

독부 새 청사가 완공될 무렵에 조선 총독부가 광화문을 헐어 버릴 계획이라는 내용이었습니다. 『대한매일신보』도

1922년 10월 5일 광화문 보존 문제에 관한 기사를 실어 이 문제를 다루었습니다. 이렇게 광화문이 철거된다는 소식

이 돌자 몇몇 일본인 학자들도 조선 총독부의 처사가 부당하다고 지적하였으며, 광화문 철거를 반대하는 국내 여론

은 더욱 거세졌습니다. ∴∴: 구절풀이 – 언론사가 일제의 광화문 철거 계획을 보도하며 이로 인해 사회적으로 철거
반대 여론을 형성하게 된 일화를 소개하고 있다. 기사 읽기를 통해 사회적 의사소통이 일어   ▶ 일제의 광화문 철거 계획에 대한 언론들의 보도
난 것이므로, 이는 사회적 상호 작용으로서의 읽기가 잘 드러난 사건이라고 할 수 있다.

예상치 못한 거센 여론에 밀려서일까요? 일제는 광화문을 철거한다는 계획을 접고, 대신 광화문의 자리를 옮기
여론 형성의 성과 – 사회적 의사소통의 영향력이 드러남

기로 결정합니다. 그리고 1923년 10월, 광화문 앞 양측에서 수문장 노릇을 하던 해태 석상 두 점이 철거되고 말았
각 궁궐이나 성의 문을 지키던 무관 벼슬   시비와 선악을 판단하여 안다고 하는 상상의 동물

습니다. ▶ 광화문 철거 반대 여론의 형성

『조선일보』는 1925년 10월 26일, 「나는 가나이다」라는 제목으로 애절한 고별사를 실었습니다. 「이는 광화문 철거를
같이 있던 사람과 헤어지면서 작별을 알리는 말

눈앞에 둔 조선 백성의 암담하고도 하소연할 데 없는 슬픈 심정을 광화문 스스로의 입을 빌려 이야기하는 형식의 글
의인법

이었습니다.」「 」: 당대 사회의 문제가 글에 반영됨

*1926년 7월 22일에는 광화문 철거 작업이 시작되었습니다. 완전히 무너뜨리는 것이 아니라 건춘문(경복궁의 동쪽
*∗: 구절풀이– 광화문은 경복궁 앞에 일직선상으로 놓아야만 정문으로서의 위상을 지니게 되며, 왕의 덕을 나라에 비춘다는 '광화'의 뜻에 담긴 문화적 상징성을 지킬 수 있다. 따라서 자리를 뜨는
순간 존재 가치가 사라진다고 표현한 것이다.

문) 옆으로 옮기는 것이라고 해도, 본래의 자리를 뜨는 순간 그 존재 가치는 빛이 바래게 됩니다.*

철거 작업이 시작된 뒤인 1926년 8월 29일, 『동아일보』는 「광화문 해체, 수일 전에 착수」라는 제목의 기사를 실었

습니다.

> 경복궁 정문인 광화문 이전 공사가 수일 전에 해체 공사에 착수했는데 일은 미야카와쿠미 회사에 5만 4,800
>
> 원에 맡겼으며, 공사는 1년 안에 끝날 예정이라더라.   ▶ 결국 자리를 옮긴 광화문과 이에 대한 언론들의 보도

다만 그를 위하여 아까워하고 못 잊어 할 뿐이라

『동아일보』는 그보다 며칠 앞서 「헐려 짓는 광화문」이라는 제목의 고별사를 실었습니다. 글을 쓴 사람은 당시 문화
당대 사회의 문제가 반영된 글

부 기자인 설의식이었습니다. 고별사 내용은 참으로 구슬프고 참담했으니 당시 우리 민족의 마음을 대변하는 듯했습

니다. 설의식은 우리의 민족혼, 민족 문화가 말살되는 데 대한 분노와 울분을 강한 어조로 힘 있게 표현하여 붓으로

써 일제에 저항하였습니다. ▶ 신문에 실린 고별사의 의의
글을 써서 저항 의식을 나타내었음을 비유적으로 표현

헐린다, 헐린다 하던 광화문은 마침내 헐리기 시작한다. 총독부 청사 까닭으로 헐리고 총독부 정책 덕택으로
<small>총독부 청사 건립을 이유로 철거됨</small> <small>총독부의 정책으로 인해 이전되어 재건될 것</small>

다시 지어지리라 한다.

「원래 광화문은 물건이다. 울 줄도 알고, 웃을 줄도 알며, 노할 줄도 알고, 기뻐할 줄도 아는 사람이 아니다. 밟
<small>「」: 물건으로서의 광화문의 특성 - 철거당함에도 아무 감정을 못 느낌</small>

히면 꾸물거리고 죽이면 소리치는 생물이 아니라, 돌과 나무로 만들어진 건물이다.」

「의식 없는 물건이요, 말 못하는 물건이라, 헐고 부수고 끌고 옮기고 하되, 반항도 회피도 기뻐도 설워도 아니
<small>「」: 감정을 느끼지 못하는 광화문과, 슬픔과 안타까움을 느끼는 조선 백성들을 대조함</small>

한다. 다만 조선의 하늘과 조선의 땅을 같이한 조선의 백성들이 그를 위하여 아까워하고 못 잊어 할 뿐이다. 오

백 년 동안 풍우를 같이 겪은 조선의 자손들이 그를 위하여 울어도 보고 설워도 할 뿐이다.」

∵석공의 망치가 네 가슴을 두드릴 때에도 너는 알음[知]이 없으리라마는, 뚝딱딱 하는 소리를 듣는 사람이 가슴

아파하며, 역군의 연장이 네 허리를 들출 때에 너는 괴로움이 없으리라마는, 우지끈하는 소리를 듣는 사람이 허

리 저려 할 것을 네가 과연 아느냐, 모르느냐.∵
<small>∵∴: 구절풀이 - 광화문을 의인화 하여, 광화문을 헐기 위해 석공과 역군이 연장을 휘두르는 것을 광화문의 신체를 훼손하는 것으로 표현하고 있다. 그리고 그 고통을 조선 백성들이 대신 느낀다고 표현함으로써, 조선의 상징물인 광화문이 일제에 의해 훼손될 때 조선 백성들이 느꼈을 절절하고 비극적인 심정을 드러내고 있다.</small>

팔도강산의 석재와 목재와 인재의 정수를 뽑아 지은 광화문아! 돌덩이 하나 옮기기에 억만 방울의 피가 흐르
<small>조선의 재료로 조선 백성이 만듦</small> <small>청태(靑苔) 푸른 이끼</small>

고, 기왓장 한 개 덮기에 억만 줄기의 눈물이 흘렀던 우리의 광화문아! 청태 끼인 돌 틈에 이 흔적이 남아 있고
<small>조선의 역사를 함께 해 온 광화문</small>

풍우 맞은 기둥에 그 자취가 어렸다 하면, *너는 옛 모양 그대로 있어야 네 생명이 있으며, 너는 그 신세 그대로
<small>*∴: 원래 자리에 원래의 모양을 유지하여야 진정으로 광화문의 정체성·생명력을 지님을 역설함</small>

무너져야 네 일생을 마친 것이다.*

풍우 오백 년 동안에 충신도 드나들고 역적도 드나들며, 수구당도 드나들고 개화당도 드나들던 광화문아! 평
<small>개화당(開化黨) 구한말에 정치 제도를 혁신하고 사상과 풍속을 개화시켜 자주 독립 국가를 세우려 하였던 당파</small> <small>수구당(守舊黨) 구한말에 최익현을 중심으로 하여 대외 통상을 반대하고 통상 수교의 거부를 주장하던 당파</small>

화의 사자(使者)도 지나고 살벌(殺伐)의 총검도 지나며, 일로의 사절도 지나고 원청의 국빈도 지나던 우리의 광
<small>사절(使節) 나라를 대표하여 일정한 사명을 띠고 외국에 파견되는 사람</small> <small>국빈(國賓) 나라에서 정식으로 초대한 외국 손님</small>
<small>일로(日露) 일본과 러시아</small> <small>원청(元淸) 원나라와 청나라</small>

화문아! 그들을 맞고 그들을 보냄이 너의 타고난 천직이며 그 길을 인도하고 그 길을 가리킴이 너의 타고난 천명
<small>경복궁의 정문 자리</small> <small>타고난 직업이나 직분</small> <small>관악산을 바라보던 방향</small> <small>타고난 운명</small>

이라 하면, *너는 그 자리 그곳을 떠나지 말아야 네 생명이 있으며, 그 방향 그 터전을 옮기지 말아야 네 일생을
<small>*∴: 유사한 문장을 반복적으로 사용하여 광화문 이전에 대한 글쓴이의 부정적 견해를 강조함</small>

마친 것이다.*

너의 천명과 너의 천직은 이미 없어진 지 오래였거니와, 너의 생명과 너의 일생은 지금 헐리는 순간에, 옮기는
<small>을사조약과 한일합병으로 국가의 외교권, 주권을 박탈당한 지 오래됨</small>

찰나에 마지막으로 없어지려고 하는구나! 오오, 가엾어라! 너의 마지막 운명을 우리는 알되 너는 모르니, 모르는

너는 모르고 지내려니와 아는 우리는 어떻게 지내라느냐. (후략) ▶ 설의식의 고별사에 드러난 당시 조선 민족이 느낀 울분과 한

– '설의식'의 「헐려 짓는 광화문」 –

⊙ 핵심정리

갈래	신문 사설
성격	민족적, 저항적
제재	일제에 의한 광화문 훼손.
주제	일제의 광화문 훼손에 대한 울분과 저항
특징	• 광화문을 의인화하여 친근감과 유대감을 표현함. • 반복법, 열거법을 통해 시대의 암울한 상황을 강조함.

광화문, 그 자리에 바로 서서 역사를 이어 가리

1945년 8월, 우리나라는 일본 제국주의의 압제라는 긴 암흑기를 지나 광복을 맞이합니다. 하지만 조선 총독부 건
_{권력이나 폭력으로 남을 꼼짝 못하게 강제로 누름}
물은 중앙청으로 이름만 바뀌어 정부 청사로 사용되다가 1986년에 보수 작업을 거쳐 국립 중앙 박물관으로 개관됩니
다. '역사 바로 세우기' 차원에서 철거해야 한다는 주장과 그 자체가 역사이니 그대로 두어야 한다는 주장이 오랜 논
_{대립}
란을 빚은 끝에 1995년에 조선 총독부 건물이 철거되었고, 경복궁은 일부나마 다시 세워지기 시작하였습니다. 그리
고 2006년에는 광화문을 제자리에 제대로 복원하는 작업이 시작되어 2010년에 비로소 복원된 광화문이 그 모습을
_{경복궁의 정문 자리}
드러냈습니다.   ▶ 광복 이후 광화문의 복원 과정

조선 왕조 제일의 법궁인 경복궁. 그리고 그 정문인 광화문. 광화문은 단순히 문으로만 기능하는 건물이 아닙니다.
_{법궁(法宮) 임금이 사는 궁궐}
비록 격랑의 근현대사 속에서 많은 수난을 당하며 원래의 목조 건축물이 지녔던 품격은 잃어버렸지만,「여전히 광화
_{격랑(激浪) 모질고 어려운 시련을 비유적으로 이르는 말.}
문은 경복궁의 얼굴이자 대한민국의 대표입니다. 그 자체가 우리의 역사이자 숨결이지요.」「」: 광화문의 가치

그렇기에 일제 강점기에 설의식을 비롯한 많은 사람들이 입을 모았듯이, 광화문이 헐린다는 것은 우리의 역사와
혼이 헐린다는 의미입니다. 반대로 광화문을 새로이, 바로 세운다는 것은 21세기에도 여전히 민족의 정기를 바로 세
_{파고(波高) 어떤 관계에서의 긴장의 정도를 비유적으로 이르는 말}
우는 역사적인 사업임이 틀림없습니다. 광화문, 어떤 파고와 격랑 속에서도 그 숨결은 이어져야 합니다.
_{글쓴이의 견해}   ▶ 광화문이 지닌 역사적 가치와 의의
– 문화재청 엮음, 「수난의 문화재 — 이를 지켜 낸 인물 이야기」 –

⊙ 핵심정리

갈래	설명문
성격	사실적, 과학적
제재	광화문의 역사.
주제	광화문이 겪어 온 수난의 역사와 복원 과정
특징	• 소제목을 설정하여 광화문의 수난 역사와 복원 과정을 서술함. • 신문 기사와 역사적 자료를 인용하여 광화문을 둘러싼 역사적 사실을 설명함.

01 '광화문'은 '왕의 큰 덕이 온 나라를 비춘다.'라는 뜻으로 경복궁의 북쪽 문이자 정문이다.　　O☐ X☐

02 일제는 조선 총독부를 지으면서 광화문을 삐딱하게 비틀어 남산이 아닌 관악산을 바라보게 하였다.　　O☐ X☐

03 『동아일보』, 『대한매일신보』에서 일제의 광화문 철거 계획을 폭로함으로써 광화문 철거에 대한 국내외 반대 여론이 형성되었다.　　O☐ X☐

04 광화문을 철거하려던 일제는 거센 반대 여론에 부딪치자 광화문을 철거하는 대신 광화문 앞의 해태상과 함께 광화문의 자리를 유지하기로 했다.　　O☐ X☐

05 『조선일보』는 고별사를 실어 일제의 광화문 철거에 대한 반대 여론을 주도하였다.　　O☐ X☐

06 설의식은「헐려 짓는 광화문」에서 일제에 의해 광화문이 철거, 이전되는 상황에 대해 부끄러움과 자책감을 표현하고 있다.　　O☐ X☐

07 '광화문'은 '광화'의 뜻과 달리 일제에 의해 훼손되고 불태워졌던 수난의 역사를 겪었다.　　O☐ X☐

08 일제는 광화문이 일제의 조선 지배를 상징하는 조선 총독부 건물을 가리고 있었으므로 이를 훼손하였다.　　O☐ X☐

09 『동아일보』, 『대한매일신보』에서 실은 일제의 광화문 철거 계획의 폭로를 계기로 당대의 지식인들과 백성들 간의 사회적 의사소통이 일어났음을 알 수 있다.　　O☐ X☐

10 『조선일보』는 광화문을 의인화하여 광화문 철거와 관련된 백성들의 심회를 표현한 기사를 게재하였다.　　O☐ X☐

11 일제가 새 조선 총독부 청사를 경복궁 앞뜰에 짓기로 하면서 광화문은 원래 기능을 상실한 채 본래의 자리가 아닌 다른 곳으로 옮겨지게 되었다.　　O☐ X☐

12 광화문 철거 계획에 대한 언론의 보도는 일제의 광화문 철거 계획을 완전히 무산시키는 데 기여하였다.　　O☐ X☐

13 「헐려 짓는 광화문」에서는 의인법, 영탄법, 열거법을 사용하여 일제에 의해 민족의 상징물인 광화문이 철거되고 이전되는 암울한 시대 상황을 강조하고 있다.　　O☐ X☐

14 광화문은 격랑의 근현대사 속에서 많은 수난을 당했지만, 원래의 목조 건축물이 지녔던 품격은 그대로 간직해왔다.　　O☐ X☐

15 글조선 총독부 건물은 중앙청으로 이름만 바뀌어 정부 청사로 사용되다가 1986년에 보수 작업을 거쳐 국립 중앙 박물관으로 개관되어 현재까지 이어져 오고 있다.　　O☐ X☐

객관식 기본문제

일제 강점기의 광화문, 아픔을 겪다.

원래 경복궁은 광화문-근정전-사정전-강녕전-교태전이 남북으로 일직선상에 놓여 관악산을 바라보고 있었습니다. 그런데 일제가 조선 총독부를 근정전 바로 앞에 세우면서, 광화문을 삐딱하게 비틀어 관악산이 아닌 남산을 바라보게 하였습니다. 원래 남산에는 단군을 비롯한 여러 신을 모신 국사당이 있었습니다. 일제는 이 국사당을 허물고 그 자리에 일본의 건국 시조를 신으로 받드는 신사를 건립하였습니다. 이 모든 것이 조선 민족의 정통성과 정기를 훼손하여, 조선 백성을 일왕의 백성으로 만들기 위함이었습니다.

사라지려는 한 조선 건축물을 위하여

1921년 5월, 「동아일보」는 광화문 사진을 커다랗게 싣고 일제의 광화문 철거 계획을 처음으로 폭로하였습니다. 총독부 새 청사가 완공될 무렵에 조선 총독부가 광화문을 헐어 버릴 계획이라는 내용이었습니다. 「대한매일신보」도 1922년 10월 5일 광화문 보존 문제에 관한 기사를 실어 이 문제를 다루었습니다. 이렇게 광화문이 철거된다는 소식이 돌자 몇몇 일본인 학자들도 조선 총독부의 처사가 부당하다고 지적하였으며, 광화문 철거를 반대하는 국내 여론은 더욱 거세졌습니다.

예상치 못한 거센 여론에 밀려서일까요? 일제는 광화문을 철거한다는 계획을 접고, 대신 광화문의 자리를 옮기기로 결정합니다. 그리고 1923년 10월, 광화문 앞 양측에서 수문장 노릇을 하던 해태 석상 두 점이 철거되고 말았습니다.

광화문, 그 자리에 바로 서서 역사를 이어 가리

1945년 8월, 우리나라는 일본 제국주의의 압제라는 긴 암흑기를 지나 광복을 맞이합니다. 하지만 조선 총독부 건물은 중앙청으로 이름만 바뀌어 정부 청사로 사용되다가 1986년에 보수 작업을 거쳐 국립 중앙 박물관으로 개관됩니다. '역사 바로 세우기' 차원에서 철거해야 한다는 주장과 그 자체가 역사이니 그대로 두어야 한다는 주장이 오랜 논란을 빚은 끝에 1995년에 조선 총독부 건물이 철거되었고, 경복궁은 일부나마 다시 세워지기 시작하였습니다. 그리고 2006년에는 광화문을 제자리에 제대로 복원하는 작업이 시작되어 2010년에 비로소 복원된 광화문이 그 모습을 드러냈습니다.

조선 왕조 제일의 법궁인 경복궁. 그리고 그 정문인 광화문, 광화문은 단순히 문으로만 기능하는 건물이 아닙니다. 비록 격량의 근현대사 속에서 많은 수난을 당하며 원래의 목조 건축물이 지녔던 품격은 잃어버렸지만, 여전히 광화문은 경복궁의 얼굴이자 대한민국의 대표입니다. 그 자체가 우리의 역사이자 숨결이지요.

---

01 윗글의 내용과 일치하지 않는 것은?

① 광화문 철거를 반대하는 일본인도 있었다.
② 언론 보도로 인해 광화문 철거 반대 여론이 형성되었다.
③ 광화문은 1995년에 복원되기 시작하여 2010년에 완공되었다.
④ 일제는 광화문을 철거해 조선 민족의 정통성을 훼손하고자 했다.
⑤ 일제가 광화문을 남산이 바라보이도록 한 것은 신사를 향하도록 하기 위해서이다.

02 윗글의 내용을 이해하기 위한 '읽기 중 활동'으로 적절하지 않은 것은?

① 광화문의 철거와 복원을 시대 순으로 정리해 본다.
② 광화문 철거 소식을 들은 우리 선조들이 어떤 일들을 했는지 찾아 본다.
③ 경복궁의 건축 양식을 찾아보고 궁의 건축 양식에 대한 이해를 넓혀 본다.
④ 「대한매일신보」1922년 10월 5일 기사 내용을 검색해 보고 그 당시 상황을 상상해 본다.
⑤ 철거 전 광화문 사진과 이전된 광화문 사진을 찾아보고 광화문의 모습이 어떻게 달라졌는지 비교해 본다.

[03~04] 다음 글을 읽고 물음에 답하시오.

조선의 얼, 광화문

(가) 일제 강점기의 광화문, 아픔을 겪다

광화문은 '왕의 큰 덕이 온 나라를 비춘다(光化.)'라는 뜻을 간직한, 경복궁의 남쪽 문이자 정문입니다. 1395년 조선 태조 때 만들어졌으며, 석축을 높게 쌓고 중앙에 홍예문을 터서 문루를 얹은 궐문의 형식을 갖추고 있습니다. 창건 당시 '오문'으로 불리던 광화문이 지금의 이름을 얻게 된 것은 1426년 세종 때입니다. 이는 집현전 학사들이 나라의 위엄과 문화를 널리 만방에 보여 준다는 뜻으로 새로이 붙인 것입니다.

(나) 총독부 새 청사, 광화문을 밀어내다

제국주의 일본이 조선을 병탄한 지 6년째 되는 해, 조선 총독부는 새 청사를 짓겠다고 나섰습니다. 조선을 영원히 식민 통치하겠다는 그들의 야욕은 날이 갈수록 더해 갔습니다. 일제가 새 청사의 터로 선택한 것은 오백 년 조선 왕조를 호령했던 경복궁 앞뜰이었습니다.

다음은 1910년 5월 15일 자 「대한매일신보」에 실린 「경복궁이 없어지네」라는 제목의 기사입니다. 이 기사를 통해 조선 총독부 청사를 짓기 이전부터 경복궁이 훼손되기 시작하였음을 알 수 있습니다.

(다) 사라지려는 한 조선 건축물을 위하여

1921년 5월, 「동아일보」는 광화문 사진을 커다랗게 싣고 일제의 광화문 철거 계획을 처음으로 폭로하였습니다. 총독부 새 청사가 완공될 무렵에 조선 총독부가 광화문을 헐어 버릴 계획이라는 내용이었습니다. 「대한매일신보」도 1922년 10월 5일 광화문 보존 문제에 관한 기사를 실어 이 문제를 다루었습니다. 이렇게 광화문이 철거된다는 소식이 돌자 몇몇 일본인 학자들도 조선 총독부의 처사가 부당하다고 지적하였으며, 광화문 철거를 반대하는 국내 여론은 더욱 거세졌습니다.

(라) 다만 그를 위하여 아까워하고 못 잊어 할 뿐이라

「동아일보」는 그보다 며칠 앞서 「헐려 짓는 광화문」이라는 제목의 고별사를 실었습니다. 글을 쓴 사람은 당시 문화부 기자인 설의식이었습니다. 고별사 내용은 참으로 구슬프고 참담했으니 당시 우리 민족의 마음을 대변하는 듯했습니다. 설의식은 우리의 민족혼, 민족 문화가 말살되는 데 대한 분노와 울분을 강한 어조로 힘 있게 표현하여 붓으로써 일제에 저항하였습니다.

(마) 광화문, 그 자리에 바로 서서 역사를 이어 가리

1945년 8월, 우리나라는 일본 제국주의의 압제라는 긴 암흑기를 지나 광복을 맞이합니다. 하지만 조선 총독부 건물은 중앙청으로 이름만 바뀌어 정부 청사로 사용되다가 1986년에 보수 작업을 거쳐 국립 중앙 박물관으로 개관됩니다. '역사 바로 세우기' 차원에서 철거해야 한다는 주장과 그 자체가 역사이니 그대로 두어야 한다는 주장이 오랜 논란을 빚은 끝에 1995년에 조선 총독부 건물이 철거되었고, 경복궁은 일부나마 다시 세워지기 시작하였습니다. 그리고 2006년에는 광화문을 제자리에 제대로 복원하는 작업이 시작되어 2010년에 비로소 복원된 광화문이 그 모습을 드러냈습니다.

조선 왕조 제일의 법궁인 경복궁. 그리고 그 정문인 광화문. 광화문은 단순히 문으로만 기능하는 건물이 아닙니다. 비록 격량의 근현대사 속에서 많은 수난을 당하며 원래의 목조 건축물이 지녔던 품격은 잃어버렸지만, 여전히 광화문은 경복궁의 얼굴이자 대한민국의 대표입니다. 그 자체가 우리의 역사이자 숨결이지요.

03 윗글을 이해한 내용으로 가장 적절한 것은?

① 광화문은 1395년 조선 태조 때 만들어져 지금의 이름으로 불려왔군.

② 일제의 광화문 철거 계획을 처음으로 보도한 것은 「대한 매일신보」였군.

③ 「동아일보」 설의식 기자는 민족 문화를 말살하려는 일제에 글로 저항하였군.

④ 총독부 건물이 국립 중앙 박물관으로 사용되면서 경복궁은 훼손되기 시작하였군.

⑤ 광복 후 조선 총독부 건물은 '역사 바로 세우기' 차원에서 철거해야 한다는 주장이 반영되어 1986년에 철거되었군.

04 윗글에 대한 설명으로 적절하지 않은 것은?

① 사료를 통해 광화문이 지닌 역사적 의미를 제시하고 있다.

② 소제목을 설정하여 광화문의 수난과 복원을 다루고 있다.

③ 광화문에 글쓴이의 감정을 이입하여 흥망성쇠의 무상함을 한탄하고 있다.

④ 광화문이라는 이름의 유래를 통해 광화문의 상징성을 나타내고 있다.

⑤ 글의 제목을 통해 광화문이 지닌 역사적 가치를 집약하여 표현하고 있다.

[05~07] 다음 글을 읽고 물음에 답하시오.

일제강점기의 광화문, 아픔을 겪다

광화문은 '왕의 큰 덕이 온 나라를 비춘다(光化).'라는 뜻을 간직한, 경복궁의 남쪽 문이자 정문입니다. 1395년 조선 태조 때 만들어졌으며, 석축을 높게 쌓고 중앙에 홍예문을 터서 문루를 얹은 궐문의 형식을 갖추고 있습니다. 창건 당시 '오문'으로 불리던 광화문이 지금의 이름을 얻게 된 것은 1426년 세종 때입니다. 이는 집현전 학사들이 나라의 위엄과 문화를 널리 만방에 보여 준다는 뜻으로 새로이 붙인 것입니다.

원래 경복궁은 광화문-근정전-사정전-강녕전-교태전이 남북으로 일직선상에 놓여 관악산을 바라보고 있었습니다. 그런데 일제가 조선 총독부를 근정전 바로 앞에 세우면서, 광화문을 삐딱하게 비틀어 관악산이 아닌 남산을 바라보게 하였습니다. 원래 남산에는 단군을 비롯한 여러 신을 모신 국사당이 있었습니다. 일제는 이 국사당을 허물고 그 자리에 일본의 건국 시조를 신으로 받드는 신사를 건립하였습니다. 이 모든 것이 조선 민족의 정통성과 정기를 훼손하여, 조선 백성을 일왕의 백성으로 만들기 위함이었습니다.

이처럼 광화문은 이름과 달리 수난의 역사를 겪었습니다. 구한말부터 오늘에 이르기까지 우리 민족이 온몸으로 받아내야 했던 근현대사의 비극을 압축해 담고 있는 셈입니다.

총독부 새 청사, 광화문을 밀어내다

제국주의 일본이 조선을 병탄한 지 6년째 되는 해, 조선 총독부는 새 청사를 짓겠다고 나섰습니다. 조선을 영원히 식민 통치하겠다는 그들의 야욕은 날이 갈수록 더해 갔습니다. 일제가 새 청사의 터로 선택한 것은 오백 년 조선 왕조를 호령했던 경복궁 앞뜰이었습니다.

다음은 1910년 5월 15일 자 「대한매일신보」에 실린 「경복궁이 없어지네」라는 제목의 기사입니다. 이 기사를 통해 조선 총독부 청사를 짓기 이전부터 경복궁이 훼손되기 시작하였음을 알 수 있습니다.

> 1910년 5월 10일 왕실 사무를 총괄하던 궁내부는 경복궁 내 공원 신축을 위해 전각 4,000여 칸을 경매했다. 조선인과 일본인 80여 명이 경매에 참여했고, 이 중 10여 명에게 전각이 매각됐다.

일제의 총독부 새 청사가 모습을 갖춰 갈수록 경복궁은 점점 더 초라한 몰골로 변해 갔습니다. 그런데 공사를 진행하다 보니 그들에게는 광화문이 눈엣가시였습니다. 경복궁의 다른 전각이야 조선 총독부가 앞을 가로막고 서 있으니 문제될 것이 없는데, 광화문은 조선 총독부 앞을 떡하니 가로막고 있는 형상이었기 때문입니다. 이들이 이를 가만히 놔둘 리 없었습니다.

사라지려는 한 조선 건축물을 위하여

1921년 5월, 「동아일보」는 광화문 사진을 커다랗게 싣고 일제의 광화문 철거 계획을 처음으로 폭로하였습니다. 총독부 새 청사가 완공될 무렵에 조선 총독부가 광화문을 헐어 버릴 계획이라는 내용이었습니다. 「대한매일신보」도 1922년 10월 5일 광화문 보존 문제에 관한 기사를 실어 이 문제를 다루었습니다. 이렇게 광화문이 철거된다는 소식이 돌자 몇몇 일본인 학자들도 조선 총독부의 처사가 부당하다고 지적하였으며, 광화문 철거를 반대하는 국내 여론은 더욱 거세졌습니다.

예상치 못한 거센 여론에 밀려서일까요? 일제는 광화문을 철거한다는 계획을 ⓐ접고, 대신 광화문의 자리를 옮기기로 결정합니다. 그리고 1923년 10월, 광화문 앞 양측에서 수문장 노릇을 하던 해태 석상 두 점이 철거되고 말았습니다.

「조선일보」는 1925년 10월 26일, 「나는 가나이다」라는 제목으로 애절한 고별사를 실었습니다. 이는 광화문 철거를 눈앞에 둔 조선 백성의 암담하고도 하소연할 데 없는 슬픈 심정을 광화문 스스로의 입을 빌려 이야기하는 형식의 글이었습니다.

1926년 7월 22일에는 광화문 철거 작업이 시작되었습니다. 완전히 무너뜨리는 것이 아니라 건춘문(경복궁의 동쪽 문) 옆으로 옮기는 것이라고 해도, 본래의 자리를 뜨는 순간 그 존재 가치는 빛이 바래게 됩니다.

05 윗글의 서술상 특징으로 적절하지 않은 것은?

① 사회적 상호 작용으로서의 읽기 과정이 드러나 있다.
② '광화문'이라는 이름의 유래를 시대 순으로 설명하였다.
③ 소제목을 설정하여 광화문의 수난의 역사를 서술하였다.
④ 광화문에 대한 전문가들의 다양한 견해를 병렬적으로 나열하고 있다.
⑤ 신문 기사와 역사적 자료를 인용하여 광화문을 둘러싼 역사적 사실을 설명하였다.

06 윗글의 내용과 일치하는 것은?

① 원래 광화문은 관악산이 아닌 남산을 바라보고 있었다.
② 광화문 철거 소식에 일부 일본인 학자들도 문제를 제기했다.
③ 일제는 조선 총독부 청사를 짓고 나서부터 경복궁의 훼손을 시작하였다.
④ 일제는 광화문의 자리를 옮기는 계획을 세웠다가 철거하는 쪽으로 변경했다.
⑤ 동아일보는 의인법을 활용한 제목의 기사를 통해 광화문 철거의 부당함을 지적했다.

07 밑줄 친 단어 중, ⓐ의 사전적 의미와 가장 유사한 것은?

① 나는 내가 읽던 페이지를 <u>접어</u> 놓고 책을 덮었다.
② 그 사람의 말은 허풍이 많으므로 <u>접어</u> 듣도록 해라.
③ 일이 너무 힘들어서 도시 생활을 <u>접고</u> 귀농하기로 했다.
④ 물건값이 원래 구만 원인데 만 원은 <u>접고</u> 팔만 원만 주세요.
⑤ 그녀는 자신의 의견을 일단 <u>접고</u> 다른 의견을 들어 보기로 했다.

[08~09] 다음 글을 읽고 물음에 답하시오.

제국주의 일본이 조선을 병탄한 지 6년째 되는 해, 조선 총독부는 새 청사를 짓겠다고 나섰습니다. 조선을 영원히 식민 통치하겠다는 그들의 야욕은 날이 갈수록 더해 갔습니다. 일제가 새 청사의 터로 선택한 것은 오백 년 조선 왕조를 호령했던 경복궁 앞뜰이었습니다.

〈중략〉

㉠1910년 5월 10일 왕실 사무를 총괄하던 궁내부는 경복궁 내 공원 신축을 위해 전각 4,000여 칸을 경매했다. 조선인과 일본인 80여 명이 경매에 참여했고, 이 중 10여 명에게 전각이 매각됐다.

일제의 총독부 새 청사가 모습을 갖춰 갈수록 경복궁은 점점 더 초라한 몰골로 변해 갔습니다. 그런데 공사를 진행하다 보니 그들에게는 광화문이 눈엣가시였습니다. 경복궁의 다른 전각이야 조선 총독부가 앞을 가로막고 서 있으니 문제될 것이 없는데, 광화문은 조선 총독부 앞을 떡하니 가로막고 있는 형상이었기 때문입니다. 이들이 이를 가만히 놔둘 리 없었습니다.

㉡1921년 5월, 「동아일보」는 광화문 사진을 커다랗게 싣고 일제의 광화문 철거 계획을 처음으로 폭로하였습니다. 총독부 새 청사가 완공될 무렵에 조선 총독부가 광화문을 헐어 버릴 계획이라는 내용이었습니다. 「대한매일신보」도 1922년 10월 5일 광화문 보존 문제에 관한 기사를 실어 이 문제를 다루었습니다. 이렇게 광화문이 철거된다는 소식이 돌자 몇몇 일본인 학자들도 조선 총독부의 처사가 부당하다고 지적하였으며, 광화문 철거를 반대하는 국내 여론은 더욱 거세졌습니다.

예상치 못한 거센 여론에 밀려서일까요? 일제는 광화문을 철거한다는 계획을 접고, 대신 광화문의 자리를 옮기기로 결정합니다. 그리고 1923년 10월, 광화문 앞 양측에서 수문장 노릇을 하던 해태 석상 두 점이 철거되고 말았습니다.

「조선일보」는 1925년 10월 26일, ㉢나는 가나이다,라는 제목으로 애절한 고별사를 실었습니다. 이는 광화문 철거를 눈앞에 둔 조선 백성의 암담하고도 하소연할 데 없는 슬픈 심정을 광화문 스스로의 입을 빌려 이야기하는 형식의 글이었습니다.

1926년 7월 22일에는 광화문 철거 작업이 시작되었습니다. 완전히 무너뜨리는 것이 아니라 건춘문(경복궁의 동쪽 문) 옆으로 옮기는 것이라도 해도, 본래의 자리를 뜨는 순간 그 존재 가치는 빛이 바래게 됩니다.

철거 작업이 시작된 뒤인 1926년 8월 29일, 「동아일보」는 「광화문 해체, 수일 전에 착수」라는 제목의 기사를 실었습니다.

경복궁 정문인 광화문 이전 공사가 수일 전에 해체 공사에 착수했는데 일은 미야카와쿠미 회사에 5만 4,800원에 맡겼으며, 공사는 1년 안에 끝날 예정이라더라.

「동아일보」는 그보다 며칠 앞서 「헐려 짓는 광화문」이라는 제목의 고별사를 실었습니다. 글을 쓴 사람은 당시 문화부 기자인 설의식이었습니다. 고별사 내용은 참으로 구슬프고 참담했으니 당시 우리 민족의 마음을 대변하는 듯했습니다. 설의식은 우리의 민족혼, 민족 문화가 말살되는 데 대한 분노와 울분을 강한 어조로 힘 있게 표현하여 ㉣붓으로써 일제에 저항하였습니다.

의식 없는 물건이요, 말 못하는 물건이라. 헐고 부수고 끌고 옮기고 하되, 반항도 회피도 기쁨도 설움도 아니한다. 다만 조선의 하늘과 조선의 땅을 같이한 조선의 백성들이 그를 위하여 아까워하고 못 잊어 할 뿐이다. 오백 년 동안 풍우를 같이 겪은 조선의 자손들이 그를 위하여 울어도 보고 설워도 할 뿐이다.

㉤석공의 망치가 네 가슴을 두드릴 때에도 너는 알음(知)이 없으리라마는, 뚝닥딱 하는 소리를 듣는 사람이 가슴 아파하며, 역군의 연장이 네 허리를 들출 때에 너는 괴로움이 없으리라마는, 우지끈하는 소리를 듣는 사람이 허리를 저려 할 것을 네가 과연 아느냐, 모르느냐.

팔도강산의 석재와 목재와 인재의 정수를 뽑아 지은 광화문아! 돌덩이 하나 옮기기에 억만 방울의 피가 흐르고, 기왓장 한 개 덮기에 억만 줄기의 눈물이 흘렀던 우리의 광화문아! 청태 끼인 돌 틈에 이 흔적이 남아 있고 풍우 맞은 기둥에 그 자취가 어렸다 하면, 너는 옛 모양 그대로 있어야 네 생명이 있으며, 너는 그 신세 그대로 무너져야 네 일생을 마친 것이다.

08 밑줄 친 ㉠~㉤에 대한 설명으로 바르지 못한 것은?

① ㉠ 조선 총독부 청사를 짓기 이전부터 경복궁이 훼손되기 시작하였음을 알 수 있다.

② ㉡ 광화문 철거 계획을 보도하여 사회적 상호작용을 일으키려고 했을 것이다.

③ ㉢ 광화문을 의인화하였으며, 이 고별사도 사회적 상호작용을 일으킬 수 있었을 것이다.

④ ㉣ '글을 써서 저항의식을 드러냈다'는 것을 비유적으로 표현하였다.

⑤ ㉤ 광화문을 만들 때를 의미하며, 우리 역사와 함께 한 광화문이 헐려 짓는 것에 대한 안타까움을 드러낸다.

09 다음 〈보기〉는 이 글을 읽고 난 뒤 작성한 학생의 글이다. 적절하지 않은 것은?

┤ 보기 ├

　㉮조선 총독부 청사를 짓기 위해 광화문을 옮겼다는 것에 대해서 충격을 받았으며, ㉯동아일보에서 역사상 최초의 고별사 '헐려 짓는 광화문'을 실었다는 것은 언론인이 꿈인 나에게 큰 도전이 되었다. 그리고 ㉰일제강점기에 광화문을 철거하는 것에 반대하는 일본인도 있었다는 사실을 알게 되었다. 어제는 한국사 교과서에서 자리를 옮기기 전의 광화문 사진을 보았는데 해태 석상이 있었다. ㉱그 사진은 아마도 1923년 이전의 모습일 것이다. 또 일제 강점기에 자리를 옮긴 광화문 사진도 있었다. 사진엔 자세히 나오지 않았지만, ㉲아마도 광화문 옆에는 건춘문이 있었겠지.

① ㉮　　　　② ㉯　　　　③ ㉰　　　　④ ㉱　　　　⑤ ㉲

[10~12] 다음 글을 읽고 물음에 답하시오.

(가) 일제 강점기의 광화문, 아픔을 겪다

광화문은 '왕의 큰 덕이 온 나라를 비춘다(光化).'라는 뜻을 간직한, 경복궁의 남쪽 문이자 정문입니다. 1395년 조선 태조 때 만들어졌으며, 석축을 높게 쌓고 중앙에 홍예문을 터서 문루를 얹은 궐문의 형식을 갖추고 있습니다. 창건 당시 '오문'으로 불리던 광화문이 지금의 이름을 얻게 된 것은 1426년 세종 때입니다. 이는 집현전 학사들이 나라의 위엄과 문화를 널리 만방에 보여 준다는 뜻으로 새로이 붙인 것입니다.

원래 경복궁은 광화문-근정전-사정전-강녕전-교태전이 남북으로 일직선 상에 놓여 관악산을 바라보고 있었습니다. 그런데 일제가 조선 총독부를 근정전 바로 앞에 세우면서, 광화문을 삐딱하게 비틀어 관악산이 아닌 남산을 바라보게 하였습니다. 원래 남산에는 단군을 비롯한 여러 신을 모신 국사당이 있었습니다. 일제는 이 국사당을 허물고 그 자리에 일본의 건국 시조를 신으로 받드는 신사를 건립하였습니다. 이 모든 것이 조선 민족의 정통성과 정기를 훼손하여, 조선 백성을 일왕의 백성으로 만들기 위함이었습니다.

이처럼 광화문은 이름과 달리 수난의 역사를 겪었습니다. 구한말부터 오늘에 이르기까지 우리 민족이 온몸으로 받아 내야 했던 근현대사의 비극을 압축해 담고 있는 셈입니다.

(나) 총독부 새 청사, 광화문을 밀어내다

제국주의 일본이 조선을 병탄한 지 6년째 되는 해, 조선 총독부는 새 청사를 짓겠다고 나섰습니다. 조선을 영원히 식민 통치하겠다는 그들의 야욕은 날이 갈수록 더해 갔습니다. 일제가 새 청사의 터로 선택한 것은 오백 년 조선 왕조를 호령했던 경복궁 앞뜰이었습니다.

다음은 1910년 5월 15일 자 「대한매일신보」에 실린 「경복궁이 없어지네」라는 제목의 기사입니다. 이 기사를 통해 조선 총독부 청사를 짓기 이전부터 경복궁이 훼손되기 시작하였음을 알 수 있습니다.

1910년 5월 10일 왕실 사무를 총괄하던 궁내부는 경복궁 내 공원 신축을 위해 전각 4,000여 칸을 경매했다. 조선인과 일본인 80여 명이 경매에 참여했고, 이 중 10여 명에게 전각이 매각됐다.

사라지려는 한 조선 건축물을 위하여

1921년 5월, 「동아일보」는 광화문 사진을 커다랗게 싣고 일제의 광화문 철거 계획을 처음으로 폭로하였습니다. 총독부 새 청사가 완공될 무렵에 조선 총독부가 광화문을 헐어 버릴 계획이라는 내용이었습니다. 「대한매일신보」도 1922년 10월 5일 광화문 보존 문제에 관한 기사를 실어 이 문제를 다루었습니다. 이렇게 광화문이 철거된다는 소식이 돌자 몇몇 일본인 학자들도 조선 총독부의 처사가 부당하다고 지적하였으며, 광화문 철거를 반대하는 국내 여론은 더욱 거세졌습니다.

예상치 못한 거센 여론에 밀려서일까요? 일제는 광화문을 철거한다는 계획을 접고, 대신 광화문의 자리를 옮기기로 결정합니다. 그리고 1923년 10월, 광화문 앞 양측에서 수문장 노릇을 하던 해태 석상 두 점이 철거되고 말았습니다.

다만 그를 위하여 아까워하고 못 잊어할 뿐이라

「동아일보」는 그보다 며칠 앞서 「헐려 짓는 광화문」이라는 제목의 고별사를 실었습니다. 글을 쓴 사람은 당시 문화부 기자인 설의식이었습니다. 고별사 내용은 참으로 구슬프고 참담했으니 당시 우리 민족의 마음을 대변하는 듯했습니다. 설의식은 우리의 민족혼, 민족 문화가 말살되는 데 대한 분노와 울분을 강한 어조로 힘 있게 표현하여 붓으로써 일제에 저항하였습니다.

(다) 헐린다, 헐린다 하던 광화문은 마침내 헐리기 시작한다. 총독부 청사 까닭으로 헐리고 총독부 정책 덕택으로 다시 지어지리라 한다.

ⒶⒶ원래 광화문은 물건이다. 울 줄도 알고, 웃을 줄도 알며, 노할 줄도 알고, 기뻐할 줄도 아는 사람이 아니다. 밟히면 꿈틀거리고 죽이면 소리치는 생물이 아니라, 돌과 나무로 만들어진 건물이다.

의식 없는 물건이요, 말 못하는 물건이라. 헐고 부수고 끌고 옮기고 하되, 반항도 회피도 기뻐도 설워도 아니한다. 다만 조선의 하늘과 조선의 땅을 같이한 조선의 백성들이 그를 위하여 아까워하고 못 잊어 할 뿐이다. 오백 년 동안 풍우를 같이 겪은 조선의 자손들이 그를 위하여 울어도 보고 설워도 할 뿐이다.

ⓑ석공의 망치가 네 가슴을 두드릴 때에도 너는 알음(知)이 없으리라마는, 뚝딱딱 하는 소리를 듣는 사람이 가슴 아파 하며, 역군의 연장이 네 허리를 들출 때에 너는 괴로움이 없으리라마는, 우지끈하는 소리를 듣는 사람이 허리를 저려 할 것을 네가 과연 아느냐, 모르느냐.

팔도강산의 석재와 목재와 인재의 정수를 뽑아 지은 광화문아! 돌덩이 하나 옮기기에 억만 방울의 피가 흐르고, 기왓장 한 개 덮기에 억만 줄기의 눈물이 흘렀던 우리의 광화문아! 청태 끼인 돌 틈에 이 흔적이 남아 있고 풍우 맞은 기둥에 그 자취가 어렸다 하면, 너는 옛 모양 그대로 있어야 네 생명이 있으며, 너는 그 신세 그대로 무너져야 네 일생을 마친 것이다.

풍우! 오백 년 동안에 충신도 드나들고 역적도 드나들며, 수구당도 드나들고 개화당도 드나들던 광화문아! 평화의 사자(使者)도 지나고 살벌(殺伐)의 총검도 지나며, 일로의 사절도 지나고 원청의 국빈도 지나던 우리의 광화문아! 그들을 맞고 그들을 보냄이 너의 타고난 천직이며 그 길을 인도하고 그 길을 가리킴이 너의 타고난 천명이라 하면, 너는 그 자리 그 곳을 떠나지 말아야 네 생명이 있으며, 그 방향 그 터전을 옮기지 말아야 네 일생을 마친 것이다.

너의 천명과 너의 천직은 이미 없어진 지 오래였거니와, 너의 생명과 너의 일생은 지금 헐리는 순간에, 옮기는 찰나에 마지막으로 없어지려고 하는구나! 오오, 가엾어라! 너의 마지막 운명을 우리는 알되 너는 모르니, 모르는 너는 모르고 지내려니와 아는 우리는 어떻게 지내라느냐. 〈후략〉

광화문, 그 자리에 바로 서서 역사를 이어가리

조선 왕조 제일의 법궁인 경복궁. 그리고 그 정문인 광화문. 광화문은 단순히 문으로만 기능하는 건물이 아닙니다. 비록 격량의 근현대사 속에서 많은 수난을 당하며 원래의 목조 건축물이 지녔던 품격은 잃어버렸지만, 여전히 광화문은 경복궁의 얼굴이자 대한민국의 대표입니다. 그 자체가 우리의 역사이자 숨결이지요.

그렇기에 일제 강점기에 설의식을 비롯한 많은 사람들이 입을 모았듯이, 광화문이 헐린다는 것은 우리의 역사와 혼이 헐린다는 의미입니다. 반대로 광화문을 새로이, 바로 세운다는 것은 21세기에도 여전히 민족의 정기를 바로 세우는 역사적인 사업임이 틀림없습니다. 광화문, 어떤 파고와 격랑 속에서도 그 숨결은 이어져야 합니다.

문화재청 엮음, 「수난의 문화재-이를 지켜 낸 인물 이야기」

---

10 (나)를 통해 알 수 있는 읽기의 기능 및 가치에 대한 설명으로 적절한 것은?

① 독자 개인에게 독창적인 의미를 만들어내는 기능을 한다.
② 읽기를 통해 다른 사회 구성원과 협력하여 문제의 의미를 재구성할 수 있다.
③ 언론의 보도와 여론 형성 과정을 통해 읽기가 사회적 상호작용의 역할을 함을 알 수 있다.
④ 자신의 상황과 목적에 맞게 읽기의 방법을 다양하게 적용함으로써 능동적인 사고를 할 수 있게 한다.
⑤ 보도의 언론을 통해 글쓴이의 의도를 그대로 받아들이기 보다는 자신의 가치관에 따라 해석할 수 있는 능력을 길러 준다.

11 (다)에 대한 설명으로 가장 적절한 것은?

① 개인적인 경험을 바탕으로 한 수필의 일부분이다.
② ⓐ에서는 광화문을 의인화하여 유대감을 드러냈다.
③ 유사한 문장을 반복적으로 사용하여 글쓴이의 견해를 강조하였다.
④ ⓑ에서는 광화문이 조선의 재료로 조선의 백성들이 만든 것임을 강조하고 있다.
⑤ 총독부의 광화문 철거 정책에는 부정적이지만, 이전과 재건 정책에 대해서는 긍정적인 반응을 보이고 있다.

12 윗글을 통해 알 수 있는 광화문에 대한 설명으로 적절하지 <u>않은</u> 것은?

보기

① 일제는 광화문을 철거한 자리에 조선 총독부 건물을 세웠다.

② 〈보기〉에서 ⓐ, ⓑ, ⓒ의 명칭은 각각 문루, 홍예문, 석축이다.

③ 원래 이름은 '오문'으로 집현전 학사들이 '광화'라는 이름을 붙였다.

④ 1395년 조선 태조 때 건립된 것으로 경복궁의 남쪽 문이자 정문이다.

⑤ 원래 광화문은 경복궁 내 다른 건물들과 일직선을 이루며 관악산을 바라보고 있었다.

[13~14] 다음 글을 읽고 물음에 답하시오.

(가) 다만 그를 위하여 아까워하고 못 잊어 할 뿐이라

「동아일보」는 그보다 며칠 앞서 「헐려 짓는 광화문」이라는 제목의 고별사를 실었습니다. 글을 쓴 사람은 당시 문화부 기자인 설의식이었습니다. 고별사 내용은 참으로 구슬프고 참담했으니 당시 우리 민족의 마음을 대변하는 듯했습니다. 설의식은 우리의 민족혼, 민족 문화가 말살되는 데 대한 분노와 울분을 강한 어조로 힘 있게 표현하여 붓으로써 일제에 저항하였습니다.

(나) 헐린다, 헐린다 하던 광화문은 마침내 헐리기 시작한다. ㉠총독부 청사 까닭으로 헐리고 총독부 정책 덕택으로 다시 지어지리라 한다.

원래 광화문은 물건이다. 울 줄도 알고, 웃을 줄도 알며, 노할 줄도 알고, 기뻐할 줄도 아는 사람이 아니다. 밝히면 꾸물거리고 죽이면 소리치는 생물이 아니라, 돌과 나무는 만들어진 건물이다.

의식 없는 물건이요, 말 못하는 물건이라. 헐고 부수고 끌고 옮기고 하되, 반항도 회피도 기쁘도 설워도 아니한다. 다만 조선의 하늘과 조선의 땅을 같이한 조선의 백성들이 그를 위하여 아까워하고 못 잊어 할 뿐이다. 오백 년 동안 풍우를 같이 겪은 조선의 자손들이 그를 위하여 울어도 보고 설워도 할 뿐이다.

석공의 망치가 네 가슴을 두드릴 때에도 너는 알음(知)이 없으리라마는, 뚝닥닥 하는 소리를 듣는 사람이 가슴 아파하며, 역군의 연장이 네 허리를 들출 때에 너는 괴로움이 없으리라마는, ⓛ우지끈하는 소리를 듣는 사람이 허리를 저려 할 것을 네가 과연 아느냐, 모르느냐.

팔도강산의 석재와 목재와 인재의 정수를 뽑아 지은 광화문아! 돌덩이 하나 옮기기에 억만 방울의 피가 흐르고, 기왓장 한 개 덮기에 억만 줄기의 눈물이 흘렀던 우리의 광화문아! 청태 끼인 돌 틈에 이 흔적이 남아 있고 풍우 맞은 기둥에 그 자취가 어렸다 하면, ⓒ너는 옛 모양 그대로 있어야 네 생명이 있으며, 너는 그 신세 그대로 무너져야 네 일생을 마친 것이다.

풍우! 오백 년 동안에 충신도 드나들고 역적도 드나들며, 수구당도 드나들고 개화당도 드나들던 광화문아! 평화의 사자(使者)도 지나고 살벌(殺伐)의 총검도 지나며, 일로의 사절도 지나고 원청의 국빈도 지나던 우리의 광화문아! 그들을 맞고 그들을 보냄이 너의 타고난 천직이며 그 길을 인도하고 그 길을 가리킴이 너의 타고난 천명이라 하면, 너는 그 자리 그 곳을 떠나지 말아야 네 생명이 있으며, 그 방향 그 터전을 옮기지 말아야 네 일생을 마친 것이다.

ⓔ너의 천명과 너의 천직은 이미 없어진 지 오래였거니와, 너의 생명과 너의 일생은 지금 헐리는 순간에, 옮기는 찰나에 마지막으로 없어지려고 하는구나! 오오, 가엾어라! 너의 마지막 운명을 우리는 알되 너는 모르니, ⓜ모르는 너는 모르고 지내려니와 아는 우리는 어떻게 지내라느냐. 〈후략〉

---

13 (가)를 참고할 때, (나)에 대한 설명으로 적절하지 않은 것은?

① 현실 상황에 대한 비판적인 입장을 나타내고 있다.
② 광화문에 대한 민족적인 관심을 고취하려는 의도가 드러나 있다.
③ 반복법, 열거법을 사용하여 암울했던 당시의 시대상황을 부각하고 있다.
④ 과거와 현재를 대비하여 설명함으로써, 현재 사건의 원인이 과거에 있음을 밝히고 있다.
⑤ 대상을 의인화하여 대상에게 말을 건네듯이 서술함으로써, 대상에 대한 친근감과 유대감을 드러낸 부분도 있다.

14 ㉠~㉤에 대한 설명으로 적절하지 않은 것은?

① ㉠ : 조선 총독부의 정책으로 다른 자리에 놓이게 된 광화문의 처지가 나타난다.
② ㉡ : 조선의 상징물인 광화문이 일제에 의해 훼손될 때 조선 백성들이 느낄 심적인 고통을 표현하고 있다.
③ ㉢ : 광화문이 원래 모양을 유지하여야 진정으로 광화문의 정체성과 생명력을 지님을 역설하고 있다.
④ ㉣ : 조선 왕조가 일제의 지배하에 놓이면서 광화문 본래의 역할을 잃어버렸음을 나타내고 있다.
⑤ ㉤ : 비극적 역사를 외면하고 방관하는 사람들에 대한 비판과 분노를 드러내고 있다.

객관식 심화문제

[01~04] 다음 글을 읽고 물음에 답하시오.

일제강점기의 광화문, 아픔을 겪다

광화문은 '왕의 큰 덕이 온 나라를 비춘다(光化).'라는 뜻을 간직한, 경복궁의 남쪽 문이자 정문입니다. 1395년 조선 태조 때 만들어졌으며, 석축을 높게 쌓고 중앙에 홍예문을 터서 문루를 얹은 궐문의 형식을 갖추고 있습니다. 창건 당시 '오문'으로 불리던 광화문이 지금의 이름을 얻게 된 것은 1426년 세종 때입니다. 이는 집현전 학사들이 나라의 위엄과 문화를 널리 만방에 보여 준다는 뜻으로 새로이 붙인 것입니다.

원래 경복궁은 광화문-근정전-사정전-강녕전-교태전이 남북으로 일직선 상에 놓여 관악산을 바라보고 있었습니다. 그런데 일제가 조선 총독부를 근정전 바로 앞에 세우면서, 광화문을 삐딱하게 비틀어 관악산이 아닌 남산을 바라보게 하였습니다. 원래 남산에는 단군을 비롯한 여러 신을 모신 국사당이 있었습니다. ㉠일제는 이 국사당을 허물고 그 자리에 일본의 건국 시조를 신으로 받드는 신사를 건립하였습니다. 이 모든 것이 조선 민족의 정통성과 정기를 훼손하여, 조선 백성을 일왕의 백성으로 만들기 위함이었습니다.

이처럼 광화문은 이름과 달리 수난의 역사를 겪었습니다. 구한말부터 오늘에 이르기까지 우리 민족이 온몸으로 받아 내야 했던 근현대사의 비극을 압축해 담고 있는 셈입니다.

총독부 새 청사, 광화문을 밀어내다

제국주의 일본이 조선을 병탄한 지 6년째 되는 해, 조선 총독부는 새 청사를 짓겠다고 나섰습니다. 조선을 영원히 식민 통치하겠다는 그들의 야욕은 날이 갈수록 더해 갔습니다. ㉡일제가 새 청사의 터로 선택한 것은 오백 년 조선 왕조를 호령했던 경복궁 앞뜰이었습니다.

다음은 1910년 5월 15일 자 「대한매일신보」에 실린 「경복궁이 없어지네」라는 제목의 기사입니다. 이 기사를 통해 조선 총독부 청사를 짓기 이전부터 경복궁이 훼손되기 시작하였음을 알 수 있습니다.

1910년 5월 10일 왕실 사무를 총괄하던 궁내부는 경복궁 내 공원 신축을 위해 전각 4,000여 칸을 경매했다. 조선인과 일본인 80여 명이 경매에 참여했고, 이 중 10여 명에게 전각이 매각됐다.

일제의 총독부 새 청사가 모습을 갖춰 갈수록 경복궁은 점점 더 초라한 몰골로 변해 갔습니다. 그런데 공사를 진행하다 보니 ㉢그들에게는 광화문이 눈엣가시였습니다. 경복궁의 다른 전각이야 조선 총독부가 앞을 가로막고 서 있으니 문제될 것이 없는데, 광화문은 조선 총독부 앞을 떡하니 가로막고 있는 형상이었기 때문입니다. 이들이 이를 가만히 놔둘 리 없었습니다.

사라지려는 한 조선 건축물을 위하여

1921년 5월, 「동아일보」는 광화문 사진을 커다랗게 싣고 일제의 광화문 철거 계획을 처음으로 폭로하였습니다. 총독부 새 청사가 완공될 무렵에 조선 총독부가 광화문을 헐어 버릴 계획이라는 내용이었습니다. 「대한매일신보」도 1922년 10월 5일 광화문 보존 문제에 관한 기사를 실어 이 문제를 다루었습니다. 이렇게 광화문이 철거된다는 소식이 돌자 몇몇 일본인 학자들도 조선 총독부의 처사가 부당하다고 지적하였으며, 광화문 철거를 반대하는 국내 여론은 더욱 거세졌습니다.

예상치 못한 거센 여론에 밀려서일까요? 일제는 광화문을 철거한다는 계획을 접고, 대신 광화문의 자리를 옮기기로 결정합니다. 그리고 1923년 10월, 광화문 앞 양측에서 수문장 노릇을 하던 해태 석상 두 점이 철거되고 말았습니다.

〈중략〉

다만 그를 위하여 아까워하고 못 잊어할 뿐이라

「동아일보」는 그보다 며칠 앞서 「헐려 짓는 광화문」이라는 제목의 고별사를 실었습니다. 글을 쓴 사람은 당시 문화부 기자인 설의식이었습니다. 고별사 내용은 참으로 구슬프고 참담했으니 당시 우리 민족의 마음을 대변하는 듯했습니다. 설의식은 우리의 민족혼, 민족 문화가 말살되는 데 대한 분노와 울분을 강한 어조로 힘 있게 표현하여 ㉣붓으로써 일제에 저항하였습니다.

광화문, 그 자리에 바로 서서 역사를 이어 가리

1945년 8월, 우리나라는 일본 제국주의의 압제라는 긴 암흑기를 지나 광복을 맞이합니다. 하지만 조선 총독부 건물은 중앙청으로 이름만 바뀌어 정부 청사로 사용되다가 1986년에 보수 작업을 거쳐 국립 중앙 박물관으로 개관됩니다. '역사 바로 세우기' 차원에서 ⓒ철거해야 한다는 주장과 그 자체가 역사이니 그대로 두어야 한다는 주장이 오랜 논란을 빚은 끝에 1995년에 조선 총독부 건물이 철거되었고, 경복궁은 일부나마 다시 세워지기 시작하였습니다. 그리고 2006년에는 광화문을 제자리에 제대로 복원하는 작업이 시작되어 2010년에 비로소 복원된 광화문이 그 모습을 드러냈습니다.

조선 왕조 제일의 법궁인 경복궁. 그리고 그 정문인 광화문, 광화문은 단순히 문으로만 기능하는 건물이 아닙니다. 비록 격량의 근현대사 속에서 많은 수난을 당하며 원래의 목조 건축물이 지녔던 품격은 잃어버렸지만, 여전히 광화문은 경복궁의 얼굴이자 대한민국의 대표입니다. 그 자체가 우리의 역사이자 숨결이지요.

그렇기에 일제 강점기에 설의식을 비롯한 많은 사람들이 입을 모았듯이, 광화문이 헐린다는 것은 우리의 역사와 혼이 헐린다는 의미입니다. 반대로 광화문을 새로이, 바로 세운다는 것은 21세기에도 여전히 민족의 정기를 바로 세우는 역사적인 사업임이 틀림없습니다. 광화문, 어떤 파고와 격량 속에서도 그 숨결은 이어져야 합니다.

---

01 이 글을 읽는 방법으로 알맞지 <u>않은</u> 것은?

① 소제목을 통해 내용과 글의 전개 방향을 예측하면서 읽는다.
② 시간의 순서에 따른 대상의 변화 양상을 파악하면서 읽는다.
③ 구절의 문맥적 의미와 글쓴이의 의도를 생각하면서 읽는다.
④ 핵심 소재의 건축사적 의미와 전통 예술로서의 가치를 이해하면서 읽는다.
⑤ 인용된 자료가 뒷받침하고 있는 내용이 무엇인지 살펴 가면서 읽는다.

02 이 글의 내용과 일치하지 <u>않는</u> 것은?

① 일제에 의해 경복궁 훼손은 1910년 조선 총독부 청사의 신축과 함께 시작되었다.
② 광화문은 애초에 관악산을 바라보도록 건축되었으나 일제에 의해 남산을 바라보게 되었다.
③ 일제의 광화문 철거 계획에 국내에서뿐 아니라 일본인 학자들마저 유감을 표현하였다.
④ 일제는 조선 총독부 새 청사를 지으면서 그 앞을 가로막고 있는 광화문을 철거하고자 하였다.
⑤ 광화문의 복원은 조선 총독부 건물 철거 이후 경복궁 복원 사업의 일환으로 이루어졌다.

03 ㉠~㉤을 이해한 내용으로 알맞지 않은 것은?

① ㉠ : 조선 민족의 정통성과 정기를 훼손하여 조선 백성을 일왕의 백성들로 만들려는 의도가 담겨 있다.

② ㉡ : 조선 왕조의 위엄을 무너뜨리고 조선을 영원히 지배하겠다는 일제의 의도를 드러낸 것이다.

③ ㉢ : 오래된 광화문 때문에 새로 지은 조선 총독부 건물마저 초라해 보였기 때문이다.

④ ㉣ : 글을 써서 광화문 이전이 민족혼이 짓밟히는 일이라는 것을 알리고 이에 대한 분노를 드러냈다는 의미이다.

⑤ ㉤ : 조선 총독부 건물의 처리를 둘러싸고 서로 다른 주장이 맞서서 의견 대립이 있었다는 뜻이다.

04 〈보기〉에 대한 설명으로 적절하지 않은 것은?

┤ 보기 ├

　헐린다, 헐린다 하던 광화문은 마침내 헐리기 시작한다. 총독부 청사 까닭으로 헐리고 총독부 정책 덕택으로 다시 지어지리라 한다.

　원래 광화문은 물건이다. 울 줄도 알고, 웃을 줄도 알며, 노할 줄도 알고, 기뻐할 줄도 아는 사람이 아니다. 밟히면 꾸물거리고 죽이면 소리치는 생물이 아니라, 돌과 나무로 만들어진 건물이다. / 의식 없는 물건이요, 말 못하는 물건이라, 헐고 부수고 끌고 옮기고 하되, 반항도 회피도 기뻐도 설워도 아니한다. 다만 조선의 하늘과 조선의 땅을 같이한 조선의 백성들이 그를 위하여 아까워하고 못 잊어 할 뿐이다. 오백 년 동안 풍우를 같이 겪은 조선의 자손들이 그를 위하여 울어도 보고 설워도 할 뿐이다.

　석공의 망치가 네 가슴을 두드릴 때에도 너는 알음[知]이 없으리라마는, 뚝닥닥 하는 소리를 듣는 사람이 가슴 아파하며, 역군의 연장이 네 허리를 들출 때에 너는 괴로움이 없으리라마는, 우지끈하는 소리를 듣는 사람이 허리 저려할 것을 네가 과연 아느냐, 모르느냐.

　팔도강산의 석재와 목재와 인재의 정수를 뽑아 지은 광화문아! 돌덩이 하나 옮기기에 억만 방울의 피가 흐르고, 기왓장 한 개 덮기에 억만 줄기의 눈물이 흘렀던 우리의 광화문아! 청태 끼인 돌 틈에 이 흔적이 남아 있고 풍우 맞은 기둥에 그 자취가 어렸다 하면, 너는 옛 모양 그대로 있어야 네 생명이 있으며, 너는 그 신세 그대로 무너져야 네 일생을 마친 것이다.

－ 설의식, 「헐려 짓는 광화문」 －

① 우리의 민족 문화가 말살되는 데 대한 분노와 울분이 나타나 있다.

② 철거되어 옮겨지는 광화문에 대한 구슬프고 참담한 조선 백성들의 마음을 대변하고 있다.

③ 조선의 역사를 함께 해 온 광화문의 가치를 다양한 표현기법을 통해 효과적으로 드러내고 있다.

④ 비통한 역사적 현실을 알지도 못하고, 감정도 느끼지 못하는 광화문에 대한 원망이 숨겨져 있다.

⑤ 광화문을 '너'로 지칭하여 의인화함으로써 글쓴이와 유대감을 느끼는 동등한 대상으로 표현하고 있다.

(가) 광화문은 '왕의 큰 덕이 온 나라를 비춘다(光化).'라는 뜻을 간직한, 경복궁의 남쪽 문이자 정문입니다. 1395년 조선 태조 때 만들어졌으며, 석축을 높게 쌓고 중앙에 홍예문을 터서 문루를 얹은 궐문의 형식을 갖추고 있습니다. 창건 당시 ㉠'오문'으로 불리던 광화문이 지금의 이름을 얻게 된 것은 1426년 세종 때입니다. 이는 집현전 학사들이 나라의 위엄과 문화를 널리 만방에 보여 준다는 뜻으로 새로이 붙인 것입니다.

(나) 원래 경복궁은 광화문-근정전-사정전-강녕전-교태전이 남북으로 일직선 상에 놓여 관악산을 바라보고 있었습니다. 그런데 일제가 조선 총독부를 근정전 바로 앞에 세우면서, 광화문을 삐딱하게 비틀어 관악산이 아닌 남산을 바라보게 하였습니다. 원래 남산에는 단군을 비롯한 여러 신을 모신 국사당이 있었습니다. 일제는 이 국사당을 허물고 그 자리에 일본의 건국 시조를 신으로 받드는 신사를 건립하였습니다. 이 모든 것이 조선 민족의 정통성과 정기를 훼손하여, 조선 백성을 일왕의 백성으로 만들기 위함이었습니다.

(다) 1921년 5월, 「동아일보」는 광화문 사진을 커다랗게 싣고 일제의 광화문 철거 계획을 처음으로 폭로하였습니다. 총독부 새 청사가 완공될 무렵에 조선 총독부가 광화문을 헐어 버릴 계획이라는 내용이었습니다. 「대한매일신보」도 1922년 10월 5일 광화문 보존 문제에 관한 기사를 실어 이 문제를 다루었습니다. 이렇게 광화문이 철거된다는 소식이 돌자 몇몇 일본인 학자들도 조선 총독부의 처사가 부당하다고 지적하였으며, 광화문 철거를 반대하는 국내 여론은 더욱 거세졌습니다.

예상치 못한 거센 여론에 밀려서 일까요? 일제는 광화문을 철거한다는 계획을 접고, 대신 광화문의 자리를 옮기기로 결정합니다. 그리고 1923년 10월, 광화문 앞 양측에서 ㉡수문장 노릇을 하던 해태 석상 두 점이 철거되고 말았습니다.

(라) 「조선일보」는 1925년 10월 26일, 「나는 가나이다」라는 제목으로 애절한 고별사를 실었습니다. 이는 광화문 철거를 눈앞에 둔 조선 백성의 암담하고도 하소연할 데 없는 슬픈 심정을 광화문 스스로의 입을 빌려 이야기하는 형식의 글이었습니다.

1926년 7월 22일에는 광화문 철거 작업이 시작되었습니다. 완전히 무너뜨리는 것이 아니라 건춘문(경복궁의 동쪽 문) 옆으로 옮기는 것이라도 해도, 본래의 자리를 뜨는 순간 그 존재 가치는 빛이 바래게 됩니다.

철거 작업이 시작된 뒤인 1926년 8월 29일, 「동아일보」는 「광화문 해체, 수일 전에 착수」라는 제목의 기사를 실었습니다.

「동아일보」는 그보다 며칠 앞서 「헐려 짓는 광화문」이라는 제목의 고별사를 실었습니다. 글을 쓴 사람은 당시 문화부 기자인 설의식이었습니다. 설의식은 우리의 민족혼, 민족 문화가 말살되는 데 대한 분노와 울분을 강한 어조로 힘 있게 표현하여 붓으로써 일제에 저항하였습니다.

(마) 1945년 8월, 우리나라는 일본 제국주의의 ㉢압제라는 긴 암흑기를 지나 광복을 맞이합니다. 하지만 조선 총독부 건물은 중앙청으로 이름만 바뀌어 정부 청사로 사용되다가 1986년에 보수 작업을 거쳐 국립 중앙 박물관으로 개관됩니다. '역사 바로 세우기' 차원에서 철거해야 한다는 주장과 그 자체가 역사이니 그대로 두어야 한다는 주장이 오랜 논란을 빚은 끝에 1995년에 조선 총독부 건물이 철거되었고, 경복궁은 일부나마 다시 세워지기 시작하였습니다. 그리고 2006년에는 광화문을 제자리에 제대로 복원하는 작업이 시작되어 2010년에 비로소 복원된 광화문이 그 모습을 드러냈습니다.

조선 왕조 제일의 ㉣법궁인 경복궁. 그리고 그 정문인 광화문. 광화문은 단순히 문으로만 기능하는 건물이 아닙니다. 비록 ㉤격랑의 근현대사 속에서 많은 수난을 당하며 원래의 목조 건축물이 지녔던 품격은 잃어버렸지만, 여전히 광화문은 경복궁의 얼굴이자 대한민국의 대표입니다. 그 자체가 우리의 역사이자 숨결이지요.

05 윗글을 읽고 이해한 내용으로 적절한 것은?

① '광화문'은 '오문'으로 불리며 석축을 높게 쌓아 중앙에 홍예문을 터서 문루를 얹은 궐문의 형식을 갖추어 1426년 조선 세종 때 창건되었다.

② '광화문'은 관악산을 바라보고 있었지만 일제가 조선총독부를 교태전 바로 앞에 세우면서, 남산을 바라보게 되었다.

③ 일제는 광화문을 철거하려다 여러 언론의 보도와 신문을 읽은 백성들의 여론이 형성되자 철거 대신 광화문의 자리를 옮기기로 결정했다.

④ 광복 후 조선 총독부 건물을 국립 중앙 박물관으로 개관했다가 보수 작업을 거쳐 중앙청으로 이름을 바꾸어 정부 청사로 사용했다.

⑤ 오랜 논란 끝에 '역사 바로 세우기' 차원에서 조선 총독부 건물은 철거되고, 광화문은 제자리인 건춘문 옆으로 복원되었다.

06 윗글을 바탕으로 〈보기〉의 사건을 순서대로 적절하게 정리한 것은?

┤ 보기 ├
㉮ 〈 조선일보 〉 – '나는 가나이다' 고별사
㉯ 〈 동아일보 〉 – 광화문 철거 계획 폭로
㉰ 〈 동아일보 〉 – '헐려 짓는 광화문' 고별사
㉱ 〈 동아일보 〉 – '광화문 해체, 수일 전에 착수' 기사
㉲ 〈 대한매일신보 〉 – 광화문 보존 문제에 관한 기사

① ㉯ → ㉲ → ㉮ → ㉰ → ㉱
② ㉯ → ㉲ → ㉮ → ㉱ → ㉰
③ ㉮ → ㉯ → ㉱ → ㉰ → ㉲
④ ㉲ → ㉯ → ㉱ → ㉮ → ㉰
⑤ ㉲ → ㉯ → ㉱ → ㉰ → ㉮

07 ㉠~㉤의 뜻풀이로 적절하지 <u>않은</u> 것은?

① ㉠ : 성곽의 남쪽에 있는 남문(南門)

② ㉡ : 궁궐이나 성의 문을 지키던 무관 벼슬

③ ㉢ : 다른 나라의 영토를 한데 아울러서 제 것으로 만듦

④ ㉣ : 임금이 사는 궁궐

⑤ ㉤ : 모질고 어려운 시련을 비유적으로 이르는 말

08 (마)와 〈보기〉를 비교한 내용으로 적절하지 <u>않은</u> 것은?

┤ 보기 ├

경복궁이 오늘날 우리에게 주는 진정한 의미는 무어신가? 외형적으로는 건축의 아름다움일 것이다. 그리고 내면적으로는 조선 왕조의 법궁이라는 역사적 가치가 따로 있다. 왜 우리는 경복궁을 다시 복원하였는가?
(중략)

왕조의 역사를 갖고 있는 나라에 왕궁이 남아 있지 않으면 말할 수 없이 큰 상실감을 일으킨다. 왕궁은 그 민족, 그 나라의 역사적·문화적 정통성에 대한 확인이자 상징이다. 우리에게 경복궁은 정녕 그런 존재다. 이 점은 외국인들이 경복궁을 보는 시각에서도 잘 알 수 있다. 우리가 중국의 자금성, 프랑스의 베르사유 궁전, 오스트리아의 빈 왕궁, 헝가리의 부다 왕궁 앞에서 느낀 감정과 똑같은 맥락에서 외국인들은 경복궁을 보면서 우리 역사의 만만치 않은 저력과 현재적 삶의 역사적 뿌리를 보게 된다.

상처받은 문화유산을 복원하는 것은 후손된 자의 임무이며 그 임무를 다함으로써 우리의 과거와 미래가 밝게 드러난다. 경복궁을 더 아름답고 원형에 가깝게 복원해야 하는 이유가 바로 여기에 있다.

– 유홍준, 「나의 문화유산 답사기 6」 –

① (마)와 〈보기〉는 모두 문화재 복원에 대해 긍정적 입장을 취하고 있다.

② 〈보기〉와 달리 (마)는 문화재 복원 과정에 드러난 대립된 의견을 내세워 문화재 복원의 의의를 전달하고 있다.

③ 〈보기〉와 달리 (마)는 문화재 복원 과정을 구체적으로 설명하고 있다.

④ (마)와 달리 〈보기〉는 질문을 던져 문화재 복원에 반대하는 의견에 대해 입장을 밝히고 있다.

⑤ (마)와 달리 〈보기〉는 비교의 방법으로 경복궁의 역사적·문화적 가치를 강조하고 있다.

[09~14] 다음 글을 읽고 물음에 답하시오.

(가) 광화문은 '왕의 큰 덕이 온 나라를 비춘다(光化.)'라는 뜻을 간직한, 경복궁의 남쪽 문이자 정문입니다. 1395년 조선 태조 때 만들어졌으며, 석축을 높게 쌓고 중앙에 홍예문을 터서 ㉠문루를 얹은 궐문의 형식을 갖추고 있습니다. 창건 당시 '오문'으로 불리던 광화문이 지금의 이름을 얻게 된 것은 1426년 세종 때입니다. 이는 집현전 학사들이 나라의 위엄과 문화를 널리 만방에 보여 준다는 뜻으로 새로이 붙인 것입니다.

원래 경복궁은 광화문-근정전-사정전-강녕전-교태전이 남북으로 일직선 상에 놓여 관악산을 바라보고 있었습니다. 그런데 일제가 조선 총독부를 근정전 바로 앞에 세우면서, 광화문을 삐딱하게 비틀어 관악산이 아닌 남산을 바라보게 하였습니다. 원래 남산에는 단군을 비롯한 여러 신을 모신 국사당이 있었습니다. 일제는 이 국사당을 허물고 그 자리에 일본의 건국 시조를 신으로 받드는 신사를 건립하였습니다. 이 모든 것이 조선 민족의 정통성과 정기를 훼손하여, 조선 백성을 일왕의 백성으로 만들기 위함이었습니다.

(나) 제국주의 일본이 조선을 ㉡병탄한 지 6년째 되는 해, 조선 총독부는 새 청사를 짓겠다고 나섰습니다. 조선을 영원히 식민 통치하겠다는 그들의 야욕은 날이 갈수록 더해 갔습니다. 일제가 새 청사의 터로 선택한 것은 오백 년 조선 왕조를 호령했던 경복궁 앞뜰이었습니다.

일제의 총독부 새 청사가 모습을 갖춰 갈수록 경복궁은 점점 더 초라한 몰골로 변해 갔습니다. 그런데 공사를 진행하다 보니 그들에게는 광화문이 눈엣가시였습니다. 경복궁의 다른 전각이야 조선 총독부가 앞을 가로막고 서 있으니 문제될 것이 없는데, 광화문은 조선 총독부 앞을 떡하니 가로막고 있는 형상이었기 때문입니다. 이들이 이를 가만히 놔둘 리 없었습니다.

(다) 1921년 5월, 「동아일보」는 광화문 사진을 커다랗게 싣고 일제의 광화문 철거 계획을 처음으로 폭로하였습니다. 총독부 새 청사가 완공될 무렵에 조선 총독부가 광화문을 헐어 버릴 계획이라는 내용이었습니다. 「대한매일신보」도 1922년 10월 5일 광화문 보존 문제에 관한 기사를 실어 이 문제를 다루었습니다. 이렇게 광화문이 철거된다는 소식이 돌자 몇몇 일본인 학자들도 조선 총독부의 처사가 부당하다고 지적하였으며, 광화문 철거를 반대하는 국내 여론은 더욱 거세졌습니다.

예상치 못한 거센 여론에 밀려서 일까요? 일제는 광화문을 철거한다는 계획을 접고, 대신 광화문의 자리를 옮기기로 결정합니다. 그리고 1923년 10월, 광화문 앞 양측에서 ㉢수문장 노릇을 하던 해태 석상 두 점이 철거되고 말았습니다.

1926년 7월 22일에는 광화문 철거 작업이 시작되었습니다. 완전히 무너뜨리는 것이 아니라 건춘문(경복궁의 동쪽 문) 옆으로 옮기는 것이라도 해도, 본래의 자리를 뜨는 순간 그 존재 가치는 빛이 바래게 됩니다.

(라) 「동아일보」는 그보다 며칠 앞서 「헐려 짓는 광화문」이라는 제목의 고별사를 실었습니다. 글을 쓴 사람은 당시 문화부 기자인 설의식이었습니다. 고별사 내용은 참으로 구슬프고 ㉣참담했으니 당시 우리 민족의 마음을 대변하는 듯했습니다. 설의식은 우리의 민족혼, 민족 문화가 말살되는 데 대한 분노와 울분을 강한 어조로 힘 있게 표현하여 붓으로써 일제에 저항하였습니다.

(마) 1945년 8월, 우리나라는 일본 제국주의의 압제라는 긴 암흑기를 지나 광복을 맞이합니다. 하지만 조선 총독부 건물은 중앙청으로 이름만 바뀌어 정부 청사로 사용되다가 1986년에 보수 작업을 거쳐 국립 중앙 박물관으로 개관됩니다. '역사 바로 세우기' 차원에서 철거해야 한다는 주장과 그 자체가 역사이니 그대로 두어야 한다는 주장이 오랜 논란을 빚은 끝에 1995년에 조선 총독부 건물이 철거되었고, 경복궁은 일부나마 다시 세워지기 시작하였습니다. 그리고 2006년에는 광화문을 제자리에 제대로 복원하는 작업이 시작되어 2010년에 비로소 복원된 광화문이 그 모습을 드러냈습니다.

조선 왕조 제일의 ㉤법궁인 경복궁. 그리고 그 정문인 광화문. 광화문은 단순히 문으로만 기능하는 건물이 아닙니다. 비록 격량의 근현대사 속에서 많은 수난을 당하며 원래의 목조 건축물이 지녔던 품격은 잃어버렸지만, 여전히 광화문은 경복궁의 얼굴이자 대한민국의 대표입니다. 그 자체가 우리의 역사이자 숨결이지요.

09 윗글에 대한 설명으로 가장 적절한 것은?

① 대조의 방법을 사용하여 중심 화제의 특징을 분명하게 드러내었다.
② 자문자답을 사용해 중심 화제에 대한 일반적인 생각을 비판하였다.
③ 신문 기사와 역사적 자료를 활용하여 중심 화제에 대해 설명하였다.
④ 중심 화제와 관련된 내용을 중요도에 따라 구분하고 점층적으로 제시하였다.
⑤ 중심 화제를 친숙한 소재에 빗대어 표현함으로써 대상의 개념을 설명하였다.

10 윗글을 읽은 독자들의 반응으로 가장 적절한 것은?

① 조선 총독부 건물이 철거된 후, 다음 해에 광화문 복원 작업이 시작되었군.
② 광화문 철거를 반대하는 일본인들의 여론 때문에 광화문이 보존될 수 있었군.
③ 조선 총독부가 새 청사를 지으려고 한 이유는 조선을 근대화하기 위함이었군.
④ 광화문은 경복궁 앞에 일직선상으로 놓여야만 정문으로서의 위상을 지니게 되는군.
⑤ 어두운 과거를 있는 그대로 바라보며 반성의 계기로 삼기위해 총독부 건물을 중앙 박물관으로 개관했군.

11 다음은 윗글의 글쓴이가 추가로 설명할 내용이다. (가)~(마) 중, 내용이 들어갈 곳으로 가장 적절한 것은?

> 다음은 「대한매일신보」에 실린 기사입니다. 이 기사를 통해 조선 총독부 청사를 짓기 이전부터 경복궁이 훼손되기 시작하였음을 알 수 있습니다.
>
> "경복궁이 없어지네"
>
> 19XX년 X월 XX일 왕실 사무를 총괄하던 궁내부는 경복궁 내 공원 신축을 위해 전각 4,0000원여 칸을 경매했다. 조선인과 일본인 80여 명이 경매에 참여했고, 이 중 10여 명에게 전각이 매각됐다.

① (가) ② (나) ③ (다) ④ (라) ⑤ (마)

12 ㉠~㉢에 대한 의미로 적절하지 않은 것은?

① ㉠ : 성문 따위의 바깥문 위에 지은 다락집.
② ㉡ : 다른 나라의 영토를 한 데 아울러서 제 것으로 만든.
③ ㉢ : 각 궁궐이나 성의 문을 지키던 무관 벼슬.
④ ㉣ : 어려운 시련을 비유적으로 이르는 말.
⑤ ㉤ : 임금이 사는 궁궐.

13 (가)~(마)의 소제목으로 적절하지 <u>않은</u> 것은?

① (가) : 일제강점기의 광화문, 아픔을 겪다.

② (나) : 총독부 새 청사, 광화문을 밀어내다

③ (다) : 사라지려는 한 조선 건축물을 위하여

④ (라) : 그의 편지 한 통, 광화문을 움직이다

⑤ (마) : 광화문, 그 자리에 바로 서서 역사를 이어 가리

14 다음은 「헐려 짓는 광화문」의 고별사이다. 조건을 활용하여 [A]를 쓸 때, 들어갈 내용으로 가장 적절한 것은?

'헐려 짓는 광화문'

– 설의식 –

헐린다, 헐린다 하던 광화문은 마침내 헐리기 시작한다. 총독부 청사 까닭으로 헐리고 총독부 정책 덕택으로 다시 지어지리라 한다.

[A   ]

┤ 조건 ├

• '광화문'을 의인화하여 친근감을 표현할 것.

• 반복법, 영탄법을 통해 암울한 상황임을 드러낼 것.

① 원래 광화문은 물건이다. 울 줄도 알고, 웃을 줄도 알며, 노할 줄도 알고, 기뻐할 줄도 아는 사람이 아니다. 밟히면 꾸물거리고 죽이면 소리치는 생물이 아니라, 돌과 나무로 만들어진 건물이다!

② 경복궁 정문인 광화문 이전 공사가 수일 전에 해체 공사에 착수했는데 일은 미야카와쿠미 회사에 5만 4,800원에 맡겼으며, 공사는 1년 안에 끝날 예정이라더라!

③ 조선의 하늘과 조선의 땅을 같이한 조선의 백성들이 그를 위하여 아까워하고 못 잊어 할 뿐이다. 오백 년 동안 풍우를 같이 겪은 조선의 자손들이 그를 위하여 울어도 보고 설워도 할 뿐이다.

④ 광화문이 헐린다는 것은 우리의 역사와 혼이 헐린다는 의미입니다. 반대로 광화문을 새로이, 바로 세운다는 것은 21세기에도 여전히 민족의 정기를 바로 세우는 역사적인 사업임이 틀림없습니다.

⑤ 너의 생명과 너의 일생은 지금 헐리는 순간에, 옮기는 찰나에 마지막으로 없어지려고 하는구나! 오오, 가엾어라! 너의 마지막 운명을 우리는 알되 너는 모르니, 모르는 너는 모르고 지내려니와 아는 우리는 어떻게 지내라느냐.

[15~16] 다음 글을 읽고 물음에 답하시오.

(가) 제국주의 일본이 조선을 병탄한 지 6년째 되는 해, 조선 총독부는 새 청사를 짓겠다고 나섰습니다. 조선을 영원히 식민 통치하겠다는 그들의 야욕은 날이 갈수록 더해 갔습니다. 일제가 새 청사의 터로 선택한 것은 오백 년 조선 왕조를 호령했던 경복궁 앞뜰이었습니다.

다음은 1910년 5월 15일 자 「대한매일신보」에 실린 「경복궁이 없어지네」라는 제목의 기사입니다. 이 기사를 통해 조선 총독부 청사를 짓기 이전부터 경복궁이 훼손되기 시작하였음을 알 수 있습니다.

> 1910년 5월 10일 왕실 사무를 총괄하던 궁내부는 경복궁 내 공원 신축을 위해 전각 4,000여 칸을 경매했다. 조선인과 일본인 80여 명이 경매에 참여했고, 이 중 10여 명에게 전각이 매각됐다.

(나) 1921년 5월, 「동아일보」는 광화문 사진을 커다랗게 싣고 일제의 광화문 철거 계획을 처음으로 폭로하였습니다. 총독부 새 청사가 완공될 무렵에 조선 총독부가 광화문을 헐어 버릴 계획이라는 내용이었습니다. 「대한매일신보」도 1922년 10월 5일 광화문 보존 문제에 관한 기사를 실어 이 문제를 다루었습니다. 이렇게 광화문이 철거된다는 소식이 돌자 몇몇 일본인 학자들도 조선 총독부의 처사가 부당하다고 지적하였으며, 광화문 철거를 반대하는 국내 여론은 더욱 거세졌습니다.

예상치 못한 거센 여론에 밀려서 일까요? 일제는 광화문을 철거한다는 계획을 접고, 대신 광화문의 자리를 옮기기로 결정합니다. 그리고 1923년 10월, 광화문 앞 양측에서 수문장 노릇을 하던 해태 석상 두 점이 철거되고 말았습니다.

(다) 「조선일보」는 1925년 10월 26일, 「나는 가나이다」라는 제목으로 애절한 고별사를 실었습니다. 이는 광화문 철거를 눈앞에 둔 조선 백성의 암담하고도 하소연할 데 없는 슬픈 심정을 광화문 스스로의 입을 빌려 이야기하는 형식의 글이었습니다.

1926년 7월 22일에는 광화문 철거 작업이 시작되었습니다. 완전히 무너뜨리는 것이 아니라 건춘문(경복궁의 동쪽 문) 옆으로 옮기는 것이라도 해도, 본래의 자리를 뜨는 순간 그 존재 가치는 빛이 바래게 됩니다.

철거 작업이 시작된 뒤인 1926년 8월 29일, 「동아일보」는 「광화문 해체, 수일 전에 착수」라는 제목의 기사를 실었습니다.

> 경복궁 정문인 광화문 이전 공사가 수일 전에 해체 공사에 착수했는데 일은 미야카와쿠미 회사에 5만 4,800원에 맡겼으며, 공사는 1년 안에 끝날 예정이라더라.

「동아일보」는 그보다 며칠 앞서 「헐려 짓는 광화문」이라는 제목의 고별사를 실었습니다. 글을 쓴 사람은 당시 문화부 기자인 설의식이었습니다. 고별사 내용은 참으로 구슬프고 참담했으니 당시 우리 민족의 마음을 대변하는 듯했습니다. 설의식은 우리의 민족혼, 민족 문화가 말살되는 데 대한 분노와 울분을 강한 어조로 힘 있게 표현하여 붓으로써 일제에 저항하였습니다.

(라)

> 풍우! 오백 년 동안에 충신도 드나들고 역적도 드나들며, 수구당도 드나들고 개화당도 드나들던 광화문아! 평화의 사자(使者)도 지나고 살벌(殺伐)의 총검도 지나며, 일로의 사절도 지나고 원청의 국빈도 지나던 우리의 광화문아! 그들을 맞고 그들을 보냄이 너의 타고난 천직이며 그 길을 인도하고 그 길을 가리킴이 너의 타고난 천명이라 하면, 너는 그 자리 그 곳을 떠나지 말아야 네 생명이 있으며, 그 방향 그 터전을 옮기지 말아야 네 일생을 마친 것이다.
>
> 너의 천명과 너의 천직은 이미 없어진 지 오래였거니와, 너의 생명과 너의 일생은 지금 헐리는 순간에, 옮기는 찰나에 마지막으로 없어지려고 하는구나! 오오, 가엾어라! 너의 마지막 운명을 우리는 알되 너는 모르니, 모르는 너는 모르고 지내려니와 아는 우리는 어떻게 지내라느냐. 〈후략〉

(마) 1945년 8월, 우리나라는 일본 제국주의의 압제라는 긴 암흑기를 지나 광복을 맞이합니다. 하지만 조선 총독부 건물은 중앙청으로 이름만 바뀌어 정부 청사로 사용되다가 1986년에 보수 작업을 거쳐 국립 중앙 박물관으로 개관됩니다. '역사 바로 세우기' 차원에서 철거해야 한다는 주장과 그 자체가 역사이니 그대로 두어야 한다는 주장이 오랜 논란을 빚은 끝에 1995년에 조선 총독부 건물이 철거되었고, 경복궁은 일부나마 다시 세워지기 시작하였습니다. 그리고 2006년에는 광화문을 제자리에 제대로 복원하는 작업이 시작되어 2010년에 비로소 복원된 광화문이 그 모습을 드러냈습니다.

15 윗글에 대한 학생들의 반응으로 적절하지 않은 것은?

① 일제가 조선 총독부 청사를 짓겠다고 한 이전부터 경복궁은 훼손되기 시작하였군.

② '붓으로써 일제에 저항'하였다는 것은 글을 쓰는 행위를 저항의 수단으로 삼았음을 비유적으로 표현한 것이군.

③ 조선 총독부 건물 철거와 관련해서 어두운 과거를 반성의 계기로 삼아야 한다는 주장도 있었으리라 추측할 수 있군.

④ 민족 문화가 말살되는 데 대한 분노를 표현한 '헐려짓는 광화문'은 '나는 가나이다'라는 고별사보다 불과 며칠 앞서 신문에 실린 글이군.

⑤ 「동아일보」, 「대한매일신보」에서 일제의 광화문 철거 계획을 폭로하여 광화문 철거 반대 여론이 형성된 것은 당대 언론인들과 조선 백성들 사이에 사회적 의사소통이 일어났음을 보여 주는군.

16 화자의 상황과 정서가 (라)와 가장 유사한 것은?

① 뉘라서 까마귀를 검고 흉타 하돗던고.
  반포보은(反哺報恩)이 그 아니 아름다운가.
  사람이 저 새만 못함을 못내 슬퍼하노라.

  ‒ 박효관 ‒

② 이런들 어떠하리 저런들 어떠하리.
  만수산 드렁칡이 얽혀진들 어떠하리.
  우리도 이같이 얽어져 백년까지 누리리라.

  ‒ 이방원 ‒

③ 산수간 바위 아래 띠집을 짓노라 하니
  그 모른 남들은 웃는다 한다마는
  어리고 향암의 뜻에는 내 분인가 하노라

  ‒ 윤선도 ‒

④ 천년(千年) 노룡(老龍)이 굽이굽이 서려 있어,
  주야(晝夜)의 흘러 내여 창해(滄海)예 니어시니,
  풍운(風雲)을 언제 얻어 삼일우(三日雨)를 내리는가.
  음애(陰崖)에 이온 풀을 다 살려 내여ㅅ·라.

  ‒ 정철 ‒

⑤ 새와 짐승 슬피 울고 산과 바다도 찡그리네
  무궁화 삼천리가 다 영락하다니
  가을밤 등불 아래 곰곰 생각하니
  이승에서 글 아는 자 구실하기 정히 어렵네.

  ‒ 황현 ‒

(가) 광화문은 '왕의 큰 덕이 온 나라를 비춘다(光化).'라는 뜻을 간직한, 경복궁의 남쪽 문이자 정문입니다. 1395년 조선 태조 때 만들어졌으며, 석축을 높게 쌓고 중앙에 홍예문을 터서 문루를 얹은 궐문의 형식을 갖추고 있습니다. 창건 당시 '오문'으로 불리던 광화문이 지금의 이름을 얻게 된 것은 1426년 세종 때입니다. 이는 집현전 학사들이 나라의 위엄과 문화를 널리 만방에 보여 준다는 뜻으로 새로이 붙인 것입니다.

원래 경복궁은 광화문-근정전-사정전-강녕전-교태전이 남북으로 일직선 상에 놓여 관악산을 바라보고 있었습니다. 그런데 일제가 조선 총독부를 근정전 바로 앞에 세우면서, 광화문을 삐딱하게 비틀어 관악산이 아닌 남산을 바라보게 하였습니다. 원래 남산에는 단군을 비롯한 여러 신을 모신 국사당이 있었습니다. 일제는 이 국사당을 허물고 그 자리에 일본의 건국 시조를 신으로 받드는 신사를 건립하였습니다. 이 모든 것이 조선 민족의 정통성과 정기를 훼손하여, 조선 백성을 일왕의 백성으로 만들기 위함이었습니다.

(나) 1921년 5월, 「동아일보」는 광화문 사진을 커다랗게 싣고 일제의 광화문 철거 계획을 처음으로 폭로하였습니다. 총독부 새 청사가 완공될 무렵에 조선 총독부가 광화문을 헐어 버릴 계획이라는 내용이었습니다. 「대한매일신보」도 1922년 10월 5일 광화문 보존 문제에 관한 기사를 실어 이 문제를 다루었습니다. 이렇게 광화문이 철거된다는 소식이 돌자 몇몇 일본인 학자들도 조선 총독부의 처사가 부당하다고 지적하였으며, 광화문 철거를 반대하는 국내 여론은 더욱 거세졌습니다.

예상치 못한 거센 여론에 밀려서일까요? 일제는 광화문을 철거한다는 계획을 접고, 대신 광화문의 자리를 옮기기로 결정합니다. 그리고 1923년 10월, 광화문 앞 양측에서 수문장 노릇을 하던 해태 석상 두 점이 철거되고 말았습니다.

(다) 「조선일보」는 1925년 10월 26일, 「나는 가나이다」라는 제목으로 애절한 고별사를 실었습니다. 이는 광화문 철거를 눈앞에 둔 조선 백성의 암담하고도 하소연할 데 없는 슬픈 심정을 광화문 스스로의 입을 빌려 이야기하는 형식의 글이었습니다.

1926년 7월 22일에는 광화문 철거 작업이 시작되었습니다. 완전히 무너뜨리는 것이 아니라 건춘문(경복궁의 동쪽 문) 옆으로 옮기는 것이라도 해도, 본래의 자리를 뜨는 순간 그 존재 가치는 빛이 바래게 됩니다.

「동아일보」는 그보다 며칠 앞서 「헐려 짓는 광화문」이라는 제목의 고별사를 실었습니다. 글을 쓴 사람은 당시 문화부 기자인 설의식이었습니다. 고별사 내용은 참으로 구슬프고 참담했으니 당시 우리 민족의 마음을 대변하는 듯했습니다. 설의식은 우리의 민족혼, 민족 문화가 말살되는 데 대한 분노와 울분을 강한 어조로 힘 있게 표현하여 붓으로써 일제에 저항하였습니다.

(라) 헐린다, 헐린다 하던 광화문은 마침내 헐리기 시작한다. 총독부 청사 까닭으로 헐리고 총독부 정책 덕택으로 다시 지어지리라 한다.

원래 광화문은 물건이다. 울 줄도 알고, 웃을 줄도 알며, 노할 줄도 알고, 기뻐할 줄도 아는 사람이 아니다. 밟히면 꾸물거리고 죽이면 소리치는 생물이 아니라, 돌과 나무는 만들어진 건물이다.

의식 없는 물건이요, 말 못하는 물건이라. 헐고 부수고 끌고 옮기고 하되, 반항도 회피도 기뻐도 설워도 아니한다. 다만 조선의 하늘과 조선의 땅을 같이한 조선의 백성들이 그를 위하여 아까워하고 못 잊어 할 뿐이다. 오백 년 동안 풍우를 같이 겪은 조선의 자손들이 그를 위하여 울어도 보고 설워도 할 뿐이다.

석공의 망치가 네 가슴을 두드릴 때에도 너는 알음(知)이 없으리라마는, 뚝딱딱 하는 소리를 듣는 사람이 가슴 아파하며, 역군의 연장이 네 허리를 들출 때에 너는 괴로움이 없으리라마는, 우지끈하는 소리를 듣는 사람이 허리를 저려 할 것을 네가 과연 아느냐, 모르느냐.

팔도강산의 석재와 목재와 인재의 정수를 뽑아 지은 광화문아! 돌덩이 하나 옮기기에 억만 방울의 피가 흐르고, 기왓장 한 개 덮기에 억만 줄기의 눈물이 흘렀던 우리의 광화문아! 청태 끼인 돌 틈에 이 흔적이 남아 있고 풍우 맞은 기둥에 그 자취가 어렸다 하면, 너는 옛 모양 그대로 있어야 네 생명이 있으며, 너는 그 신세 그대로 무너져야 네 일생을 마친 것이다.

풍우! 오백 년 동안에 충신도 드나들고 역적도 드나들며, 수구당도 드나들고 개화당도 드나들던 광화문아! 평화의 사자(使者)도 지나고 살벌(殺伐)의 총검도 지나며, 일로의 사절도 지나고 원청의 국빈도 지나던 우리의 광화문아! 그들을 맞고 그들을 보냄이 너의 타고난 천직이며 그 길을 인도하고 그 길을 가리킴이 너의 타고난 천명이라 하면, 너는 그 자리 그 곳을 떠나지 말아야 네 생명이 있으며, 그 방향 그 터전을 옮기지 말아야 네 일생을 마친 것이다.

너의 천명과 너의 천직은 이미 없어진 지 오래였거니와, 너의 생명과 너의 일생은 지금 헐리는 순간에, 옮기는 찰나에 마지막으로 없어지려고 하는구나! 오오, 가엾어라! 너의 마지막 운명을 우리는 알되 너는 모르니, 모르는 너는 모르고 지내려니와 아는 우리는 어떻게 지내라느냐. 〈후략〉

(마) 1945년 8월, 우리나라는 일본 제국주의의 압제라는 긴 암흑기를 지나 광복을 맞이합니다. 하지만 조선 총독부 건물은 중앙청으로 이름만 바뀌어 정부 청사로 사용되다가 1986년에 보수 작업을 거쳐 국립 중앙 박물관으로 개관됩니다. '역사 바로 세우기' 차원에서 철거해야 한다는 주장과 그 자체가 역사이니 그대로 두어야 한다는 주장이 오랜 논란을 빚은 끝에 1995년에 조선 총독부 건물이 철거되었고, 경복궁은 일부나마 다시 세워지기 시작하였습니다. 그리고 2006년에는 광화문을 제자리에 제대로 복원하는 작업이 시작되어 2010년에 비로소 복원된 광화문이 그 모습을 드러냈습니다.

조선 왕조 제일의 법궁인 경복궁. 그리고 그 정문인 광화문, 광화문은 단순히 문으로만 기능하는 건물이 아닙니다. 비록 격량의 근현대사 속에서 많은 수난을 당하며 원래의 목조 건축물이 지녔던 품격은 잃어버렸지만, 여전히 광화문은 경복궁의 얼굴이자 대한민국의 대표입니다. 그 자체가 우리의 역사이자 숨결이지요.

그렇기에 일제 강점기에 설의식을 비롯한 많은 사람들이 입을 모았듯이, 광화문이 헐린다는 것은 우리의 역사와 혼이 헐린다는 의미입니다. 반대로 광화문을 새로이, 바로 세운다는 것은 21세기에도 여전히 민족의 정기를 바로 세우는 역사적인 사업임이 틀림없습니다. 광화문, 어떤 파고와 격량 속에서도 그 숨결은 이어져야 합니다.

---

17 윗글의 논지 전개 방식으로 가장 적절한 것은?

① 신문기사를 인용하여 대상에 대한 가설을 객관적으로 증명하고 있다.
② 특정 대상에 대한 대조적인 관점을 제시하고 각 관점을 구체화하고 있다.
③ 대상의 의미를 제시하고 그 대상에 대한 상황 변화를 통시적으로 설명하고 있다.
④ 전문가의 소견을 근거로 대상의 역사적 의미를 유도하여 결론을 도출하고 있다.
⑤ 문제를 제기한 후 그에 대한 해결 방안을 다양한 측면에서 논리적으로 제시하고 있다.

18 (라)의 고별사를 접한 당시 백성들의 심정으로 가장 적절한 것은?

① 광화문이 철거되고 다시 이전되는 현실에 강한 분노와 한을 느끼도다.
② 광화문이 이전되면서 시작될 새로운 역사가 정말 기대 되는구나.
③ 총독부 청사를 지으면서 광화문이 철거되지 않은 것에 대해 안도하노라.
④ 외교권과 주권이 박탈당한 상태에서 광화문이 철거되는 것은 어쩔 수 없는 일이지.
⑤ 광화문이 이전되더라도 본래 광화문의 역할은 계속되고 있어 문의 상징성이 유지되겠구나.

19 윗글을 읽은 학생들의 대화로 적절하지 <u>않은</u> 것은?

① 소라 : 광화문 이름의 유래와 광화문의 상징성의 의미를 알게 되었어.
② 예린 : 조선 총독부가 새 청사를 지으면서 각 신문사들은 여론 조사를 실시했다는 것을 알았어.
③ 은하 : 일제가 광화문 철거 계획을 접은 것은 사회적 의사소통의 영향력이 드러난 것이야.
④ 유주 : 신문에 실린 고별사는 광화문을 의인화하여 조선 백성들의 침통한 마음을 대변하였어.
⑤ 엄지 : 광화문의 복원 과정을 통해 우리 광화문이 지닌 역사적 가치를 되돌아보게 되었어.

서술형 심화문제

[01~04] 다음 글을 읽고 물음에 답하시오.

일제 강점기의 광화문, 아픔을 겪다

광화문은 '왕의 큰 덕이 온 나라를 비춘다(光化).'라는 뜻을 간직한, 경복궁의 남쪽 문이자 정문입니다. 1395년 조선 태조 때 만들어졌으며, 석축을 높게 쌓고 중앙에 홍예문을 터서 문루를 얹은 궐문의 형식을 갖추고 있습니다. 창건 당시 '오문'으로 불리던 광화문이 지금의 이름을 얻게 된 것은 1426년 세종 때입니다. 이는 집현전 학사들이 나라의 위엄과 문화를 널리 만방에 보여 준다는 뜻으로 새로이 붙인 것입니다.

원래 경복궁은 광화문-근정전-사정전-강녕전-교태전이 남북으로 일직선 상에 놓여 관악산을 바라보고 있었습니다. 그런데 일제가 조선 총독부를 근정전 바로 앞에 세우면서, 광화문을 삐딱하게 비틀어 관악산이 아닌 남산을 바라보게 하였습니다. 원래 남산에는 단군을 비롯한 여러 신을 모신 국사당이 있었습니다. 일제는 이 국사당을 허물고 그 자리에 일본의 건국 시조를 신으로 받드는 신사를 건립하였습니다. 이 모든 것이 조선 민족의 정통성과 정기를 훼손하여, 조선 백성을 일왕의 백성으로 만들기 위함이었습니다.

이처럼 광화문은 이름과 달리 수난의 역사를 겪었습니다. 구한말부터 오늘에 이르기까지 우리 민족이 온몸으로 받아 내야 했던 근현대사의 비극을 압축해 담고 있는 셈입니다.

(나) 총독부 새 청사, 광화문을 밀어내다

제국주의 일본이 조선을 병탄한 지 6년째 되는 해, 조선 총독부는 새 청사를 짓겠다고 나섰습니다. 조선을 영원히 식민 통치하겠다는 그들의 야욕은 날이 갈수록 더해 갔습니다. 일제가 새 청사의 터로 선택한 것은 오백 년 조선 왕조를 호령했던 경복궁 앞뜰이었습니다.

다음은 1910년 5월 15일 자 「대한매일신보」에 실린 「경복궁이 없어지네」라는 제목의 기사입니다. 이 기사를 통해 조선 총독부 청사를 짓기 이전부터 경복궁이 훼손되기 시작하였음을 알 수 있습니다.

㉠1910년 5월 10일 왕실 사무를 총괄하던 궁내부는 경복궁 내 공원 신축을 위해 전각 4,000여 칸을 경매했다. 조선인과 일본인 80여 명이 경매에 참여했고, 이 중 10여 명에게 전각이 매각됐다.

(나) 사라지려는 한 조선 건축물을 위하여

1921년 5월, 「동아일보」는 광화문 사진을 커다랗게 싣고 일제의 광화문 철거 계획을 처음으로 폭로하였습니다. 총독부 새 청사가 완공될 무렵에 조선 총독부가 광화문을 헐어 버릴 계획이라는 내용이었습니다. 「대한매일신보」도 1922년 10월 5일 광화문 보존 문제에 관한 기사를 실어 이 문제를 다루었습니다. 이렇게 광화문이 철거된다는 소식이 돌자 몇몇 일본인 학자들도 조선 총독부의 처사가 부당하다고 지적하였으며, 광화문 철거를 반대하는 국내 여론은 더욱 거세졌습니다.

예상치 못한 거센 여론에 밀려서일까요? 일제는 광화문을 철거한다는 계획을 접고, 대신 광화문의 자리를 옮기기로 결정합니다. 그리고 1923년 10월, 광화문 앞 양측에서 수문장 노릇을 하던 해태 석상 두 점이 철거되고 말았습니다.

다만 그를 위하여 아까워하고 못 잊어할 뿐이라

「동아일보」는 그보다 며칠 앞서 「헐려 짓는 광화문」이라는 제목의 고별사를 실었습니다. 글을 쓴 사람은 당시 문화부 기자인 설의식이었습니다. 고별사 내용은 참으로 구슬프고 참담했으니 당시 우리 민족의 마음을 대변하는 듯했습니다. 설의식은 우리의 민족혼, 민족 문화가 말살되는 데 대한 분노와 울분을 강한 어조로 힘 있게 표현하여 ㉡붓으로써 일제에 저항하였습니다.

(다) 헐린다, 헐린다 하던 광화문은 마침내 헐리기 시작한다. 총독부 청사 까닭으로 헐리고 총독부 정책 덕택으로 다시 지어지리라 한다.

원래 광화문은 물건이다. 울 줄도 알고, 웃을 줄도 알며, 노할 줄도 알고, 기뻐할 줄도 아는 사람이 아니다. 밟히면 꾸물거리고 죽이면 소리치는 생물이 아니라, 돌과 나무는 만들어진 건물이다.

의식 없는 물건이요, 말 못하는 물건이라. 헐고 부수고 끌고 옮기고 하되, 반항도 회피도 기뻐도 설워도 아니한다. 다만 조선의 하늘과 조선의 땅을 같이한 조선의 백성들이 그를 위하여 아까워하고 못 잊어 할 뿐이다. 오백 년 동안 풍우를 같이 겪은 조선의 자손들이 그를 위하여 울어도 보고 설워도 할 뿐이다.

석공의 망치가 네 가슴을 두드릴 때에도 너는 알음(知)이 없으리라마는, 뚝딱딱 하는 소리를 듣는 사람이 가슴 아파하며, 역군의 연장이 네 허리를 들출 때에 너는 괴로움이 없으리라마는, 우지끈하는 소리를 듣는 사람이 허리를 저려 할 것을 네가 과연 아느냐, 모르느냐.

팔도강산의 석재와 목재와 인재의 정수를 뽑아 지은 광화문아! 돌덩이 하나 옮기기에 억만 방울의 피가 흐르고, 기왓장 한 개 덮기에 억만 줄기의 눈물이 흘렸던 우리의 광화문아! 청태 끼인 돌 틈에 이 흔적이 남아 있고 풍우 맞은 기둥에 그 자취가 어렸다 하면, 너는 옛 모양 그대로 있어야 네 생명이 있으며, 너는 그 신세 그대로 무너져야 네 일생을 마친 것이다.

풍우! 오백 년 동안에 충신도 드나들고 역적도 드나들며, 수구당도 드나들고 개화당도 드나들던 광화문아! 평화의 사자(使者)도 지나고 살벌(殺伐)의 총검도 지나며, 일로의 사절도 지나고 원청의 국빈도 지나던 우리의 광화문아! 그들을 맞고 그들을 보냄이 너의 타고난 천직이며 그 길을 인도하고 그 길을 가리킴이 너의 타고난 천명이라 하면, 너는 그 자리 그 곳을 떠나지 말아야 네 생명이 있으며, 그 방향 그 터전을 옮기지 말아야 네 일생을 마친 것이다.

너의 천명과 너의 천직은 이미 없어진 지 오래였거니와, 너의 생명과 너의 일생은 지금 헐리는 순간에, 옮기는 찰나에 마지막으로 없어지려고 하는구나! 오오, 가엾어라! 너의 마지막 운명을 우리는 알되 너는 모르니, 모르는 너는 모르고 지내려니와 아는 우리는 어떻게 지내라느냐. 〈후략〉

광화문, 그 자리에 바로 서서 역사를 이어가리

조선 왕조 제일의 법궁인 경복궁. 그리고 그 정문인 광화문. 광화문은 단순히 문으로만 기능하는 건물이 아닙니다. 비록 격량의 근현대사 속에서 많은 수난을 당하며 원래의 목조 건축물이 지녔던 품격은 잃어버렸지만, 여전히 광화문은 경복궁의 얼굴이자 대한민국의 대표입니다. 그 자체가 우리의 역사이자 숨결이지요.

그렇기에 일제 강점기에 설의식을 비롯한 많은 사람들이 입을 모았듯이, 광화문이 헐린다는 것은 우리의 역사와 혼이 헐린다는 의미입니다. 반대로 광화문을 새로이, 바로 세운다는 것은 21세기에도 여전히 민족의 정기를 바로 세우는 역사적인 사업임이 틀림없습니다. 광화문, 어떤 파고와 격량 속에서도 그 숨결은 이어져야 합니다.

– 문화재청 엮음, 「수난의 문화재–이를 지켜 낸 인물 이야기」 –

---

01 광화문 복원의 의미를 한 문장으로 쓰시오.

02 ㉠을 통해 알 수 있는 사실과 ㉡의 의미에 대해 서술하시오.

> • ㉠-(가)의 내용을 통해 추론할 것
> • ㉡-일제의 의도가 무엇인지에 대해 언급할 것

03 〈보기〉의 ㉠에 해당되는 논지 전개 방식을 쓰고, [B]에서 그 논지 전개 방식이 활용되고 있는 양상을 〈조건〉에 맞게 구체적으로 서술하시오.

┤ 보기 ├

'___㉠___'란, 하나의 사건이나 사물로부터 그와 비슷한 속성을 지닌 다른 사건이나 사물로 논의를 확장해 나가는 논지 전개 방식이다.

┤ 조건 ├

• '고릴라 실험은 ~ 의미한다.'의 문장 형식으로 쓸 것
• (라)에서 핵심어를 찾아 활용하여 쓸 것

04 다음 글은 경복궁 복원에 대한 글이다. 다음 글을 읽고 조건에 맞추어 서술하시오.

┤ 보기 ├

경복궁이 오늘날 우리에게 주는 진정한 의미는 무엇인가? 외형적으로는 건축의 아름다움일 것이다. 그리고 내면적으로는 조선 왕조의 법궁이라는 역사적 가치가 따로 있다. 왜 우리는 경복궁을 다시 복원하였는가? (중략)

왕조의 역사를 갖고 있는 나라에 왕궁이 남아 있지 않으면 말할 수 없이 큰 상실감을 일으킨다. 왕궁은 그 민족, 그 나라의 역사적·문화적 정통성에 대한 확인이자 상징이다. 우리에게 경복궁은 정녕 그런 존재다. 이 점은 외국인들이 경복궁을 보는 시각에서도 잘 알 수 있다. 이 점은 외국인들이 경복궁을 보는 시각에서도 잘 말 수 있다. 우리가 중국의 자금성, 프랑스의 베르사유 궁전, 오스트리아의 빈 왕궁, 헝가리의 부다 왕궁 앞에서 느낀 감정과 똑같은 맥락에서 외국인들은 경복궁을 보면서 우리 역사의 만만치 않은 저력과 현재적 삶의 역사적 뿌리를 보게 된다.

상처받은 문화유산을 복원하는 것은 후손된 자의 임무이며 그 임무를 다함으로써 우리의 과거와 미래가 밝게 드러난다. 경복궁을 더 아름답고 원형을 가깝게 복원해야 하는 이유가 바로 여기에 있다.

– 유홍준, 「나의 문화유산 답사기 6」 –

┤ 조건 ├

1. 오늘날 경복궁이 우리에게 주는 진정한 의미 <u>두 가지</u>를 찾아 쓰시오.
2. 외국인들이 경복궁을 통해서 보게 되는 것을 찾아 쓰시오.
3. 경복궁을 복원해야 한다고 생각하는 글쓴이의 견해를 바탕으로 우리나라의 여러 문화재를 복원해야 하는 이유에 대해 서술하시오.

전시회 공간을 빌려라

　　나라 고등학교의 상우는 교내 사진 동아리의 운영 위원으로 활동 중이다. '아름다운 웃음'이라는 주제로 전시회를 열기로 한 상우

네 동아리는 전시회 장소를 찾던 중, ○○ 구청에서 강당을 무료로 빌려준다는 사실을 알게 된다. 상우는 강당을 빌리기 위해 직접

○○ 구청을 찾아가 ○○구 공무원과 이야기해 보기로 한다.

시작 단계

상우 「안녕하세요. 저는 나라 고등학교 일 학년 박상우입니다. 제가 학교에서 사진 동아리 활동을 하고 있는데, 이번
　　　　「　」: 상우가 '구 공무원'에게 자신의 요구 사항을 구체적으로 밝힘

　　　에 '아름다운 웃음'이라는 주제로 사진 전시회를 열려고 합니다. 전시회를 할 장소로 구청 강당을 빌리고 싶어
　　　　　　　　　　　　　　　　　　　　　　　　　　　　　　　협상의 안건 – 구청 강당 대여

　　　이렇게 찾아왔습니다. 」

구 공무원 「학생 동아리라면 학교에서도 전시회를 열 수 있을 텐데 굳이 구청 강당을 전시회 장소로 써야 할 이유가
　　　　　　　「　」: 협상의 안건을 더 명확하게 하려는 질문

　　　있나요? 」

상우 이번 전시회는 우리 학교 학생뿐 아니라, 지역 주민도 함께 참여하는 행사로 기획했거든요. 그래서 전시회 장소
　　　　　　　　　　　　　　　　　　　　학교 대신 구청 강당을 대여해야 하는 이유

　　　로 학교보다는 구청 강당이 더 적합하다고 생각했습니다.

구 공무원 우리 구에서는 지역 주민을 위해 강당을 토론회나 교육 행사, 주민 모임 등의 주민 공동체 활동 장소로 빌

　　　려드립니다. 하지만 특정 단체의 이익을 목적으로 하는 행사나 상업적인 행사에는 강당을 빌려드리지 않습니
　　　　　　　　　강당 대여의 조건

　　　다. 구청이 가진 공공시설로서의 성격에 맞지 않고 민원의 소지가 있기 때문이지요. 따라서 먼저 그 사진 전시
　　　　　　　　　　　　　　　　　　　　　∴∴: 구절풀이 – '구 공무원'은 구청 강당을 빌려주기 위해서는 전시회가 공공성을 띠고 있는지를
　　　　　　　　　　　　　　　　　　　　　　　　　　확인해야 한다는 점을 밝히고 있다. 구청의 입장에서 협상의 기본 원칙을 제시한 것이다.

　　　회가 어떤 성격인지 알아야 강당을 빌려드릴 수 있습니다.
　　　　　　　　　　　　　　　　　　　　　　　　　　　▶ 협상의 안건과 서로의 입장 차이 확인

> 시작 단계 – 상우네 사진 동아리의 전시회를 열 공간으로 구청 강당을 빌릴 수 있는지의 문제를 두고, '상우'와 '구 공무원'이 서로 입장 차이를 보임

조정 단계

상우 이번 전시회에서는 고등학생인 저희가 친구들의 웃는 모습을 주제로 직접 찍은 사진을 전시할 거예요. 학업 때

　　　문에 힘들고 지친 고등학생들에게 힘을 주자는 의미도 있지요.
　　　전시회의 공공성을 뒷받침하는 근거 ①

구 공무원 학업에 지친 고등학생들을 위로하고 그들에게 힘을 주자는 내용만으로는 전시회의 공공성이 좀 약합니다.
　　　　　　　　　　　　　　　　　　　　　　　　　　　　공공성(公共性) 한 개인이나 단체가 아닌 일반 사회 구성원 전체에 두루 관련되는 성질.

　　　공공성 측면에서 좀 더 내세울 것이 있다면 우리 구의 사업으로 소개할 수도 있을 텐데요.

상우 네, 있습니다. 학생들이 친구들의 웃는 모습을 찍은 사진을 학교 사진 동아리 누리집에 올리면 한 장당 일정 금

재단(財團) 일정한 목적을 위하여 결합된 재산의 집합. 여기에서는 공공사업 및 사회적 목적을 위하여 결합된 재산의 집합을 말한다.

액이 모금됩니다. 그렇게 모금된 돈은 △△ 어린이 재단을 후원하는 데 사용할 거예요. 이 정도면 전시회의 공
_{전시회의 공공성을 뒷받침하는 근거 ②}

공성도 어느 정도 확보할 수 있다고 생각합니다.

구 공무원 「동아리 누리집에 사진을 올리면 후원금이 모금되고 그것으로 △△ 어린이 재단을 후원한다니 참 좋은 생
_{「」: '구 공무원'이 상우네 전시회의 공공성을 확인함}

각이네요. 그렇게 하면 사진 전시회를 우리 구의 사업으로 소개할 수 있겠습니다.」   ▶ 전시회의 공공성과 관련하여 합의함

상우 네, 정말 잘 되었네요. <u>다음 주 목요일부터 일요일까지 4일 동안 전시회를 열 예정인데 그때 강당을 빌릴 수 있</u>
_{'상우'의 제안}

<u>나요?</u>

구 공무원 아, 그건 곤란합니다. <u>다음 주에는 지역 주민을 대상으로 한 강연회가 열릴 예정이라 강당을 빌려드릴 수</u>
_{'상우'의 제안을 거절한 이유 ① – 다른 행사가 있음}

<u>없습니다.</u>「그리고 주중에는 저녁 10시까지, 주말에는 토요일 저녁 6시까지만 강당을 사용할 수 있고, 일요일에
_{「」: '상우'의 제안을 거절한 이유 ② – 강당 대여 규칙이 있음}

는 강당을 운영하지 않아요. 또한 우리 구에서는 다른 주민 및 단체와의 <u>형평성</u>을 고려하여 한 개인 및 단체당
_{형평성(衡平性) 균형이 맞는 상태를 이루는 성질}

최대 2일까지만 강당을 빌려주고 있습니다.」

상우 그렇군요. 저희는 학교 수업을 마치고 전시회를 진행해야 해서, 평일에는 저녁 6시 이후부터 3시간씩 강당을

사용하려고 합니다. 전시를 하기에 2일은 기간이 너무 짧습니다.

구 공무원 음, 그렇다면 다음다음 주에 전시회를 하는 것은 어떨까요? 그때는 강당을 사용하는 행사가 없고, 아직 다

른 단체에서 강당을 빌려 달라고 신청하지 않았거든요. 학생들이 강당을 빌려 쓰는 시간이 짧기도 하니, 이를

고려해서 3일간 강당을 쓸 수 있게 해 드리겠습니다. ∴   _{∴: 구절풀이 – '구 공무원'은 강당을 빌려주는 구체적인 기간과 사용 기간을 정하는 과정에서 '상우'의 입장과 처지를 고려하여 일정 부분 양보하고 있다}

상우 <u>전시회 날짜를 바꾸는 것은 괜찮습니다만</u>, 전시회 기간이 4일에서 3일로 줄면 관람객이 적어질 수 있어서 저희
_{'구 공무원'의 제안을 받아들임}

에게는 아쉬운 일입니다. 그래서 말씀드리고 싶은 것이 있는데요. <u>이번 전시회를 지역 주민에게 홍보해 주실 수</u>
_{① '구 공무원'의 제안을 수락했을 때 발생할 불이익 최소화
② 구청이 전시회에 적극적으로 참여하도록 유도}

<u>있나요?</u>

구 공무원 전시회를 홍보해 달라고요?

상우 네. 전시회를 여는 3일 동안 최대한 많은 관람객을 모으고 싶은데, 학생들인 저희로서는 지역 주민에게 전시회

를 널리 알리는 데 한계가 있어서요.

구 공무원 저희도 업무로 바쁘기는 하지만,「전시회의 성격이 좋고 공공성도 충분하니까 홍보할 방안을 찾아보겠습니
_{「」: '상우'의 제안을 긍정적으로 검토함}

다. 다음 주에 지역 주민을 대상으로 한 강연회가 있으니 그 시간을 활용하는 것도 좋겠네요.」

상우 고맙습니다. 그럼 <u>구청 일정에 맞추어 다음다음 주 목요일부터 토요일까지 3일 동안 강당을 빌리겠습니다.</u>
_{합의 내용}   ▶ 구청 강당의 대여 일정에 합의함

┌───┐
│ 조정 단계 – 사전 전시회의 공공성, 구청 강당의 대여 일정 문제와 관련하여 양측이 서로 의견을 조율해 가면서 입장 차이를 좁힘 │
└───┘

해결 단계

구 공무원「제안하신 전시회는 우리 구가 지역 주민을 위한 문화 행사를 지원하고, 후원 사업에도 관심을 기울이고

「」: 협상을 통해 구청이 얻게 될 이익

있다는 사실을 홍보할 기회이므로 저희에게도 도움이 됩니다.」앞으로 구체적인 일정과 진행 방식을 더 논의해 봅시다.

상우「저도 동아리 사진 전시회를 열 공간이 마련되어 기쁩니다. 구에서 홍보를 도와주신다면 성공적인 전시회가 될

「」: 협상을 통해 상우네 동아리가 얻게 될 이익

수 있겠네요.」다음에 구체적인 논의를 위해 다시 찾아오겠습니다. 안녕히 계세요.　　　　　▶ 협상의 목적 달성

해결 단계 - 양측은 상우네 동아리가 사진 전시회를 구청 강당에서 3일간 진행하는 것에 합의함

⊙ **핵심정리**

갈래	협상
성격	설득적, 논리적
제재	구청 강당의 대여 여부.
주제	사진 전시회를 열 공간으로 구청 강당을 빌리는 문제에 관한 협상.
특징	• 협상의 진행 단계가 잘 드러남. • 협상 참여자들의 문제 해결 전략이 나타남.

확인학습 ·····

01 '상우'는 협상의 시작 단계에서 그림 전시회를 위해 구청 강당을 빌리고자 한다는 자신의 요구 사항을 분명히 밝혔다.

O☐ ×☐

02 '상우'가 학교가 아닌 구청 강당에서 전시회를 하고자 하는 것은 지역 주민도 함께 참여하는 행사로 기획했기 때문이다.

O☐ ×☐

03 '구 공무원'은 구청 강당을 빌려주기 위해서는 먼저 전시회가 공공성을 띠고 있는지 확인해야 한다는 점을 밝히고 있다.

O☐ ×☐

04 '구 공무원'은 다음 주 목요일부터 일요일까지 4일 동안 강당을 빌리고자 하는 '상우'의 요구를, 전시회의 공공성이 약
하다는 이유로 거절하였다.　　　　　　　　　　　　　　　　　　　　　　　　　　　O☐ ×☐

05 '구 공무원'는 전시회 기간이 줄어드는 대신에 관람객 확보를 위해 구청 측에서 전시회 홍보를 헤 줄 것을 제안하였다.

O☐ ×☐

06 '구 공무원'은 '상우'에게 구청 강당을 전시회 장소로 빌려주기에 앞서 전시회가 공공성을 띠고 있는지 확인하고자 하
였다.　　　　　　　　　　　　　　　　　　　　　　　　　　　　　　　　　　　　　O☐ ×☐

07 '구 공무원'은 일요일에는 구청 강당을 운영하지 않는다는 것과 다른 단체와의 형평성을 근거로 내세우며, 목요일부
터 토요일까지 4일간 강당을 빌리고자 하는 '상우'의 제안을 거절하였다.　　　　　　　　O☐ ×☐

08 '상우'는 협상을 통해 구청 강당을 빌리는 데 성공한 후 '구 공무원'에게 전시회 홍보를 요청하면서 또 다른 협상의 안
건을 제시하였다.　　　　　　　　　　　　　　　　　　　　　　　　　　　　　　　　O☐ ×☐

09 '구 공무원'이 '상우'의 전시회 홍보 요청을 수용한 것은 구청에서도 전시회를 엶으로써 얻는 이득이 있기 때문이다.

O☐ ×☐

10 협상의 조정 단계에서는 양측이 입장 차이를 좁혀야 하며 양보할 수 있는 지점을 찾아 합의를 유도해야 한다.

O☐ ×☐

객관식 기본문제

[01~03] 다음 글을 읽고 물음에 답하시오.

나라 고등학교의 상우는 교내 사진 동아리의 운영 위원으로 활동 중이다. '아름다운 웃음'이라는 주제로 전시회를 열기로 한 상우네 동아리는 전시회 장소를 찾던 중, ○○ 구청에서 강당을 무료로 빌려준다는 사실을 알게 된다. 상우는 강당을 빌리기 위해 직접 ○○ 구청을 찾아가 ○○구 공무원과 이야기해 보기로 한다.

시작 단계

상우 : 안녕하세요. 저는 나라 고등학교 일 학년 박상우입니다. 제가 학교에서 사진 동아리 활동을 하고 있는데, 이번에 '아름다운 웃음'이라는 주제로 사진 전시회를 열려고 합니다. 전시회를 할 장소로 구청 강당을 빌리고 싶어 이렇게 찾아 왔습니다.

구 공무원 : 학생 동아리라면 학교에서든 전시회를 열 수 있을 텐데 군이 구청 강당을 전시회 장소로 써야 할 이유가 있나요?

상우 : 이번 전시회는 우리 학교 학생뿐 아니라, 지역 주민도 함께 참여하는 행사로 기획했거든요. 그래서 전시회 장소로 학교보다는 구청 강당이 더 적절하다고 생각했습니다.

구 공무원 : 우리 구에서는 지역 주민을 위해 강당을 토론회나 교육 행사, 주민 모임 등의 주민 공동체 활동 장소로 빌려드립니다. 하지만 특정 단체의 이익을 목적으로 하는 행사나 상업적인 행사에는 강당을 빌려드리지 않습니다. 구청이 가진 공공시설로서의 성격에 맞지 않고 민원의 소지가 있기 때문이지요. 따라서 먼저 그 사진 전시회가 어떤 성격인지 알아야 강당을 빌려드릴 수 있습니다.

조정 단계

상우 : 이번 전시회에서는 고등학생인 저희가 친구들의 웃는 모습을 주제로 직접 찍은 사진을 전시할 거예요. 학업 때문에 힘들고 지친 고등학생들에게 힘을 주자는 의미도 있지요.

구 공무원 : 학업에 지친 고등학생들을 위로하고 그들에게 힘을 주자는 내용만으로는 전시회의 공공성이 좀 약합니다. 공공성 측면에서 좀 더 내세울 것이 있다면 우리 구의 사업으로 소개할 수도 있을 텐데요.

상우 : 네, 있습니다. 학생들이 친구들의 웃는 모습을 찍은 사진을 학교 사진 동아리 누리집에 올리면 한 장당 일정 금액이 모금됩니다. 그렇게 모금된 돈은 △△ 어린이 재단을 후원하는 데 사용할 거예요. 이 정도면 전시회의 공공성도 어느 정도 확보할 수 있다고 생각합니다.

구 공무원 : 동아리 누리집에 사진을 올리면 후원금이 모금되고 그것으로 △△ 어린이 재단을 후원한다니 참 좋은 생각이네요. 그렇게 하면 사진 전시회를 우리 구의 사업으로 소개할 수 있겠습니다.

상우 : 네, 정말 잘 되었네요. 다음 주 목요일부터 일요일까지 4일 동안 전시회를 열 예정인데 그때 강당을 빌릴 수 있나요?

구 공무원 : 아, 그건 곤란합니다. 다음 주에는 지역 주민을 대상으로 한 강연회가 열릴 예정이라 강당을 빌려드릴 수 없습니다. 그리고 주중에는 저녁 10시까지, 주말에는 토요일 저녁 6시까지만 강당을 사용할 수 있고, 일요일에는 강당을 운영하지 않아요. 또한 우리 구에서는 다른 주민 및 단체와의 형평성을 고려하여 한 개인 및 단체당 최대 2일까지만 강당을 빌려주고 있습니다.

상우 : 그렇군요. 저희는 학교 수업을 마치고 전시회를 진행해야 해서, 평일에는 저녁 6시 이후부터 3시간씩 강당을 사용하려고 합니다. 전시를 하기에 2일은 기간이 너무 짧습니다.

구 공무원 : 음, 그렇다면 다음다음 주에 전시회를 하는 것은 어떨까요? 그때는 강당을 사용하는 행사가 없고, 아직 다른 단체에서 강당을 빌려 달라고 신청하지 않았거든요. 학생들이 강당을 빌려 쓰는 시간이 짧기도 하니, 이를 고려해서 3일간 강당을 쓸 수 있게 해 드리겠습니다.

┌ **상우** : 전시회 날짜를 바꾸는 것은 괜찮습니다만, 전시회 기간이 4일에서 3일로 줄면 관람객이 적어질 수 있어서 저
│   희에게는 아쉬운 일입니다. 그래서 말씀드리고 싶은 것이 있는데요. 이번 전시회를 지역 주민에게 홍보해 주실
│   수 있나요?
│ **구 공무원** : 전시회를 홍보해 달라고요?
[A] **상우** : 네, 전시회를 여는 3일 동안 최대한 많은 관람객을 모으고 싶은데, 학생들인 저희로서는 지역 주민에게 전시
│   회를 널리 알리는 데 한계가 있어서요.
│ **구 공무원** : 저희도 업무로 바쁘기는 하지만, 전시회의 성격이 좋고 공공성도 충분하니까 홍보할 방안을 찾아보겠습
│   니다. 다음 주에 지역 주민을 대상으로 한 강연회가 있으니 그 시간을 활용하는 것도 좋겠네요.
└ **상우** : 고맙습니다. 그럼 구청 일정에 맞추어 다음다음 주 목요일부터 토요일까지 3일 동안 강당을 빌리겠습니다.

[해결 단계]

구 공무원 : 제안하신 전시회는 우리 구가 지역 주민을 위한 문화 행사를 지원하고, 후원 사업에도 관심을 기울이고 있다
      는 사실을 홍보할 기회이므로 저희에게도 도움이 됩니다. 앞으로 구체적인 일정과 진행 방식을 더 논의해 봅시다.
상우 : 저도 동아리 사진 전시회를 열 공간이 마련되어 기쁩니다. 구에서 홍보를 도와주신다면 성공적인 전시회가 될 수
      있겠네요. 다음에 구체적인 논의를 위해 다시 찾아오겠습니다. 안녕히 계세요.

---

01 다음 중 윗글의 내용과 맞지 <u>않는</u> 것은?

① '상우'가 전시회 장소로 구청 강당을 빌리려고 하는 이유가 제시되었다.
② 전시회가 공공성을 가지고 있음을 뒷받침하는 근거가 제시되었다.
③ 처음에는 '구 공무원'이 상우의 제안을 거절하였다.
④ '상우'는 마지막에 가서 애초에 원했던 요구사항을 완전히 달성하였다.
⑤ 전시회를 엶으로서 구에서 얻는 이익이 무엇인지 드러났다.

02 위와 같은 말하기를 할 때의 전략으로 <u>잘못된</u> 것은?

① 자신이 얻고자 하는 바가 무엇인지를 구체적으로 정한다.
② 대화의 상대가 자신과 상호경쟁적 관계에 있음을 인식한다.
③ 상대를 설득할 수 있는 대안을 미리 마련한다.
④ 자신의 의견에 대한 상대의 반박을 예상하여 이에 대응할 방안을 준비한다.
⑤ 자신의 주장만 내세우기보다는 상대에게 일정 부분 양보하면서 합의를 유도한다.

03 [A]에 나타난 '구 공무원'과 '상우'의 제안에 대한 설명으로 가장 적절한 것은?

① '상우'는 자기 측의 손실을 줄이기 위해 상대측에게 손실이 발생할 수도 있는 제안을 하였다.

② '구 공무원'은 자기 측에서는 손실이 발생하지 않지만 상대측에게는 손실이 발생할 수 있는 제안을 하였다.

③ '구 공무원'과 '상우' 모두 자기 측의 손실이 발생하지 않으면서 상대측에게 이익이 발생하는 제안을 하였다.

④ '구 공무원'과 '상우' 모두 자기 측의 이익을 극대화하기 위하여 상대측에게 손실을 감수해 줄 것을 요구하는 제안을 하였다.

⑤ '구 공무원'과 '상우' 모두 자기 측의 손실이 발생하지 않도록 하기 위해 상대측이 얻을 수 있는 이익에 대해 양보를 요구하는 제안을 하였다.

04 다음은 토의, 토론, 협상의 특징을 정리한 것이다. 적절하지 <u>않은</u> 것은?

	토의	토론	협상
관계	①상호협조적	②상호경쟁적	③상호경쟁적
목적	정보교환과 협의	④주장과 설득	갈등조정
평가 준거	해결방안 모색	논증	⑤상호 이해득실

[05~07] 다음 글을 읽고 물음에 답하시오.

시작 단계

상우 : ㉠안녕하세요. 저는 나라 고등학교 일 학년 박상우입니다. 제가 학교에서 사진 동아리 활동을 하고 있는데, 이번에 '아름다운 웃음'이라는 주제로 사진 전시회를 열려고 합니다. 전시회를 할 장소로 구청 강당을 빌리고 싶어 이렇게 찾아왔습니다.

구 공무원 : ㉡학생 동아리라면 학교에서든 전시회를 열 수 있을 텐데 굳이 구청 강당을 전시회 장소로 써야 할 이유가 있나요?

상우 : 이번 전시회는 우리 학교 학생뿐 아니라, 지역 주민도 함께 참여하는 행사로 기획했거든요. 그래서 전시회 장소로 학교보다는 구청 강당이 더 적절하다고 생각했습니다.

구 공무원 : 우리 구에서는 지역 주민을 위해 강당을 토론회나 교육 행사, 주민 모임 등의 주민 공동체 활동 장소로 빌려

드립니다. 하지만 특정 단체의 이익을 목적으로 하는 행사나 상업적인 행사에는 강당을 빌려드리지 않습니다. 구청이 가진 공공시설로서의 성격에 맞지 않고 민원의 소지가 있기 때문이지요. 따라서 먼저 그 사진 전시회가 어떤 성격인지 알아야 강당을 빌려드릴 수 있습니다.

[조정 단계]

상우 : 이번 전시회에서는 고등학생인 저희가 친구들의 웃는 모습을 주제로 직접 찍은 사진을 전시할 거예요. 학업 때문에 힘들고 지친 고등학생들에게 힘을 주자는 의미도 있지요.

구 공무원 : ⓒ학업에 지친 고등학생들을 위로하고 그들에게 힘을 주자는 내용만으로는 전시회의 공공성이 좀 약합니다. 공공성 측면에서 좀 더 내세울 것이 있다면 우리 구의 사업으로 소개할 수도 있을 텐데요.

상우 : 네, 있습니다. 학생들이 친구들의 웃는 모습을 찍은 사진을 학교 사진 동아리 누리집에 올리면 한 장당 일정 금액이 모금됩니다. 그렇게 모금된 돈은 △△ 어린이 재단을 후원하는 데 사용할 거예요. 이 정도면 전시회의 공공성도 어느 정도 확보할 수 있다고 생각합니다.

구 공무원 : 동아리 누리집에 사진을 올리면 후원금이 모금되고 그것으로 △△ 어린이 재단을 후원한다니 참 좋은 생각이네요. 그렇게 하면 사진 전시회를 우리 구의 사업으로 소개할 수 있겠습니다.

상우 : 네, 정말 잘 되었네요. 다음 주 목요일부터 일요일까지 4일 동안 전시회를 열 예정인데 그때 강당을 빌릴 수 있나요?

구 공무원 : 아, 그건 곤란합니다. 다음 주에는 지역 주민을 대상으로 한 강연회가 열릴 예정이라 강당을 빌려드릴 수 없습니다. 그리고 주중에는 저녁 10시까지, 주말에는 토요일 저녁 6시까지만 강당을 사용할 수 있고, 일요일에는 강당을 운영하지 않아요. 또한 우리 구에서는 다른 주민 및 단체와의 형평성을 고려하여 한 개인 및 단체당 최대 2일까지만 강당을 빌려주고 있습니다.

상우 : 그렇군요. 저희는 학교 수업을 마치고 전시회를 진행해야 해서, 평일에는 저녁 6시 이후부터 3시간씩 강당을 사용하려고 합니다. 전시를 하기에 2일은 기간이 너무 짧습니다.

구 공무원 : 음, 그렇다면 다음다음 주에 전시회를 하는 것은 어떨까요? 그때는 강당을 사용하는 행사가 없고, 아직 다른 단체에서 강당을 빌려 달라고 신청하지 않았거든요. 학생들이 강당을 빌려 쓰는 시간이 짧기도 하니, 이를 고려해서 3일간 강당을 쓸 수 있게 해 드리겠습니다.

상우 : 전시회 날짜를 바꾸는 것은 괜찮습니다만, 전시회 기간이 4일에서 3일로 줄면 관람객이 적어질 수 있어서 저희에게는 아쉬운 일입니다. 그래서 말씀드리고 싶은 것이 있는데요. 이번 전시회를 지역 주민에게 홍보해 주실 수 있나요?

구 공무원 : 전시회를 홍보해 달라고요?

상우 : 네, 전시회를 여는 3일 동안 최대한 많은 관람객을 모으고 싶은데, 학생들인 저희로서는 지역 주민에게 전시회를 널리 알리는 데 한계가 있어서요.

구 공무원 : ⓐ저희도 업무로 바쁘기는 하지만, 전시회의 성격이 좋고 공공성도 충분하니까 홍보할 방안을 찾아보겠습니다. 다음 주에 지역 주민을 대상으로 한 강연회가 있으니 그 시간을 활용하는 것도 좋겠네요.

상우 : 고맙습니다. 그럼 구청 일정에 맞추어 다음다음 주 목요일부터 토요일까지 3일 동안 강당을 빌리겠습니다.

[해결 단계]

구 공무원 : 제안하신 전시회는 우리 구가 지역 주민을 위한 문화 행사를 지원하고, 후원 사업에도 관심을 기울이고 있다는 사실을 홍보할 기회이므로 저희에게도 도움이 됩니다. 앞으로 구체적인 일정과 진행 방식을 더 논의해 봅시다.

상우 : ⓜ저도 동아리 사진 전시회를 열 공간이 마련되어 기쁩니다. 구에서 홍보를 도와주신다면 성공적인 전시회가 될 수 있겠네요. 다음에 구체적인 논의를 위해 다시 찾아오겠습니다. 안녕히 계세요.

05 협상 과정과 태도를 평가한 내용으로 가장 적절한 것은?

① 제삼자의 요구 사항을 상대측에게 정확하게 전달하였다.
② 서로의 제안을 조정하는 과정에 소극적으로 참여하였다.
③ 양측 모두에게 이익이 되도록 서로 양보하고 타협하였다.
④ 상대측의 의견을 경청하고 그들의 처지와 요구 사항을 모두 수용하였다.
⑤ 대화 내용에 어울리는 어조, 장단, 강약 등의 비언어적 표현을 적절하게 사용하였다.

06 협상의 단계에 따라 위 협상의 내용을 정리한 것으로 가장 적절한 것은?

① 시작 단계에서 상우는 사진 동아리의 전시회를 열 장소로 구청 강당을 빌리고자 하고, 구 공무원은 공공성을 띠지 않은 행사에는 구청 강당을 빌려주지 않음을 알린 후 상우 동아리가 공공성이 없음을 확신함.
② 조정 단계에서 상우는 전시회가 고등학생들에게 힘을 주기 위한 행사인 것과 어린이 재단을 후원하려는 계획이 있음을 밝혀 공공성을 강조하고 4일간 강당을 빌려 줄 것을 제안함.
③ 조정 단계에서 구 공무원은 행사 일정과 운영 시간 규정을 이유로 '상우'의 제안을 거절했으나, 결국 이용 시간이 짧은 점을 고려하여 강당을 4일간 빌려주기로 양보함.
④ 해결 단계에서 상우는 전시회 기간이 짧아짐에 따라 관람객 확보를 위해 구청 측에 전시회 홍보를 요청하였으며, 구 공무원은 전시회를 지역 주민 강연회 등에서 홍보할 방안을 찾기로 함.
⑤ 해결 단계에서 상우와 구 공무원은 상우네 동아리가 사진 전시회를 열기 위해 구청 강당을 빌리는 것에 협의함.

07 ㉠~㉤에 대한 설명으로 적절하지 <u>않은</u> 것은?

① ㉠ : 예의를 갖추며 자신의 기본 입장을 제시하고 있다.
② ㉡ : 협상의 안건을 더 명확하게 하려는 질문으로 대화를 이어나가고 있다.
③ ㉢ : 상대방의 말을 반복한 후 서로 입장 차이가 있음을 드러내고 있다.
④ ㉣ : 상대방의 답변을 유도하여 상대방이 스스로 문제를 해결하도록 하고 있다.
⑤ ㉤ : 양보와 타협을 통해 자신이 얻게 될 이익이 무엇인지 확인하고 있다.

[08~10] 다음 글을 읽고 물음에 답하시오.

(가) 상우 : 안녕하세요. 저는 나라 고등학교 일 학년 박상우입니다. 제가 학교에서 사진 동아리 활동을 하고 있는데, 이번에 '아름다운 웃음'이라는 주제로 사진 전시회를 열려고 합니다. 전시회를 할 장소로 구청 강당을 빌리고 싶어 이렇게 찾아왔습니다.

구 공무원 : 학생 동아리라면 학교에서든 전시회를 열 수 있을 텐데 굳이 구청 강당을 전시회 장소로 써야 할 이유가 있나요?

상우 : 이번 전시회는 우리 학교 학생뿐 아니라, 지역 주민도 함께 참여하는 행사로 기획했거든요. 그래서 전시회 장소로 학교보다는 구청 강당이 더 적절하다고 생각했습니다.

구 공무원 : 우리 구에서는 지역 주민을 위해 강당을 토론회나 교육 행사, 주민 모임 등의 주민 공동체 활동 장소로 빌려드립니다. 하지만 특정 단체의 이익을 목적으로 하는 행사나 상업적인 행사에는 강당을 빌려드리지 않습니다. 구청이 가진 공공시설로서의 성격에 맞지 않고 민원의 소지가 있기 때문이지요. 따라서 먼저 그 사진 전시회가 어떤 성격인지 알아야 강당을 빌려드릴 수 있습니다.

(나) 상우 : 이번 전시회에서는 고등학생인 저희가 친구들의 웃는 모습을 주제로 직접 찍은 사진을 전시할 거예요. 학업 때문에 힘들고 지친 고등학생들에게 힘을 주자는 의미도 있지요.

구 공무원 : 학업에 지친 고등학생들을 위로하고 그들에게 힘을 주자는 내용만으로는 전시회의 공공성이 좀 약합니다. 공공성 측면에서 좀 더 내세울 것이 있다면 우리 구의 사업으로 소개할 수도 있을 텐데요.

상우 : 네, 있습니다. 학생들이 친구들의 웃는 모습을 찍은 사진을 학교 사진 동아리 누리집에 올리면 한 장당 일정 금액이 모금됩니다. 그렇게 모금된 돈은 △△ 어린이 재단을 후원하는 데 사용할 거예요. 이 정도면 전시회의 공공성도 어느 정도 확보할 수 있다고 생각합니다.

구 공무원 : 동아리 누리집에 사진을 올리면 후원금이 모금되고 그것으로 △△ 어린이 재단을 후원한다니 참 좋은 생각이네요. 그렇게 하면 사진 전시회를 우리 구의 사업으로 소개할 수 있겠습니다.

(다) 상우 : 네, 정말 잘 되었네요. 다음 주 목요일부터 일요일까지 4일 동안 전시회를 열 예정인데 그때 강당을 빌릴 수 있나요?

구 공무원 : 아, 그건 곤란합니다. 다음 주에는 지역 주민을 대상으로 한 강연회가 열릴 예정이라 강당을 빌려드릴 수 없습니다. 그리고 주중에는 저녁 10시까지, 주말에는 토요일 저녁 6시까지만 강당을 사용할 수 있고, 일요일에는 강당을 운영하지 않아요. 또한 우리 구에서는 다른 주민 및 단체와의 형평성을 고려하여 한 개인 및 단체당 최대 2일까지만 강당을 빌려주고 있습니다.

상우 : 그렇군요. 저희는 학교 수업을 마치고 전시회를 진행해야 해서, 평일에는 저녁 6시 이후부터 3시간씩 강당을 사용하려고 합니다. 전시를 하기에 2일은 기간이 너무 짧습니다.

구 공무원 : 음, 그렇다면 다음다음 주에 전시회를 하는 것은 어떨까요? 그때는 강당을 사용하는 행사가 없고, 아직 다른 단체에서 강당을 빌려 달라고 신청하지 않았거든요. 학생들이 강당을 빌려 쓰는 시간이 짧기도 하니, 이를 고려해서 3일간 강당을 쓸 수 있게 해 드리겠습니다.

(라) 상우 : 전시회 날짜를 바꾸는 것은 괜찮습니다만, 전시회 기간이 4일에서 3일로 줄면 관람객이 적어질 수 있어서 저희에게는 아쉬운 일입니다. 그래서 말씀드리고 싶은 것이 있는데요. 이번 전시회를 지역 주민에게 홍보해 주실 수 있나요?

구 공무원 : 전시회를 홍보해 달라고요?

상우 : 네, 전시회를 여는 3일 동안 최대한 많은 관람객을 모으고 싶은데, 학생들인 저희로서는 지역 주민에게 전시회를 널리 알리는 데 한계가 있어서요.

구 공무원 : 저희도 업무로 바쁘기는 하지만, 전시회의 성격이 좋고 공공성도 충분하니까 홍보할 방안을 찾아보겠습니다. 다음 주에 지역 주민을 대상으로 한 강연회가 있으니 그 시간을 활용하는 것도 좋겠네요.

상우 : 고맙습니다. 그럼 구청 일정에 맞추어 다음다음 주 목요일부터 토요일까지 3일 동안 강당을 빌리겠습니다.

(마) 구 공무원 : 제안하신 전시회는 우리 구가 지역 주민을 위한 문화 행사를 지원하고, 후원 사업에도 관심을 기울이고 있다는 사실을 홍보할 기회이므로 저희에게도 도움이 됩니다. 앞으로 구체적인 일정과 진행 방식을 더 논의해 봅시다.

상우 : 저도 동아리 사진 전시회를 열 공간이 마련되어 기쁩니다. 구에서 홍보를 도와주신다면 성공적인 전시회가 될 수 있겠네요. 다음에 구체적인 논의를 위해 다시 찾아오겠습니다. 안녕히 계세요.

---

08 (가)~(마)에 나타난 협상의 단계와 각 단계별 전략에 대한 설명으로 적절하지 않은 것은?

① (가) – 시작 단계로, 상우는 전시회 공간으로 구청 강당을 빌리고자 하는 기본 입장을 표명하고 있다.

② (나) – 조정 단계로, 구 공무원은 구청 강당 대여를 위해 공공성 여부가 필요함을 언급했고, 상우는 전시회의 공공성을 뒷받침할 수 있는 근거를 제시하고 있다.

③ (다) – 조정 단계로, 상우와 구 공무원은 구청 강당 대여 기간과 시간을 정하기 위해 서로 양보할 수 있는 지점을 찾아가며 협상하고 있다.

④ (라) – 조정 단계로, 상우는 전시 기간을 양보한 대신 구에서 전시회를 홍보해 달라는 새로운 제안을 하고 있다.

⑤ (마) – 해결 단계로, 상우와는 달리 구청 측은 만족할 만한 협상 결과를 얻었다고 보기 어렵다.

---

09 협상을 마친 후 합의문을 작성하였다. 이 담화의 내용으로 보아 적절하지 않은 것은?

┌───┐
│ **합의문**

협상 당사자인 상우와 구 공무원은 다음 내용에 합의하고 충실히 이해할 것을 약속한다.

• 목요일부터 토요일까지 3시간 동안 사진 전시회를 진행한다. ················· ㉠
• 구청에서는 사진전을 지역 주민에게 홍보하기 위해 최선을 다한다. ·········· ㉡
• 현재로부터 2주 후 구청 강당에서 '아름다운 웃음 사진전'을 연다. ·········· ㉢
• 전시회를 통해 얻은 수익금은 △△ 어린이 재단을 후원하는데 사용한다. ······ ㉣
• 친구들의 웃는 모습과 힘들게 살아가는 어린이들의 모습을 주제로 사진을 전시한다. ······· ㉤
└───┘

① ㉠   ② ㉡   ③ ㉢   ④ ㉣   ⑤ ㉤

---

10 협상을 성공적으로 이끌기 위한 태도로 적절한 것을 〈보기〉에서 있는 대로 고른 것은?

┤ 보기 ├

ㄱ. 협상을 통해 얻고자 하는 바를 분명하게 정한다.
ㄴ. 상대측의 요구를 예상하여 대응 방안을 마련한다.
ㄷ. 상대측의 의견을 경청하고 그들의 제안을 정확하게 평가한다.
ㄹ. 갈등과 분쟁을 줄이기 위해 우리측의 이익을 최대한 양보한다.
ㅁ. 상대의 주장에 대한 반박을 통해 상대측의 문제점을 제기한다.

① ㄱ   ② ㄱ, ㄴ   ③ ㄱ, ㄴ, ㄷ

④ ㄱ, ㄴ, ㄷ, ㄹ   ⑤ ㄱ, ㄴ, ㄷ, ㄹ, ㅁ

[11~13] 다음 글을 읽고 물음에 답하시오.

나라 고등학교의 상우는 교내 사진 동아리의 운영 위원으로 활동 중이다. '아름다운 웃음'이라는 주제로 전시회를 열기로 한 상우네 동아리는 전시회 장소를 찾던 중, ○○ 구청에서 강당을 무료로 빌려준다는 사실을 알게 된다. 상우는 강당을 빌리기 위해 직접 ○○ 구청을 찾아가 ○○구 공무원과 이야기해 보기로 한다.

[**시작 단계**]

상우 : 안녕하세요. 저는 나라 고등학교 일 학년 박상우입니다. 제가 학교에서 사진 동아리 활동을 하고 있는데, 이번에 '아름다운 웃음'이라는 주제로 사진 전시회를 열려고 합니다. 전시회를 할 장소로 구청 강당을 빌리고 싶어 이렇게 찾아 왔습니다.

구 공무원 : 학생 동아리라면 학교에서든 전시회를 열 수 있을 텐데 굳이 구청 강당을 전시회 장소로 써야 할 이유가 있나요?

상우 : 이번 전시회는 우리 학교 학생뿐 아니라, 지역 주민도 함께 참여하는 행사로 기획했거든요. 그래서 전시회 장소로 학교보다는 구청 강당이 더 적절하다고 생각했습니다.

구 공무원 : 우리 구에서는 지역 주민을 위해 강당을 토론회나 교육 행사, 주민 모임 등의 주민 공동체 활동 장소로 빌려드립니다. 하지만 특정 단체의 이익을 목적으로 하는 행사나 상업적인 행사에는 강당을 빌려드리지 않습니다. 구청이 가진 공공시설로서의 성격에 맞지 않고 민원의 소지가 있기 때문이지요. 따라서 먼저 그 사진 전시회가 어떤 성격인지 알아야 강당을 빌려드릴 수 있습니다.

[**조정 단계**]

상우 : 이번 전시회에서는 고등학생인 저희가 친구들의 웃는 모습을 주제로 직접 찍은 사진을 전시할 거예요. 학업 때문에 힘들고 지친 고등학생들에게 힘을 주자는 의미도 있지요.

구 공무원 : 학업에 지친 고등학생들을 위로하고 그들에게 힘을 주자는 내용만으로는 전시회의 공공성이 좀 약합니다. 공공성 측면에서 좀 더 내세울 것이 있다면 우리 구의 사업으로 소개할 수도 있을 텐데요.

상우 : 네, 있습니다. 학생들이 친구들의 웃는 모습을 찍은 사진을 학교 사진 동아리 누리집에 올리면 한 장당 일정 금액이 모금됩니다. 그렇게 모금된 돈은 △△ 어린이 재단을 후원하는 데 사용할 거예요. 이 정도면 전시회의 공공성도 어느 정도 확보할 수 있다고 생각합니다.

구 공무원 : 동아리 누리집에 사진을 올리면 후원금이 모금되고 그것으로 △△ 어린이 재단을 후원한다니 참 좋은 생각이네요. 그렇게 하면 사진 전시회를 우리 구의 사업으로 소개할 수 있겠습니다.

상우 : 네, 정말 잘 되었네요. 다음 주 목요일부터 일요일까지 4일 동안 전시회를 열 예정인데 그때 강당을 빌릴 수 있나요?

구 공무원 : 아, 그건 곤란합니다. 다음 주에는 지역 주민을 대상으로 한 강연회가 열릴 예정이라 강당을 빌려드릴 수 없습니다. 그리고 주중에는 저녁 10시까지, 주말에는 토요일 저녁 6시까지만 강당을 사용할 수 있고, 일요일에는 강당을 운영하지 않아요. 또한 우리 구에서는 다른 주민 및 단체와의 형평성을 고려하여 한 개인 및 단체당 최대 2일까지만 강당을 빌려주고 있습니다.

상우 : 그렇군요. 저희는 학교 수업을 마치고 전시회를 진행해야 해서, 평일에는 저녁 6시 이후부터 3시간씩 강당을 사용하려고 합니다. 전시를 하기에 2일은 기간이 너무 짧습니다.

구 공무원 : 음, 그렇다면 다음다음 주에 전시회를 하는 것은 어떨까요? 그때는 강당을 사용하는 행사가 없고, 아직 다른 단체에서 강당을 빌려 달라고 신청하지 않았거든요. 학생들이 강당을 빌려 쓰는 시간이 짧기도 하니, 이를 고려해서 3일간 강당을 쓸 수 있게 해 드리겠습니다.

상우 : 전시회 날짜를 바꾸는 것은 괜찮습니다만, 전시회 기간이 4일에서 3일로 줄면 관람객이 적어질 수 있어서 저희에게는 아쉬운 일입니다. 그래서 말씀드리고 싶은 것이 있는데요. 이번 전시회를 지역 주민에게 홍보해 주실 수 있나요?

구 공무원 : 전시회를 홍보해 달라고요?

상우 : 네, 전시회를 여는 3일 동안 최대한 많은 관람객을 모으고 싶은데, 학생들인 저희로서는 지역 주민에게 전시회를 널리 알리는 데 한계가 있어서요.

구 공무원 : 저희도 업무로 바쁘기는 하지만, 전시회의 성격이 좋고 공공성도 충분하니까 홍보할 방안을 찾아보겠습니다. 다음 주에 지역 주민을 대상으로 한 강연회가 있으니 그 시간을 활용하는 것도 좋겠네요.

상우 : 고맙습니다. 그럼 구청 일정에 맞추어 다음다음 주 목요일부터 토요일까지 3일 동안 강당을 빌리겠습니다.

[해결 단계]

구 공무원 : 제안하신 전시회는 우리 구가 지역 주민을 위한 문화 행사를 지원하고, 후원 사업에도 관심을 기울이고 있다는 사실을 홍보할 기회이므로 저희에게도 도움이 됩니다. 앞으로 구체적인 일정과 진행 방식을 더 논의해 봅시다.

상우 : 저도 동아리 사진 전시회를 열 공간이 마련되어 기쁩니다. 구에서 홍보를 도와주신다면 성공적인 전시회가 될 수 있겠네요. 다음에 구체적인 논의를 위해 다시 찾아오겠습니다. 안녕히 계세요.

---

11 다음 중 윗글에 나타난 협상의 특징으로 적절한 것을 〈보기〉에서 <u>모두</u> 고른 것은?

┤ 보기 ├

㉠ 참여자 간의 입장 차이가 좁혀지지 않을 경우 제 3자의 조정이 나타난다.

㉡ 참여 양측의 의견 차이를 좁혀가는 과정을 통해 구체적인 타협안을 찾아간다.

㉢ 참여자들은 상호경쟁적 관계에서 자신의 주장을 상대방에게 설득하려 다양한 전략을 사용한다.

㉣ 많은 참여자의 다양한 의견을 수합하여 견주어 보고 최선의 선택을 하기 위한 협동 과정이 나타난다.

㉤ 참여자 양측은 상호 이해 득실을 따지면서도 타결을 위해 협력하는 관계이다.

① ㉠, ㉢   ② ㉡, ㉤   ③ ㉢, ㉣   ④ ㉠, ㉢, ㉣   ⑤ ㉡, ㉣, ㉤

12 윗글에 나타난 '구 공무원'의 협상 방식으로 적절한 것은?

① 자신이 알고 있는 것을 상대방도 알고 있는지 지속적 질문을 통해 확인하고 있다.

② 강당 사용의 과거 부적합 사례를 인용하며 상대방 제의에 부정적 반응을 보이고 있다.

③ 구청 강당 사용의 구체적 조건에 비추어 상대방의 제안의 적절성에 대해 질문하고 있다.

④ 상대방 대안을 반박하는 과정을 통해 자신의 견해를 끝까지 관철하려 한다.

⑤ 민원 소지 이유로 강당의 저녁 시간 사용 요청을 완곡하게 거절하고 새로운 대안을 제시하고 있다.

13 상우가 계획한 협상 전략 중 위 협상에 반영되지 <u>않은</u> 것은?

① 구청 강당 사용 이유에 지역 주민 참여를 들어야겠다.

② 어린이 재단 후원을 공공성 확보의 방안으로 제시해야겠다.

③ 보다 많은 관람객이 볼 수 있도록 구청 측에 홍보를 부탁해야겠다.

④ 전시회 계획을 제시하되 구체적 일정은 구청 상황에 따라 탄력적으로 조절해야겠다.

⑤ 사진전시회 개최가 학교 뿐 아니라 구청에도 도움이 될 수 있음을 강조해야겠다.

객관식 심화문제

01 다음은 협상의 과정이다. ㉠에 들어갈 내용으로 가장 적절한 것은?

시작 단계	갈등의 원인	학교에서 가장 넓은 동아리방을 두 동아리가 서로 사용하려고 한다.
	우리측의 기본입장	우리 춤 동아리는 계속 춤동작을 고쳐야 하기에 전면거울이 있는 그 동아리방을 써야한다.
	상대측 기본입장	상대측 요가 동아리는 요가깔개를 깔고 요가동작을 다듬기 위해 전면거울이 갖춰진 넓은 동아리방을 쓰려고 한다.
조정 단계	우리측의 처지와 관점	춤동작은 연결되어 있어서 한 번에 긴 시간을 집중적으로 연습하는 것이 효과적이다.
	상대측의 처지와 관점	요가는 심신을 수련하는 활동이므로 매일매일 동작을 반복하는 것이 효과적이다.
양측이 합의한 점		㉠

① 넓은 동아리방을 반으로 나눠서 사용한다.
② 다른 동아리들도 쓸 수 있으니 다른 동아리와 함께 협의한다.
③ 월, 수, 금에는 춤 동아리가 화, 목, 토에는 요가 동아리가 사용한다.
④ 서로 시간이 되는 때를 맞춰서 유연하게 비는 시간에 각각 사용한다.
⑤ 주말에는 춤 동아리가 평일 방과 후에는 요가 동아리가 동아리방을 사용한다.

02 다음 중 협상이 필요한 상황으로 적절하지 않은 것은?

① 학교 동아리방 사용문제로 두 동아리 사이에 갈등이 발생한 상황
② 마을 벽화 그리기 사업을 두고 마을 거주민과 시 공무원이 대립하는 상황
③ 임금 인상률 조정을 두고 사업자와 고용자 사이의 의견이 서로 다른 상황
④ 신규 방사능 폐기장 설치를 두고 정부와 지역주민의 입장이 다른 상황
⑤ 대입 수시모집을 통해 합격한 3개의 대학 중에서 한 대학을 결정해야 하는 상황

상우 : 안녕하세요. 저는 나라 고등학교 일 학년 박상우입니다. 제가 학교에서 사진 동아리 활동을 하고 있는데, 이번에 '아름다운 웃음'이라는 주제로 사진 전시회를 열려고 합니다. 전시회를 할 장소로 구청 강당을 빌리고 싶어 이렇게 찾아 왔습니다.

구 공무원 : 학생 동아리라면 학교에서든 전시회를 열 수 있을 텐데 굳이 구청 강당을 전시회 장소로 써야 할 이유가 있나요?

상우 : 이번 전시회는 우리 학교 학생뿐 아니라, 지역 주민도 함께 참여하는 행사로 기획했거든요. 그래서 전시회 장소로 학교보다는 구청 강당이 더 적절하다고 생각했습니다.

구 공무원 : 우리 구에서는 지역 주민을 위해 강당을 토론회나 교육 행사, 주민 모임 등의 주민 공동체 활동 장소로 빌려 드립니다. 하지만 특정 단체의 이익을 목적으로 하는 행사나 상업적인 행사에는 강당을 빌려드리지 않습니다. 구청이 가진 공공시설로서의 성격에 맞지 않고 민원의 소지가 있기 때문이지요. 따라서 먼저 그 사진 전시회가 어떤 성격인지 알아야 강당을 빌려드릴 수 있습니다.

상우 : 이번 전시회에서는 고등학생인 저희가 친구들의 웃는 모습을 주제로 직접 찍은 사진을 전시할 거예요. 학업 때문에 힘들고 지친 고등학생들에게 힘을 주자는 의미도 있지요.

구 공무원 : 학업에 지친 고등학생들을 위로하고 그들에게 힘을 주자는 내용만으로는 전시회의 공공성이 좀 약합니다. 공공성 측면에서 좀 더 내세울 것이 있다면 우리 구의 사업으로 소개할 수도 있을 텐데요.

상우 : 네, 있습니다. 학생들이 친구들의 웃는 모습을 찍은 사진을 학교 사진 동아리 누리집에 올리면 한 장당 일정 금액이 모금됩니다. 그렇게 모금된 돈은 △△ 어린이 재단을 후원하는 데 사용할 거예요. 이 정도면 전시회의 공공성도 어느 정도 확보할 수 있다고 생각합니다.

구 공무원 : 동아리 누리집에 사진을 올리면 후원금이 모금되고 그것으로 △△ 어린이 재단을 후원한다니 참 좋은 생각이네요. 그렇게 하면 사진 전시회를 우리 구의 사업으로 소개할 수 있겠습니다.

상우 : 네, 정말 잘 되었네요. 다음 주 목요일부터 일요일까지 4일 동안 전시회를 열 예정인데 그때 강당을 빌릴 수 있나요?

구 공무원 : 아, 그건 곤란합니다. 다음 주에는 지역 주민을 대상으로 한 강연회가 열릴 예정이라 강당을 빌려드릴 수 없습니다. 그리고 주중에는 저녁 10시까지, 주말에는 토요일 저녁 6시까지만 강당을 사용할 수 있고, 일요일에는 강당을 운영하지 않아요. 또한 우리 구에서는 다른 주민 및 단체와의 형평성을 고려하여 한 개인 및 단체 당 최대 2일까지만 강당을 빌려주고 있습니다.

상우 : 그렇군요. 저희는 학교 수업을 마치고 전시회를 진행해야 해서, ㉠평일에는 저녁 6시 이후부터 3시간씩 강당을 사용하려고 합니다. 전시를 하기에 2일은 기간이 너무 짧습니다.

구 공무원 : 음, 그렇다면 ㉡다음다음 주에 전시회를 하는 것은 어떨까요? 그때는 강당을 사용하는 행사가 없고, 아직 다른 단체에서 강당을 빌려 달라고 신청하지 않았거든요. 학생들이 강당을 빌려 쓰는 시간이 짧기도 하니, 이를 고려해서 ㉢3일간 강당을 쓸 수 있게 해 드리겠습니다.

상우 : 전시회 날짜를 바꾸는 것은 괜찮습니다만, 전시회 기간이 4일에서 3일로 줄면 관람객이 적어질 수 있어서 저희에게는 아쉬운 일입니다. 그래서 말씀드리고 싶은 것이 있는데요. 이번 전시회를 지역 주민에게 홍보해 주실 수 있나요?

구 공무원 : 전시회를 홍보해 달라고요?

상우 : 네, 전시회를 여는 3일 동안 최대한 많은 관람객을 모으고 싶은데, ㉣학생들인 저희로서는 지역 주민에게 전시회를 널리 알리는 데 한계가 있어서요.

구 공무원 : 저희도 업무로 바쁘기는 하지만, 우리 구가 지역주민을 위한 행사에 관심을 기울이고 있다는 사실을 홍보할 수도 있고 ㉤전시회의 성격이 좋고 공공성도 충분하니까 홍보 방안을 찾아보겠습니다. 다음 주에 지역 주민을 대상으로 한 강연회가 있으니 그 시간을 활용하면 좋겠습니다.

03 이와 같은 담화에 대한 설명으로 적절하지 <u>않은</u> 것은?

① 개인이나 집단 사이에 일어난 문제를 합리적으로 해결하기 위한 담화이다.
② 갈등 요소를 공유하는 양측이 서로 타협하고 의견을 조정해 나가는 대화의 방법이다.
③ 상호 경쟁적인 관계에서 서로 자신의 주장을 내세워 상대를 설득해야 하는 의사소통 방법이다.
④ 양측이 입장을 확인하고 구체적인 대안을 검토한 후 대안을 재구성하여 합의에 이르는 단계로 진행된다.
⑤ 양측이 입장 차이를 좁혀 나가며 합의에 이름으로써 양보와 타협을 통해 모두가 만족할 만한 결과를 이끌어 낼 수 있다.

04 이 협상을 통해 확인할 수 있는 내용이 <u>아닌</u> 것은?

① '상우'는 '구 공무원'에게 사진 동아리 전시회를 구청 강당에서 열고 싶다는 자신의 요구 사항을 구체적으로 밝히고 있다.
② '상우'는 '구 공무원'의 제안을 수락했을 때 발생할 불이익을 최소화하기 위해 대안을 제시하고 있다.
③ '구 공무원'은 협상의 안건을 더 명확하게 하고자 '상우'에게 전시회의 성격에 대한 질문을 던지고 있다.
④ '구 공무원'은 '상우'의 입장과 처지를 고려하여 강당 대여 조건을 완화하여 일정 부분 양보하고 있다.
⑤ '구 공무원'은 전시회 홍보로 인한 업무 부담을 강조하여 '상우'의 양보를 유도하고 있다.

05 ㉠~㉤ 중, 양측이 합의한 내용을 구체적으로 작성하는 합의문에 들어갈 내용으로 적절하지 <u>않은</u> 것은?

① ㉠   ② ㉡   ③ ㉢   ④ ㉣   ⑤ ㉤

06 〈보기〉를 참고할 때, 다음 중 이와 같은 담화가 필요한 상황으로 보기 <u>어려운</u> 것은?

┤ 보기 ├

협상의 시작 단계에서는 갈등의 원인을 파악하고 우리 측과 상대측의 기본 입장을 알아야 한다. 그리고 협상을 통해 갈등을 해결할 가능성이 있는지도 점검해 보아야 하는데 이를 위해 우리 측과 상대측의 이익에 조율이 가능한 부분이 있는지도 살펴보아야 한다.

① 서로 다른 동아리가 같은 날 학교 운동장을 쓰고자 할 때
② 사업자와 고용자 사이에서 임금 인상률을 조정하고자 할 때
③ 이사한 집에서 햇볕이 잘 드는 방을 두 입주자가 서로 사용하고자 할 때
④ 여행지를 결정하는데 일행 중 일부는 계곡으로 가고 싶어하고, 일부는 바다로 가고 싶어 할 때
⑤ 학교 운영 위원회에서 즐거운 학교 문화를 만들기 위한 방법을 논의하고자 할 때

나라 고등학교의 상우는 교내 사진 동아리의 운영 위원으로 활동 중이다. '아름다운 웃음'이라는 주제로 전시회를 열기로 한 상우네 동아리는 전시회 장소를 찾던 중, ○○ 구청에서 강당을 무료로 빌려준다는 사실을 알게 된다. 상우는 강당을 빌리기 위해 직접 ○○ 구청을 찾아가 ○○구 공무원과 이야기해 보기로 한다.

상우: 안녕하세요. 저는 나라 고등학교 일 학년 박상우입니다. 제가 학교에서 사진 동아리 활동을 하고 있는데, 이번에 '아름다운 웃음'이라는 주제로 사진 전시회를 열려고 합니다. 전시회를 할 장소로 구청 강당을 빌리고 싶어 이렇게 찾아왔습니다.

구 공무원: 학생 동아리라면 학교에서도 전시회를 열 수 있을 텐데 굳이 구청 강당을 전시회 장소로 써야 할 이유가 있나요?

상우: 이번 전시회는 우리 학교 학생뿐 아니라, 지역 주민도 함께 참여하는 행사로 기획했거든요. 그래서 전시회 장소로 학교보다는 구청 강당이 더 적합하다고 생각했습니다.

구 공무원: 우리 구에서는 지역 주민을 위해 강당을 토론회나 교육 행사, 주민 모임 등의 주민 공동체 활동 장소로 빌려 드립니다. 하지만 특정 단체의 이익을 목적으로 하는 행사나 상업적인 행사에는 강당을 빌려 드리지 않습니다. 구청이 가진 공공시설로서의 성격에 맞지 않고 민원의 소지가 있기 때문이지요. 따라서 먼저 그 사진 전시회가 어떤 성격인지 알아야 강당을 빌려 드릴 수 있습니다.

07 이와 같은 말하기의 궁극적인 목적으로 적절한 것은?

① 친교 ② 합의 ③ 교훈 전달
④ 정보 전달 ⑤ 정서적 감동 유발

08 이 담화에 대한 설명으로 적절하지 않은 것은?

① 담화의 종류는 협상이다.
② 구청 강당의 대여 문제로 의사소통하고 있다.
③ 참여자는 논리적 근거를 들어 담화에 참여하고 있다.
④ 담화의 진행 단계 별로 유의해야 할 점을 잘 지키고 있다.
⑤ 담화에 맞는 비유적 표현을 통해 주장의 진실성을 높이고 있다.

09 이 담화의 참여자에 대한 설명으로 적절하지 <u>않은</u> 것은??

① 상우는 협상 참여자로 담당자인 공무원을 택하여 직접 찾아갔다.
② 상우는 구 공무원에게 자신의 요구 사항을 구체적으로 밝혔다.
③ 상우는 협상의 안건인 구청 강당 대여를 명확하게 하였다.
④ 구 공무원은 협상의 안건을 더 명확하게 하려는 질문을 하였다.
⑤ 상우는 학교 대신 구청 강당을 대여해야 하는 이유보다 당위성을 강조했다.

10 '구 공무원'의 마지막 발언의 의도로 적절한 것을 올바르게 짝지은 것은?

> ⓐ 강당 대여의 조건을 명시해야겠다.
> ⓑ 구청의 입장에서 협상의 기본 원칙을 제시해야겠다.
> ⓒ 끝까지 책임감을 가지고 행사를 마무리 할 수 있도록 제한 사항을 두어야겠어.
> ⓓ 구청 강당은 공공시설이므로 공공성에 맞는 행사에 사용될 수 있음을 알려야지.

① ⓐ, ⓑ, ⓒ   ② ⓐ, ⓒ, ⓓ   ③ ⓐ, ⓒ, ⓓ   ④ ⓐ, ⓑ, ⓓ   ⑤ ⓑ, ⓒ, ⓓ

11 담화의 전체 맥락을 고려할 때, '구 공무원'의 마지막 발언 이후에 이어질 상우의 발언으로 적절한 것은?

① 행사가 끝난 후 책임감 있게 뒷정리를 하겠습니다.
② 본교의 학생들은 초대해서 축제의 장으로 만들겠습니다.
③ 사진을 좋아하는 친구들에게 뜻깊은 추억을 만들어주겠습니다.
④ 학업에 지친 고등학생들을 위로하고 그들에게 힘을 주자는 내용을 담아 공공성을 확보하겠습니다.
⑤ 동아리 누리집에 사진을 올리면 후원금이 모금되고 그것으로 △△ 어린이 재단을 후원하겠습니다.

상우: 이번 전시회에서는 고등학생인 저희가 친구들의 웃는 모습을 주제로 직접 찍은 사진을 전시할 거예요. 학업 때문에 힘들고 지친 고등학생들에게 힘을 주자는 의미도 있지요.

구 공무원: 학업에 지친 고등학생들을 위로하고 그들에게 힘을 주자는 내용만으로는 전시회의 공공성이 좀 약합니다. 공공성 측면에서 좀 더 내세울 것이 있다면 우리 구의 사업으로 소개할 수도 있을 텐데요.

상우: 네, 있습니다. 학생들이 친구들의 웃는 모습을 찍은 사진을 학교 사진 동아리 누리집에 올리면 한 장당 일정 금액이 모금됩니다. 그렇게 모금된 돈은 △△어린이 재단을 후원하는 데 사용할 거예요. 이 정도면 전시회의 공공성도 어느 정도 확보할 수 있다고 생각합니다.

구 공무원: 동아리 누리집에 사진을 올리면 후원금이 모금되고 그것으로 △△ 어린이 재단을 후원한다니 참 좋은 생각이네요. 그렇게 하면 사진 전시회를 우리 구의 사업으로 소개할 수 있겠습니다.

상우: 네, 정말 잘 되었네요. 다음 주 목요일부터 일요일까지 4일 동안 전시회를 열 예정인데 그때 강당을 빌릴 수 있나요?

구 공무원: 아, 그건 곤란합니다. 다음 주에는 지역 주민을 대상으로 한 강연회가 열릴 예정이라 강당을 빌려 드릴 수 없습니다. 그리고 주중에는 저녁 10시까지, 주말에는 토요일 저녁 6시까지만 강당을 사용할 수 있고, 일요일에는 강당을 운영하지 않아요. 또한 우리 구에서는 다른 주민 및 단체와의 형평성을 고려하여 한 개인 및 단체 당 최대 2일까지만 강당을 빌려주고 있습니다.

상우: 그렇군요. 저희는 학교 수업을 마치고 전시회를 진행해야 해서, 평일에는 저녁 6시 이후부터 3시간씩 강당을 사용하려고 합니다. 전시를 하기에 2일은 기간이 너무 짧습니다.

구 공무원: 음, 그렇다면 다음다음 주에 전시회를 하는 것은 어떨까요? 그때는 강당을 사용하는 행사가 없고, 아직 다른 단체에서 강당을 빌려달라고 신청하지 않았거든요. 학생들이 강당을 빌려 쓰는 시간이 짧기도 하니, 이를 고려해서 3일간 강당을 쓸 수 있게 해 드리겠습니다.

상우: 전시회 날짜를 바꾸는 것은 괜찮습니다만, 전시회 기간이 4일에서 3일로 줄면 관람객이 적어질 수 있어서 저희에게는 아쉬운 일입니다. 그래서 말씀드리고 싶은 것이 있는데요. ㉠이번 전시회를 지역 주민에게 홍보해 주실 수 있나요?

구 공무원: 전시회를 홍보해 달라고요?

상우: 네. 전시회를 여는 3일 동안 최대한 많은 관람객을 모으고 싶은데, 학생들인 저희로서는 지역 주민에게 전시회를 널리 알리는 데 한계가 있어서요.

구 공무원: 저희도 업무로 바쁘기는 하지만, 전시회의 성격이 좋고 공공성도 충분하니까 홍보할 방안을 찾아보겠습니다. 다음 주에 지역 주민을 대상으로 한 강연회가 있으니 그 시간을 활용하는 것도 좋겠네요.

상우: 고맙습니다. 그럼 구청 일정에 맞추어 다음다음 주 목요일부터 토요일까지 3일 동안 강당을 빌리겠습니다.

12 이 협상의 단계에 대한 설명으로 적절한 것은?

① 협상을 통해 얻고자 하는 바를 분명하게 정하는 단계이다.

② 상대측을 설득할 수 있는 대안을 미리 마련해 두는 단계이다.

③ 우리 측과 상대측의 입장을 확인하는 단계이다.

④ 제시된 대안을 재구성하여 합의점을 마련하는 단계이다.

⑤ 서로의 제안을 검토하여 입장 차이를 좁히고, 양보할 수 있는 지점을 찾아 합의를 유도하는 단계이다.

13 이와 같은 협상에 임하는 자세로 적절한 것은?

① 상대의 처지와 관점을 파악한다.
② 당황했을 때는 차분하게 화제를 전환한다.
③ 쟁점이 발생하면 공격적으로 의견을 개진하여 우위를 차지한다.
④ 내가 얻을 것을 확실하게 하기 위해 상대에게 무조건 양보한다.
⑤ 상대가 강압적으로 나온다면 올바른 협상 분위기 조성을 위해 강경하게 나간다.

14 ㉠과 같이 말한 상우의 의도로 적절한 것은?

① 전시회의 공공성과 관련하여 합의하기 위해서
② 구청이 전시회 전반에 지시하는 것을 막기 위해서
③ 전시회의 공공성을 뒷받침하는 근거를 부각하기 위해서
④ '구 공무원'의 제안을 수락했을 때 발생할 불이익을 최소화하기 위해서
⑤ 화제를 전환해서 '상우'의 제안을 긍정적으로 검토하도록 하기 위해서

15 이 담화에서 확인 할 수 있는 내용이 <u>아닌</u> 것은?

① 공공성에 대한 '상우'와 '구 공무원'의 입장 차이
② 전시회의 공공성에 대한 합의 내용
③ 구청 강당의 대여 일정에 대한 입장 차이
④ 구청 강당의 대여 일정에 대한 합의 내용
⑤ 지역 주민들에게 전시회를 홍보하는 것에 대한 입장 차이

16 이 담화와 같이 협상이 필요한 상황으로 볼 수 <u>없는</u> 것은?

① 외규장각 도서를 두고 한국과 프랑스의 입장이 서로 사른 상황.
② 학교 동아리방 사용 문제로 두 동아리 사이에 갈등이 발생한 상황.
③ 마을 벽화 그리기 사업을 두고 마을 거주민과 시 공무원이 대립하는 상황
④ 임금 인상률 조정을 두고 사업자와 고용자 사이의 의견이 서로 다른 상황.
⑤ 사형제도와 관련해 이를 시행해야 한다는 측과 폐지해야 한다는 측이 대립하는 상황

서술형 심화문제

[01~04] 다음 글을 읽고 물음에 답하시오.

(가) 나라 고등학교의 상우는 교내 사진 동아리의 운영 위원으로 활동 중이다. '아름다운 웃음'이라는 주제로 전시회를 열기로 한 상우네 동아리는 전시회 장소를 찾던 중, ○○ 구청에서 강당을 무료로 빌려준다는 사실을 알게 된다. 상우는 강당을 빌리기 위해 직접 ○○ 구청을 찾아가 ○○구 공무원과 이야기해 보기로 한다.

(나) **상우** : 안녕하세요. 저는 나라 고등학교 일 학년 박상우입니다. 제가 학교에서 사진 동아리 활동을 하고 있는데, 이번에 '아름다운 웃음'이라는 주제로 사진 전시회를 열려고 합니다. 전시회를 할 장소로 구청 강당을 빌리고 싶어 이렇게 찾아왔습니다.

구 공무원 : 학생 동아리라면 학교에서든 전시회를 열 수 있을 텐데 굳이 구청 강당을 전시회 장소로 써야 할 이유가 있나요?

상우 : 이번 전시회는 우리 학교 학생뿐 아니라, 지역 주민도 함께 참여하는 행사로 기획했거든요. 그래서 전시회 장소로 학교보다는 구청 강당이 더 적절하다고 생각했습니다.

구 공무원 : 우리 구에서는 지역 주민을 위해 강당을 토론회나 교육 행사, 주민 모임 등의 주민 공동체 활동 장소로 빌려드립니다. 하지만 특정 단체의 이익을 목적으로 하는 행사나 상업적인 행사에는 강당을 빌려드리지 않습니다. 구청이 가진 공공시설로서의 성격에 맞지 않고 민원의 소지가 있기 때문이지요. 따라서 먼저 그 사진 전시회가 어떤 성격인지 알아야 강당을 빌려드릴 수 있습니다.

(다) **상우** : 이번 전시회에서는 고등학생인 저희가 친구들의 웃는 모습을 주제로 직접 찍은 사진을 전시할 거예요. 학업 때문에 힘들고 지친 고등학생들에게 힘을 주자는 의미도 있지요.

구 공무원 : 학업에 지친 고등학생들을 위로하고 그들에게 힘을 주자는 내용만으로는 전시회의 공공성이 좀 약합니다. 공공성 측면에서 좀 더 내세울 것이 있다면 우리 구의 사업으로 소개할 수도 있을 텐데요.

상우 : 네, 있습니다. 학생들이 친구들의 웃는 모습을 찍은 사진을 학교 사진 동아리 누리집에 올리면 한 장당 일정 금액이 모금됩니다. 그렇게 모금된 돈은 △△ 어린이 재단을 후원하는 데 사용할 거예요. 이 정도면 전시회의 공공성도 어느 정도 확보할 수 있다고 생각합니다.

구 공무원 : 동아리 누리집에 사진을 올리면 후원금이 모금되고 그것으로 △△ 어린이 재단을 후원한다니 참 좋은 생각이네요. 그렇게 하면 사진 전시회를 우리 구의 사업으로 소개할 수 있겠습니다.

상우 : 네, 정말 잘 되었네요. 다음 주 목요일부터 일요일까지 4일 동안 전시회를 열 예정인데 그때 강당을 빌릴 수 있나요?

구 공무원 : 아, 그건 곤란합니다. 다음 주에는 지역 주민을 대상으로 한 강연회가 열릴 예정이라 강당을 빌려드릴 수 없습니다. 그리고 주중에는 저녁 10시까지, 주말에는 토요일 저녁 6시까지만 강당을 사용할 수 있고, 일요일에는 강당을 운영하지 않아요. 또한 우리 구에서는 다른 주민 및 단체와의 형평성을 고려하여 한 개인 및 단체당 최대 2일까지만 강당을 빌려주고 있습니다.

상우 : 그렇군요. 저희는 학교 수업을 마치고 전시회를 진행해야 해서, 평일에는 저녁 6시 이후부터 3시간씩 강당을 사용하려고 합니다. 전시를 하기에 2일은 기간이 너무 짧습니다.

구 공무원 : 음, 그렇다면 다음다음 주에 전시회를 하는 것은 어떨까요? 그때는 강당을 사용하는 행사가 없고, 아직 다른 단체에서 강당을 빌려 달라고 신청하지 않았거든요. 학생들이 강당을 빌려 쓰는 시간이 짧기도 하니, 이를 고려해서 3일간 강당을 쓸 수 있게 해 드리겠습니다.

상우 : 전시회 날짜를 바꾸는 것은 괜찮습니다만, 전시회 기간이 4일에서 3일로 줄면 관람객이 적어질 수 있어서 저희에게는 아쉬운 일입니다. 그래서 말씀드리고 싶은 것이 있는데요. 이번 전시회를 지역 주민에게 홍보해 주실 수 있나요?

구 공무원 : 전시회를 홍보해 달라고요?

상우 : 네, 전시회를 여는 3일 동안 최대한 많은 관람객을 모으고 싶은데, 학생들인 저희로서는 지역 주민에게 전시회를 널리 알리는 데 한계가 있어서요.

구 공무원 : 저희도 업무로 바쁘기는 하지만, 전시회의 성격이 좋고 공공성도 충분하니까 홍보할 방안을 찾아보겠습니다. 다음 주에 지역 주민을 대상으로 한 강연회가 있으니 그 시간을 활용하는 것도 좋겠네요.

상우 : 고맙습니다. 그럼 구청 일정에 맞추어 다음다음 주 목요일부터 토요일까지 3일 동안 강당을 빌리겠습니다.

(라) 구 공무원 : 제안하신 전시회는 우리 구가 지역 주민을 위한 문화 행사를 지원하고, 후원 사업에도 관심을 기울이고 있다는 사실을 홍보할 기회이므로 저희에게도 도움이 됩니다. 앞으로 구체적인 일정과 진행 방식을 더 논의해 봅시다.

상우 : 저도 ⓐ동아리 사진 전시회를 열 공간이 마련되어 기쁩니다. 구에서 홍보를 도와주신다면 성공적인 전시회가 될 수 있겠네요. 다음에 구체적인 논의를 위해 다시 찾아오겠습니다. 안녕히 계세요.

01 '상우'가 전시회 장소로 구청 강당을 빌리려고 하는 이유를 서술하시오.

02 구 공무원이 밝힌 강당 대여의 조건에 대해 서술하시오.

03 위 협상에서 '상우'와 '구 공무원'이 합의한 내용을 다음 조건에 맞게 쓰시오.

┤ 조건 ├
- '상우네 동아리가 ~ 구청과 합의하였다.'의 형식으로 쓸 것
- 1의 '~에' 들어갈 말은 8어절 이상으로 쓸 것. (어절은 띄어쓰기가 되어 있는 말의 덩어리임.)
- 1의 '~에는'에는 '강당'이라는 말을 꼭 넣어 작성할 것

04 윗글에서 ⓐ의 공공성을 뒷받침하는 근거 2가지를 찾아 〈조건〉에 맞게 쓰시오.

┤ 조건 ├
- 명사형으로 종결할 것.
- 본문의 내용을 참고하여 각각 한 문장으로 표현할 것.

05 토의, 토론, 협상은 서로 다른 말하기이다. 이를 참여자들의 관계에서 볼 때 토의가 상호 협조적인 관계라면, 토론과 협상은 어떤 관계인지 각각 쓰시오.

단원 종합평가

[01~04] 다음 글을 읽고 물음에 답하시오.

사람은 오감(五感), 즉 시각, 청각, 후각, 미각, 촉각을 통해 세상을 인식한다. 이 다섯 가지의 감각 중 가장 많은 역할을 하는 것은 시각으로, 사람이 습득하는 정보의 80퍼센트는 오로지 시각에 의존한 정보들이다. 대부분의 정보를 시각으로 받아들이면서 우리는 자연스럽게 시각의 능력을 높이 신뢰하게 된다. 그런데 과연 눈으로 보는 정보들은 다 믿을 수 있는 것일까? 우리 눈에 보이는 것은 정말 '눈에 보이는 대로'만 존재하는 것일까?

1999년 신경 과학 분야의 국제 학술지인 「퍼셉션」에 「우리 가운데에 있는 고릴라」라는 제목으로 실린 논문이 있다. 당시 하버드 대학교 심리학과의 대니얼 사이먼스와 크리스토퍼 차브리스는 사람들을 대상으로 흥미로운 실험을 하였다. 그들은 흰옷과 검은 옷을 입은 학생 여러 명을 두 조로 나누어 같은 조끼리만 이리저리 농구공을 주고받게 하고 그 장면을 동영상으로 찍었다. 그리고 이를 사람들에게 보여 주고 이렇게 주문하였다. "검은 옷을 입은 조는 무시하고 흰옷을 입은 조의 패스 횟수만 세어 주세요." 라고 동영상은 1분 남짓이었으므로 대부분의 사람들은 어렵지 않게 ⓐ흰옷을 입은 조의 패스 횟수를 맞히는 데 성공하였다. 그리고 그들 중 절반은 왜 이런 간단한 실험을 하는지 목적을 파악하지 못해 고개를 갸웃거렸다.

사실 실험의 목적은 따로 있었다. 실험 참가자들에게 보여 준 동영상 중간에는 고릴라 의상을 입은 한 학생이 걸어 나와 가슴을 치고 퇴장하는 장면이 무려 9초에 걸쳐 등장한다. 재미있는 사실은 동영상을 본 사람들 중 절반은 자신이 고릴라를 보았다는 사실을 전혀 인지하지 못했다는 것이다. 나머지 절반은 고릴라를 알아보고 황당하다는 반응을 보였다. 심지어 고릴라를 인지하지 못한 이들에게 고릴라의 등장 사실을 알려 주고 동영상을 다시 보여 주자, 분명 먼젓번 동영상에서는 고릴라가 등장하지 않았다고 말하는 사람도 있었다. 그러면서 실험자가 자신을 놀리려고 다른 동영상을 보여 준 것이 아니냐는 의심을 하기도 하였다. 도대체 왜 이들은 고릴라를 보지 못한 것일까?

대니얼 사이먼스와 크리스토퍼 차브리스는 이를 '무주의 맹시'라고 칭했다. 이는 시각이 손상되어 물체를 보지 못하는 것과는 달리, 물체를 보면서도 인지하지 못하는 경우를 말한다. 두 눈을 멀쩡히 뜨고 있는데 보지 못한다고? 정말 황당한 소리이다. 하지만 우리는 늘 이런 경험을 한다. 실연한 뒤에는 유난히 행복한 연인들의 모습이 눈에 자주 띄고, 오랜만에 만난 아버지의 늙은 모습에 마음이 짠했던 날에는 유독 나이 든 어른들의 모습이 눈에 들어온다.

고릴라는 어디에나, 언제나 존재한다. 다만 내가 이를 인지하지 못했을 뿐이다. 그들은 갑자기 새롭게 나타난 것이 아니라 평소에도 늘 존재하였다. 하지만 평소에는 주의 깊게 보지 않아서 인식하지 못했던 것을 비로소 오늘에서야 뇌가 인지한 것이다.

그렇다면 우리는 어떤 경로로 세상을 보는 것일까? 우리의 신체는 눈만이 빛을 인식하고 받아들일 수 있게 진화해 왔다. 그래서 눈이 손상되거나 다른 이유로 기능을 잃게 되면, 우리는 그 즉시 빛 한 점 없는 어둠 속에 갇히게 된다. 하지만 눈 자체가 세상을 인식하는 것은 아니다. 눈동자를 지나 눈알 안쪽으로 파고든 빛은 망막의 시각 세포에 의해 전기적 신호로 변환된다. 그리고 이 신호가 시신경을 통해 눈의 반대편, 즉 뒤통수 쪽에 위치한 뇌의 시각 피질로 들어가야만 우리가 비로소 세상을 '본다'(고 느낀다.)

시각 피질은 단일한 부위가 아니라 현재 밝혀진 것만 약 30개의 영역으로 구성된 복합적인 영역이다. 시각 정보를 가장 먼저 받아들이고 물체의 기본적인 이미지인 선과 경계, 모서리를 구분하는 V1, V2 영역을 비롯하여 형태를 구성하는 V3, 색을 담당하는 V4, 운동을 감지하는 V5, 그리고 이 밖의 다른 영역이 조합되어 종합적으로 사물을 인지한다.

여러 개의 악기가 모여 각자가 정확한 순간에 정확한 음을 연주해야 제대로 된 음악을 전할 수 있는 오케스트라처럼, 모든 영역이 각자의 역할에 맞게 일시에 조율되어야 세상을 바라볼 수 있다. 같은 피아니스트가 같은 곡을 동일하게 연주해도 피아노 건반이 몇 개 사라지거나 음이 제대로 조율되지 않으면 결과물이 달라지는 것처럼, 우리의 눈이 같은 것을 보더라도 시각 피질의 각 영역이 제대로 조율되지 않으면 세상을 같게 볼 수 없다.

뇌의 많은 영역이 오로지 시각이라는 감각 하나에 배정되어 있음에도, 세상은 워낙 변화무쌍하기 때문에 눈으로 받아들이는 모든 정보를 뇌가 빠짐없이 처리하기는 어렵다. 그래서 뇌가 선택한 전략은 선택과 집중, 적당한 무시와 엄청난 융통성이다. 우리는 쥐의 꼬리만 봐도 벽 뒤에 숨은 쥐 전체의 모습을 그릴 수 있으며, 빨간색과 파란색의 스펙트럼만 봐도 그 색이 주는 이미지와 의미까지 읽어 낼 수 있다. 하지만 이것은 때와 장소, 현재의 관심 대상과 그 수준에 따라 달라진다. 앞에서 보았듯이 우리는 하나에 집중하면 다른 것은 눈에 뻔히 보여도 인식하지 못하고 지나칠 수 있다.

감각 기관으로 들어오는 정보를 고스란히 받아들이지 않고 제 입맛에 맞는 부분만 편식하는 것은 뇌의 보편적인 특성으로, 다른 감각도 마찬가지이다. 그러니까 엄마의 잔소리를 흘려듣는 십 대 아이의 귀에 달린 엄청난 여과 능력은 일부러 그러는 것이 아니라, 무의식적으로 일어나는 자연스러운 결과일 수 있다.

01 윗글의 내용과 일치하는 것은?

① 뇌가 선택한 집중과 융통성 전략은 시각 정보 처리에만 국한되는 것이다.
② 대부분의 정보를 시각으로 얻기 때문에, 사람들은 시각의 능력을 높이 신뢰한다.
③ '무주의 맹시'는 시각 피질의 일부가 손상되어 물체를 보고도 인지하지 못하는 것이다.
④ 대니얼 사이먼스와 크리스토퍼 차브리스는 「퍼셉션」에 실린 논문의 내용을 확인하고자 고릴라 실험을 하였다.
⑤ 빨간색과 파란색의 스펙트럼만 봐도 색이 주는 이미지와 의미를 읽어낼 수 있는 것처럼 뇌는 어떤 상황에서도 모든 시각 정보를 처리할 수 있다.

02 윗글의 서술상 특징을 〈보기〉에서 있는 대로 고른 것은?

┤ 보기 ├

ㄱ. 의문을 제기하여 독자가 집중하도록 유도하고 있다.
ㄴ. 두 대상을 견주어 공통점과 차이점을 설명하고 있다.
ㄷ. 문제점을 제시한 후, 이에 대한 해결 방안을 제시하고 있다.
ㄹ. 적절한 비유를 활용하여 과학적 개념을 쉽게 설명하고 있다.
ㅁ. 핵심 개념과 관련된 실험을 소개하여 독자의 이해를 돕고 있다.

① ㄱ, ㄷ   ② ㄴ, ㄹ   ③ ㄷ, ㅁ   ④ ㄱ, ㄹ, ㅁ   ⑤ ㄴ, ㄷ, ㄹ, ㅁ

03 다음은 독자가 읽기 과정에 따라 윗글을 읽으며 메모한 내용이다. ㉠~㉤ 중 읽기 과정과 방법에 따른 독자의 활동이 **잘못** 연결된 것을 있는 대로 고른 것은?

읽기전	• 글 제목의 의미 추론해 보기 : 덩치가 큰 고릴라를 왜 보지 못했다는 것일까? ·········· ㉠
읽기중	• 관련 서적이나 인터넷 검색 등을 활용하여 더 알아보기 : '무주의 맹시'라는 개념이 잘 이해되지 않아. 인터넷에서 검색하며 좀 더 알아봐야겠어. ········ ㉡
	• 중요한 정보에 밑줄 긋고, 관련 내용 적어 두기
	• 스스로 질문을 만들어 보기. : 시각 피질의 각 영역이 제대로 기능하지 않으면 어떤 문제가 생길까? ·········· ㉢
읽기후	• 글의 중심 내용 정리하기 : 다양한 심상을 활용해 글쓴이의 정서를 드러낸 부분을 찾으면 글의 주제를 쉽게 파악할 수 있겠어. ·········· ㉣
	• 글을 전체적으로 훑어보며 내용 예측하기 : 글을 빠르게 읽으며 내가 예측했던 내용이 맞는지 점검해 보자. ·········· ㉤

① ㉠, ㉢   ② ㉡, ㉣   ✓③ ㉣, ㉤   ④ ㉠, ㉡, ㉣   ⑤ ㉡, ㉢, ㉤

04 윗글과 〈보기〉를 통해 추론할 수 있는 내용으로 가장 적절한 것은?

┤ 보기 ├

영화 「대부(The Godfather)」에는 소니의 차가 총알을 맞아 벌집처럼 뚫려 있다가, 다음 장면에 멀쩡한 차로 바뀌어 있는 장면이 나온다. 그러나 관객들은 이와 같은 오류를 거의 알아차리지 못했다.

① 윗글과 〈보기〉를 통해 눈에 보이는 대로만 모든 것이 존재하는 것은 아님을 알 수 있다.

② 본문의 ⓐ가 나타내는 것은 〈보기〉의 '총알을 맞아 벌집처럼 뚫린 차'와 같은 의미라고 할 수 있다.

③ 차가 바뀐 것을 인식하기 위해서는 뇌의 시각 피질 중 특히 운동을 감지하는 V5 영역이 활발히 자극되어야 한다.

④ 관객들이 오류를 놓친 이유는 시각과 청각 등 다양한 감각을 제공하는 영화의 특성상 관객들이 의도적으로 청각적 자극을 선택한 결과이다.

⑤ 관객들이 오류를 놓친 것과 쥐의 꼬리만 봐도 벽 뒤에 숨은 쥐 전체의 모습을 그릴 수 있는 것은 시각 피질의 같은 영역이 제 기능을 못한 까닭이다.

[05~07] 다음 글을 읽고 물음에 답하시오.

(가) 광화문은 '왕의 큰 덕이 온 나라를 비춘다[光化].'라는 뜻을 간직한, 경복궁의 남쪽 문이자 정문입니다. 1395년 태조 때 만들어졌으며, ⓐ석축을 높게 쌓고 중앙에 홍예문을 터서 문루를 얹은 궐문의 형식을 갖추고 있습니다. 창건 당시 '오문'으로 불리던 광화문이 지금의 이름을 얻게 된 것은 1426년 세종 때입니다. 이는 집현전 학사들이 나라의 위엄과 문화를 널리 만방에 보여 준다는 뜻으로 새로이 붙인 것입니다. 원래 경복궁은 광화문-근정전-사정전-강녕전-교태전이 남북으로 일직선 상에 놓여 관악산을 바라보고 있었습니다. 그런데 일제가 조선 총독부를 근정전 바로 앞에 세우면서, 광화문을 삐딱하게 비틀어 관악산이 아닌 남산을 바라보게 하였습니다. 원래 남산에는 단군을 비롯한 여러 신을 모신 국사당이 있었습니다. 일제는 이 국사당을 허물고 그 자리에 일본의 건국 시조를 신으로 받드는 신사를 건립하였습니다. 이 모든 것이 조선 민족의 정통성과 정기를 훼손하여, 조선 백성을 일왕의 백성으로 만들기 위함이었습니다. 이처럼 광화문은 이름과 달리 수난의 역사를 겪었습니다. ⓑ구한말부터 오늘에 이르기까지 우리 민족이 온몸으로 받아 내야 했던 근현대사의 비극을 압축해 담고 있는 셈입니다.

(나) 제국주의 일본이 조선을 ⓒ병탄한 지 6년째 되는 해, 조선 총독부는 새 청사를 짓겠다고 나섰습니다. 조선을 영원히 식민 통치하겠다는 그들의 야욕은 날이 갈수록 더해 갔습니다. 일제가 새 청사의 터로 선택한 곳은 오백 년 조선 왕조를 호령했던 경복궁 앞뜰이었습니다. 다음은 1910년 5월 15일 자『대한매일신보』에 실린「경복궁이 없어지네」라는 제목의 기사입니다. 이 기사를 통해 조선 총독부 청사를 짓기 이전부터 경복궁이 훼손되기 시작하였음을 알 수 있습니다.

> 1910년 5월 10일 왕실 사무를 총괄하던 궁내부는 경복궁 내 공원 신축을 위해 전각 4,000여 칸을 경매했다. 조선인과 일본인 80여 명이 경매에 참여했고, 이 중 10여 명에게 전각이 ⓓ매각됐다.

(다) 일제의 총독부 새 청사가 모습을 갖춰 갈수록 경복궁은 점점 더 초라한 몰골로 변해 갔습니다. 그런데 공사를 진행하다 보니 그들에게는 광화문이 눈엣가시였습니다. 경복궁의 다른 전각이야 조선 총독부가 앞을 가로막고 서 있으니 문제될 것이 없는데, 광화문은 조선 총독부 앞을 떡하니 가로막고 있는 형상이었기 때문입니다. 이들이 이를 가만히 놔둘 리 없었습니다.

(라) 1921년 5월,『동아일보』는 광화문 사진을 커다랗게 싣고 일제의 광화문 철거 계획을 처음으로 폭로하였습니다. 총독부 새 청사가 완공될 무렵에 조선 총독부가 광화문을 헐어 버릴 계획이라는 내용이었습니다.『대한매일신보』도 1922년 10월 5일 광화문 보존 문제에 관한 기사를 실어 이 문제를 다루었습니다. 이렇게 광화문이 철거된다는 소식이 돌자 몇몇 일본인 학자들도 조선 총독부의 ⓔ처사가 부당하다고 지적하였으며, 광화문 철거를 반대하는 국내 여론은 더욱 거세졌습니다. 예상치 못한 거센 여론에 밀려서일까요? 일제는 광화문을 철거한다는 계획을 접고, 대신 광화문의 자리를 옮기기로 결정합니다. 그리고 1923년 10월, 광화문 앞 양측에서 수문장 노릇을 하던 해태 석상 두 점이 철거되고 말았습니다.

(마)『조선일보』는 1925년 10월 26일,「나는 가나이다」라는 제목으로 애절한 고별사를 실었습니다. 이는 광화문 철거를 눈앞에 둔 조선 백성의 암담하고도 하소연할 데 없는 슬픈 심정을 광화문 스스로의 입을 빌려 이야기하는 형식의 글이었습니다. 1926년 7월 22일에는 광화문 철거 작업이 시작되었습니다. 완전히 무너뜨리는 것이 아니라 건춘문(경복궁의 동쪽 문) 옆으로 옮기는 것이라고 해도, 본래의 자리를 뜨는 순간 그 존재 가치는 빛이 바래게 됩니다. 철거 작업이 시작된 뒤인 1926년 8월 29일,『동아일보』는「광화문 해체, 수일 전에 착수」라는 제목의 기사를 실었습니다.

> 경복궁 정문인 광화문 이전 공사가 수일 전에 해체 공사에 착수했는데 일은 미야카와쿠미 회사에 5만 4,800원에 맡겼으며, 공사는 1년 안에 끝날 예정이라더라.

05 윗글의 내용과 일치하는 것은?

① 광화문은 일제의 의해 자리가 옮겨지자 원래의 존재 의미가 퇴색되었다.

② 광화문이라는 명칭은 조선 태조 때에 집현전 학자들에 의해 붙여졌다.

③ 일제가 조선 총독부 청사를 짓겠다고 한 이후 경복궁이 훼손되기 시작하였다.

④ 일제는 경복궁이 일제의 조선 지배를 상징하는 조선 총독부 건물을 가리고 있었으므로 이를 훼손하였다.

⑤ 광화문을 철거하려던 일제는 거센 반대 여론에 부딪치자 광화문을 철거하는 대신 광화문 앞의 해태상과 함께 광화문의 자리를 옮기기로 하였다.

06 ⓐ~ⓔ의 사전적 의미로 적절하지 않은 것은?

① ⓐ : 돌로 쌓아 만든 옹벽

② ⓑ : 조선 말기에 대한 제국까지의 시기

③ ⓒ : 다른 나라의 영토를 한데 아울러서 제 것으로 만듦

④ ⓓ : 헐거나 깨뜨려 못 쓰게 만듦

⑤ ⓔ : 일을 처리함

07 〈보기〉는 사회적 상호 작용으로서의 읽기에 대한 설명이다. 윗글에서 사회적 상호 작용으로서의 읽기 결과가 가장 잘 드러나 있는 부분은?

┤ 보기 ├

사회적 상호 작용으로서의 읽기는 독자가 자신만의 독창적인 의미를 구성하는 과정이 아니라, 독자가 속한 구체적인 상황과 사회 문화적인 맥락 속에서 다른 구성원과 상호 작용하며 의미를 구현하는 과정이다.

① (가)　　　　② (나)　　　　③ (다)　　　　④ (라)　　　　⑤ (마)

[08~11] 다음 글을 읽고 물음에 답하시오.

(가) 나라 고등학교의 상우는 교내 사진 동아리의 운영 위원으로 활동 중이다. '아름다운 웃음'이라는 주제로 전시회를 열기로 한 상우네 동아리는 전시회 장소를 찾던 중, ○○ 구청에서 강당을 무료로 빌려준다는 사실을 알게 된다. 상우는 강당을 빌리기 위해 직접 ○○ 구청을 찾아가 ○○구 공무원과 이야기해 보기로 한다.

(나) **상우** : 안녕하세요. 저는 나라 고등학교 일 학년 박상우입니다. 제가 학교에서 사진 동아리 활동을 하고 있는데, 이번에 '아름다운 웃음'이라는 주제로 사진 전시회를 열려고 합니다. 전시회를 할 장소로 구청 강당을 빌리고 싶어 이렇게 찾아왔습니다.

구 공무원 : 학생 동아리라면 학교에서든 전시회를 열 수 있을 텐데 굳이 구청 강당을 전시회 장소로 써야 할 이유가 있나요?

상우 : 이번 전시회는 우리 학교 학생뿐 아니라, 지역 주민도 함께 참여하는 행사로 기획했거든요. 그래서 전시회 장소로 학교보다는 구청 강당이 더 적절하다고 생각했습니다.

구 공무원 : 우리 구에서는 지역 주민을 위해 강당을 토론회나 교육 행사, 주민 모임 등의 주민 공동체 활동 장소로 빌려드립니다. 하지만 특정 단체의 이익을 목적으로 하는 행사나 상업적인 행사에는 강당을 빌려드리지 않습니다. 구청이 가진 공공시설로서의 성격에 맞지 않고 민원의 소지가 있기 때문이지요. 따라서 먼저 그 사진 전시회가 어떤 성격인지 알아야 강당을 빌려드릴 수 있습니다.

(다) 상우 : 이번 전시회에서는 고등학생인 저희가 친구들의 웃는 모습을 주제로 직접 찍은 사진을 전시할 거예요. 학업 때문에 힘들고 지친 고등학생들에게 힘을 주자는 의미도 있지요.

구 공무원 : 학업에 지친 고등학생들을 위로하고 그들에게 힘을 주자는 내용만으로는 전시회의 공공성이 좀 약합니다. 공공성 측면에서 좀 더 내세울 것이 있다면 우리 구의 사업으로 소개할 수도 있을 텐데요.

상우 : 네, 있습니다. 학생들이 친구들의 웃는 모습을 찍은 사진을 학교 사진 동아리 누리집에 올리면 한 장당 일정 금액이 모금됩니다. 그렇게 모금된 돈은 △△ 어린이 재단을 후원하는 데 사용할 거예요. 이 정도면 전시회의 공공성도 어느 정도 확보할 수 있다고 생각합니다.

구 공무원 : 동아리 누리집에 사진을 올리면 후원금이 모금되고 그것으로 △△ 어린이 재단을 후원한다니 참 좋은 생각이네요. 그렇게 하면 사진 전시회를 우리 구의 사업으로 소개할 수 있겠습니다.

상우 : 네, 정말 잘 되었네요. 다음 주 목요일부터 일요일까지 4일 동안 전시회를 열 예정인데 그때 강당을 빌릴 수 있나요?

구 공무원 : 아, 그건 곤란합니다. 다음 주에는 지역 주민을 대상으로 한 강연회가 열릴 예정이라 강당을 빌려드릴 수 없습니다. 그리고 주중에는 저녁 10시까지, 주말에는 토요일 저녁 6시까지만 강당을 사용할 수 있고, 일요일에는 강당을 운영하지 않아요. 또한 우리 구에서는 다른 주민 및 단체와의 형평성을 고려하여 한 개인 및 단체당 최대 2일까지만 강당을 빌려주고 있습니다.

상우 : 그렇군요. 저희는 학교 수업을 마치고 전시회를 진행해야 해서, 평일에는 저녁 6시 이후부터 3시간씩 강당을 사용하려고 합니다. 전시를 하기에 2일은 기간이 너무 짧습니다.

구 공무원 : 음, 그렇다면 다음다음 주에 전시회를 하는 것은 어떨까요? 그때는 강당을 사용하는 행사가 없고, 아직 다른 단체에서 강당을 빌려 달라고 신청하지 않았거든요. 학생들이 강당을 빌려 쓰는 시간이 짧기도 하니, 이를 고려해서 3일간 강당을 쓸 수 있게 해 드리겠습니다.

상우 : 전시회 날짜를 바꾸는 것은 괜찮습니다만, 전시회 기간이 4일에서 3일로 줄면 관람객이 적어질 수 있어서 저희에게는 아쉬운 일입니다. 그래서 말씀드리고 싶은 것이 있는데요. 이번 전시회를 지역 주민에게 홍보해 주실 수 있나요?

구 공무원 : 전시회를 홍보해 달라고요?

상우 : 네, 전시회를 여는 3일 동안 최대한 많은 관람객을 모으고 싶은데, 학생들인 저희로서는 지역 주민에게 전시회를 널리 알리는 데 한계가 있어서요.

구 공무원 : 저희도 업무로 바쁘기는 하지만, 전시회의 성격이 좋고 공공성도 충분하니까 홍보할 방안을 찾아보겠습니다. 다음 주에 지역 주민을 대상으로 한 강연회가 있으니 그 시간을 활용하는 것도 좋겠네요.

상우 : 고맙습니다. 그럼 구청 일정에 맞추어 다음다음 주 목요일부터 토요일까지 3일 동안 강당을 빌리겠습니다.

(라) 구 공무원 : 제안하신 전시회는 우리 구가 지역 주민을 위한 문화 행사를 지원하고, 후원 사업에도 관심을 기울이고 있다는 사실을 홍보할 기회이므로 저희에게도 도움이 됩니다. 앞으로 구체적인 일정과 진행 방식을 더 논의해 봅시다.

상우 : 저도 동아리 사진 전시회를 열 공간이 마련되어 기쁩니다. 구에서 홍보를 도와주신다면 성공적인 전시회가 될 수 있겠네요. 다음에 구체적인 논의를 위해 다시 찾아오겠습니다. 안녕히 계세요.

08 위 협상에 대한 설명으로 적절하지 <u>않은</u> 것은?

① '상우'는 협상의 목적을 밝히며 협상을 시작하고 있다.
② '구 공무원'은 강당 대여의 조건을 들면서 협상에 임하고 있다.
③ '상우'는 전시회가 '구청에 도움이 된다'는 이유를 제시하며 주장을 내세우고 있다.
④ '구 공무원'은 강당 대여 규정에 의거하여 '상우'의 제안을 검토하고 있다.
⑤ '상우'는 구 공무원의 제안을 받아들이면서 전시회 홍보를 부탁하고 있다.

09 각 단계에서 사용할 수 있는 협상의 전략으로 적절하지 <u>않은</u> 것은?

① (가) 단계에서는 협상을 통해 얻고자 하는 바를 분명하게 정한다.
② (나) 단계에서는 상대측을 설득할 수 있는 대안을 미리 마련해 둔다.
③ (나) 단계에서는 우리 측과 상대측의 입장을 확인한다.
④ (다) 단계에서는 상대방의 제안을 검토하여 입장 차이를 좁혀 나간다.
⑤ (라) 단계에서는 최선의 해결책을 제시하며 합의에 이른다.

10 윗글에 제시된 협상의 내용으로 적절하지 <u>않은</u> 것은?

① 상우는 전시회에 참여하는 대상을 학교 밖까지 확장하기 위해 구청 강당을 빌리려 한다.
② 구 공무원은 전시회가 고등학생에게 힘을 주는 행사이므로 공공성을 인정하고 있다.
③ 구 공무원은 행사 일정과 운영 시간 규정을 이유로 상우의 제안을 거절하기도 했다.
④ 상우는 전시회 기간이 축소되는 것이 아쉽지만 날짜 변경에 동의하고 있다.
⑤ 구 공무원은 처음에는 전시회 홍보에 의문을 가졌지만 구체적인 홍보 방안을 제시하고 있다.

11 윗글을 읽은 학생들의 반응으로 적절한 것을 〈보기〉에서 모두 고르면?

┤ 보기 ├
ㄱ. 학교 수업 때문에 전시회 개최 시간에 제약을 받고 있군.
ㄴ. 전시회 참가비로 어린이 재단을 후원한다니 나도 동참하고 싶은 생각이 드는군.
ㄷ. 전시회를 여는 상우 동아리뿐만 아니라 이를 돕는 구청에서도 얻는 이익이 있군.
ㄹ. 이와 유사한 상황으로 '학교 축제에서 준비할 것'을 논의하는 경우가 해당되겠군.

① ㄱ, ㄷ   ② ㄱ, ㄹ   ③ ㄴ, ㄷ   ④ ㄴ, ㄹ   ⑤ ㄱ, ㄴ, ㄷ, ㄹ

6

함께 만드는 세상

(1) 두근두근 내 인생
    (김애란 원작/최민석 외 각본)
(2) 마음을 움직이는 설득

두근두근 내 인생

- 원작 김애란 / 각본 최민석 외 -

장면 번호(scene number) – 대본을 쓸 때 촬영이나 편집을 쉽게 하기 위해서 각 장면에 붙이는 숫자

S# 8. 대수의 택시 안-밖 / 오후
　　　　장면의 공간적 배경　　　　시간적 배경

　　밝은 음악과 함께 시작되는 택시 안 풍경.

　　손님을 발견한 대수, 그쪽으로 차를 세운다.

　　선한 인상의 평범한 30대 부부, 임신을 한 여자는 배가 많이 불러 있다.

　　차를 세운 대수가 보조석 창문을 내린다.

남편 ○ 병원 사거리요.

대수 예. 근데 죄송한데, 사정상 저희 아들하고 오늘 같이 좀 다녀야 해서 그러는데……

남편 어? 저 혹시, 지난주에 방송 나왔던?

부인 어! (반가워하며) 어어……

'아름'을 대하는 택시 승객들의 태도 ①
– '아름'을 알아보고 반가워하며 호의적 태도를 드러냄 (두줄 합쳐서 편집 부탁드려요)

남편 맞죠?

　　Cut to. 길가. 한 젊은 여자가 손을 흔들자, 여자 앞으로 다가와 서는 대수의 택시.

　　휴대 전화로 통화를 하며 택시 뒷좌석에 타는 여자. '가로수 길이요.' 하고는 다시 통화를 계속한다.

　　'저, 손님 양해 좀 드려야 할……'이라고 말하며 대수가 아름이에 대해 설명하려 하지만 쉴 없이 통화는 여자는 눈길도 안 준다. 잠시 후 통화가 끝난 여자, 앞 좌석의 아름이를 발견하고는 '꺅!' 하며 비명을 지른다.

대수 (돌아보며) 아, 손님이 통화 중이셔서 먼저 말씀을 못 드렸습니다. 사정상 저희 아들이랑 같이 좀 다녀야 하는데,

　　애가 몸이 좀 불편……

여자 「(못 볼 걸 본 듯 얼굴이 일그러지며) 아저씨. 뭐예요, 진짜! 택시 하면서 진짜! 아, 뭐하는 거야? 진짜, 짜증 나 죽

「 」: '아름'을 대하는 택시 승객들의 태도 ② – 몸이 불편한 '아름'에 대한 혐오감을 노골적으로 표출함

　　겠어!」

　　여자, 차에서 내려 바로 다른 택시를 잡아탄다.

　　Cut to. 교복을 입은 아름이 또래의 아이들 셋이 택시 뒷좌석에 타고 있다.

　　「여학생 1이 아름이를 알아본 표정. 여학생 2의 귀에 대고 속닥속닥. '그래?' 하며 반응하는 여학생 2.

「 」: '아름'을 대하는 택시 승객들의 태도 ③ – '아름'을 호기심의 대상으로 여기고 있음

　　여학생 3은 아름이를 힐끔거리며 그새 스마트폰으로 아름이의 정보를 검색한다.」

여학생 2 (거침없이) 저기, 인증 사진 좀 찍을 수 있을까요?

　　　　'아름'의 입장은 고려하지 않고, '아름'과의 만남을 기념할 만한 사건쯤으로 여김

　　아름이 앞에 스마트폰을 들이밀고 뒤에서 자세를 취하는 학생들.

　　밝은 분위기, 구김살 없는 아이들의 모습에 왠지 주눅이 드는 아름이.

　　　　아이들의 건강하고 걱정 없는 모습이 자신과 대조적으로 느껴지는 '아름'

Cut to. 학원가 앞에서 내리는 아이들.

여학생 3 고맙습니다.

여학생 1 (내리며 아름이에게) 안녕. 빨리 건강해져.

아름 (목례하며) 아, 네…….

대수 고마워요. 공부들 열심히 하고.

삼삼오오 모여 학원으로 들어가는, <u>자신과 비슷한 또래의 아이들을 보는 아름이의 눈에 부러움이 깃들었다.</u>
건강하고 평범한 삶에 대한 부러움

대수, 그런 아름이를 본다.   ▶ '아름'을 대하는 사람들의 다양한 태도

Cut to. 아름이, 창밖을 내다보며 거리 풍경을 구경 중.

아름 그러니까 <u>아빠는 태권도 선수가 되고 싶어서 체고를 갔던 거지?</u>
'대수'의 어린 시절에 대한 이야기

대수 아니.

아름 (의아해하며) 에? 그럼, 아빤 뭐가 되고 싶었는데?

대수 음……. 뭐가 돼야 할지 잘 몰라서 갔던 거지. 사실 태권도하면서 좋았던 것도 도복밖에 없었어. (웃는다.)

아름 뭘 잘하면서 동시에 싫어할 수도 있어요?

대수 그럼. 그런 애들이 얼마나 많은데……. 옛날에 아빠 친구 놈 하나는 전교에서 수학을 제일 잘했는데, 수학을 좋아해 본 적이 한 번도 없었다고 그러더라고.

아름 아빠한테 그런 친구가 있었다고요? 에이, 설마.

대수 (차를 세우며 진지하게) 야, 아들. <u>네가 나보다 좀 더 늙었다고 해서 아빠를 함부로 무시하고 그러면 안 돼.</u> 더군다
'아름'의 병을 마냥 슬프거나 무겁게 받아들이지 않고, 웃음으로 승화함
나 체고 나온 아빠를. 우린 그런 거에 아주 민감하다고.

아름 예예예. (웃는다.)   ▶ '대수'와 이야기를 나누는 '아름'

확인학습

01 '택시를 탄 젊은 여자가 '아름'을 보고 비명을 지른 이유는 '아름'이 방송에 나온 사실을 알았기 때문이다. O☐ X☐

02 '택시를 탄 젊은 여자는 '아름'의 겉모습만 보고 못 볼 걸 본 듯 한 반응을 보이고 있다. O☐ X☐

03 '아름'은 자신과 비슷한 또래의 아이들을 보고 부러움을 느끼고 있다. O☐ X☐

04 교복 입은 학생들이 '아름'에게 같이 사진을 찍자고 하는 이유는 아픈 '아름'에게 희망을 주기 위함이다. O☐ X☐

05 아름은 자신과 비슷한 또래의 건강한 아이들에게 질투심을 가지고 있다. O☐ X☐

06 이 글의 갈래인 시나리오는 작품에 드러나는 시간적, 공간적 배경에 대한 제한이 적다. O☐ X☐

07 이 글에서는 중요 인물 간의 갈등이 드러나지 않는다. O☐ X☐

08 '대수'는 '아름'을 대하는 사람들의 행동에 반감을 드러내고 있다. O☐ X☐

09 여학생들'은 '아름'을 만난 것을 기념할 사건으로 여기며 거침없는 행동을 하고 있다. O☐ X☐

S# 10. 한강 둔치 / 밤
강, 호수 따위의 물이 있는 곳에 가장자리

'짠, 우리 세 식구를 위하여!' 건배하고 부딪히는 세 사람의 손.
'아름'네 가족의 화기애애한 모습

돗자리 위엔 먹음직스러운 통닭이 놓여 있다.

대수는 콜라를, 미라는 캔 맥주를, 아름이는 빨대로 요구르트를 마신다.

미라, 캔 맥주를 단숨에 들이켠다.

놀라서 미라를 보는 대수와 아름이.

미라, 기분이 좋아 보인다.

그때 어디선가 강바람이 살랑살랑 불어오고, 미라의 머리카락이 바람결에 살짝 날린다.

미라 (바람을 맞으며 살짝 웃음을 보이면서) 아, 기분 좋다. 난 바람 부는 날이 왜 이렇게 좋지?

대수 어? 나도 그런데!

아름 (차분하고 또박또박한 말투로) 바람이 불면 공기 중에 음이온이 많이 발생해서 괜히 들뜨고 기분이 좋아지는 거
몸이 아파서 친구들과 어울리지 못한 '아름'이 혼자 책을 읽으며 다양한 지식을 쌓았음이 드러남

래요.

대수 오오!

미라 (아름이의 볼을 어루만지면서) 어휴, 똑똑해. 누굴 닮았을까, 우리 아들!

대수 (당연하다는 듯이) 누굴 닮긴 날 닮았지.

미라 (콧방귀를 뀌며) 치.

대수 왜? 맞잖아. 팥빙수 좋아하는 거, 콩밥 싫어하는 거, 발가락 긴 거, 유머 감각 있고 또 속은 얼마나 깊어.

미라 치, 좋은 건 다 지 닮았대. (아름이의 눈을 가리키며) 어, 눈 예쁘고 똑똑한 건 날 닮았지.

대수 눈도 나랑 똑같잖아! ⋰⋱ 구절풀이 – '아름'을 대하는 '대수'와 '미라'의 태도 – 평범하지 않은 모습의 '아름'이지만, '대수'
와 '미라'는 서로 '아름'이 자신을 닮았다고 다툼. '아름'에 대한 애정이 드러나는 부분

미라 아, 시끄럽고, 가서 맥주나 더 사 온나!

대수 (아름이에게) 같이 갈까?

웃으며 일어나는 대수와 아름이.

▶ 한강 둔치에서 즐거운 시간을 보내는 '아름'네 가족

S# 11. 한강 둔치/밤

매점 앞.

맥주가 담긴 봉지를 들고 매점을 나오는 대수와 아름이.

아름 아빠, 나 화장실.

Cut to. 간이 화장실 옆.

대수와 조금 떨어진 간이 화장실 옆의 으슥한 공간.

불량스러워 보이는 학생들에게 둘러싸인 아름이. 남학생 넷, 여학생 둘.

불량한 남학생 1 너 진짜 애야? 할배 아니고?

☆☆ 구절풀이 – 불량한 학생들은 '아름'의 병이 있다는 사실만으로 '아름'을 자신들보다 열등하다고 생각하여 호기심과 조롱, 괴롭힘의 대상으로 간주하고 있다. 거리낌 없이 모욕적인 별칭을 붙이고 닿아서는 안 될 존재로 취급한다. 나이보다 늙어 보이는 '아름'과 대조적으로 젊은 나이에 아빠가 된 '대수' 역시 불량한 학생들에게 조롱의 대상이 된다.

불량한 여학생 2 (동물원의 동물을 보듯이) 우아! 진짜 신기하다.
'아름'을 인격적으로 대우하지 않음

불량한 남학생 2 (아름이의 얼굴을 살피며 히죽히죽 웃으면서) 외계인이야, 뭐야?

불량한 여학생 1 아, 방송에서 뭐라고 했는데……. (귀찮다는 듯한 말투로) 아, 몰라. 암튼 막 빨리 늙어서 죽는 병이래.
'아름'의 입장을 전혀 배려하지 않고 함부로 말하는 모습

아름 비켜요.

남학생이 아름이의 모자를 낚아채 벗긴다. 아름이의 듬성듬성한 머리가 드러나자 놀라는 아이들.

불량한 여학생 1 대박!

불량한 남학생 1 (막상 보니 놀라서 뒷걸음질을 치며) 뭐야, 이거?

불량한 남학생 2 (아름이의 모자를 던지며) 야, 이거 혹시 옮는 병 아냐? 아이씨.

Insert. 뭔가 이상한 기분이 들어 두리번거리는 대수.
인서트. 장면의 이음, 강조, 정리 등 영화의 여러 효과를 위해 삽입하는 화면. 주로 대사가 없는 인물, 사물, 배경등을 삽입한다.
간이 화장실 옆.

대수 아름아!

아름 (대수를 보며) 아빠!

'아빠야?', '야, 아빠래.' 젊은 아빠인 대수의 모습을 보자 상황이 우습다는 듯, 키득거리는 아이들.
아들인 '아름'이 아빠인 '대수'보다 늙어 보이기 때문

대수 괜찮아? 너 모자……. (말하면서 모자를 집어 아름이와 자리를 뜨는데.)

불량한 남학생 1 (끝까지 이기죽거리면서) 어이쿠, 효자 아저씨. 아버님 모시고 밤 마실 나오셨나 봐요?
자꾸 밉살스럽게 지껄이며 짓궂게 빈정거리면서 　노화가 일어난 '아름'의 모습을 조롱하는 표현

불량한 남학생 2 아니, 어떻게 사람한테서 골룸이 태어나냐.
'아름'의 외관을 빗댄 비하적 표현

대수 (가다가 멈칫, 돌아보며) 야! 너 지금 뭐라 그랬어?

「결국 불량한 남학생의 멱살을 잡고 마는 대수.
「」:'아름'의 환상

손을 뿌리치고 껄렁거리며 대수를 에워싸는 불량한 학생들.

대수가 아름이를 한쪽으로 안전하게 비켜 세우고는, 아름이를 향해 씩 웃으며 윙크를 하더니 마치 이소룡처럼 자세를 잡는다.

일 대 사의 열세에도 민첩하고 멋지게 싸워 나가는 대수.
상대편 힘이나 세력이 약함

액션 영화의 한 장면처럼 멋있게 싸우며 공중에서 1회전 반을 돌아 540도 발차기! 멋지게 악당을 물리치는 대수.

하지만 이것은 아름이의 환상이었다.」

<u>다시 현실.</u>
'아름'의 환상이 끝남

현실의 상황은 아름이의 환상과 전혀 다르다. 남학생들에게 둘러싸여 맞다가 반격을 시작하는 대수,

온 힘을 다해 학생들을 뿌리치고는 있는 힘껏 발차기를 날린다.

하지만 대수의 발에 맞은 것은 학생들이 아니라 말리러 오던 경찰.

이내 **뻗어** 버린 경찰. 당황한 대수. 놀란 아름이.   ▶ 불량한 학생들에게 괴롭힘을 당하는 '아름'

발단 - 남들과는 다르다는 이유로 '아름'이 겪는 차별과 괴롭힘.

확인학습

01 이 작품의 주인공인 '아름'은 조로증을 앓는 16세의 소년으로, 자신의 병에 깊게 절망하고 있다.   O☐ X☐

02 '대수'는 '아름'의 병을 무겁게 받아들이며 억지 웃음을 보이고 있다.   O☐ X☐

03 '아름'은 자신의 지식을 과시하며 '미라'를 무시하고 있다.   O☐ X☐

04 '미라'와 '대수'는 '아름'을 본인과 서로 닮았다고 다투며 '아름'에 대한 애정을 드러내고 있다.   O☐ X☐

05 '불량한 여학생 1'은 '아름'의 입장을 전혀 배려하지 않고 함부로 말하고 있다.   O☐ X☐

06 '대수'가 '불량한 학생들'을 물리치는 것을 '아름'이 상상하는 장면에서 그렇게 되기를 바라는 '아름'의 심리가 드러나고 있다.   O☐ X☐

07 이 글에는 사건 전개에 따른 인물의 성격 변화가 드러나고 있다.   O☐ X☐

08 이 글에는 인물 간의 갈등과 대립이 긴박하게 전개되고 있다.   O☐ X☐

어떤 사람의 병을 맡아서 치료하는 의사

파리한 얼굴의 미라. 마주 앉은 주치의를 보고 있다.
몸이 마르고 낯빛이나 살색이 핏기가 전혀 없는.
예 - 그 사람은 긴 여행에 지쳐 파리한 얼굴로 고향에 돌아왔다

주치의 (모니터를 돌려 주며) 여기 있는 이 점이, 뇌혈관이 살짝 터졌던 흔적이에요. 운이 좋았어요. 잘못하면 애 중풍
뇌혈관 장애로 인해 반신불수, 언어 장애 등의 후유증을 남기는 병

걸릴 뻔했어요.

미라 저……. 그게 모르고 지날 수도 있는 건가요?

주치의 (아름이를 보며) 두통이 상당했을 텐데? 머리 아프단 소리 안 해요?

미라 (답답하고 속상해하며) 아름아, 아픈 데 있으면 얘기하랬잖아.
부모로서 자식의 아픔을 눈치채지 못한 속상함

아름 (주눅 든 목소리로) 내가 언제 안 아픈 적 있었어?
병을 앓는 것이 일상이 된 '아름' – 아프다고 말하는 것을 미안해하는 '아름'의 어른스러운 성격

미라 (한숨을 쉰다.) …….
속상함

주치의 (화가 난 목소리로 미라에게) 이 지경이 되도록 대체 뭘 하신 겁니까? 잘못하면 이거, 올해도 못 넘겨요.

미라 (아름이의 눈치를 보며) 선생님!

주치의 (진정하고 아름이를 보며) 아름아.

아름 예?

주치의 잠깐만 나가 있을래?

아름 그냥 이야기해 주세요. 선생님.
자신의 현재 상태를 직시하려는 용기

미라 아름아! 나가 있어.
'아름'을 걱정하게 만들고 싶지 않은 '미라'의 마음

아름이, 미라의 얼굴을 보더니 결국 자리에서 일어나 밖으로 나간다.

시한폭탄(時限爆彈) 일정한 시간이 지나면 폭발하도록 장치한 폭탄

주치의 (한숨을 쉬며) 이 뇌 쪽도 문제지만 심혈관도 언제 터질지 모르는 상태입니다. 그러니까 심장에 시한폭탄을 달
심혈관(心血管) 심장의 혈관   '아름'의 심각한 건강 상태

고 있는 거라고 생각하시면 돼요. (사이) 당장 입원시키세요. 밖에서 터지면 손도 못 써 봅니다.

S# 16. 병원 앞 거리/오후

모자와 커다란 선글라스로 가렸어도 드러나는 아름이의 병색.
병 때문에 타인의 시선을 피하고 싶은 '아름'의 마음이 드러난 소재   병든 사람의 기색이나 얼굴빛

사람들, 미라와 아름이를 호기심 어린 눈빛으로 혹은 동정 어린 눈길로 힐끗댄다.
'아름'을 대하는 행인들의 태도 - 호기심이나 동정

미라의 눈치를 보며 손을 잡아끄는 아름이.
                  자리를 서둘러 벗어나고 싶은 마음

하지만 생각에 잠긴 미라는 빨리 걸을 생각이 전혀 없어 보인다.
          '아름'의 병에 대한 걱정

아름 빨리 좀 가. 사람들이 쳐다보잖아.

미라 (대수롭지 않은 듯이) 내가 너무 예쁜가 보지, 뭐!
        사람들의 시선에도 위축되지 않는 '미라'

아름 (미라의 손을 잡아끄는데 따라오지 않자 짜증을 내며) 엄만 안 창피해?

태연한 미라의 태도에 짜증이 나서 손을 놔 버리는 아름이.

미라, 앞장서 가는 아름이의 배낭을 잡아챈다.

미라 뭐가 창피한데, 뭐가?
        '아름'을 부끄럽게 생각하지 않는 '미라'

아름 (주위를 의식하며) 왜 그래, 진짜.

미라 「너 아픈 애야. 아픈 애가 왜 자꾸 딴 데 신경 써? 사람들이 보건 말건, 병원비가 있건 없건, 애처럼 굴어. 아프
        「」: 아픈 '아름'이 다른 사람의 시선을 신경 쓰는 데 대한 속상함과 '아름'이 고통을 참게 만든 데 대한 죄책감

면 울고 떼를 쓰란 말이야. 그냥 애처럼!」

아름 ……. 애처럼 안 보이니까 그렇지.

미라 (선글라스를 벗기면서) 연예인도 아니면서 이런 걸 쓰고 다니니까 사람들이 쳐다보지!

가슴이 답답한 미라, 고개를 돌려 한숨을 내쉰다.

괜한 말 꺼내서 오도 가도 못하는 아름이는 땅만 발로 찬다.

미라 한아름! 엄마 봐. 내가 누구야, 나…….
                '미라'의 당당한 성격

미라/아름 (아름이가 미라를 따라하며) 나, 열일곱 살에 애 낳은 여자야.
                            사회의 편견 어린 시선을 받을 수 있는 경험에도 오히려 떳떳하고 당당한 '미라'

두 사람, 마주 보고 피식 웃는다.
        '아름'과 '미라'의 갈등 해소

미라 아름아, 우리 이 길 몇 년 다녔어?

아름 (잠시 셈을 해 본 후) 13년.
        16살인 '아름'이 삶의 대부분을 병과 싸워 왔음을 알 수 있음

미라 그래. 막내 외삼촌은 네 나이에 포경 수술 하나 하면서도 죽네 사네 울고불고 난리를 떨었어. 근데 넌 그것보다 더한 검사도 받고, 위기도 수없이 넘겼잖아.

아름 응…….

미라 「그건 아무나 할 수 없는 거다? 넌 정말 대단한 일을 해내고 있는 거야. 그러니까 당당하게 보란 듯이 걸어도 돼. 알았지?」
「」: '아름'이 당당할 수 있도록 격려하는 '미라'

아름 <u>응!</u>
'미라'의 격려로 기운을 차린 '아름'

미라 가자!

아름이의 손을 잡는 미라. <u>사람들 시선쯤은 아랑곳하지 않고 걷는다. 당당하게.</u>   ▶ 타인의 시선에 위축된 '아름'과 그런 '아름'을 격려하는 '미라'
자신을 사랑해 주는 부모와 있을 땐 당당해지는 '아름'

확인학습 ....

01 '아름'은 자신의 아픈 상태를 잘 표현하지 않는 어른스러운 성격을 가지고 있다.   ○ ☐ × ☐

02 자신의 병세를 '주치의'에게 똑똑히 들으려고 하는 모습에서 '아름'이 현실을 직시하고자 하는 용기 있는 면모를 가지고 있다.   ○ ☐ × ☐

03 윗글에는 감정을 숨긴 채 서로를 배려하는 인물들의 애틋한 모습이 드러나 있다.   ○ ☐ × ☐

04 '미라'는 자신의 감정, 상태보다 주변을 살피는 '아름'을 보고 속상해한다.   ○ ☐ × ☐

05 윗글에서는 인물 간의 갈등이 유쾌하게 해소되고 있다.   ○ ☐ × ☐

06 이 글은 일상적인 구어체의 언어를 사용하고 있다.   ○ ☐ × ☐

07 이와 같은 글은 희곡에 비해 시간과 공간의 제약을 덜 받는다.   ○ ☐ × ☐

08 이와 같은 글은 희곡에서는 사용하지 않는 특수한 용어들을 사용한다.   ○ ☐ × ☐

09 이와 같은 글은 형식의 제한이 없어 작가의 개성이 강하게 드러난다.   ○ ☐ × ☐

중략 부분 줄거리 | 어느 날 아름이는 자신이 출연한 텔레비전 프로그램을 본 '서하'라는 소녀에게서 전자 우편을 받는다. 아름이는 자신과 같은 나이이고 병을 앓고 있다는 서하에게 관심이 가지만 쉽게 답장을 쓰지 못하고 망설인다. 병세가 더욱 나빠져 입원을 하게 된 아름이는 용기를 내어 서하에게 전자 우편을 쓰고, <u>서하와 전자 우편을 주고받으면서 설렘을 느낀다.</u>
'아름'의 16살 소년다운 면모

> 전개 1 - '아름'은 병세가 악화되어 입원하고, 병원에서 '서하'라는 소녀와 전자 우편을 주고받음.

S# 43. 병원 정원/오후
전개 2

병원 정원에서 촬영이 진행 중이다.

미라가 촬영을 지켜보고 있고, 그 뒤로 어느샌가 슬그머니 나타난 <u>장 씨</u>. 그런데 장 씨의 옷차림이 예사롭지 않다. <u>한눈에도</u>
'아름'의 친구인 이웃집 노인

<u>평소보다 멋을 낸 느낌.</u>
촬영을 기대하는 '장 씨'

김 작가 (승찬이의 큐 신호를 보고) 아름이는 혹시 누굴 좋아해 본 적 있어?
큐(cue) 방송에서 프로그램 진행자나 연기자에게 대사, 동작, 음악 따위의 시작을 지시하는 신호

아름 좋아하는 사람이요? 많죠. 우리 엄마랑 아빠, 외할머니, 외할아버지. 또……. 아! 우리 옆집 <u>짱가 할아버지</u>도
'장 씨'의 별명

좋아해요.

순간 우쭐해지는 장 씨.

아름 (갑자기 사레들린 듯이) 콜록콜록.

미라 아름아, 괜찮아?

옆에서 지켜보던 미라가 달려든다. 자연스럽게 촬영이 중단된다. <u>멈출 줄 모르는 아름이의 기침.</u>
악화된 '아름'의 건강

Cut to. 촬영 팀, 촬영을 접고 있다.

이야기 중인 승찬이와 미라, 그리고 그 사이로 어슬렁거리는 장 씨.

승찬 오늘은 아무래도 힘들겠지?

미라 (<u>쏘아보며</u>) 야! 넌 어떻게……. 보고도 몰라?
'아름'의 상태에도 불구, 촬영을 걱정하는 '승찬'의 말에 매정함을 느낌

승찬 그치, 뭐 어쩔 수 없지. (<u>주변을 맴도는 장 씨</u>를 보며) 아! 아름이 옆집 할아버지시죠? 혹시 저희랑 인터뷰 좀…….
인터뷰를 하고 싶어서 촬영장 주변을 빙빙 도는 장 '씨'

장 씨 아, 뭐……. 나요? 그럼 어디 앉을까요?

Cut to. 장 씨 인터뷰를 시도하는 촬영 팀. 장 씨, 바짝 얼어 있다.

승찬 자, 할아버지. 준비되셨죠? 한번 가 볼게요. (촬영 감독에게 신호 주며) 큐!

김 작가 아름이는 어떤 아이인가요?

장 씨 (어색해하며) <u>어, 이아름 군은……. 아니지, 우리 한아름 군은…….</u>
　　　　　　'장 씨'가 긴장했음이 드러남

승찬 컷! (장 씨 보며) 할아버지, 그냥 평소처럼 하세요. 카메라 없는 데서 우리 작가랑 대화한다고 생각하시고요.

　　「장 씨, 고개를 끄덕이지만 여전히 얼어 있다. 카메라도 제대로 바라보지 못하는 장 씨. '컷! 엔지!', '컷! 엔지!', 이어지는 장
　「」: 긴장으로 실수를 거듭하는 '장 씨'　　　　　　　　　　　　　엔지(NG) '노 굿(No Good)'의 줄임말로, 촬영이나 녹음이 잘되지 아니하는 일.
　　씨의 엔지.

장 씨 어, 우리 한여름, 에고…….

장 씨 에이씨, 아름이 이놈 자식은요?」

　　Cut to. 지친 촬영 팀. 승찬이도 이젠 거의 포기한 얼굴이다.

승찬 할아버지, 한 번만 더. 자, 큐!

김 작가 아름이는 어떤 아이인가요?

장 씨 음…… 음……. (드디어 카메라를 정면으로 본다.)「아름이는…… 친구요, 내 친구.
　　　　　　　　　　　　　　　　　　　　「」: '아름'을 대하는 '장 씨'의 태도 – 나이 차이에도 불구하고 '아름'을 진정으로 소중한 친구라고 생각하는 '장 씨'

　　대답하는 장 씨의 얼굴에 진심이 묻어난다.」

S# 44. 병원 복도/오후

　　복도의 의자에 나란히 앉은 장 씨와 아름이. 장 씨가 아름이에게 따뜻한 물을 건넨다.

장 씨 방송 그거 쉬운 거 아니드만?

아름 <u>(웃으며) 그렇죠. (물 받으며) 감사합니다.</u>
　　　　　예의바르고 어른스러운 '아름'

장 씨 좀 괜찮아?

아름 네. (알약을 삼키는 장 씨를 보며) 짱가, 어디 아파요?

※장 씨 아, 이 나이에 안 아픈 게 이상한 거지.　　※ ※ : 구절풀이 – 비록 나이는 크게 차이 나지만, 신체적인 연령이 비슷한 '아
　　　　　　　　　　　　　　　　　　　　　　　　　　　　름'과 '장 씨'가 공감대를 형성하고 친밀감을 드러내는 부분이다

아름 <u>(피식 웃으며) 그건 제가 좀 알죠. 그래도 짱가는 꽤 동안이에요.</u>
　　　　자신의 병을 웃음으로 승화하는 '아름'

장 씨 그치? 흐흐. (우당탕, 시끄럽게 지나가는 젊은이들을 보며) 저것들은 몰라. 젊은 게 얼마나 좋은 건지.

아름 너무 건강해서 자기들이 건강한지도 모를 거예요.

어린 나이지만 노화에 공감하는 '아름'

장 씨 (음흉한 미소를 지으며) 그리고 쟤들이 모르는 게 또 있어.

아름 뭔데요?

장 씨 흐흐흐, 앞으로 늙을 일만 남은 거.

아름 아!※

산뜻하게 맑게
장 씨를 보며 말갛게 웃는 아름이. 마주 보며 씩 웃어 주는 장 씨.

세대 차이를 넘어 격의 없는 친구 사이인 '아름'과 '장 씨'

확인학습 ··

01 이 글의 '아름'과 '장 씨'는 서로의 상황을 낱낱이 파악할 정도로 친밀하고 오랜 관계이다. ○☐ ×☐

02 이 글의 '아름'과 '장 씨'는 서로가 겪는 늙음과 아픔에 대해 이해하고 공감할 수 있는 관계이다. ○☐ ×☐

03 이 글은 '아름'과 '장 씨'는 편하게 농담을 주고받을 수 있는 사이로, 서로에게 즐거움과 희망을 주는 관계이다.
○☐ ×☐

04 '장 씨'의 인터뷰 장면에서는 노년에 지능, 기억 등의 능력이 상실되는, '장 씨'가 앓는 병의 심각성을 알 수 있다.
○☐ ×☐

05 '장 씨'는 '아름'을 나이와 상관없이 마음을 터놓을 수 있는 상대로 생각한다. ○☐ ×☐

06 '아름'과 '장 씨'는 같이 늙어 가면서 병을 앓고 있으며, 건강과 젊음에 대한 생각을 서로 공유하고 있다. ○☐ ×☐

S# 49. 아름이의 병실/밤

아름이가 서하의 사진을 보고 싶다는 내용의 전자 우편을 보낸 뒤로 서하에게서는 답장이 없다.

잠들지 못하고 기력 없는 모습으로 이리저리 뒤척이는 아름이.

아름이, 결국 일어나 앉아 베개 밑에서 태블릿 컴퓨터를 꺼낸다.

여전히 <u>전자 우편함에 새 편지가 0통임을 확인하는 아름이의 모습이 반복된다.</u>
'아름'의 조바심이 드러남

Cut to. 습관처럼 전자 우편함을 확인하던 아름이. 드디어 전자 우편의 수신을 알리는 소리가 울린다. 아름이가 벌떡 일어난다. 서하의 편지다.

떨리는 손으로 전자 우편을 여는 아름이.

서하 <u>(소리)</u> 답장이 늦어 미안해. 사실 많이 고민했어……. 사진…….
화면 밖 '서하'의 목소리를 사용하여 '서하'가 보낸 전자 우편 내용을 제시함

하지만 나만 네 얼굴을 아는 건 불공평하겠다 싶어.

난 네 부모님 얼굴까지 알고 있으니까.

맘에 안 들지도 모르지만 한 장을 보내.

첨부된 사진을 여는 아름이, <u>화면 가득 키워서 본다.</u>
'서하'에 대해 알고 싶은 '아름'의 마음

싱그러움이 느껴지는 소녀의 손.

그 사진에서, 차마 아픈 모습을 보여 주고 싶지 않은 사춘기 소녀의 마음이 느껴진다.

<u>사진에 손을 가만히 갖다 대 보는 아름이.</u>
'서하'에 대한 애틋함과 '서하'의 마음에 대한 공감   ∴: (화살표로 줄을 연결해 주세요) 유사한 화면을 활용하여 현실의 장면과 '아름'이 상상하는 장면을 연결함

사진 속 서하의 손과 아름이의 손이 포개지고,* 맞잡은 것처럼 보이는 소년과 소녀의 손.

▶ 처음으로 또래 친구에 대해 관심을 가진 '아름'의 순수한 마음

S# 50. 오솔길/오후 [<u>아름이의 상상</u>]
'서하'의 전자 우편을 계기로 상상이 시작됨

사진 위로 겹쳐진 두 손이 실제로 맞잡은 손이 된다.**

손을 잡고 걷고 있는 소년과 소녀. 아름이와 서하의 뒷모습이다.

카메라가 점점 뒤로 가면서, 벚나무가 무성한 오솔길을 걷고 있는 소년과 소녀의 뒷모습이 아련하게 보인다.

서하가 아름이에게 전자 우편을 통해 들려주었던 음악이 잔잔하게 깔린다.

오솔길을 걷는 두 사람.

아름이는 자신의 꿈속에 등장했던 <u>건강한 열여섯 살 소년</u>의 모습을 하고 있다.
'아름'의 소망이 구체화된 모습

그리고, 아름이가 바라본 서하의 모습.

<u>햇빛에 역광으로 비친 음영에서, 점점 윤곽이 또렷해지며 모습을 드러내는 서하.</u>
'서하'의 모습을 궁금해하는 '아름'의 마음이 반영됨

청순한 얼굴의 한 소녀가 아름이를 향해 환하게 웃고 있다.

이때, 어디선가 살랑살랑 불어오는 바람. 서하의 긴 머리카락이 바람에 크게 흩날린다.

청량한 서하의 웃음소리가 울려 퍼지고, 그런 서하를 보며 미소 짓는 아름이.

서하 「(소리) 아름아, 넌 언제 살고 싶어지니?
　　　「 」: '서하'가 쓴 전자 우편 내용

　　　아름이 넌 어떨 때 가장 살고 싶어지냐구…….」　　　　　▶ 상상 속에서 건강한 자신과 '서하'의 모습을 그려 보는 '아름'

S# 51. 아름이의 병실/밤

　　　의자에 앉은 아름이. 태블릿 컴퓨터를 보고 있는데 전자 우편의 끄트머리에 '<u>아름아, 넌 언제 살고 싶어지니?</u>'라는 문장이 보
　　　　　　　　　　　　　　　　　　　　　　　　　　　　　　　같은 문장을 활용하여 '아름'이 상상하는 장면과, 현실의 장면을 연결함
인다.

　　　미동도 않고, 문장의 의미를 생각하던 아름이.

　　　'답장'을 누르고 전자 우편을 쓰기 시작한다.

아름 (소리) <u>살고 싶어지는 때?</u>
　　　화면 박 '아름'의 목소리를 통해 '아름'의 답장 내용을 제시함

몽타주(montage) 따로 촬영된
화면을 떼어 붙이면서 새로운
장면이나 내용을 만드는 기법　　　교신(交信) 우편, 전신, 전화 따위로 정보나 의견을 주고받음
S# 52. 몽타주 [<u>서하와의 교신</u>]
　　　　　　　　'아름'의 전자 우편 답장 내용을 '이미지'와 '소리'로 생생하게 형상화함

　　　<u>이미지.</u> 푸른 하늘에 뭉게뭉게 떠 있는 하얀 구름.
　　　이미지(image) 일정한 화면 크기와 카메라 촬영 각도로 구성된 낱장의 장면

아름 (소리) 푸른 하늘에 하얀 뭉게구름을 볼 때…….

　　　이미지. <u>트램펄린</u>을 뛰고 있는 아이들의 모습. 아이들의 즐거운 까르르, 웃음소리.
　　　　　　사람이 뛸 수 있도록 스프링이 달린 사각형 또는 육각형 모양의 매트

아름 (소리) 아이들의 해맑은 웃음소리를 들을 때…….나는 살고 싶어져.

　　　이미지. 햇살 아래, 빨랫줄에 걸려 있는 <u>베갯잇</u>. 나란히 누워 그 향기를 맡는 미라와 아름이.
　　　　　　　　　　　　　　베개의 겉을 덧씌워 시치는 헝겊

아름 (소리) 맑은 날 오후,

　　　엄마와 함께 햇빛을 머금은 포근한 빨래 냄새를 맡을 때에도.

　　　이미지. 동네 구멍가게 앞. 텔레비전 속 연속극을 보며 눈물을 훔치는 건장한 아저씨.

아름 (소리) 무뚝뚝한 우리 동네 구멍가게 아저씨가 연속극을 보며 우는 걸 보고 살고 싶다고 생각한 적도 있고…….

이미지. 아름이가 나열하는 것들의 이미지가 아름답게 보인다.

아름 (소리) 저녁 무렵, 골목길에서 밥 먹으라고 손주를 부르는 할머니의 소리가 울려 퍼질 때에도……. 여름날 엄마가 아빠 등목을 해 주며 찬물을 끼얹는 걸 볼 때에도……. 나는 살고 싶어져. 아빠와 함께 초승달이 뜬 초저녁 초롱초롱한 금성을 보면서도……. 반짝반짝 빛을 내며 야간 비행을 하는 비행기를 볼 때에도……. 살고 싶어지고는 해.

서하야, 너는 어때?

▶ '아름'이 삶의 소중함을 느끼는 순간들

전개 2 – '서하'와 전자 우편을 주고 받으며 삶을 돌아보는 '아름'

– 원작 김애란 / 각본 최민석 외, 『두근두근 내 인생』 –

⊙ **핵심정리**

갈래	시나리오
성격	감성적, 서정적
제재	조로증을 앓고 있는 16세 소년의 삶과 사랑.
배경	• 시간적 : 2010년대　　　• 공간적 : 서울
주제	힘든 상황 속에서도 웃음을 잃지 않고 서로를 보듬는 부모와 자식의 아름다운 사랑.
특징	난치병을 앓고 있는 소년의 삶을 담담하고 유쾌한 시각으로 그려 냄.

확인학습

01 윗글은 독백을 활용하여 인물의 심리를 효과적으로 드러내고 있다. ○ ☐ × ☐

02 윗글은 배경을 통해 인물이 처한 상황을 상징적으로 나타내고 있다. ○ ☐ × ☐

03 윗글은 과거를 회상하는 장면을 삽입하여 사건의 전말을 전달하고 있다. ○ ☐ × ☐

04 '아름'은 '서하'에게 사진을 보내 달라는 자신의 요청이 '서하'에게 부담을 준 것 같아 마음을 졸이고 있다. ○ ☐ × ☐

05 '아름'은 '서하'에게 관심을 갖고, 답장을 보낸 일을 후회한다. ○ ☐ × ☐

06 '서하'의 손과 '아름'의 손이 겹쳐지는 장면에서 싱그러운 손과 주름진 손이 대조적으로 나타난다. ○ ☐ × ☐

07 '아름'이 사진 속 '서하'의 손에 자신의 손을 포개는 모습을 통해 현실에서 '서하'를 만나고픈 '아름'의 마음이 드러난다. ○ ☐ × ☐

08 윗글에서는 '아름'이 건강했던 과거의 시간을 그리워하고 있음이 드러난다. ○ ☐ × ☐

[01~05] 다음 글을 읽고 물음에 답하시오.

(가) S# 16. 병원 앞 거리/오후

　　모자와 커다란 선글라스로 가렸어도 드러나는 아름이의 병색.
　　사람들, 미라와 아름이를 호기심 어린 눈빛 혹은 동정 어린 눈길로 힐끗댄다.
　　미라의 눈치를 보며 손을 잡아끄는 아름이.
　　하지만 생각에 잠긴 머리는 빨리 걸을 생각이 전혀 없어 보인다.

아름 : 빨리 좀 가. 사람들이 쳐다보잖아.

미라 : (대수롭지 않은 듯이) 내가 너무 예쁜가 보지, 뭐!

아름 : (미라의 손을 잡아끄는데 따라오지 않자 짜증을 내며) 엄만 안 창피해?

　　태연한 미라의 태도에 짜증이 나서 손을 놔 버리는 아름이.
　　미라, 앞장서 가는 아름이의 배낭을 잡아챈다.

미라 : 뭐가 창피한데, 뭐가?

아름 : (주위를 의식하며) 왜 그래, 진짜.

미라 : 너 아픈 애야. 아픈 애가 왜 자꾸 딴 데 신경 써? 사람들이 보건 말건, 병원비가 있건 없건, 애처럼 굴어. 아프면 울고 떼를 쓰란 말이야. 그냥 애처럼!

아름 : ……. 애처럼 안 보이니까 그렇지.

미라 : (선글라스를 벗기면서) 연예인도 아니면서 이런 걸 쓰고 다니니까 사람들이 쳐다보지!

　　가슴이 답답한 미라, 고개를 돌려 한숨만 내쉰다.
　　괜한 말 꺼내서 오도 가도 못하는 아름이는 땅만 발로 찬다.

미라 : 한아름! 엄마 봐. 내가 누구야. 나…….

미라/아름 : (아름이가 미라를 따라하며) 나, 열일곱 살에 애 낳은 여자야.

　　두 사람, 마주 보고 피식 웃는다.

미라 : 아름아, 우리 이 길 몇 년 다녔어?

아름 : (잠시 셈을 해 본 후) 13년.

미라 : 그래. 막내 외삼촌은 네 나이에 포경 수술 하나 하면서도 죽네 사네 울고불고 난리를 떨었어. 근데 넌 그것보다 더한 검사도 받고, 위기도 수없이 넘겼잖아.

아름 : 응…….

미라 : 그건 아무나 할 수 없는 거다? 넌 정말 대단한 일을 해내고 있는 거야. 그러니까 당당하게 보란 듯이 걸어도 돼, 알았지?

아름 : 응!

미라 : 가자!

(나) S# 44. 병원 복도/오후

　　복도의 의자에 나란히 앉은 장 씨와 아름이. 장 씨가 아름이에게 따뜻한 물을 건넨다.

장 씨 : 방송 그거 쉬운 거 아니드만?

아름 : (웃으며) 그렇죠. (물 받으며) 감사합니다.

장 씨 : 좀 괜찮아?

아름 : 네. (알약을 삼키는 장 씨를 보며) 짱가. 어디 아파요?

장 씨 : 아, 이 나이에 안 아픈 게 이상한 거지.

아름 : (피식 웃으며) 그건 제가 좀 알죠. 그래도 짱가는 꽤 동안이에요.

장 씨 : 그치? 흐흐. (우당탕, 시끄럽게 지나가는 젊은이를 보며) 저것들은 몰라. 젊은게 얼마나 좋은 건지.

아름 : 너무 건강해서 자기들이 건강한지도 모를 거예요.

장 씨 : (음흉한 미소를 지으며) 그리고 쟤들이 모르는 게 또 있어.

아름 : 뭔데요?

장 씨 : 흐흐흐, 앞으로 늙을 일만 남은 거.

아름 : 아!

장 씨를 보며 말갛게 웃는 아름이. 마주 보며 씩 웃어 주는 장 씨.

(다) S# 51. 아름이의 병실/밤

의자에 앉은 아름이. 태블릿 컴퓨터를 보고 있는데 전자 우편의 끄트머리에 '아름아, 넌 언제 살고 싶어지니?'라는 문장이 보인다.
미동도 않고, 문장의 의미를 생각하던 아름이.
'답장'을 누르고 전자 우편을 쓰기 시작한다.

아름 : (소리) 살고 싶어지는 때?

S# 52. 몽타주, [서하와의 교신]

이미지. 푸른 하늘에 뭉게뭉게 떠 있는 하얀 구름.

아름 : (소리) 푸른 하늘에 하얀 뭉게구름을 볼 때…….

이미지. 트램펄린을 뛰고 있는 아이들의 모습. 아이들의 즐거운 까르르, 웃음소리.

아름 : (소리) 아이들의 해맑은 웃음소리를 들을 때……. 나는 살고 싶어져.

이미지. 햇살 아래, 빨랫줄에 걸려 있는 베갯잇. 나란히 누워 그 향기를 맡는 미라와 아름이.

아름 : (소리) 맑은 날 오후,
엄마와 함께 햇빛을 머금은 포근한 빨래 냄새를 맡을 때에도.
이미지. 동네 구멍가게 앞. 텔레비전 속 연속극을 보며 눈물을 훔치는 건장한 아저씨.

아름 : (소리) 무뚝뚝한 우리 동네 구멍가게 아저씨가 연속극을 보며 우는 걸 보고 살고 싶다고 생각한 적도 있고…….
이미지. 아름이가 나열하는 것들의 이미지가 아름답게 보인다.
아름 : (소리) 저녁 무렵, 골목길에서 밥 먹으라고 손주를 부르는 할머니의 소리가 울려 퍼질 때에도……. 여름날 엄마가 아빠 등목을 해 주며 찬물을 끼얹는 걸 볼 때에도……. 나는 살고 싶어져. 아빠와 함께 초승달이 뜬 초저녁 초롱초롱한 금성을 보면서도……. 반짝반짝 빛을 내며 야간 비행을 하는 비행기를 볼 때에도……. 살고 싶어지고는 해.
서하야, 너는 어때?

---

01 이 글을 감상하는 방법으로 가장 적절한 것은?

① 작품에 나타난 배경에 대해 그 신뢰성을 판단하며 감상한다.

② 작품에 드러나는 어려움을 피하는 방법을 생각하며 감상한다.

③ 작품에 반영된 삶의 모습을 통해 독자 자신의 삶을 성찰하며 감상한다.

④ 작품에 담긴 현실의 문제에 대한 해결 방안을 그대로 수용하며 감상한다.

⑤ 독자 자신의 생각과 가치관에 따르기 보다는 작가의 의도에 맞추어 작품의 의미를 감상한다.

02 이와 같은 문학 작품이 독자의 삶에 미치는 긍정적 의미와 효과에 대한 감상으로 가장 적절한 것은?

① 문학 작품에 담긴 경제적 가치를 헤아려 평가한다.

② 문학 작품에 나타난 어조와 문체를 통해 표현상의 특징을 발견한다.

③ 사회적 관습에 따라 작품의 의미를 만들어 내면서 문학 작품을 수용한다.

④ 작품에 구현된 삶을 직접적으로 경험하게 하며, 다양한 경험 없이도 인생의 의미를 발견한다.

⑤ 작품 속 다양한 인물들의 모습을 통해 자신이 속한 사회를 진지하게 살펴보며 우리 사회가 나아가야 할 방향을 고민한다.

03 이 글에 대한 설명으로 가장 적절한 것은?

① 주로 음악의 변화에 따라 이야기가 진행되고 있다.

② 인물의 직업을 활용하여 사람들의 다양한 반응을 보여 주고 있다.

③ 회상 장면을 통해 인물이 겪는 과거의 사건이 조금씩 드러나고 있다.

④ 또래 친구들과는 달리 조금 독특한 성격을 지닌 소녀의 이야기를 담고 있다.

⑤ 힘든 상황에서도 웃음을 잃지 않고 서로를 보듬고 격려하는 사람들의 아름다운 모습이 담겨 있다.

04 (다)를 읽고 난 후 학생들의 반응으로 가장 적절한 것은?

① **장미** : 생에 대한 '서하'의 강한 의지를 알 수 있어.

② **유미** : 죽음을 앞둔 '아름'이 특별한 사건이 일어나기를 기다리는 마음을 이해할 수 있어.

③ **은아** : 사람들 간의 정이 느껴지는 평화로운 순간이 '아름'이 살고 싶어지는 때임을 알 수 있어.

④ **슬기** : '아름'은 자신이 살아 있음을 누구로부터 확인받는 순간이 찾아오길 간절히 기대하고 있어.

⑤ **민정** : 건강한 사람들이 일상의 아름다움을 아무런 의식 없이 그 가치를 느끼지 못하는 것을 '아름'이 굉장히 안타까워하고 웃음을 알 수 있어.

05 이와 같은 글의 특성으로 가장 적절한 것은?

① 장면의 전환이 어렵다.

② 등장인물의 수에 제약이 많다.

③ 주로 대사와 지시문으로 사건이 전개된다.

④ 시간적, 공간적 배경에 제한을 많이 받는다.

⑤ 상영 시간을 고려하지 않고 내용을 구성할 수 있다.

[06~10] 다음 글을 읽고 물음에 답하시오.

S# 16. 병원 앞 거리/오후

모자와 커다란 선글라스로 가렸어도 드러나는 아름이의 병색.

사람들, 미라와 아름이를 호기심 어린 눈빛 혹은 동정 어린 눈길로 힐끗댄다.

미라의 눈치를 보며 손을 잡아끄는 아름이.

하지만 생각에 잠긴 미라는 빨리 걸을 생각이 전혀 없어 보인다.

아름: 빨리 좀 가. 사람들이 쳐다보잖아.

미라: (대수롭지 않은 듯이) 내가 너무 예쁜가 보지, 뭐!

아름: (미라의 손을 잡아끄는데 따라오지 않자 짜증을 내며) 엄만 안 창피해?

태연한 미라의 태도에 짜증이 나서 손을 놔 버리는 아름이.

미라, 앞장서 가는 아름이의 배낭을 잡아챈다.

미라: 뭐가 창피한데, 뭐가?

아름: (주위를 의식하며) 왜 그래, 진짜.

미라: ㉠너 아픈 애야. 아픈 애가 왜 자꾸 딴 데 신경 써? 사람들이 보건 말건, 병원비가 있건 없건, 애처럼 굴어. 아프면 울고 떼를 쓰란 말이야. 그냥 애처럼!

아름: ……. 애처럼 안 보이니까 그렇지.

미라: (선글라스를 벗기면서) 연예인도 아니면서 이런 걸 쓰고 다니니까 사람들이 쳐다보지!

가슴이 답답한 미라, 고개를 돌려 한숨만 내쉰다.

괜한 말 꺼내서 오도 가도 못하는 아름이는 땅만 발로 찬다.

중략 부분 줄거리: 어느 날 아름이는 자신이 출연한 텔레비전 프로그램을 본 '서하'라는 소녀에게서 전자 우편을 받는다. 아름이는 자신과 같은 나이이고 병을 앓고 있다는 서하에게 관심이 가지만 쉽게 답장을 쓰지 못하고 망설인다. 병세가 더욱 나빠져 입원을 하게 된 아름이는 용기를 내어 서하에게 전자 우편을 쓰고, 서하와 전자 우편을 주고받으면서 설렘을 느낀다.

S# 43. 병원 정원/오후

병원에서 촬영이 진행 중이다. 미라가 촬영을 지켜보고 있고, 그 뒤로 어느샌가 슬그머니 나타난 장 씨. 그런데 장 씨의 옷차림이 예사롭지 않다. 한눈에도 멋을 낸 느낌.

중략 부분 줄거리 : 멈출 줄 모르는 아름이의 기침으로 촬영이 중단되고 승찬은 주변을 맴도는 장 씨와 인터뷰를 시도하나 계속 '컷! 엔지!', '컷! 엔지!'의 연속이다.

장 씨 : 어, 우리 한여름, 에고…….
장 씨 : 에이씨, 아름이 이놈 자식은요?

Cut to. 지친 촬영 팀. 승찬이도 이젠 거의 포기한 얼굴이다.

승찬 : 할아버지, 한 번만 더. 자, 큐!
김 작가 : 아름이는 어떤 아이인가요?
장 씨 : 음…… 음……. (드디어 카메라를 정면으로 본다.) ⓛ아름이는…… 친구요, 내 친구.

대답하는 장 씨의 얼굴에 진심이 묻어난다.

S# 49. 아름이의 병실 / 밤

아름이가 서하의 사진을 보고 싶다는 내용의 전자 우편을 보낸 뒤로 서하에게는 답장이 없다. ⓒ이리저리 뒤척이다 잠들지 못하고 전자 우편을 확인하는 아름이의 모습이 반복된다. 〈중략〉

Cut to. 드디어 전자 우편의 수신을 알리는 소리가 울린다. 서하의 편지다. 떨리는 손으로 전자 우편을 여는 아름이. 〈중략〉

첨부된 사진을 여는 아름이. 화면 가득 키워서 본다.
싱그러움이 느껴지는 소녀의 손.
그 사진에서, 차마 아픈 모습을 보여 주고 싶지 않은 사춘기 소녀의 마음이 느껴진다. 사진에 손을 가만히 가져다 대 보는 아름이.
사진 속 서하의 손과 아름이의 손이 포개지고, 맞잡은 것 같아지는 소녀와 소년의 손.

S# 50 오솔길(오후, 아름이의 상상)

사진 위로 겹쳐진 두 손이 실제가 되어 맞잡은 손이 된다.
손을 잡고 걷고 있는 소년과 소녀. 아름이와 서하의 뒷모습이다.
카메라가 점점 뒤로 가면서, 벚나무가 무성한 오솔길을 걷고 있는 소년과 소녀의 뒷모습이 아련하게 보인다.
서하가 아름이에게 전자 우편을 통해 들려주었던 음악이 잔잔하게 깔린다.

오솔길을 걷는 두 사람.
아름이는 자신의 꿈속에 등장했던 ⓔ건강한 열여섯 살 소년의 모습을 하고 있다.
그리고 아름이가 바라본 서하의 모습.
햇빛에 역광으로 비치는 음영에서 점점 윤곽이 또렷해지며 모습을 드러내는 서하.
청순한 얼굴의 한 소녀가 아름이를 향해 환하게 웃고 있다.

S# 51. 아름이의 병실 / 밤

의자에 앉은 아름이. 태블릿 컴퓨터를 보고 있는데 전자 우편의 끄트머리에 '아름아, 넌 언제 살고 싶어지니?'라는 문장이 보인다.
미동도 않고, 문장의 의미를 생각하던 아름이.
'답장'을 누르고 전자 우편을 쓰기 시작한다.

아름 : (소리) 살고 싶어지는 때?

S# 52. (ⓐ) [서하와의 교신]

　이미지. 트램펄린을 뛰고 있는 아이들의 모습. 아이들의 즐거운 까르르, 웃음소리.

아름 : (소리) 아이들의 해맑은 웃음소리를 들을 때……. 나는 살고 싶어져.

　이미지. 햇살 아래, 빨랫줄에 걸려 있는 베갯잇. 나란히 누워 그 향기를 맡는 미라와 아름이.

아름 : (소리) 맑은 날 오후, 엄마와 함께 햇빛을 머금은 포근한 빨래 냄새를 맡을 때도.

　　　　　　　　　　　　　　　　　　〈중략〉

　이미지. 아름이가 나열하는 것들의 이미지가 아름답게 보인다.

아름 : (소리) 저녁 무렵, 골목길에서 밥 먹으라고 손주를 부르는 할머니의 소리가 울려 퍼질 때에도……. 여름날 엄마가 아빠 등목을 해 주며 찬물을 끼얹는 걸 볼 때에도……. 나는 살고 싶어져. 아빠와 함께 초승달이 뜬 초저녁 초롱초롱한 금성을 보면서도……. 반짝반짝 빛을 내며 야간 비행을 하는 비행기를 볼 때에도……. 살고 싶어지고는 해.

　서하야, 너는 어때? 〈중략〉

－ 원작 김애란/각본 최민석 외, 「두근두근 내 인생」 －

---

06 윗글의 갈래에 대한 설명으로 가장 적절한 것은?

① 관객이 개입하여 사건의 흐름을 변형시키기도 한다.
② 서술자의 관점에 따라 시나리오의 전개가 달라진다.
③ 등장인물들이 주고받는 대사는 현재형으로 제시된다.
④ 장면의 극중 순서나 위치 등은 S#와 Cut to로 나타낸다.
⑤ 상영을 전제로 내용을 전개하므로 장면을 만들 때 공간적 제약이 따른다.

07 ㉠~㉤에 대한 설명으로 적절하지 <u>않은</u> 것은?

① ㉠ : 미라는 자기 자신을 부끄럽게 생각하는 아름이를 보며 안타까워한다.
② ㉡ : 아름이를 자신의 친구라고 말하는 장씨를 통해 아름이에 대한 그의 애정을 느낄 수 있다.
③ ㉢ : 서하와 전자 우편을 주고받는 관계가 지속되지 못할까봐 걱정하는 아름이의 마음을 짐작할 수 있다.
④ ㉣ : 자신이 호감을 갖고 있는 서하에게 아프지 않은 모습을 보여주고 싶은 아름이의 소망이 상상을 통해 드러나고 있다.
⑤ ㉤ : 다양한 이미지와, 소리를 통해 아름이의 심리를 효과적으로 형상화하며 내용 전개상 복선 구실을 하고 있다.

08 윗글을 이해한 내용으로 가장 적절한 것은?

① S# 16 : 주위의 시선에도 위축되지 않는 '미라'와 자신을 대하는 행인들의 태도에 당당하게 된 '아름'이의 갈등이 해소되고 있다.

② S# 43 : '장 씨'는 '아름'이와 신체적으로 나이 차이가 많이 남에도 불구하고 같은 병을 앓고 있는 '아름'이와 우정을 이어가고 있다.

③ S# 49 ~ S# 50 : 같은 문장을 이어서 보여줌으로써 현실과 '아름'이의 상상 장면을 연결하고 있다.

④ S# 50 : '서하'와의 전자 우편을 매개로 점차 건강을 회복한 '아름'이는 자신의 속마음을 상상을 통해 펼치고 있다.

⑤ S# 52 : '서하'에게 보내는 답장을 통해 '아름'이 일상의 모습에서 느끼는 삶의 의지를 생생하게 형상화하고 있다.

09 ⓐ에 들어갈 시나리오 용어로 가장 적절한 것은?

① Cut to (컷 투)
② Montage (몽타주)
③ F. I (fade-in)
④ F. O (fade-out)
⑤ NAR(narration)

10 윗글을 영화로 제작할 때 감독이 촬영 전에 주문한 사항으로 적절하지 <u>않은</u> 것은?

① S# 16에서 조연출은 거리를 오가는 사람들의 시선에서 아름이를 신기한 듯 바라보거나 안타까워하는 마음이 잘 드러날 수 있도록 미리 이야기해 주세요.

② S# 43에서 촬영담당은 인터뷰를 하고 싶어서 기웃거리는 장씨의 모습이 실감나게 촬영해 주세요.

③ S# 49에서 아름이는 서하의 답장을 초조하게 기다리는 모습과 전자우편을 확인할 때 기뻐하는 모습을 잘 살려서 연기해 주세요.

④ S# 50에서는 음향담당은 서하와 아름이가 오솔길을 걸을 때 기뻐하는 아름이의 마음이 드러날 수 있도록 비트가 강한 음악을 준비해 주세요.

⑤ S# 52에서 아름이는 사람들이 평범하게 살아가는 모습을 그려보며 행복해하는 목소리가 잘 드러날 수 있도록 목소리 연기에 신경써 주세요.

S# 44. 병원 복도/오후

복도의 의자에 나란히 앉은 장 씨와 아름이. 장 씨가 아름이에게 따뜻한 물을 건넨다.

장 씨 : 방송 그거 쉬운 거 아니드만?
아 름 : (웃으며) 그렇죠. (물 받으며) 감사합니다.
장 씨 : 좀 괜찮아?
아 름 : 네. (알약을 삼키는 장 씨를 보며) 짱가. 어디 아파요?
장 씨 : 아, 이 나이에 안 아픈 게 이상한 거지.
아 름 : (피식 웃으며) 그건 제가 좀 알죠. 그래도 짱가는 꽤 동안이에요.
장 씨 : 그치? 흐흐. (우당탕, 시끄럽게 지나가는 젊은이를 보며) 저것들은 몰라. 젊은게 얼마나 좋은 건지.
아 름 : ㉠너무 건강해서 자기들이 건강한지도 모를 거예요.
장 씨 : (음흉한 미소를 지으며) 그리고 쟤들이 모르는 게 또 있어.
아 름 : 뭔데요?
장 씨 : 흐흐흐, 앞으로 늙을 일만 남은 거.
아 름 : 아!

장 씨를 보며 말갛게 웃는 아름이. 마주 보며 씩 웃어 주는 장 씨.

S# 49. 아름이의 병실/밤

㉡잠들지 못하고 기력 없는 모습으로 이리저리 뒤척이는 아름이.
아름이, 결국 일어나 앉아 베개 밑에서 태블릿 컴퓨터를 꺼낸다.
여전히 전자 우편함에 새 편지가 0통임을 확인하는 아름이의 모습이 반복된다.

㉢Cut to. 습관처럼 전자 우편함을 확인하던 아름이. 드디어 전자 우편의 수신을 알리는 소리가 울린다. 아름이가 벌떡 일어난다. 서하의 편지다.
떨리는 손으로 전자 우편을 여는 아름이.

서 하 : (소리) 답장이 늦어 미안해. 사실 많이 고민했어……. 사진…….
하지만 나만 네 얼굴을 아는 건 불공평하겠다 싶어.
난 네 부모님 얼굴까지 알고 있으니까.
맘에 안 들지도 모르지만 한 장을 보내.
첨부된 사진을 여는 아름이. 화면 가득 키워서 본다.
싱그러움이 느껴지는 소녀의 손.
그 사진에서, 차마 아픈 모습을 보여 주고 싶지 않은 사춘기 소녀의 마음이 느껴진다.
사진에 손을 가만히 갖다 대 보는 아름이.
사진 속 서하의 손과 아름이의 손이 포개지고, 맞잡은 것처럼 보이는 소년과 소녀의 손.

S# 50. 오솔길/오후

사진 위로 겹쳐진 두 손이 실제로 맞잡은 손이 된다.
손을 잡고 걷고 있는 소년과 소녀. 아름이와 서하의 뒷모습이다.

카메라가 점점 뒤로 가면서, 벚나무가 무성한 오솔길을 걷고 있는 소년과 소녀의 뒷모습이 아련하게 보인다.
서하가 아름이에게 전자 우편을 통해 들려주었던 음악이 잔잔하게 깔린다.

오솔길을 걷는 두 사람.
아름이는 자신의 꿈속에 등장했던 ㉣건강한 열여섯 살 소년의 모습을 하고 있다.
그리고, 아름이가 바라본 서하의 모습.
㉤햇빛에 역광으로 비친 음영에서, 점점 윤곽이 또렷해지며 모습을 드러내는 서하.
청순한 얼굴의 한 소녀가 아름이를 향해 환하게 웃고 있다.
이때, 어디선가 살랑살랑 불어오는 바람. 서하의 긴 머리카락이 바람에 크게 흩날린다.
청량한 서하의 웃음소리가 울려 퍼지고, 그런 서하를 보며 미소 짓는 아름이.

서하 : (소리) 아름아, 넌 언제 살고 싶어지니?
　　　아름이 넌 어떨 때 가장 살고 싶어지냐구…….

S# 51. 아름이의 병실/밤

의자에 앉은 아름이. 태블릿 컴퓨터를 보고 있는데 전자 우편의 끄트머리에 '아름아, 넌 언제 살고 싶어지니?'라는 문장이 보인다.
미동도 않고, 문장의 의미를 생각하던 아름이.
'답장'을 누르고 전자 우편을 쓰기 시작한다.

아름 : (소리) 살고 싶어지는 때?

S# 52. 몽타주. [서하와의 교신]

　　　이미지. 푸른 하늘에 뭉게뭉게 떠 있는 하얀 구름.

아름 : (소리) 푸른 하늘에 하얀 뭉게구름을 볼 때…….

　　　이미지. 트램펄린을 뛰고 있는 아이들의 모습. 아이들의 즐거운 까르르, 웃음 소리.
아름 : (소리) 아이들의 해맑은 웃음소리를 들을 때……. 나는 살고 싶어져.

　　　이미지. 햇살 아래, 빨랫줄에 걸려 있는 베갯잇. 나란히 누워 그 향기를 맡는 미라와 아름이.

아름 : (소리) 맑은 날 오후,
　　　엄마와 함께 햇빛을 머금은 포근한 빨래 냄새를 맡을 때에도.

　　　이미지. 동네 구멍가게 앞. 텔레비전 속 연속극을 보며 눈물을 훔치는 건장한 아저씨.

아름 : (소리) 무뚝뚝한 우리 동네 구멍가게 아저씨가 연속극을 보며 우는 걸 보고 살고 싶다고 생각한 적도 있고…….

　　　이미지. 아름이가 나열하는 것들의 이미지가 아름답게 보인다.

아름 : (소리) 저녁 무렵, 골목길에서 밥 먹으라고 손주를 부르는 할머니의 소리가 울려 퍼질 때에도……. 여름날 엄마가
　　　아빠 등목을 해 주며 찬물을 끼얹는 걸 볼 때에도……. 나는 살고 싶어져. 아빠와 함께 초승달이 뜬 초저녁 초롱초
　　　롱한 금성을 보면서도……. 반짝반짝 빛을 내며 야간 비행을 하는 비행기를 볼 때에도……. 살고 싶어지고는 해.
　　　서하야, 너는 어때?

11 위 글의 특징을 설명한 것으로 적절하지 <u>않은</u> 것은?

① 장소를 단위로 내용을 구성하고 있다.
② 시간과 공간의 제약이 거의 없고 자유롭다.
③ 인물의 외적 상황으로 인한 갈등이 주로 나타나고 있다.
④ 배경을 통해 인물이 처한 상황을 상징적으로 나타내고 있다.
⑤ 대사와 지시문을 통해 인물을 형상화하고 사건을 전개시킨다.

12 이 글의 전개 양상에 관한 설명 중 가장 적절한 것은?

① 같은 문장을 활용하여 상상과 현실을 연결하고 있다.
② 공간적 배경을 통하여 사건의 의미를 강조하고 있다.
③ 역순행적 구성 방식을 사용하여 내용을 전개하고 있다.
④ 인물의 외양 묘사를 통해 인물이 지닌 성격을 드러내고 있다.
⑤ 하나의 이야기 속에 다른 이야기를 배치하여 주제를 강화하고 있다.

13 다음 중 ㉠~㉤에 대해 이해한 내용으로 적절하지 <u>않은</u> 것을 <u>모두</u> 고르면? (정답 <u>2개</u>)

① ㉠ – 장 씨와 신체적인 연령이 비슷한 아름이 공감대를 형성하고 있다.
② ㉡ – 서하가 보고 싶은 나머지 아름의 병세가 점점 악화되고 있다.
③ ㉢ – 장면 전환 기법으로 주로 같은 장소에서 시간의 경과를 나타내는 데 사용한다.
④ ㉣ – 아름이의 소망이 구체화된 모습이다.
⑤ ㉤ – 서하의 모습이 궁금한 아름의 조바심이 드러나 있다.

[14~19] 다음 글을 읽고 물음에 답하시오.

(가) S# 11. 한강 둔치 / 밤
　　매점 앞. / 맥주가 담긴 봉지를 들고 매점을 나오는 대수와 아름이.

아름 : 아빠, 나 화장실.

　　(⒜) 간이 화장실 옆. / 대수와 조금 떨어진 간이 화장실 옆의 으슥한 공간. / 불량스러워 보이는 학생들에게 둘러싸인 아름이.

불량한 남학생1 : 너 진짜 애야? 할배 아니고?
불량한 여학생2 : (동물원의 동물을 보듯이) 우아! 진짜 신기하다.
불량한 남학생2 : (아름이의 얼굴을 살피며 히죽이죽 웃으면서) 외계인이야, 뭐야?
불량한 여학생1 : 아, 방송에서 뭐라고 했는데……. (ⓐ) 아, 몰라. 암튼 막 빨리 늙어서 죽는 병이래. / **아름** : 비켜요.

남학생이 아름이의 모자를 낚아채 벗긴다. 아름이의 듬성듬성한 머리가 드러나자 놀라는 아이들.

불량한 여학생1 : 대박!
불량한 남학생1 : (놀라서 뒷걸음질을 치며) 뭐야, 이거?
불량한 남학생2 : (ⓑ   ) 야, 이거 옮는 병 아냐? 아이씨.

  (Ⓑ   ). 뭔가 이상한 기분이 들어 두리번거리는 대수.
  간이 화장실 옆.

대수 : 아름아! / **아름** : (대수를 보며) 아빠!

  '아빠야?', '야, 아빠래.' 젊은 아빠인 대수의 모습을 보자 상황이 우습다는 듯, 키득거리는 아이들.

대수 : 괜찮아? 너 모자……. (말하면서 모자를 집어 아름이와 자리를 뜨는데.)
불량한 남학생1 : (끝까지 ㉠이기죽거리면서) 어이쿠, ㉡효자 아저씨. 아버님 모시고 밤마실 나오셨나 봐요?
불량한 남학생2 : 아니, 어떻게 사람한테서 골룸이 태어나냐.
대수 : (ⓒ   ) 야! 너 지금 뭐라 그랬어?

  결국 불량한 남학생의 멱살을 잡고 마는 대수.
  손을 뿌리치고 껄렁거리며 대수를 에워싸는 불량한 학생들.
  대수가 아름이를 한쪽으로 안전하게 비켜 세우고는, 아름이를 향해 씩 웃으며 윙크를 하더니 마치 이소룡처럼 자세를 잡는다.
  일 대 사의 열세에도 민첩하고 멋지게 싸워 나가는 대수.
  액션 영화의 한 장면처럼 멋있게 싸우며 공중에서 1회전 반을 돌아 540도 발차기! 멋지게 악당을 물리치는 대수.
  하지만 이것은 ㉢아름이의 환상이었다.

S# 43. 병원 정원 / 오후

  병원 정원에서 촬영이 진행 중이다.
  미라가 촬영을 지켜보고 있고, 그 뒤로 어느샌가 슬그머니 나타난 장 씨. 그런데 장 씨의 옷차림이 예사롭지 않다. 한눈에도 평소보다 멋을 낸 느낌.

김 작가 : (승찬이의 큐 신호를 보고) 아름이는 혹시 누굴 좋아한 적 있어?
아름 : 좋아하는 사람이요? 많죠. 우리 엄마랑 아빠, 외할머니, 외할아버지. 또……. 아! 우리 옆집 짱가 할아버지도 좋아해요.

  순간 ㉣우쭐해지는 장 씨.

아름 : (갑자기 사레들린 듯이) 콜록콜록. / **미라** : 아름아, 괜찮아?

  옆에서 지켜보던 미라가 달려든다. 자연스럽게 촬영이 중단된다. 멈출 줄 모르는 아름이의 기침.

  (Ⓒ   ). 촬영 팀, 촬영을 접고 있다.
  이야기 중인 승찬이와 미라, 그리고 그 사이로 어슬렁거리는 장 씨.

승찬 : 오늘은 아무래도 힘들겠지?
미라 : (ⓓ   ) 야! 넌 어떻게……. 보고도 몰라?
승찬 : 그치, 뭐 어쩔 수 없지. (주변을 맴도는 장 씨를 보며) 아! 아름이 옆집 할아버지시죠? 혹시 저희랑 인터뷰 좀…….
장 씨 : 아, 뭐……. 나요? 그럼 어디 앉을까요?

(ⓓ). 장 씨 인터뷰를 시도하는 촬영 팀. 장 씨, 바짝 얼어 있다.

승찬 : 자, 할아버지. 준비되셨죠? 한번 가 볼게요. (촬영 감독에게 신호 주며) 큐! / **김 작가** : 아름이는 어떤 아이인가요?
장 씨 : (ⓔ) 어, 이아름 군은, 아니지, 우리 한아름 군은……
승찬 : 컷! (장 씨 보며) 할아버지, 그냥 평소처럼 하세요. 카메라 없는 데서 우리 작가랑 대화한다고 생각하시고요.

　　장 씨, 고개를 끄덕이지만 여전히 얼어있다. 카메라도 제대로 바라보지 못하는 장 씨. '컷! 엔지!', '컷! 엔지!', 이어지는 장 씨의 엔지.
장 씨 : 어, 우리 한여름, 에고……. / **장 씨** : 아름이 이놈 자식은요?

　　(ⓔ). 지친 촬영 팀. 승찬이도 이젠 거의 포기한 얼굴이다.

승찬 : 한 번만 더. 자, 큐! / **김 작가** : 아름이는 어떤 아이인가요?
장 씨 : (드디어 카메라를 정면으로 본다.) 아름이는…… 친구요, 내 친구.

　　대답하는 장 씨의 얼굴에 진심이 묻어난다.

(다) S# 52. (㉮) [서하와의 교신]

　　(㉯). 푸른 하늘에 뭉게뭉게 떠 있는 하얀 구름.

아름 : ㉢(소리) 푸른 하늘에 하얀 뭉게구름을 볼 때…….

　　(㉯). 트램펄린을 타는 아이들의 즐거운 까르르, 웃음 소리.

아름 : (소리) 아이들의 해맑은 웃음소리를 들을 때……. 나는 살고 싶어져.

　　(㉯). 햇살 속, 나란히 누워 베갯잇 향기를 맡는 미라와 아름이.

아름 : (소리) 맑은 날 오후, 엄마와 함께 햇빛을 머금은 포근한 빨래 냄새를 맡을 때에도.

　　(㉯). 동네 구멍가게 앞. 텔레비전 속 연속극을 보며 눈물을 훔치는 아저씨.

아름 : (소리) 무뚝뚝한 우리 동네 구멍가게 아저씨가 연속극을 보며 우는 걸 보고 살고 싶다고 생각한 적도 있고……. (중략)
아름 : (소리) 저녁 무렵, 골목길에서 밥 먹으라고 손주를 부르는 할머니의 소리가 울려 퍼질 때에도……. 여름날 엄마가 아빠 등목을 해 주며 찬물을 끼얹는 걸 볼 때에도……. 나는 살고 싶어져. 아빠와 함께 초승달이 뜬 초저녁 초롱초롱한 금성을 보면서도……. 반짝반짝 빛을 내며 야간 비행을 하는 비행기를 볼 때에도……. 살고 싶어지고는 해. 서하야, 너는 어때?

---

14 위와 같은 글의 특징으로 **잘못된** 것은?

① 시간 공간적 배경 표현이 비교적 자유롭다.
② 장면을 단위로 내용을 구성하고 있다.
③ 대사와 지시문으로 사건이 전개된다.
④ 과거와 현재가 적절히 교차된다.
⑤ 등장인물의 수에 제약이 적은 편이다.

15 윗글의 인물에 대한 설명 중 옳은 것은?

① '아름'이는 특별한 경험보다 평범한 일상의 하루하루를 소중하게 생각하고 있다.

② '장씨'는 천진난만한 아름이와 마음을 나누고 공감하는 진정한 친구 사이이다.

③ '불량한 학생들'은 자신들과 조금이라도 다른 외모의 소유자는 모두 비아냥거린다.

④ '대수'는 무술 실력이 상당하여 아름이 앞에서 불량 청소년들을 혼내준다.

⑤ '승찬'은 방송 촬영보다는 아름이의 건강 회복을 최우선으로 생각하고 있다.

16 윗글을 감상한 독자들의 반응 중 가장 적절하지 <u>않은</u> 것은?

① **정은** : 윗글의 인물들의 삶을 통해 제 자신의 삶을 한번 되돌아 보게 되네요.

② **수진** : 맞아요. 우리의 삶과 우리 사회를 진지하게 성찰하며 우리 사회의 전망까지도 고민하게 돼요.

③ **지연** : 윗글에는 다양한 사람들이 함께 어우러져 살아간다는 사회 문화적 가치가 담겨 있는 것 같아요.

④ **보윤** : 저는 제 관심에서 조금 다르게 비판하면서 읽게 되네요. 주변의 아픈 아이를 다 괴롭히는 건 아니니까요.

⑤ **미현** : 저는 여기 나오는 등장인물 한 사람 한 사람 공감해요. 작가의 생각에 100% 동의해야 한다고 생각해요.

17 ㉠~㉤에 대한 설명 중 적절하지 <u>않은</u> 것은?

① ㉠ : '짓궂게 빈정거리면서'의 뜻으로 불량학생들의 말하기 태도를 나타낸다.

② ㉡ : 불량학생들이, 대수와 산책 나온 아름이를 가리켜 하는 말이다.

③ ㉢ : 대수가 불량학생을 물리치기를 바라는 아름이의 소망이 나타난다.

④ ㉣ : 의기양양하여 뽐낸다는 뜻으로 장씨는 아름이와 친구인 것을 뽐낸다.

⑤ ㉤ : 독백의 효과를 살려 인물의 심리를 효과적으로 전달하고 있다.

18 ⓐ~ⓔ에 들어갈 지시문 중 내용상 <u>어색한</u> 것은?

① ⓐ : 귀찮다는 듯한 말투로　　　　　　② ⓑ : 아름이의 모자를 던지며

③ ⓒ : 가다가 멈칫 돌아보며　　　　　　④ ⓓ : 쏘아보며

⑤ ⓔ : 카메라를 보며

19 밑줄 친 Ⓐ-Ⓔ에 들어갈 시나리오 용어 중 <u>다른</u> 하나는?

① Ⓐ　　　　② Ⓑ　　　　③ Ⓒ　　　　④ Ⓓ　　　　⑤ Ⓔ

객관식 심화문제

(가)

S# 8. 대수의 택시 안–밖/오후

밝은 음악과 함께 시작되는 택시 안 풍경.
손님을 발견한 대수, 그쪽으로 차를 세운다.
선한 인상의 평범한 30대 부부, 임신을 한 여자는 배가 많이 불러 있다.
차를 세운 대수가 보조석 창문을 내린다.

남편 : ○ 병원 사거리요.
대수 : 예. 근데 죄송한데, 사정상 저희 아들하고 오늘 같이 좀 다녀야 해서 그러는데…….
남편 : 어? 저 혹시, 지난주에 방송 나왔던?
부인 : 어! (반가워하며) 어어…….
남편 : 맞죠?

　Cut to. 길가. 한 젊은 여자가 손을 흔들자, 여자 앞으로 다가와 서는 대수의 택시. 휴대 전화로 통화를 하며 택시 뒷자석에 타는 여자. '가로수 길이요.' 하고는 다시 통화를 계속한다.

　'저, 손님 양해 좀 드려야 할…….'이라고 말하며 대수가 아름이에 대해 설명하려 하지만 쉼 없이 통화하는 여자는 눈길도 안 준다. 잠시 후 통화가 끝난 여자, 앞 좌석의 아름이를 발견하고는 '꺅!' 하며 비명을 지른다.

대수 : (돌아보며) 아, 손님이 통화 중이셔서 먼저 말씀을 못 드렸습니다. 사정상 저희 아들이랑 같이 좀 다녀야 하는데, 애
　　　가 몸이 좀 불편…….
여자 : (못 볼 걸 본 듯 얼굴이 일그러지며) 아저씨. 뭐예요, 진짜! 택시 하면서 진짜! 아, 뭐하는 거야? 진짜, 짜증 나 죽겠어!

　여자, 차에서 내려 바로 다른 택시를 잡아탄다.

　Cut to. 교복을 입은 아름이 또래의 아이들 셋이 택시 뒷자석에 타고 있다.
　여학생 1이 아름이를 알아본 표정. 여학생 2의 귀에 대고 속닥속닥. '그래?' 하며 반응하는 여학생 2
　여학생 3은 아름이를 힐끔거리며 그새 스마트폰으로 아름이의 정보를 검색한다.

여학생2 : (거침없이) 저기, 인증 사진 좀 찍을 수 있을까요?

　아름이 앞에 스마트폰을 들이밀고 뒤에서 자세를 취하는 학생들.
　밝은 분위기, 구김살 없는 아이들의 모습에 왠지 주눅이 드는 아름이.

　Cut to. 학원가 앞에서 내리는 아이들.

여학생3 : 고맙습니다.
여학생1 : (내리며 아름이에게) 안녕. 빨리 건강해져.
아름 : (목례하며) 아, 네…….
대수 : 고마워요. 공부들 열심히 하고.

　삼삼오오 모여 학원으로 들어가는, 자신과 비슷한 또래의 아이들을 보는 아름이의 눈에 부러움이 깃들었다.
　대수, 그런 아름이를 본다.

(나)

S# 10. 한강 둔치/밤

미라 : (바람을 맞으며 살짝 웃음을 보이면서) 아, 기분 좋다. 난 바람 부는 날이 왜 이렇게 좋지?

대수 : 어? 나도 그런데!

아름 : ㉠(차분하고 또박또박한 말투로) 바람이 불면 공기 중에 음이온이 많이 발생해서 괜히 들뜨고 기분이 좋아지는 거래요.

대수 : 오오!

미라 : ㉡(아름이의 볼을 어루만지면서) 어휴, 똑똑해. 누굴 닮았을까, 우리 아들!

대수 : (당연하다는 듯이) 누굴 닮긴 날 닮았지.

미라 : (콧방귀를 뀌며) 치.

대수 : 왜? 맞잖아. 팥빙수 좋아하는 거, 콩밥 싫어하는 거, 발가락 긴 거, 유머 감각 있고 또 속은 얼마나 깊어.

미라 : 치, 좋은 건 다 지 닮았대. (아름이의 눈을 가리키며) 어, 눈 예쁘고 똑똑한 건 날 닮았지.

대수 : 눈도 나랑 똑같잖아!

미라 : 아, 시끄럽고, 가서 맥주나 더 사 온나!

대수 : (아름이에게) 같이 갈까?

웃으며 일어나는 대수와 아름이.

S# 11. 한강 둔치 / 밤

　　매점 앞.
　　맥주가 담긴 봉지를 들고 매점을 나오는 대수와 아름이.

아름 : 아빠, 나 화장실.

　　Cut to. 간이 화장실 옆.
　　대수와 조금 떨어진 간이 화장실 옆의 으슥한 공간.
　　불량스러워 보이는 학생들에게 둘러싸인 아름이. 남학생 넷, 여학생 둘.

불량한 남학생 1 : 너 진짜 애야? 할배 아니고?

불량한 여학생 2 : (동물원의 동물을 보듯이) 우아! 진짜 신기하다.

불량한 남학생 2 : (아름이의 얼굴을 살피며 히죽이죽 웃으면서) 외계인이야, 뭐야?

불량한 여학생 1 : 아, 방송에서 뭐라고 했는데……. ㉢(귀찮다는 듯한 말투로) 아, 몰라. 암튼 막 빨리 늙어서 죽는 병이래.

아름 : 비켜요.

　　남학생이 아름이의 모자를 낚아채 벗긴다.
　　아름이의 듬성듬성한 머리가 드러나자 놀라는 아이들.

불량한 여학생 1 : 대박!

불량한 남학생 1 : ㉣(막상 보니 놀라서 뒷걸음질을 치며) 뭐야, 이거?

불량한 남학생 2 : (아름이의 모자를 던지며) 야, 이거 혹시 옮는 병 아냐? 아이씨.

　　Insert. 뭔가 이상한 기분이 들어 두리번거리는 대수.
　　간이 화장실 옆.

대수 : 아름아!

아름 : (대수를 보며) 아빠!

'아빠야?', '야, 아빠래.' 젊은 아빠인 대수의 모습을 보자 상황이 우습다는 듯, 키득거리는 아이들.

대수 : 괜찮아? 너 모자……. (말하면서 모자를 집어 아름이와 자리를 뜨는데.)

불량한 남학생 1 : (끝까지 이기죽거리면서) 어이쿠, 효자 아저씨. 아버님 모시고 밤 마실 나오셨나 봐요?

불량한 남학생 2 : 아니, 어떻게 사람한테서 골룸이 태어나냐.

대수 : ⓜ(가다가 멈칫, 돌아보며) 야! 너 지금 뭐라 그랬어?

결국 불량한 남학생의 멱살을 잡고 마는 대수.
손을 뿌리치고 껄렁거리며 대수를 에워싸는 불량한 학생들.
대수가 아름이를 한쪽을 안전하게 비켜 세우고는, 아름이를 향해 씩 웃으며 윙크를 하더니 마치 이소룡처럼 자세를 잡는다.
일 대 사의 열세에도 민첩하고 멋지게 싸워나가는 대수.
액션 영화의 한 장면처럼 멋지게 싸우며 공중에서 1회전 반을 돌아 540도 발차기! 멋지게 악당을 물리치는 대수.
하지만 이것은 아름이의 환상이었다.
다시 현실.
현실의 상황은 아름이의 환상과 전혀 다르다. 남학생들에게 둘러싸여 맞다가 반격을 시작하는 대수. 온 힘을 다해 학생들을 뿌리치고는 있는 힘껏 발차기를 날린다.
하지만 대수의 발에 맞은 것은 학생들이 아니라 말리러 오던 경찰.
이내 뻗어 버린 경찰. 당황한 대수. 놀란 아름이.

(다)
S# 51. 아름이의 병실/밤
의자에 앉은 아름이. 태블릿 컴퓨터를 보고 있는데 전자 우편의 끄트머리에 '아름아, 넌 언제 살고 싶어지니?'라는 문장이 보인다.
미동도 않고, 문장의 의미를 생각하던 아름이.
'답장'을 누르고 전자 우편을 쓰기 시작한다.

아름 : (소리) 살고 싶어지는 때?

S# 52. (　) [서하와의 교신]
이미지. 푸른 하늘에 뭉게뭉게 떠 있는 하얀 구름.

아름 : (소리) 푸른 하늘에 하얀 뭉게구름을 볼 때…….

이미지. 트램펄린을 뛰고 있는 아이들의 모습. 아이들의 즐거운 까르르, 웃음소리.

아름 : (소리) 아이들의 해맑은 웃음소리를 들을 때……. 나는 살고 싶어져.

이미지. 햇살 아래, 빨랫줄에 걸려 있는 베갯잇. 나란히 누워 그 향기를 맡는 미라와 아름이.

아름 : (소리) 맑은 날 오후, 엄마와 함께 햇빛을 머금은 포근한 빨래 냄새를 맡을 때에도.

이미지. 동네 구멍가게 앞. 텔레비전 속 연속극을 보며 눈물을 훔치는 건장한 아저씨.

아름 : (소리) 무뚝뚝한 우리 동네 구멍가게 아저씨가 연속극을 보며 우는 걸 보고 살고 싶다고 생각한 적도 있고…….

　　이미지. 아름이가 나열하는 것들의 이미지가 아름답게 보인다.

아름 : (소리) 저녁 무렵, 골목길에서 밥 먹으라고 손주를 부르는 할머니의 소리가 울려 퍼질 때에도……. 여름날 엄마가 아빠 등목을 해 주며 찬물을 끼얹는 걸 볼 때에도……. 나는 살고 싶어져. 아빠와 함께 초승달이 뜬 초저녁 초롱초롱한 금성을 보면서도……. 반짝반짝 빛을 내며 야간 비행을 하는 비행기를 볼 때에도……. 살고 싶어지고는 해. 서하야, 너는 어때?

(라) 아름에게

　　'서하야'라고 쓴 부분을 오래도록 바라봤어. 알고 있니. 네가 나를 그렇게 불러준 건 이번이 처음이란 거. 너도 하기 어려운 이야기였을 텐데. 마음을 열어줘서 고마워. 그리고 우리, 서로에게 하나씩 질문하기로 한 거 잊지 않고 있지? 지난번에는 네 물음에 내가 답했으니까 이번에는 내 차례인 것 같아. 네가 기분 나빠지지 않고 들어주었으면 좋겠어. 나는 늘 네가 하는 말을, 내가 하는 말인 양 듣고 있거든. 그래도 혹 불편하다면 굳이 답해 주지 않아도 좋아. 정말로 서운해하지 않을게.

　　아름아, 너는 …….언제 살고 싶니?

서하에게

　　사실 좀 당황했어. 만일 다른 사람이 그랬다면 분명 거절했겠지만 네가 궁금해하는 거니까 대답해줄게. 그리고 화 안 났어. 음, 일단 생각나는 대로 말해 볼게. 우리집엔 황토 쌀독이 하나 있어. 이른 아침, 어머니는 밥을 하려고 거기서 쌀을 푸곤했는데, 그때 나는 어렴풋이 부엌에서 새어 나오는 독 뚜껑 닫히는 소리가 좋았어. 그 소리를 들으면 살고 싶어졌지. 상투적인 멜로영화 예고편, 그런 것을 봐도 살고 싶어지고. 아! 재미있는 오락 프로그램에서 내가 좋아하는 연예인이 재치있는 에드리브를 던질 때, 그때 나는 살고 싶어져. 동네 구멍가게의 무뚝뚝한 주인아저씨. 그 아저씨가 드라마를 보다 우는 것을 보고 살고 싶다 생각한 적도 있어. 그리고 또 뭐가 있을까 여러 가지 색깔이 뒤섞인 저녁 구름. 그걸 보면 살고 싶어져. ….〈중략〉

　　와 …. 정말 많다. 그지? 아마 밤새워도 모자랄걸? 나머지는 차차 알려줄게.

　　어쨌든 내 주위를 둘러싼 모든 게 나를 두근대게 해. 아, 그리고 하나 더 있다. 네가 보낸 편지. 그럼 또 쓸게. 잘 자.

　　그리고 그게 다였다. 그애는 어느날 말도 없이 연락을 뚝 끊어버렸다. 몇 번이나 편지를 보내고 안부를 물어도 묵묵 부답이었다. 나는 혹시 그애가 승찬 아저씨의 연락을 받고 내게서 완전히 떠나버린 것은 아닐까 걱정했다.

01 (가)에 대한 설명으로 적절하지 <u>않은</u> 것은?

　　① 사람들의 다양한 반응을 통해 '아름'을 대하는 사회의 시선을 보여주고 있다.
　　② 건강한 삶, 호기심을 갖고 사는 삶에 대한 의미와 가치에 대해 생각해 보게 한다.
　　③ 여학생들의 건강하고 걱정 없는 모습과 대조적인 아름의 모습이 드러나 있다.
　　④ 택시는 '아름'을 대하는 다양한 사람들의 반응을 보여주는 공간이다.
　　⑤ 장애인을 비롯해 다양한 사람들과 어울려 살아가는 방식을 알려준다.

02 ㉠~㉤에 대한 설명으로 적절하지 않은 것은?

① ㉠ : 생각이 깊고 조숙한 '아름'의 성격을 드러내고 있다.

② ㉡ : 아들 '아름'에 대한 '미라'의 애정을 보여 주고 있다.

③ ㉢ : 타인의 고통에 무관심한 '여학생1'의 태도를 보여 주고 있다.

④ ㉣ : '아름'의 병이 옮을까봐 겁내는 '남학생1'의 심리를 드러내고 있다.

⑤ ㉤ : '불량한 학생들'의 무례한 말에 분노하는 '대수'의 속마음을 드러내고 있다.

03 윗글에 대한 감상으로 가장 적절한 것은?

① S# 10의 '미라'와 '대수'의 갈등에서 '아름'에 대한 부모의 기대를 추측할 수 있었어.

② S# 10의 '아름'이 가족의 단란한 모습에서 가족 공동체 복원의 필요성을 느낄 수 있었어.

③ S# 11의 '아름'의 모자를 줍는 '대수'의 모습에서 아들을 돕는 '대수'의 인내심을 발견할 수 있었어.

④ S# 11의 '불량한 남학생'의 멱살을 잡는 모습에서 무너진 권위를 회복하려는 '대수'의 자존심을 짐작할 수 있었어.

⑤ S# 11의 '아름'을 조롱하는 모습에서 자신들이 '아름'보다 우위에 있다고 생각하는 '불량한 학생들'의 편협함을 확인할 수 있었어.

04 (라)는 (가)시나리오의 원문 소설 중 일부이다. (가)와 (라)에 대한 설명으로 적절하지 않은 것은?

① (가)와 (라)는 모두 등장인물을 둘러싼 사건이 주요 내용이 된다.

② (가)는 인물의 심리가 행동을 통해 직접적으로 제시되지만, (라)는 인물의 심리가 간접적으로 제시된다.

③ (가)는 대사를 중심으로, (라)는 서술을 중심으로 사건이 전개된다.

④ (가)는 영화 상영을 전제로 창작되었고, (라)는 독자가 읽는 것을 목적으로 창작되었다.

⑤ (가)와 (라)는 모두 희곡에 비해 시 · 공간적, 등장인물 수의 제약이 적은 편이다.

05 (가)의 장면S#52 서하와의 교신은 '따로 촬영된 화면을 떼어 붙이면서 새로운 내용을 만들어 내고 있다' 괄호 안에 사용된 영화의 기법은?

① Cut to   ② 몽타주   ③ C.U   ④ O.L   ⑤ Ins(insert)

[06~08] 다음 글을 읽고 물음에 답하시오.

(가)

㉠꼿꼿하게 걷는 수많은 사람들 사이에서
그는 ㉡춤추는 사람처럼 보였다.
한걸음 옮길 때마다
그는 앉았다 일어서듯 다리를 구부렸고
그때마다 윗몸은 반쯤 쓰러졌다 일어났다.
그 요란하고 기이한 걸음을
㉢지하철 역사가 적막해지도록 조용하게 걸었다.
어깨에 매달린 가방도
함께 소리 죽여 힘차게 흔들렸다.
못 걷는 다리 하나를 위하여
온몸이 다리가 되어 흔들어주고 있었다.
사람들은 모두 기둥이 되어 우람하게 서 있는데
그 빽빽한 기둥 사이를
그만 홀로 팔랑팔랑 지나가고 있었다.

– 김기택, 「다리 저는 사람」 –

(나) S# 8. 대수의 택시 안-밖/오후

밝은 음악과 함께 시작되는 택시 안 풍경.
손님을 발견한 대수, 그쪽으로 차를 세운다.
선한 인상의 평범한 30대 부부, 임신을 한 여자는 배가 많이 불러 있다.
차를 세운 대수가 보조석 창문을 내린다.

남편 : ○ 병원 사거리요.
대수 : 예. 근데 죄송한데, 사정상 저희 아들하고 오늘 같이 좀 다녀야 해서 그러는데…….
남편 : 어? 저 혹시, 지난주에 방송 나왔던?
부인 : 어! (반가워하며) 어어…….
남편 : 맞죠?

Cut to. 길가. 한 젊은 여자가 손을 흔들자, 여자 앞으로 다가와 서는 대수의 택시.
휴대 전화로 통화를 하며 택시 뒷좌석에 타는 여자. '가로수 길이요.' 하고는 다시 통화를 계속한다.
'저, 손님 양해 좀 드려야 할…….'이라고 말하며 대수가 아름이에 대해 설명하려 하지만 쉼 없이 통화하는 여자는 눈길도 안 준다.
잠시 후 통화가 끝난 여자, 앞좌석의 아름이를 발견하고는 '꺅!' 하며 비명을 지른다.

대수 : (돌아보며) 아, 손님이 통화 중이셔서 먼저 말씀을 못 드렸습니다. 사정상 저희 아들이랑 같이 좀 다녀야 하는데, 애
　　 가 몸이 좀 불편…….
여자 : (못 볼 걸 본 듯 얼굴이 일그러지며) 아저씨, 뭐예요, 진짜! 택시 하면서 진짜! 아, 뭐하는 거야? 진짜, 짜증 나 죽겠어!

여자, 차에서 내려 바로 다른 택시를 잡아탄다.

Cut to. 교복을 입은 아름이 또래의 아이들 셋이 택시 뒷좌석에 타고 있다.

여학생 1이 아름이를 알아본 표정. 여학생 2의 귀에 대고 속닥속닥. '그래?' 하며 반응하는 여학생 2

여학생 3은 아름이를 힐끔거리며 그새 스마트폰으로 아름이의 정보를 검색한다.

여학생2 : (거침없이) 저기, 인증 사진 좀 찍을 수 있을까요?

아름이 앞에 스마트폰을 들이밀고 뒤에서 자세를 취하는 학생들.

밝은 분위기, 구김살 없는 아이들의 모습에 왠지 주눅이 드는 아름이.

Cut to. 학원가 앞에서 내리는 아이들.

여학생3 : 고맙습니다.

여학생1 : (내리며 아름이에게) 안녕. 빨리 건강해져.

아름 : (목례하며) 아, 네…….

대수 : 고마워요. 공부들 열심히 하고.

삼삼오오 모여 학원으로 들어가는, 자신과 비슷한 또래의 아이들을 보는 아름이의 눈에 부러움이 깃들었다.

대수, 그런 아름이를 본다.

S# 52. 몽타주 [서하와의 교신]

(전략)

아름 : (소리) 아이들의 해맑은 웃음소리를 들을 때……. 나는 살고 싶어져.

이미지. 햇살 아래, 빨랫줄에 걸려 있는 베갯잇. 나란히 누워 그 향기를 맡는 미라와 아름이.

아름 : (소리) 맑은 날 오후, 엄마와 함께 햇빛을 머금은 포근한 빨래 냄새를 맡을 때에도.

이미지. 동네 구멍가게 앞. 텔레비전 속 연속극을 보며 눈물을 훔치는 건장한 아저씨.

아름 : (소리) 무뚝뚝한 우리 동네 구멍가게 아저씨가 연속극을 보며 우는 걸 보고 살고 싶다고 생각한 적도 있고…….

이미지. 아름이가 나열하는 것들의 이미지가 아름답게 보인다.

아름 : (소리) 저녁 무렵, 골목길에서 밥 먹으라고 손주를 부르는 할머니의 소리가 울려 퍼질 때에도……. 여름날 엄마가 아빠 등목을 해 주며 찬물을 끼얹는 걸 볼 때에도……. 나는 살고 싶어져. 아빠와 함께 초승달이 뜬 초저녁 초롱초롱한 금성을 보면서도……. 반짝반짝 빛을 내며 야간 비행을 하는 비행기를 볼 때에도……. 살고 싶어지고는 해. 서하야, 너는 언제?

– 원작 김애란/ 각본 최민석 외, 「두근두근 내 인생」 –

06 (가)에 대한 설명으로 가장 적절한 것은?

① 수미상관의 기법을 활용하여 작품 전체에 통일성을 주고 있다.

② 공간의 이동에 따라 대상에 대한 화자의 태도 변화가 드러나고 있다.

③ 비유적 표현을 활용하여 대상이 지닌 속성을 뚜렷이 드러내고 있다.

④ 상황의 점층적 심화를 통해 대상이 느끼는 절망감을 나타내고 있다.

⑤ 음성상징어를 활용하여 무겁고 정적인 작품의 분위기를 효과적으로 표현하였다.

07 (가)와 (나)에 대한 설명으로 가장 적절한 것은?

① (가)는 (나)와 달리 창작될 때부터 다른 매체로 결과물을 제작하기 위한 목적성을 띠고 있다.

② (가)는 (나)와 달리 작가의 경험에 상상력이 더해진 이야기로, 읽은 이에게 삶의 교훈을 전달한다.

③ (나)는 (가)와 달리 작가의 생각 및 가치관이 담겨 있으며, 운율이 있는 언어로 표현되어 있다.

④ (가)는 화자가 대상을 바라보는 관점에 따라, (나)는 등장인물의 대사 및 행동을 통해 주제가 전달된다.

⑤ (가)와 (나)는 모두 작품 첫머리에 등장인물이나 장소 및 배경을 설명하는 부분이 작품의 필수 구성요소로 제시된다.

08 (가), (나)를 이해한 내용으로 적절하지 않은 것은?

① **가영** – ㉠은 장애를 가지고 있지 않지만 경직되어 있는 사람들로, 이 작품에서는 부정적으로 묘사하고 있어.

② **나영** – (나)의 '여학생 1~3'은 신체적으로 건강하다는 점에서 ㉠과 유사하지만, 부러움의 대상이 된다는 점에서 ㉠과는 다른 존재로 그려지고 있어.

③ **다영** – ㉡은 대상이 가지고 있는 삶의 태도에 초점을 맞추어 화자가 대상을 긍정적으로 바라보고 있음을 나타내지.

④ **라영** – (라)에서 ㉡과 같은 인물로는 '아름'이가 있어. 난치병을 앓고 있음에도 가족의 소중함을 알고 일상 속에서 행복을 느끼는 모습이 긍정적으로 그려지지.

⑤ **마영** – ㉢은 '그'와 사람들이 대비를 이루고 있는 공간으로, (나)에서는 '아름이'와 '아름이'에게 적대적인 태도를 취하는 승객들 및 운전수가 타고 있는 택시 안이 여기에 해당 돼.

(㉠) 10. 한강 둔치 / 밤

미라 : (바람을 맞으며 살짝 웃음을 보이면서) 아, 기분 좋다. 난 바람 부는 날이 왜 이렇게 좋지?

대수 : 어? 나도 그런데!

아름 : (차분하고 또박또박한 말투로) ⓐ바람이 불면 공기 중에 음이온이 많이 발생해서 괜히 들뜨고 기분이 좋아지는 거래요.

대수 : 오오!

미라 : (아름이의 볼을 어루만지면서) 어휴, 똑똑해. 누굴 닮았을까, 우리 아들!

대수 : (당연하다는 듯이) 누굴 닮긴 날 닮았지.

미라 : (콧방귀를 뀌며) 치.

대수 : 왜? 맞잖아. 팥빙수 좋아하는 거, 콩밥 싫어하는 거, 발가락 긴 거, 유머 감각 있고 속은 또 얼마나 깊어.

미라 : 치, 좋은 건 다 지 닮았대. (아름이의 눈을 가리키며) 어, 눈 예쁘고 똑똑한 건 날 닮았지.

대수 : 눈도 나랑 똑같잖아!

S# 11. 한강 둔치 / 밤

　매점 앞. / 맥주가 담긴 봉지를 들고 매점을 나오는 대수와 아름이.

아름 : 아빠, 나 화장실.

　(㉡) 간이 화장실 옆.

　대수와 조금 떨어진 간이 화장실 옆의 으슥한 공간.

　불량스러워 보이는 학생들에게 둘러싸인 아름이. 남학생 넷, 여학생 둘.

불량한 남학생1 : 너 진짜 애야? 할배 아니고?

불량한 여학생2 : (동물원의 동물을 보듯이) 우아! 진짜 신기하다.

불량한 남학생2 : (아름이의 얼굴을 살피며 히죽이죽 웃으면서) 외계인이야, 뭐야?

불량한 여학생1 : 아, 방송에서 뭐라고 했는데……. (귀찮다는 듯한 말투로) ⓑ아, 몰라, 암튼 막 빨리 늙어서 죽는 병이래.

아름 : 비켜요.

　남학생이 아름이의 모자를 낚아채 벗긴다. 아름이의 듬성듬성한 머리가 드러나자 놀라는 아이들.

불량한 여학생1 : 대박!

불량한 남학생1 : (막상 보니 놀라서 뒷걸음질을 치며) 뭐야, 이거?

불량한 남학생2 : (아름이의 모자를 던지며) 야, 이거 혹시 옮는 병 아냐? 아이씨.

　(㉢) 뭔가 이상한 기분이 들어 두리번거리는 대수.

　간이 화장실 옆.

대수 : 아름아!

아름 : (대수를 보며) 아빠!

　'아빠야?', '야, 아빠래.' 젊은 아빠인 대수의 모습을 보자 상황이 우습다는 듯, 키득거리는 아이들.

대수 : 괜찮아? 너 모자……. (말하면서 모자를 집어 아름이와 자리를 뜨는데.)

불량한 남학생1 : (끝까지 이기죽거리면서) 어이쿠, 효자 아저씨. 아버님 모시고 밤마실 나오셨나 봐요?

불량한 남학생2 : 아니, 어떻게 사람한테서 골룸이 태어나냐.

대수 : (가다가 멈칫, 돌아보며) 야! 너 지금 뭐라 그랬어?

S# 16. 병원 앞 거리 / 오후

모자와 커다란 선글라스로 가렸어도 드러나는 아름이의 병색.
사람들, 미라와 아름이를 호기심 어린 눈빛 혹은 동정 어린 눈길로 힐끗댄다. / 미라의 눈치를 보며 손을 잡아끄는 아름이. (중략)

미라 : 뭐가 창피한데, 뭐가?
아름 : (주위를 의식하며) 왜 그래, 진짜.
미라 : 너 아픈 애야. 아픈 애가 왜 자꾸 딴 데 신경 써? 사람들이 보건 말건, 병원비가 있건 없건, 애처럼 굴어. 아프면 울고 떼를 쓰란 말이야. 그냥 애처럼!
아름 : ……. 애처럼 안 보이니까 그렇지.
미라 : (선글라스를 벗으면서) 연예인도 아니면서 이런 걸 쓰고 다니니까 사람들이 쳐다보지!

가슴이 답답한 미라, 고개를 돌려 한숨만 내쉰다.
괜한 말 꺼내서 오도 가도 못하는 아름이는 땅만 발로 찬다.

미라 : 한아름! 엄마 봐. 내가 누구야. 나…….
미라/아름 : (아름이가 미라를 따라하며) ⓒ나, 열일곱 살에 애 낳은 여자야. / 두 사람, 마주 보고 피식 웃는다.

S# 49. 아름이의 병실 / 밤

(㉣) 습관처럼 전자 우편함을 확인하던 아름이. 드디어 전자 우편의 수신을 알리는 소리가 울린다. 아름이가 벌떡 일어난다.
서하의 편지다. 떨리는 손으로 전자 우편을 여는 아름이.

서하 : (소리) 답장이 늦어 미안해. 사실 많이 고민했어……. 사진…….
  하지만 나만 네 얼굴을 아는 건 불공평하겠다 싶어.
  난 네 부모님 얼굴까지 알고 있으니까.
  맘에 안 들지도 모르지만 한 장을 보내.

첨부된 사진을 여는 아름이. 화면 가득 키워서 본다.
싱그러움이 느껴지는 소녀의 손.
그 사진에서, 차마 아픈 모습을 보여 주고 싶지 않은 사춘기 소녀의 마음이 느껴진다.
ⓓ사진에 손을 가만히 갖다 대 보는 아름이.
사진 속 서하의 손과 아름이의 손이 포개지고, 맞잡은 것처럼 보이는 소년과 소녀의 손.

S# 50. 오솔길/오후 [아름이의 상상]

사진 위로 겹쳐진 두 손이 실제로 맞잡은 손이 된다.
손을 잡고 걷고 있는 소년과 소녀. 아름이와 서하의 뒷모습이다.
카메라가 점점 뒤로 가면서, 벚나무가 무성한 오솔길을 걷고 있는 소년과 소녀의 뒷모습이 아련하게 보인다.
서하가 아름이에게 전자 우편을 통해 들려주었던 음악이 잔잔하게 깔린다.

오솔길을 걷는 두 사람.
아름이는 자신의 꿈속에 등장했던 건강한 열여섯 살 소년의 모습을 하고 있다.

S# 52. [㉤] [서하와의 교신]

이미지. 푸른 하늘에 뭉게뭉게 떠 있는 하얀 구름.

아름 : (소리) 푸른 하늘에 하얀 뭉게구름을 볼 때…….

이미지. 트램펄린을 뛰고 있는 아이들의 모습. 아이들의 즐거운 까르르, 웃음 소리.

아름 : (소리) ⓔ아이들의 해맑은 웃음소리를 들을 때……. 나는 살고 싶어져.

이미지. 햇살 아래, 빨랫줄에 걸려 있는 베갯잇. 나란히 누워 그 향기를 맡는 미라와 아름이.

아름 : (소리) 맑은 날 오후,
엄마와 함께 햇빛을 머금은 포근한 빨래 냄새를 맡을 때에도.

이미지. 동네 구멍가게 앞. 텔레비전 속 연속극을 보며 눈물을 훔치는 건장한 아저씨.

아름 : (소리) 무뚝뚝한 우리 동네 구멍가게 아저씨가 연속극을 보며 우는 걸 보고 살고 싶다고 생각한 적도 있고…….

---

09 윗글의 서술상의 특징으로 적절하지 않은 것은?

① 장면을 단위로 이야기가 구성되어 있다.
② 인물의 속마음이나 욕망을 상상을 통해 드러낸다.
③ 지시문을 통해 인물의 행동과 성격을 직접 드러낸다.
④ 대사를 통해 인물의 성격을 드러내고 사건을 전개한다.
⑤ 유사한 화면을 활용하여 현실과 상상을 자연스럽게 연결시킨다.

10 윗글의 ㉠~㉤에 들어갈 시나리오 용어와 설명이 적절하지 않은 것은?

① ㉠ S# : 장면 번호로 촬영 장소와 시간을 안내하며 장면의 순서를 알게 한다.
② ㉡ Cut to : 장면 전환의 기법으로 같은 장소에서 시간의 경과를 나타내는 데 사용한다.
③ ㉢ insert : 화면과 화면사이에 다른 화면을 끼어 넣어 보여주는 편집기술이다.
④ ㉣ C.U. : 장면이나 인물의 특정 부분을 집중적으로 확대하여 찍는 촬영기술이다.
⑤ ㉤ Montage(몽타주) : 따로 촬영한 화면을 떼어 붙이면서 새로운 장면이나 내용을 만드는 기법이다.

11 밑줄 친 ⓐ~ⓔ에 대한 감상으로 적절하지 않은 것은?

① ⓐ : 아름이가 속마음을 잘 드러내지 않고 또래에 비해 조숙한 성격임을 알게 한다.
② ⓑ : 타인의 입장을 고려하지 않고 함부로 말하는 학생의 자기중심적 태도를 알 수 있다.
③ ⓒ : 타인의 시선에도 당당한 미라의 성격이 아름과의 유쾌한 화해를 이끌어 내고 있다.
④ ⓓ : 아름이의 행동을 통해 서하에 대해 공감하는 마음과 궁금해 하는 마음을 알게 한다.
⑤ ⓔ : 일반인에게는 소소하고 평범한 일상이 아름이게는 소중하고 의미 있는 하루임을 깨닫게 한다.

12 〈보기〉를 참고할 때, 이 작품을 읽은 독자의 반응으로 적절하지 <u>않은</u> 것은?

> ┤ 보기 ├
>
> 독자는 문학 작품을 읽으며 작품에 구현된 삶을 간접적으로 경험할 수 있고, 나아가 인물의 삶을 통해 자신의 삶을 되돌아보거나 생각을 확장할 수 있다. 이처럼 문학 작품을 감상하는 과정에서 독자는 개인적 경험에 사회·문화적 가치를 부여하며, 자신의 삶과 자신이 속한 사회를 진지하게 성찰하고 우리 사회의 전망까지 고민하게 된다.

① **지민** : 다양한 이웃들의 모습을 통해 함께 어우러져 사는 사회의 가치를 깨달았어.
② **석진** : 사회적 약자를 대하는 바람직한 태도가 무엇인지 고민하게 되었어.
③ **태형** : 차별과 편견 속에서 살아가는 사람들의 삶을 이해하고 공감할 수 있었어.
④ **남준** : 장애인에 대한 사회의 경제적, 재정적 지원을 더욱 늘려야한다는 생각이 들었어.
⑤ **정국** : 타인에게 무심코 던지는 말과 행동이 상대방에게 상처를 줄 수 있다는 것을 알게 되었어.

13 위 작품 전체와 〈보기〉에서 말하고자 하는 사회·문화적 가치로 가장 적절한 것은?

> ┤ 보기 ├
>
> 우리가 눈발이라면
> 허공에서 / 쭈빗쭈빗 흩날리는
> 진눈깨비는 되지 말자.
>
> 세상이 / 바람 불고 춥고 / 어둡다 해도
>
> 사람이 사는 마을
> 가장 낮은 곳으로
> 따뜻한 함박눈이 / 되어 내리자.
>
> 우리가 눈발이라면
> 잠 못 든 이의 창가에서는
> 편지가 되고
>
> 그이의 붉고 깊은
> 상처 위에 돋는
> 새살이 되자.
>
> — 안도현, 「우리가 눈발이라면」 —

① 자신과 다른 타인의 차이를 인정하고 포용하는 사회의 가치
② 힘든 이웃에게 동정과 연민을 느낄 수 있는 공감적 삶의 가치
③ 이웃과 함께 따뜻한 위로와 힘이 되는 더불어 사는 사회의 가치
④ 삭막하고 메마른 현실에서 용기와 희망을 잃지 않는 긍정적 삶의 가치
⑤ 힘든 상황 속에서도 웃음을 잃지 않고 서로의 아픔을 보듬는 가족의 가치

14 윗글의 '아름'과 〈보기〉의 '젊은이'의 대화로 적절하지 <u>않은</u> 것은?

┤ 보기 ├

가난한 사랑 노래 – 이웃의 한 젊은이를 위하여

가난하다고 해서 외로움을 모르겠는가
너와 헤어져 돌아오는
눈 쌓인 골목길에 새파랗게 달빛이 쏟아지는데
가난하다고 해서 두려움이 없겠는가
두 점을 치는 소리

방범대원의 호각 소리 메밀묵 사려 소리에
눈을 뜨면 멀리 육중한 기계 굴러가는 소리.
가난하다고 해서 그리움을 버렸겠는가
어머님 보고싶소 수없이 뇌어 보지만
집 뒤 감나무에 까치밥으로 하나 남았을
새빨간 감 바람 소리도 그려 보지만.
가난하다고 해서 사랑을 모르겠는가
내 볼에 와 닿던 네 입술의 뜨거움
사랑한다고 사랑한다고 속삭이던 네 숨결
돌아서는 내 등 뒤에 터지던 네 울음
가난하다고 해서 왜 모르겠는가
가난하기 때문에 이것들을
이 모든 것들을 버려야 한다는 것을

– 신경림, 「가난한 사랑 노래」 –

① **젊은이** : 저처럼 가난한 사람은 사람들이 느끼는 일반적인 감정마저도 온전히 누릴 수 없더군요.
② **아름** : 저도 보통 사람들과 다른 저의 외모 때문에 동정과 호기심의 시선을 받을 때가 많아요.
③ **젊은이** : 힘들 때는 고향에 계신 어머니와 이웃의 따뜻한 정이 그립습니다.
④ **아름** : 저는 부모님의 사랑과 위로로 웃을 수 있고 용기를 가지게 돼요.
⑤ **젊은이** : 사람으로 인한 고통은 모든 것을 버림으로써 극복되더군요.

15 〈보기〉를 참고할 때, 이 글을 감상하는 방법으로 적절하지 <u>않은</u> 것은?

> ┤ 보기 ├
>
> '타자'란 자기 외의 다른 사람, 즉 '나'와는 다른 환경 속에서 다른 가치관을 지니고 사는 사람을 의미한다. 우리는 '타자'가 '나와 틀린' 사람이 아닌, '다른' 사람임을 인식해야한다. 문학 활동은 작품에 등장하는 타자와 그의 삶에 대해 깊이 있게 탐구하고 발견할 수 있도록 도와준다. 독자는 작품 속에 인물들의 삶과 생각을 이해하고 평가하면서 자신을 성찰할 수 있는 기회를 갖게 되는 것이다. 이런 성찰을 통해 우리는 풍부한 감수성과 따뜻한 포용력, 바람직한 가치관등을 갖출 수 있다.

① **호경** : 모든 사람의 삶은 존중 받을 가치가 있기 때문에 타자의 삶을 이해해 보려는 자세를 가져야겠어.

② **선경** : 이 글에 나타난 타자의 삶을 통해 나는 동남아에서 온 타자를 어떻게 대하는지 성찰하는 기회를 가져야겠어.

③ **하린** : 이 글에 나타난 타자의 생각에 공감해 보면서 연민과 동정의 대상으로만 바라 볼 필요가 있음을 알게 되었어.

④ **한빛** : 아름을 모욕하고 비하하는 태도에서 스스로 사람 됨됨이를 갖추지 못함을 드러낸 그들이 타자에 대하여 포용력을 가졌으면 좋겠어.

⑤ **하민** : 면전에서 함부로 사람을 혐오하는 태도는 타자에 대하여 예의가 없음을 드러내는 행동임을 알게 되었어.

[16~20] 다음 글을 읽고 물음에 답하시오.

S# 11. 한강 둔치 / 밤

매점 앞.
맥주가 담긴 봉지를 들고 매점을 나오는 대수와 아름이.

아름 : 아빠, 나 화장실.

Cut to. 간이 화장실 옆.
대수와 조금 떨어진 간이 화장실 옆의 으슥한 공간.
불량스러워 보이는 학생들에게 둘러싸인 아름이. 남학생 넷, 여학생 둘.

불량한 남학생 1 : 너 진짜 애야? 할배 아니고?
불량한 여학생 2 : (동물원의 동물을 보듯이) 우아! 진짜 신기하다.
불량한 남학생 2 : (아름이의 얼굴을 살피며 히죽이죽 웃으면서) 외계인이야, 뭐야?
불량한 여학생 1 : 아, 방송에서 뭐라고 했는데……. (귀찮다는 듯한 말투로) 아, 몰라. 암튼 막 빨리 늙어서 죽는 병이래.
아름 : 비켜요.

남학생이 아름이의 모자를 낚아채 벗긴다. 아름이의 듬성듬성한 머리가 드러나자 놀라는 아이들.

불량한 여학생 1 : 대박!

불량한 남학생 1 : (막상 보니 놀라서 뒷걸음질을 치며) 뭐야, 이거?

불량한 남학생 2 : (아름이의 모자를 던지며) 야, 이거 혹시 옮는 병 아냐? 아이씨.

    Insert. 뭔가 이상한 기분이 들어 두리번거리는 대수.
    간이 화장실 옆.

대수 : 아름아!

아름 : (대수를 보며) 아빠!

    '아빠야?', '야, 아빠래.' 젊은 아빠인 대수의 모습을 보자 상황이 우습다는 듯, 키득거리는 아이들.

대수 : 괜찮아? 너 모자…… . (말하면서 모자를 집어 아름이와 자리를 뜨는데.)

불량한 남학생 1 : ㉠(끝까지 이기죽거리면서) 어이쿠, 효자 아저씨, 아버님 모시고 밤 마실 나오셨나 봐요?

불량한 남학생 2 : 아니, 어떻게 사람한테서 골룸이 태어나냐.

대수 : (가다가 멈칫, 돌아보며) 야! 너 지금 뭐라 그랬어?

    결국 불량한 남학생의 멱살을 잡고 마는 대수.
    손을 뿌리치고 껄렁거리며 대수를 에워싸는 불량한 학생들.
    대수가 아름이를 한쪽이를 안전하게 비켜 세우고는, 아름이를 향해 씩 웃으며 윙크를 하더니 마치 이소룡처럼 자세를 잡는다.
    일 대 사의 열세에도 민첩하고 멋지게 싸워나가는 대수.
    액션 영화의 한 장면처럼 멋있게 싸우며 공중에서 1회전 반을 돌아 540도 발차기! 멋지게 악당을 물리치는 대수.
    하지만 이것은 아름이의 환상이었다.
    다시 현실.
    현실의 상황은 아름이의 환상과 전혀 다르다. 남학생들에게 둘러싸여 맞다가 반격을 시작하는 대수. 온 힘을 다해 학생들을 뿌리치고는 있는 힘껏 발차기를 날린다.
    ㉡하지만 대수의 발에 맞은 것은 학생들이 아니라 말리러 오던 경찰.
    이내 뻗어 버린 경찰. 당황한 대수. 놀란 아름이.

S# 15. 병원 진료실/오후

    파리한 얼굴의 미라. 마주 앉은 주치의를 보고 있다.

주치의 : (모니터를 돌려 주며) 여기 있는 이 점이, 뇌혈관이 살짝 터졌던 흔적이에요. 운이 좋았어요. 잘못하면 애 중풍 걸릴 뻔했어요.

미라 : 저…… . 그게 모르고 지날 수도 있는 건가요?

주치의 : (아름이를 보며) 두통이 상당했을 텐데? 머리 아프단 소리 안 해요?

미라 : (답답하고 속상해하며) 아름아, 아픈 데 있으면 얘기하랬잖아.

아름 : (주눅 든 목소리로) 내가 언제 안 아픈 적 있었어?

미라 : (한숨을 쉰다.) …… .

주치의 : (화가 난 목소리로 미라에게) 이 지경이 되도록 대체 뭘 하신 겁니까? 잘못하면 이거, 올해도 못 넘겨요.

미라 : (아름이의 눈치를 보며) 선생님!

주치의 : (진정하고 아름이를 보며) 아름아.

아름 : 예?

주치의 : 잠깐만 나가 있을래?

아름 : ⓒ그냥 이야기해 주세요, 선생님.

미라 : 아름아! 나가 있어.

아름이, 미라의 얼굴을 보더니 결국 자리에서 일어나 밖으로 나간다.

주치의 : (한숨을 쉬며) 이 뇌 쪽도 문제지만 심혈관도 언제 터질지 모르는 상태입니다. 그러니까 심장에 시한폭탄을 달고 있는 거라고 생각하시면 돼요. (사이) 당장 입원시키세요. 밖에서 터지면 손도 못 써 봅니다.

S# 16. 병원 앞 거리/오후

모자와 커다란 선글라스로 가렸어도 드러나는 아름이의 병색.
사람들, 미라와 아름이를 호기심 어린 눈빛 혹은 동정 어린 눈길로 힐끗댄다.
미라의 눈치를 보며 손을 잡아끄는 아름이.
하지만 생각이 잠긴 미라는 빨리 걸을 생각이 전혀 없어 보인다.

아름 : 빨리 좀 가. 사람들이 쳐다보잖아.

미라 : (대수롭지 않은 듯이) 내가 너무 예쁜가 보지, 뭐!

아름 : (미라의 손을 잡아끄는데 따라오지 않자 짜증을 내며) 엄만 안 창피해?

태연한 미라의 태도에 짜증이 나서 손을 놔 버리는 아름이.
미라, 앞장서 가는 아름이의 배낭을 잡아챈다.

미라 : 뭐가 창피한데, 뭐가?

[A] **아름** : (주위를 의식하며) 왜 그래, 진짜.

미라 : 너 아픈 애야. ⓔ아픈 애가 왜 자꾸 딴 데 신경 써? 사람들이 보건 말건, 병원비가 있건 없건, 애처럼 굴어. 아프면 울고 떼를 쓰란 말이야. 그냥 애처럼!

아름 : ……. 애처럼 안 보이니까 그렇지.

미라 : (선글라스를 벗기면서) 연예인도 아니면서 이런 걸 쓰고 다니니까 사람들이 쳐다보지!

가슴이 답답한 미라, 고개를 돌려 한숨만 내쉰다.
괜한 말 꺼내서 오도 가도 못하는 아름이는 땅만 발로 찬다.

미라 : 한아름! 엄마 봐. 내가 누구야. 나…….

미라/아름 : (아름이가 미라를 따라하며) ⓜ나, 열일곱 살에 애 낳은 여자야.

두 사람, 마주 보고 피식 웃는다.

미라 : 아름아, 우리 이 길 몇 년 다녔어?

아름 : (잠시 셈을 해 본 후) 13년.

미라 : 그래. 막내 외삼촌은 네 나이에 포경 수술 하나 하면서도 죽네 사네 울고불고 난리를 떨었어. 근데 넌 그것보다 더 한 검사도 받고, 위기도 수없이 넘겼잖아.

아름 : 응…….

미라 : 그건 아무나 할 수 없는 거다? 넌 정말 대단한 일을 해내고 있는 거야. 그러니까 당당하게 보란 듯이 걸어도 돼, 알았지?

아름 : 응!

미라 : 가자!

아름이의 손을 잡는 미라, 사람들 시선쯤은 아랑곳하지 않고 걷는다. 당당하게.

– 최민석 외, 「두근두근 내 인생」 –

---

16 윗글에 대한 설명으로 옳은 것은?

① 형식의 제한이 없어 작가의 개성이 강하게 드러난다.
② 인물의 외양 묘사를 통해 인물의 성격을 드러내고 있다.
③ 장면을 단위로 하여 대사와 지시문으로 사건이 전개된다.
④ 과거와 현재가 교차하는 방식으로 사건이 진행되고 있다.
⑤ 인물의 대화뿐 아니라 서술자의 서술을 통해 갈등의 양상을 드러내고 있다.

17 다음을 참고할 때, 윗글을 읽은 후의 반응으로 적절하지 <u>않은</u> 것은?

┤ 보기 ├

　독자는 문학 작품을 읽으며 작품에 구현된 삶을 간접적으로 경험할 수 있고, 나아가 인물의 삶을 통해 자신의 삶을 되돌아보거나 생각을 확장할 수도 있다. 이처럼 문학 작품을 감상하는 과정에서 독자는 자신의 삶과 자신이 속한 사회를 진지하게 성찰하며 우리 사회의 전망까지 고민하게 된다.

① 장애인을 조롱하고 무시하는 사람이 우리 주위에도 있는지 되돌아보았어.
② 다른 사람의 입장을 생각하고 행동하는 것이 필요하다는 것을 깨닫게 되었어.
③ 사회적 약자를 배려하지 않는 말하기를 하지 않았는지 내 삶을 되돌아보았어.
④ 자신도 힘들지만 자식에게 용기를 주려는 엄마의 사랑의 위대함을 깨닫게 되었어.
⑤ 불량한 학생들이 밖에서 일탈을 저지르지 않도록 학교에서 엄하게 처벌할 필요가 있다는 것을 깨닫게 되었어.

18 ㉠~㉤에 대한 설명으로 적절한 것만을 〈보기〉에서 있는 대로 고른 것은?

┤ 보기 ├

㉠ : 젊어 보이는 '대수'와 나이보다 늙어 보이는 '아름'을 조롱하고 있다.

㉡ : 새로운 갈등의 발생으로 이전의 갈등이 해소되고, 다음 갈등이 새롭게 시작됨을 암시하고 있다.

㉢ : 자신의 현재 상태를 직시하고자 하는 용기 있는 면모가 드러난다.

㉣ : 자신의 감정에만 몰입하여 주변의 시선에 신경 쓰는 아름이의 태도에 속상해하는 미라의 마음이 드러난다.

㉤ : 아름이가 미라의 말을 따라하며 둘의 갈등이 해소되고 있다.

① ㉠, ㉡   ② ㉡, ㉤   ③ ㉢, ㉣   ④ ㉠, ㉢, ㉤   ⑤ ㉢, ㉣, ㉤

19 〈보기〉는 [A]의 원문 소설 중 일부이다. [A]와 〈보기〉에 대한 설명으로 적절하지 않은 것은?

┤ 보기 ├

병원 밖으로 나온 뒤, 슬쩍 어머니의 소매를 잡아당겼다.

"엄마." / "응?" / "사람들이 우릴 봐요."

어머니는 아무렇지 않게 대꾸했다.

"내가 너무 예쁜가보지."

기미 낀 얼굴에 거만한 미소를 띠고서였다. 눈가에는 두껍게 칠한 파운데이션이 주름을 따라 논바닥처럼 갈라져 있었다. 어머니는 오래 일해 남자처럼 뼈마디가 굵어진 손으로 내 작은 손을 꼭 감싸쥐었다. 그러고는 '이거 왜 이래? 나 열일곱에 애 낳은 여자야!'라는 태도로 꼿꼿이 걸어나갔다. 남의 이목 따위 진작부터 신경쓰지 않았다는 듯. 잘못한 게 없으니 도망치지 않겠다는 식으로 어머니는 나와 함께일 때 어디서든 서둘러 걷는 법이 없었다.

사람들의 시선에서 빨리 벗어나고 싶은 마음도 없지 않았을 텐데, 지하철이든, 재래시장에서든 당신 보폭을 지키며 자연스레 걸었다. 오히려 재촉을 하는 것은 내 쪽이었다. 어머니의 곤란을 조금이나마 덜어드리고 싶어, 걸핏하면 치맛자락을 잡아끌곤 했다. 오늘도 나는 배가 고파 죽을 것 같으니 빨리 좀 가자고 어머니를 채근했다. 하지만 그게 좀 부자연스러웠는지, 어머니는 가던 길을 멈추고 상체를 숙여 내 얼굴을 똑바로 바라봤다.

① [A]는 대사를 중심으로 사건이 진행되고 〈보기〉는 서술을 중심으로 사건이 진행되고 있다.

② [A]에서는 현재 진행형으로 사건이 서술되고 〈보기〉에서는 과거형으로 사건이 서술되고 있다.

③ [A]에서는 등장 인물의 심리를 직접적으로 제시하고, 〈보기〉에서는 등장 인물의 심리를 간접적으로 제시하고 있다.

④ [A]에서는 등장 인물 간의 갈등이 두드러지게 나타나나, 〈보기〉에서는 등장 인물 간의 갈등이 두드러지게 나타나지 않는다.

⑤ [A]는 영화 제작을 목적으로 창작되었고, 〈보기〉는 문자 언어를 통해 독자에게 전달되는 것을 목적으로 창작되었다.

20 '아름'이와 다음의 시적 화자가 나눈 대화로 적절하지 **않은** 것은?

> ### 가난한 사랑 노래 – 이웃의 한 젊은이를 위하여
>
> 가난하다고 해서 외로움을 모르겠는가
> 너와 헤어져 돌아오는
> 눈 쌓인 골목길에 새파랗게 달빛이 쏟아지는데.
> 가난하다고 해서 두려움이 없겠는가
> 두 점을 치는 소리
> 방범대원의 호각 소리 메밀묵 사려 소리에
> 눈을 뜨면 멀리 육중한 기계 굴러가는 소리.
> 가난하다고 해서 그리움을 버렸겠는가
> 어머님 보소 싶소 수없이 뇌어 보지만
> 집 뒤 감나무에 까치밥으로 하나 남았을
> 새빨간 감 바람 소리도 그려 보지만.
> 가난하다고 해서 사랑을 모르겠는가
> 내 볼에 와 닿던 네 입술의 뜨거움
> 사랑한다고 사랑한다고 속삭이던 네 숨결
> 돌아서는 내 등 뒤에 터지던 네 울음.
> 가난하다고 해서 왜 모르겠는가
> 가난하기 때문에 이것들을
> 이 모든 것들을 버려야 한다는 것을.
>
> – 신경림, 「가난한 사랑 노래」 –

① 시적 화자 : 가난한 사람도 다른 사람과 마찬가지로 사랑과 같은 기본적인 욕망을 갖고 있어요.

② 아름 : 저는 다른 사람들과 다른 외모 때문에 호기심 어린 시선을 받을 때가 많아요.

③ 시적 화자 : 만약 가난한 사람에 대한 편견이 사라진다면 제가 느끼는 소외감이 줄어들 것 같아요.

④ 아름 : 저는 다른 사람들이 저처럼 사회적으로 소외된 사람들에 대해 연민을 가졌으면 좋겠어요.

⑤ 시적 화자 : 저는 오히려 평범한 사람과 다르다는 이유로 어떤 사람의 삶에 대해 함부로 판단해서는 안 된다고 생각해요.

[21～23] 다음 글을 읽고 물음에 답하시오.

(가) 중략 부분 줄거리 | 어느 날 아름이는 자신이 출연한 텔레비전 프로그램을 본 '서하'라는 소녀에게서 전자 우편을 받는다. 아름이는 자신과 같은 나이이고 병을 앓고 있다는 서하에게 관심이 가지만 쉽게 답장을 쓰지 못하고 망설인다. 병세가 더욱 나빠져 입원을 하게 된 아름이는 용기를 내어 서하에게 전자 우편을 쓰고, 서하와 전자 우편을 주고받으면서 설렘을 느낀다.

S# 43. 병원 정원/오후

　　병원 정원에서 촬영이 진행 중이다.
　　미라가 촬영을 지켜보고 있고, 그 뒤로 어느샌가 슬그머니 나타난 장 씨. 그런데 장 씨의 옷차림이 예사롭지 않다. 한눈에도 평소보다 멋을 낸 느낌.

김 작가 : (승찬이의 큐 신호를 보고) 아름이는 혹시 누굴 좋아해 본 적 있어?
아름 : 좋아하는 사람이요? 많죠. 우리 엄마랑 아빠, 외할머니, 외할아버지. 또……. 아! 우리 옆집 짱가 할아버지도 좋아해요.
　　순간 우쭐해지는 장 씨.
아름 : (갑자기 사레들린 듯이) 콜록콜록.
미라 : 아름아, 괜찮아?
　　옆에서 지켜보던 미라가 달려든다. 자연스럽게 촬영이 중단된다. 멈출 줄 모르는 아름이의 기침.

　　Cut to. 촬영 팀, 촬영을 접고 있다.
　　이야기 중인 승찬이와 미라, 그리고 그 사이로 어슬렁거리는 장 씨.
승찬 : 오늘은 아무래도 힘들겠지?
미라 : (쏘아보며) 야! 넌 어떻게……. 보고도 몰라?
승찬 : 그치, 뭐 어쩔 수 없지. (주변을 맴도는 장 씨를 보며) 아! 아름이 옆집 할아버지시죠? 혹시 저희랑 인터뷰 좀…….
장 씨 : 아, 뭐……. 나요? 그럼 어디 앉을까요?

　　Cut to. 장 씨 인터뷰를 시도하는 촬영 팀. 장 씨, 바짝 얼어 있다.

승찬 : 자, 할아버지. 준비되셨죠? 한번 가 볼게요. (촬영 감독에게 신호 주며) 큐!
김 작가 : 아름이는 어떤 아이인가요?
장 씨 : (어색해하며) 어, 이아름 군은……. 아니자, 우리 한아름 군은…….
승찬 : 컷! (장 씨 보며) 할아버지, 그냥 평소처럼 하세요. 카메라 없는 데서 우리 작가랑 대화한다고 생각하시고요.

　　장 씨, 고개를 끄덕이지만 여전히 얼어 있다. 카메라도 제대로 바라보지 못하는 장 씨. '컷! 엔지!', '컷! 엔지!', 이어지는 장 씨의 엔지.

장 씨 : 어, 우리 한여름, 에고…….
장 씨 : 에이씨, 아름이 이놈 자식은요?

　　Cut to. 지친 촬영 팀. 승찬이도 이젠 거의 포기한 얼굴이다.

승찬 : 할아버지, 한 번만 더. 자, 큐!
김 작가 : 아름이는 어떤 아이인가요?
장 씨 : 음…… 음……. (드디어 카메라를 정면으로 본다.) ㉠아름이는…… 친구요, 내 친구.
　　대답하는 장 씨의 얼굴에 진심이 묻어난다.

(나) S# 44. 병원 복도/오후

　　복도의 의자에 나란히 앉은 장 씨와 아름이. 장 씨가 아름이에게 따뜻한 물을 건넨다.

장 씨 : 방송 그거 쉬운 거 아니드만?

아름 : (웃으며) 그렇죠. (물 받으며) 감사합니다.

장 씨 : 좀 괜찮아?

아름 : 네. (알약을 삼키는 장 씨를 보며) 짱가. 어디 아파요?

장 씨 : 아, 이 나이에 안 아픈 게 이상한 거지.

아름 : (피식 웃으며) 그건 제가 좀 알죠. 그래도 짱가는 꽤 동안이에요.

장 씨 : 그치? 흐흐. (우당탕, 시끄럽게 지나가는 젊은이를 보며) 저것들은 몰라. 젊은게 얼마나 좋은 건지.

아름 : 너무 건강해서 자기들이 건강한지도 모를 거예요.

장 씨 : (음흉한 미소를 지으며) 그리고 쟤들이 모르는 게 또 있어.

아름 : 뭔데요?

장 씨 : 흐흐흐, 앞으로 늙을 일만 남은 거.

아름 : 아!

　　ⓛ장 씨를 보며 말갛게 웃는 아름이. 마주 보며 씩 웃어 주는 장 씨.

---

21 윗글과 같은 극 갈래와 서사 갈래의 공통적인 특징에 해당하는 것은?

① 현재화된 사건을 중심으로 하여 내용이 전개된다.
② 공간의 제약을 받아 장면의 변화가 자유롭지 않다.
③ 서술자가 개입하지 않고 인물의 대사와 행동으로 표현된다.
④ 대체로 갈등과 그 해결 과정을 통해 작품의 주제가 제시된다.
⑤ 함축적 의미를 지닌 소재를 통해 주제를 직접적으로 전달한다.

22 〈보기〉를 참고하여 이 글을 감상한 내용으로 적절하지 <u>않은</u> 것은?

> ┤ 보기 ├
> 　「두근두근 내 인생」은 열일곱 나이에 자식을 낳은 어린 부모와 열여섯의 나이에 여든 살의 신체를 갖게 된 늙은 아들의 이야기를 그린 시나리오이다. 어린 나이에 부모가 되어 어느덧 열여섯살의 아들을 둔 '미라'와 '대수'의 인생, 부모보다 더 어른스러운 아들인 '아름'의 인생, 그리고 그들이 함께하는 소중하고 특별한 시간을 '두근두근 내 인생'이라는 제목으로 표현한 것이다.

① '아름'의 가족은 사랑의 가치를 통해 힘든 상황을 극복하고 있음을 알 수 있어.
② 어린 나이에 부모가 된 '미라'와 '대수'에 비해 더 어른스러운 '아름'의 성격이 부각되어 있어.
③ 주위의 냉대 속에서 고립적으로 살았지만, 훌륭한 인격을 소유한 '아름'의 강인함을 깨달을 수 있어.
④ '아름'의 가족이 서로를 보살피고 아끼며, 인생에서 가장 빛나는 시간을 보내고 있음을 알 수 있어.
⑤ 주인공 '아름'은 나이가 어린 반면, 늙은 외모와 성숙한 생각을 가진 인물로 독특하게 설정되어 있네.

23 이 글의 '아름'과 〈보기〉의 화자가 나눌 법한 대화로 적절하지 <u>않은</u> 것은?

┤ 보기 ├

가난한 사랑 노래 – 이웃의 한 젊은이를 위하여

가난하다고 해서 외로움을 모르겠는가
너와 헤어져 돌아오는
눈 쌓인 골목길에 새파랗게 달빛이 쏟아지는데.
가난하다고 해서 두려움이 없겠는가
두 점을 치는 소리
방범대원의 호각 소리 메밀묵 사려 소리에
눈을 뜨면 멀리 육중한 기계 굴러가는 소리.
가난하다고 해서 그리움을 버렸겠는가
어머님 보소 싶소 수없이 뇌어 보지만
집 뒤 감나무에 까치밥으로 하나 남았을
새빨간 감 바람 소리도 그려 보지만.
가난하다고 해서 사랑을 모르겠는가
내 볼에 와 닿던 네 입술의 뜨거움
사랑한다고 사랑한다고 속삭이던 네 숨결
돌아서는 내 등 뒤에 터지던 네 울음.
가난하다고 해서 왜 모르겠는가
가난하기 때문에 이것들을
이 모든 것들을 버려야 한다는 것을.

– 신경림 「가난한 사랑 노래」 –

---

① 〈보기〉의 화자 : 만약 가난한 사람에 대한 편견이 사라진다면 제가 느끼는 소외감이 줄어들 것 같아요.

② 아름 : 저를 일반 사람들처럼 평범하게 바라보고 대우해 준다면 저도 좀 더 편안할 것 같아요.

③ 〈보기〉의 화자 : 저와 같은 사회적 약자는 일반적인 감정이나 욕망이 없는 것처럼 인식될 때가 많아요.

④ 아름 : 저는 평범한 사람들과 외모가 다르다고 해서 호기심 어린 시선을 받을 때가 많아요.

⑤ 〈보기〉의 화자 : 사회적 차별과 편견이 바뀌어야 하겠지만, 우선 가족의 관심과 협조가 필요하다고 생각해요.

(가) S# 16. 병원 앞 거리/오후

모자와 커다란 선글라스로 가렸어도 드러나는 아름이의 병색.

사람들, 미라와 아름이를 호기심 어린 눈빛 혹은 동정 어린 눈길로 힐끗댄다.

미라의 눈치를 보며 손을 잡아끄는 아름이.

하지만 생각이 잠긴 미라는 빨리 걸을 생각이 전혀 없어 보인다.

아름 : 빨리 좀 가. 사람들이 쳐다보잖아.

미라 : (대수롭지 않은 듯이) 내가 너무 예쁜가 보지, 뭐!

아름 : (미라의 손을 잡아끄는데 따라오지 않자 짜증을 내며) 엄만 안 창피해?

태연한 미라의 태도에 짜증이 나서 손을 놔 버리는 아름이.

미라, 앞장서 가는 아름이의 배낭을 잡아챈다.

미라 : 뭐가 창피한데, 뭐가?

아름 : (주위를 의식하며) 왜 그래, 진짜.

미라 : 너 아픈 애야. 아픈 애가 왜 자꾸 딴 데 신경 써? 사람들이 보건 말건, 병원비가 있건 없건, 애처럼 굴어. 아프면 울고 떼를 쓰란 말이야. 그냥 애처럼!

아름 : ……. 애처럼 안 보이니까 그렇지.

미라 : (선글라스를 벗기면서) 연예인도 아니면서 이런 걸 쓰고 다니니까 사람들이 쳐다보지!

가슴이 답답한 미라, 고개를 돌려 한숨만 내쉰다.

괜한 말 꺼내서 오도 가도 못하는 아름이는 땅만 발로 찬다.

미라 : 한아름! 엄마 봐. 내가 누구야. 나…….

미라/아름 : (아름이가 미라를 따라하며) 나, 열일곱 살에 애 낳은 여자야.

두 사람, 마주 보고 피식 웃는다.

미라 : 아름아, 우리 이 길 몇 년 다녔어?

아름 : (잠시 셈을 해 본 후) 13년.

미라 : 그래. 막내 외삼촌은 네 나이에 포경 수술 하나 하면서도 죽네 사네 울고불고 난리를 떨었어. 근데 넌 그것보다 더 한 검사도 받고, 위기도 수없이 넘겼잖아.

아름 : 응…….

미라 : 그건 아무나 할 수 없는 거다? 넌 정말 대단한 일을 해내고 있는 거야. 그러니까 당당하게 보란 듯이 걸어도 돼, 알았지?

S# 51. 아름이의 병실/밤

의자에 앉은 아름이. 태블릿 컴퓨터를 보고 있는데 전자 우편의 끄트머리에 '아름아, 넌 언제 살고 싶어지니?'라는 문장이 보인다.

미동도 않고, 문장의 의미를 생각하던 아름이.

'답장'을 누르고 전자 우편을 쓰기 시작한다.

아름 : (소리) 살고 싶어지는 때?

S# 52. 몽타주 [서하와의 교신]

이미지. 푸른 하늘에 뭉게뭉게 떠 있는 하얀 구름.

아름 : (소리) 푸른 하늘에 하얀 뭉게구름을 볼 때…….

이미지. 트램펄린을 뛰고 있는 아이들의 모습. 아이들의 즐거운 까르르, 웃음소리.

아름 : (소리) 아이들의 해맑은 웃음소리를 들을 때……. 나는 살고 싶어져.

이미지. 햇살 아래, 빨랫줄에 걸려 있는 베갯잇. 나란히 누워 그 향기를 맡는 미라와 아름이.

아름 : (소리) 맑은 날 오후, 엄마와 함께 햇빛을 머금은 포근한 빨래 냄새를 맡을 때에도.

이미지. 동네 구멍가게 앞. 텔레비전 속 연속극을 보며 눈물을 훔치는 건장한 아저씨.

아름 : (소리) 무뚝뚝한 우리 동네 구멍가게 아저씨가 연속극을 보며 우는 걸 보고 살고 싶다고 생각한 적도 있고…….

이미지. 아름이가 나열하는 것들의 이미지가 아름답게 보인다.

아름 : (소리) 저녁 무렵, 골목길에서 밥 먹으라고 손주를 부르는 할머니의 소리가 울려 퍼질 때에도……. 여름날 엄마가 아빠 등목을 해 주며 찬물을 끼얹는 걸 볼 때에도……. 나는 살고 싶어져. 아빠와 함께 초승달이 뜬 초저녁 초롱초롱한 금성을 보면서도……. 반짝반짝 빛을 내며 야간 비행을 하는 비행기를 볼 때에도……. 살고 싶어지고는 해. 서하야, 너는 어때?

– 원작 김애란/각본 최민석 외, 「두근두근 내 인생」 –

(나) 가난하다고 해서 외로움을 모르겠는가
　　너와 헤어져 돌아오는
　　눈 쌓인 골목길에 새파랗게 달빛이 쏟아지는데.
　　가난하다고 해서 두려움이 없겠는가
　　두 점을 치는 소리
　　방범대원의 호각 소리 메밀묵 사려 소리에
　　눈을 뜨면 멀리 육중한 기계 굴러가는 소리.
　　가난하다고 해서 그리움을 버렸겠는가
　　어머님 보소 싶소 수없이 뇌어 보지만
　　집 뒤 감나무에 까치밥으로 하나 남았을
　　새빨간 감 바람 소리도 그려 보지만.
　　가난하다고 해서 사랑을 모르겠는가
　　내 볼에 와 닿던 네 입술의 뜨거움
　　사랑한다고 사랑한다고 속삭이던 네 숨결
　　돌아서는 내 등 뒤에 터지던 네 울음.
　　가난하다고 해서 왜 모르겠는가
　　가난하기 때문에 이것들을
　　이 모든 것들을 버려야 한다는 것을.

– 신경림, 「가난한 사랑 노래」 –

24 (가)와 (나)의 공통점으로 가장 적절한 것은?

① 삶의 비애를 웃음으로 승화하고 있다.

② 반복적인 표현으로 인물의 심리를 강조하고 있다.

③ 반어적 표현으로 인간의 숙명적 슬픔과 고통을 드러내고 있다.

④ 강렬한 색채 대비를 통해 비극적인 현실의 굴레를 형상화하고 있다.

⑤ 감각적 표현을 통해 삭막한 인간관계에 대한 반성을 표출하고 있다.

25 다음 내용을 참고하여 (가)를 감상한 내용으로 적절하지 <u>않은</u> 것은?

> 작가는 어떤 사람의 삶을 소재로 삼고, 그 소재에 자신의 경험과 지식, 생각과 감정, 가치와 태도 등을 아울러 문학 작품으로 형상화한다. 독자는 문학 작품을 읽으며 작품에 구현된 삶을 간접적으로 경험할 수 있고, 나아가 인물의 삶을 통해 자신의 삶을 되돌아보거나 생각을 확장할 수도 있다. 이처럼 문학 작품을 감상하는 과정에서 독자는 자신의 삶과 자신이 속한 사회를 진지하게 성찰하며 우리 사회의 전망까지 고민하게 된다.

① 사회 복지 제도의 사각지대에 놓인 장애인들이 많다는 사실과 제도적 개선의 필요성을 깨달았어.

② 소년과 노인의 삶을 동시에 살고 있는 '아름'을 통해 평범한 삶의 행복에 대해서 생각해 보았어.

③ 편견과 호기심으로 장애를 바라보는 사회의 시선 속에서 장애인으로 살아가는 것이 얼마나 쉽지 않은지 알게 되었어.

④ 우리 사회는 사회적 약자를 포함한 다양한 사람들이 살아가는 공간이고 그들이 함께 어우러져 살아가야 한다는 것을 깨달았어.

⑤ 건강한 내가 평범하게 느끼는 일상을 '아름'이 살고 싶어지는 때라고 하는 것이 마음이 아팠고 하루하루를 헛되이 보낸 나를 반성했어.

26 (가)의 '아름'과 (나)의 화자가 나눈 대화로 가장 적절한 것은?

① **화자** : 고향에 계신 엄마가 너무 보고 싶지만 갈 수가 없어. 가난한 사람은 그리움도 사치인가보다.

　아름 : 저와 비슷한 상황이시네요. 저도 좋아하는 친구가 있지만 가난하기 때문에 연락하지 못하고 있거든요.

② **화자** : 나는 사랑하는 사람과 이별을 했단다. 가난 때문에 각자의 길을 걷기로 했어.

　아름 : 사랑하는 사람과의 이별은 늘 마음이 아프죠. 하지만 많은 사람들과 이별을 겪어보니 시간이 약이더라구요.

③ **화자** : 나의 젊은 나날들이 너무 아까워. 나는 하루 종일 일하느라 아무런 여유가 없어.

　아름 : 밤새 기계에 시달리는 삶에서 여유를 찾을 수는 없지요. 가난에서 벗어나기 위해 더욱 노력해 보세요.

④ **화자** : 새벽까지 공장에서 노동을 하지만 가난에서 벗어날 수가 없구나. 이런 나를 사람들이 비웃지는 않을까?

　아름 : 저도 사람들의 시선이 싫어서 고개를 숙이고 다녀요. 이런 나를 위로해줄 사람이 아무도 없다는 것이 더욱 슬프네요.

⑤ **화자** : 가난해도 여러 감정들을 모두 느낄 수 있어. 하지만 그것들을 포기해야만 하는 현실이 정말 안타깝구나.

　아름 : 네. 그 마음 알아요. 저도 시한부 인생이지만 인간적인 감정들을 모두 느낄 수 있어요. 현실이 힘들긴 하지만 저는 하루하루가 소중해요. 우리 힘을 내요.

[27~32] 다음 글을 읽고 물음에 답하시오.

(가) S# 11. 한강 둔치 / 밤
　　매점 앞.
　　맥주가 담긴 봉지를 들고 매점을 나오는 대수와 아름이.

아름 : 아빠, 나 화장실.

　　Cut to. 간이 화장실 옆.
　　대수와 조금 떨어진 간이 화장실 옆의 으슥한 공간.
　　불량스러워 보이는 학생들에게 둘러싸인 아름이. 남학생 넷, 여학생 둘.

불량한 남학생 1 : 너 진짜 애야? 할배 아니고?
불량한 여학생 2 : (동물원의 동물을 보듯이) 우아! 진짜 신기하다.
불량한 남학생 2 : (아름이의 얼굴을 살피며 히죽이죽 웃으면서) 외계인이야, 뭐야?
불량한 여학생 1 : ㉠아, 방송에서 뭐라고 했는데……. (귀찮다는 듯한 말투로) 아, 몰라, 암튼 막 빨리 늙어서 죽는 병이래.
아름 : 비켜요.

　　남학생이 아름이의 모자를 낚아채 벗긴다. 아름이의 듬성듬성한 머리가 드러나자 놀라는 아이들.

불량한 여학생 1 : 대박!
불량한 남학생 1 : (막상 보니 놀라서 뒷걸음질을 치며) 뭐야, 이거?
불량한 남학생 2 : (아름이의 모자를 던지며) 야, 이거 혹시 옮는 병 아냐? 아이씨.

　　(㉡). 뭔가 이상한 기분이 들어 두리번거리는 대수.
　　간이 화장실 옆.

대수 : 아름아!
아름 : (대수를 보며) 아빠!

　　'아빠야?', '야, 아빠래.' 젊은 아빠인 대수의 모습을 보자 상황이 우습다는 듯, 키득거리는 아이들.

대수 : 괜찮아? 너 모자……. (말하면서 모자를 집어 아름이와 자리를 뜨는데.)
불량한 남학생 1 : (끝까지 이기죽거리면서) 어이쿠, 효자 아저씨. 아버님 모시고 밤 마실 나오셨나 봐요?
불량한 남학생 2 : 아니, 어떻게 사람한테서 골룸이 태어나냐.
대수 : (가다가 멈칫, 돌아보며) 야! 너 지금 뭐라 그랬어?

　　결국 불량한 남학생의 멱살을 잡고 마는 대수.
　　손을 뿌리치고 껄렁거리며 대수를 에워싸는 불량한 학생들.
　　대수가 아름이를 한쪽이를 안전하게 비켜 세우고는, 아름이를 향해 씩 웃으며 윙크를 하더니 마치 이소룡처럼 자세를 잡는다.
　　일 대 사의 열세에도 민첩하고 멋지게 싸워나가는 대수.
　　액션 영화의 한 장면처럼 멋있게 싸우며 공중에서 1회전 반을 돌아 540도 발차기! 멋지게 악당을 물리치는 대수.
　　하지만 이것은 아름이의 환상이었다.
　　다시 현실.
　　현실의 상황은 아름이의 환상과 전혀 다르다. 남학생들에게 둘러싸여 맞다가 반격을 시작하는 대수. 온 힘을 다해 학생들을 뿌리치고는 있는 힘껏 발차기를 날린다.

ⓒ하지만 대수의 발에 맞은 것은 학생들이 아니라 말리러 오던 경찰.

이내 뻗어 버린 경찰. 당황한 대수. 놀란 아름이.

(나) S# 16. 병원 앞 거리/오후

모자와 커다란 선글라스로 가렸어도 드러나는 아름이의 병색.

사람들, 미라와 아름이를 호기심 어린 눈빛 혹은 동정 어린 눈길로 힐끗댄다.

미라의 눈치를 보며 손을 잡아끄는 아름이.

하지만 생각이 잠긴 미라는 빨리 걸을 생각이 전혀 없어 보인다.

아름 : 빨리 좀 가. 사람들이 쳐다보잖아.

미라 : (대수롭지 않은 듯이) 내가 너무 예쁜가 보지, 뭐!

아름 : (미라의 손을 잡아끄는데 따라오지 않자 짜증을 내며) 엄만 안 창피해?

태연한 미라의 태도에 짜증이 나서 손을 놔 버리는 아름이.

미라, 앞장서 가는 아름이의 배낭을 잡아챈다.

미라 : 뭐가 창피한데, 뭐가?

아름 : (주위를 의식하며) 왜 그래, 진짜.

미라 : ②너 아픈 애야. 아픈 애가 왜 자꾸 딴 데 신경 써? 사람들이 보건 말건, 병원비가 있건 없건, 애처럼 굴어. 아프면 울고 떼를 쓰란 말이야. 그냥 애처럼!

아름 : ……. 애처럼 안 보이니까 그렇지.

미라 : (선글라스를 벗기면서) 연예인도 아니면서 이런 걸 쓰고 다니니까 사람들이 쳐다보지!

가슴이 답답한 미라, 고개를 돌려 한숨만 내쉰다.

괜한 말 꺼내서 오도 가도 못하는 아름이는 땅만 발로 찬다.

미라 : 한아름! 엄마 봐. 내가 누구야. 나…….

미라/아름 : (아름이가 미라를 따라하며) ⑩나, 열일곱 살에 애 낳은 여자야.

두 사람, 마주 보고 피식 웃는다.

미라 : 아름아, 우리 이 길 몇 년 다녔어?

아름 : (잠시 셈을 해 본 후) 13년.

미라 : 그래. 막내 외삼촌은 네 나이에 포경 수술 하나 하면서도 죽네 사네 울고불고 난리를 떨었어. 근데 넌 그것보다 더 한 검사도 받고, 위기도 수없이 넘겼잖아.

아름 : 응…….

미라 : 그건 아무나 할 수 없는 거다? 넌 정말 대단한 일을 해내고 있는 거야. 그러니까 당당하게 보란 듯이 걸어도 돼, 알았지?

아름 : 응!

미라 : 가자!

아름이의 손을 잡는 미라, 사람들 시선쯤은 아랑곳하지 않고 걷는다. 당당하게.

- 원작 김애란, 각본 최민석 외, 「두근두근 내 인생」 -

27 (가)와 (나)의 공통점으로 적절한 것은?

① 인물 간에 드러났던 갈등이 유쾌하게 해소되고 있다.
② 갈등 상황에 당당히 맞서는 인물의 모습이 드러나 있다.
③ 현실과 환상이 교차하는 양상으로 사건이 진행되고 있다.
④ 빈번한 장면 전환을 통해 사건을 속도감 있게 전개하고 있다.
⑤ 배경을 통해 인물이 처한 상황을 상징적으로 나타내고 있다.

28 다음을 참고하여 이 글을 감상한 내용으로 적절하지 <u>않은</u> 것은?

┤ 보기 ├

　독자는 문학 작품을 읽으며 작품에 구현된 삶을 간접적으로 경험할 수 있고, 나아가 인물의 삶을 통해 자신의 삶을 되돌아보거나 생각을 확장할 수 있다. 이처럼 문학 작품을 감상하는 과정에서 독자는 자신의 삶과 자신이 속한 사회를 진지하게 성찰하며 우리 사회의 전망까지 고민하게 된다.

① 장애인과 함께 살아가기 위해 어떤 행동을 해야 할지 고민하게 되었어.
② 사회적 약자인 장애인에게 가해지는 폭력적 행동에 대한 경각심을 일깨우는 계기가 되었어.
③ 열등감에 사로잡혀 약한 사람을 괴롭히거나 얕잡아 보는 행동이 잘못된 행동임을 알게 되었어.
④ 장애인을 대하는 일반 사람들의 태도가 가진 문제점을 장애인의 입장에서 생각해 보게 되었어.
⑤ 호기심이나 편견을 가진 사회적 시선이 장애인을 얼마나 불편하고 괴롭게 할지 생각해 보게 되었어.

29 ㉠~㉤에 대한 설명으로 적절하지 <u>않은</u> 것은?

① ㉠ : 상대방의 심정이나 입장을 배려하지 않고 무신경하게 함부로 말하고 있다.
② ㉡ : 따로 촬영된 화면을 떼어 붙이면서 새로운 장면이나 내용을 만드는 기법을 의미하는 시나리오 용어, '인서트(Insert.)'를 넣는다.
③ ㉢ : 심각한 상황에서 웃음을 유발함으로써 갈등을 무겁지 않게 그리고 있다.
④ ㉣ : 또래 아이답지 않게 자기 상태보다 주변을 살피는 아들의 모습에 속상해하는 엄마의 감정을 보여준다.
⑤ ㉤ : 자신의 힘들었던 상황을 당당히 극복해온 '미라'가 자주 하던 말을 '아름'도 익히 알고 있어서 따라하는 상황이다.

30 〈보기〉를 참고할 때, 이 글을 감상한 내용으로 적절하지 <u>않은</u> 것은?

┌─ 보기 ├─

　독자는 문학 작품에 나타난 사회·문화적 가치를 파악하고 평가하면서 작품에 구현된 인물의 태도를 통해 자신의 삶을 되돌아볼 수 있다. 이처럼 문학 작품을 감상하는 과정에서 독자는 자신과 자신이 속한 사회 구성원의 생각과 행동을 진지하게 성찰하며 우리 사회의 전망까지 고민할 수 있다.

① 사회적 약자와 함께 살아가기 위해 어떤 행동을 해야 할지 고민하게 되었어.
② 타인에게 서슴없이 저지르는 차별적 행동이 가진 문제점을 심각하게 깨닫게 되었어.
③ 장애인을 무가치한 존재로 비하하는 미성숙한 사람들은 존중받을 가치가 없다는 걸 깨닫게 되었어.
④ 나의 호기심 어린 시선과 조심성 없는 행동이 누군가를 불편하게 한 적은 없는지 돌아보게 되었어.
⑤ 함께 살아가는 사회에서 물리적인 폭력뿐 아니라 언어적인 폭력도 엄연한 폭력임을 실감하게 되었어.

31 〈보기〉의 화자가 이 글의 '불량한 학생들'에게 할 수 있는 말로 가장 적절한 것은?

┌─ 보기 ├─

가난한 사랑 노래 – 이웃의 한 젊은이를 위하여

- 신경림 -

가난하다고 해서 외로움을 모르겠는가
너와 헤어져 돌아오는
눈 쌓인 골목길에 새파랗게 달빛이 쏟아지는데.
가난하다고 해서 두려움이 없겠는가
두 점을 치는 소리
방범대원의 호각 소리 메밀묵 사려 소리에
눈을 뜨면 멀리 육중한 기계 굴러가는 소리.
가난하다고 해서 그리움을 버렸겠는가
어머님 보고 싶소 수없이 뇌어 보지만
집 뒤 감나무에 까치밥으로 하나 남았을
새빨간 감 바람 소리도 그려 보지만.
가난하다고 해서 사랑을 모르겠는가
내 볼에 와 닿던 네 입술의 뜨거움
사랑한다고 사랑한다고 속삭이던 네 숨결
돌아서는 내 등 뒤에 터지던 네 울음.
가난하다고 해서 왜 모르겠는가
가난하기 때문에 이것들을
이 모든 것들을 버려야 한다는 것을.

① 편견 어린 시선을 버리시기 바랍니다.
② 가난하다고 해서 사랑을 모르겠습니까?
③ 여러분도 수많은 차별에 괴로워하고 있군요.
④ 자신의 욕망과 감정을 솔직하게 표현하세요.
⑤ 피차없이 가난한 처지에 서로 이해하고 삽시다.

32 〈보기〉와 비교하여 (나)에 대한 설명으로 적절하지 <u>않은</u> 것은?

┌─ 보기 ├─

"병원 밖으로 나온 뒤, 슬쩍 어머니의 소매를 잡아당겼다.

"엄마."

"응?"

"사람들이 우릴 봐요."

어머니는 아무렇지 않게 대꾸했다.

"내가 너무 예쁜가보지."

기미 낀 얼굴에 거만한 미소를 띠고서였다. 눈가에는 두껍게 칠한 파운데이션이 주름을 따라 논바닥처럼 갈라져 있었다. 어머니는 오래 일해 남자처럼 뼈마디가 굵어진 손으로 내 작은 손을 꼭 감싸쥐었다. 그러고는 '이거 왜 이래? 나 열일곱에 애 낳은 여자야!'하는 태도로 꼿꼿이 걸어 나갔다. 남의 이목 따위 진작부터 신경 쓰지 않았다는 듯. 잘못한 게 없으니 도망치지 않겠다는 식으로. 어머니는 나와 함께일 때 어디서든 서둘러 걷는 법이 없었다. 사람들의 시선에서 빨리 벗어나고 싶은 마음도 없지 않았을 텐데. 지하철이든, 재래시장에서든 당신 보폭을 지키며 자연스레 걸었다. 오히려 재촉을 하는 것은 내 쪽이었다. 어머니의 곤란을 조금이나마 덜어드리고 싶어. 걸핏하면 치맛자락을 잡아끌곤 했다. 오늘도 나는 배가 고파 죽을 것 같으니 빨리 좀 가자고 어머니를 채근했다. 하지만 그게 좀 부자연스러웠는지, 어머니는 가던 길을 멈추고 상체를 숙여 내 얼굴을 똑바로 바라봤다.

"아름아."

"네?"

"너 언제부터 아팠지?"

"세 살요…엄마가 그렇다고 했잖아요."

"그럼 얼마 동안 아팠던 거지?"

"음, 십 사년요."

"그래. 십 사년."

"……"

"근데 그동안 씩씩하게 정말 잘 견뎌왔지? 지금도 포기 않고 이렇게 검사받고 있지? 다른 사람들은 편도선 하나만 부어도 얼마나 지랄발광을 하는데. 매일매일, 십사년. 우리 대단한 일을 한 거야. 그러니까……"

"네."

어머니가 목소리를 낮추며 부드럽게 말했다.

"천천히 걸어도 돼."

– 김애란, 「두근두근 내 인생」 –

① 관객들은 (나)에서는 '미라'의 심리를 지시문을 통해 파악할 수 있다.

② 독자들은 〈보기〉에서 '나'의 서술을 통해 '미라'의 외모와 성격을 직접적으로 파악할 수 있다.

③ 〈보기〉에서 인물들이 나누지 않는 대화가 (나)에서 추가되어 제시되고 있다.

④ 〈보기〉에서는 (나)에 비해 '아름'과 '미라'가 겪었던 과거의 경험들이 더 구체적으로 드러나고 있다.

⑤ (나)와 〈보기〉 모두 '아름'에 대해 '미라'가 가지는 감정이 동일하게 표현되고 있다.

[01] 다음 글을 읽고 물음에 답하시오.

S# 44. 병원 복도/오후

복도의 의자에 나란히 앉은 장 씨와 아름이. 장 씨가 아름이에게 따뜻한 물을 건넨다.

장 씨 : 방송 그거 쉬운 거 아니드만?

아름 : (웃으며) 그렇죠. (물 받으며) 감사합니다.

장 씨 : 좀 괜찮아?

아름 : 네. (알약을 삼키는 장 씨를 보며) 짱가. 어디 아파요?

장 씨 : 아, 이 나이에 안 아픈 게 이상한 거지.

아름 : (피식 웃으며) 그건 제가 좀 알죠. 그래도 짱가는 꽤 동안이에요.

장 씨 : 그치? 흐흐. (우당탕, 시끄럽게 지나가는 젊은이를 보며) 저것들은 몰라. 젊은게 얼마나 좋은 건지.

아름 : 너무 건강해서 자기들이 건강한지도 모를 거예요.

장 씨 : (음흉한 미소를 지으며) 그리고 쟤들이 모르는 게 또 있어.

아름 : 뭔데요?

장 씨 : 흐흐흐, 앞으로 늙을 일만 남은 거.

아름 : 아!

장 씨를 보며 말갛게 웃는 아름이. 마주 보며 씩 웃어 주는 장 씨.

S# 49. 아름이의 병실/밤

잠들지 못하고 기력 없는 모습으로 이리저리 뒤척이는 아름이.
아름이, 결국 일어나 앉아 베개 밑에서 태블릿 컴퓨터를 꺼낸다.
여전히 전자 우편함에 새 편지가 0통임을 확인하는 아름이의 모습이 반복된다.

Cut to. 습관처럼 전자 우편함을 확인하던 아름이. 드디어 전자 우편의 수신을 알리는 소리가 울린다. 아름이가 벌떡 일어난다. 서하의 편지다.
떨리는 손으로 전자 우편을 여는 아름이.

서하 : (소리) 답장이 늦어 미안해. 사실 많이 고민했어……. 사진…….
　　　하지만 나만 네 얼굴을 아는 건 불공평하겠다 싶어.
　　　난 네 부모님 얼굴까지 알고 있으니까.
　　　맘에 안 들지도 모르지만 한 장을 보내.
　　　첨부된 사진을 여는 아름이. 화면 가득 키워서 본다.
　　　싱그러움이 느껴지는 소녀의 손.
　　　그 사진에서, 차마 아픈 모습을 보여 주고 싶지 않은 사춘기 소녀의 마음이 느껴진다.
　　　사진에 손을 가만히 갖다 대 보는 아름이.
　　　사진 속 서하의 손과 아름이의 손이 포개지고, 맞잡은 것처럼 보이는 소년과 소녀의 손.

S# 50. 오솔길/오후

사진 위로 겹쳐진 두 손이 실제로 맞잡은 손이 된다.
손을 잡고 걷고 있는 소년과 소녀. 아름이와 서하의 뒷모습이다.
카메라가 점점 뒤로 가면서, 벚나무가 무성한 오솔길을 걷고 있는 소년과 소녀의 뒷모습이 아련하게 보인다.
서하가 아름이에게 전자 우편을 통해 들려주었던 음악이 잔잔하게 깔린다.

오솔길을 걷는 두 사람.
아름이는 자신의 꿈속에 등장했던 건강한 열여섯 살 소년의 모습을 하고 있다.
그리고, 아름이가 바라본 서하의 모습.
햇빛에 역광으로 비친 음영에서, 점점 윤곽이 또렷해지며 모습을 드러내는 서하.
청순한 얼굴의 한 소녀가 아름이를 향해 환하게 웃고 있다.
이때, 어디선가 살랑살랑 불어오는 바람. 서하의 긴 머리카락이 바람에 크게 흩날린다.
청량한 서하의 웃음소리가 울려 퍼지고, 그런 서하를 보며 미소 짓는 아름이.

서하 : (소리) 아름아, 넌 언제 살고 싶어지니?
　　　 아름이 넌 어떨 때 가장 살고 싶어지냐구…….

S# 51. 아름이의 병실/밤

의자에 앉은 아름이. 태블릿 컴퓨터를 보고 있는데 전자 우편의 끄트머리에 ⓐ'아름아, 넌 언제 살고 싶어지니?'라는 문장이 보인다.
미동도 않고, 문장의 의미를 생각하던 아름이.
'답장'을 누르고 전자 우편을 쓰기 시작한다.

아름 : (소리) 살고 싶어지는 때?

S# 52. ⓑ_____ [서하와의 교신]

이미지. 푸른 하늘에 뭉게뭉게 떠 있는 하얀 구름.

아름 : (소리) 푸른 하늘에 하얀 뭉게구름을 볼 때…….

이미지. 트램펄린을 뛰고 있는 아이들의 모습. 아이들의 즐거운 까르르, 웃음 소리.

아름 : (소리) 아이들의 해맑은 웃음소리를 들을 때……. 나는 살고 싶어져.

이미지. 햇살 아래, 빨랫줄에 걸려 있는 베갯잇. 나란히 누워 그 향기를 맡는 미라와 아름이.

아름 : (소리) 맑은 날 오후,
　　　 엄마와 함께 햇빛을 머금은 포근한 빨래 냄새를 맡을 때에도.

이미지. 동네 구멍가게 앞. 텔레비전 속 연속극을 보며 눈물을 훔치는 건장한 아저씨.

아름 : (소리) 무뚝뚝한 우리 동네 구멍가게 아저씨가 연속극을 보며 우는 걸 보고 살고 싶다고 생각한 적도 있고…….

이미지. 아름이가 나열하는 것들의 이미지가 아름답게 보인다.

아름 : (소리) 저녁 무렵, 골목길에서 밥 먹으라고 손주를 부르는 할머니의 소리가 울려 퍼질 때에도……. 여름날 엄마가 아빠 등목을 해 주며 찬물을 끼얹는 걸 볼 때에도……. 나는 살고 싶어져. 아빠와 함께 초승달이 뜬 초저녁 초롱초롱한 금성을 보면서도……. 반짝반짝 빛을 내며 야간 비행을 하는 비행기를 볼 때에도……. 살고 싶어지고는 해. 서하야, 너는 어때?

01 (1) S#52는 S#51의 ⓐ'아름아, 넌 언제 살고 싶어지니?'라는 서하의 질문에 대한 답이 나온 부분이라고 할 수 있다. S#52의 내용을 참고하여 아름이가 말하는 '살고 싶어지는 때'는 어떤 순간을 의미하는지 쓰시오.

┌─ 조건 ├─
- 건강, 가치, 일상 세 단어를 넣어서 쓸 것
- 띄어쓰기 포함 40자 이내로 쓸 것
└────

(2) 아래 〈보기〉의 뜻에 해당하는 S#52의 ⓑ_____에 들어갈 시나리오 용어를 쓰시오.

┌─ 보기 ├─
따로 촬영한 화면을 떼어 붙이면서 새로운 장면이나 내용을 만드는 기법
└────

[02~04] 다음 글을 읽고 물음에 답하시오.

ⒶS# 8. 대수의 택시 안-밖/오후

밝은 음악과 함께 시작되는 택시 안 풍경. 손님을 발견한 대수, 그쪽으로 차를 세운다. 선한 인상의 평범한 30대 부부, 임신을 한 여자는 배가 많이 불러 있다. 차를 세운 대수가 보조석 창문을 내린다.

남편 : ○ 병원 사거리요.
대수 : 예. 근데 죄송한데, 사정상 저희 아들하게 오늘 같이 좀 다녀야 해서 그러는데…….
남편 : 어? 저 혹시, 지난주에 방송 나왔던?
부인 : 어! (반가워하며) 어어…….
〈중략〉
대수 : (돌아보며) 아, 손님이 통화 중이셔서 먼저 말씀을 못 드렸습니다. 사정상 저희 아들이랑 같이 좀 다녀야 하는데, 애가 몸이 좀 불편…….
여자 : (못 볼 걸 본 듯 얼굴이 일그러지며) 아저씨. 뭐예요, 진짜! 택시 하면서 진짜! 아, 뭐하는 거야? 진짜, 짜증 나 죽겠어!
〈중략〉
여학생2 : (거침없이) 저기, 인증 사진 좀 찍을 수 있을까요?

아름이 앞에 스마트폰을 들이밀고 뒤에서 자세를 취하는 학생들. 밝은 분위기, 구김살 없는 아이들의 모습에 왠지 주눅이 드는 아름이.

S# 11. 한강 둔치 / 밤

대수와 조금 떨어진 간이 화장실 옆의 으슥한 공간.
불량스러워 보이는 학생들에게 둘러싸인 아름이.

불량한 남학생 1 : 너 진짜 애야? 할배 아니고?
불량한 여학생 2 : (동물원의 동물을 보듯이) 우아! 진짜 신기하다.
불량한 남학생 2 : (히죽이죽 웃으면서) 외계인이야, 뭐야?
불량한 여학생 1 : 아, 방송에서 뭐라고 했는데…… (귀찮다는 듯한 말투로) 아, 몰라. 암튼 막 빨리 늙어서 죽는 병이래.

남학생이 아름이의 모자를 낚아채 벗긴다. 아름이의 듬성듬성한 머리가 드러나자 놀라는 아이들.

불량한 여학생 1 : 대박!
불량한 남학생 1 : (뒷걸음질을 치며) 뭐야, 이거?
불량한 남학생 2 : 야, 이거 혹시 옮는 병 아냐? 아이씨.

S# 15. 병원 진료실 / 오후

주치의 : (화가 난 목소리로 미라에게) 이 지경이 되도록 대체 뭘 하신 겁니까? 잘못하면 이거, 올해도 못 넘겨요.
미라 : (아름이의 눈치를 보며) 선생님!
주치의 : (진정하고 아름이를 보며) 아름아. 잠깐만 나가 있을래?
아름 : ㉠그냥 얘기해주세요, 선생님.
미라 : 아름아! 나가 있어.

아름이, 미라의 얼굴을 보더니 결국 자리에서 일어나 밖으로 나간다.

S# 16. 병원 앞 거리/오후

모자와 커다란 선글라스로 가렸어도 드러나는 아름이의 병색. 사람들, 미라와 아름이를 호기심 어린 눈빛 혹은 동정 어린 눈길로 힐끗댄다. 미라의 눈치를 보며 손을 잡아끄는 아름이.

아름 : 빨리 좀 가. 사람들이 쳐다보잖아.
미라 : (대수롭지 않은 듯이) 내가 너무 예쁜가 보지, 뭐!
아름 : (짜증을 내며) 엄만 안 창피해?
미라 : 뭐가 창피한데, 뭐가?
아름 : (주위를 의식하며) 왜 그래, 진짜.
미라 : 너 아픈 애야. 아픈 애가 왜 자꾸 딴 데 신경 써? 사람들이 보건 말건, 병원비가 있건 없건, 애처럼 굴어.
아름 : ……. 애처럼 안 보이니까 그렇지.

S# 49. 아름이의 병실 / 밤

아름이가 서하의 사진을 보고 싶다는 내용의 전자 우편을 보낸 뒤로 서하에게는 답장이 없다. 잠들지 못하고 기력 없는 모습으로 이리저리 뒤척이는 아름이. 아름이, 결국 일어나 앉아 베개 밑에서 태블릿 컴퓨터를 꺼낸다. ㉡여전히 전자 우편함에 새 편지가 0통임을 확인하는 아름이의 모습이 반복된다.

Cut to. 습관처럼 전자우편함을 확인하던 아름이. 드디어 전자 우편의 수신을 알리는 소리가 울린다. 서하의 편지다.

서하(소리) : 답장이 늦어 미안해. 사실 많이 고민했어. 사진. 하지만 나만 네 얼굴을 아는 건 불공평하겠다 싶어. 맘에 안 들지도 모르지만 한 장을 보내.

첨부된 사진을 여는 아름이. 화면 가득 키워서 본다. 싱그러움이 느껴지는 소녀의 손. 사진에 손을 가만히 갖다 대 보는 아름이.

S# 50. 오솔길 / 오후[아름이의 상상]

사진 위로 겹쳐진 두 손이 실제가 되어 맞잡은 손이 된다. 손을 잡고 걷고 있는 소년과 소녀. 아름이와 서하의 모습이다. 오솔길을 걷는 두 사람. 아름이는 자신의 꿈속에 등장했던 ⓒ건강한 열 여섯 살 소년의 모습을 하고 있다. 그리고, 아름이가 바라본 서하의 모습. 청순한 얼굴을 한 소녀가 아름이를 향해 환하게 웃고 있다.

서하 : (소리) 아름아, 넌, 언제 살고 싶어지니?

아름이 넌 어떨 때 가장 살고 싶어지냐구…….

– 원작 김애란/각본 최민석 외, 「두근두근 내 인생」 –

---

02 이 글의 갈래가 시나리오임을 참고할 때, ⓐ의 기능을 <u>3가지</u>로 쓰시오. (ⓐ가 나타내는 것이 무엇인지 한 문장으로 서술할 것)

03 S# 15에서 알 수 있는 '아름'의 성격을 <u>두 가지</u> 쓰시오.

┤ 조건 ├

(가)에 나타난 '아름'의 성격을 알 수 있는 <u>모습도 함께</u> 제시하여 한 문장으로 쓸 것

04 다음을 읽고 물음에 답하시오.

(1) ㉠에서 나타나는 '아름'의 성격에 대해 서술하시오.

(2) ㉡에서 '아름'이 느꼈을 심정과 그 이유에 대해 서술하시오.

(3) 'S#50'에서 '아름'이 ⓒ처럼 나온 이유에 대해 서술하시오.

용기 있는 이단자들의 반란

이단자(異端者) 전통이나 권위, 세속적인 상식에 반항하여
자기 개성을 강하게 주장하여 고립되어 있는 사람.

– 유정식 –

서론 ① 과학사를 들춰 보면 기존의 학문 체계에 도전했다가 곤욕을 치른 인물들의 이야기를 자주 만날 수 있다. 대표적

곤욕(困辱) 심한 모욕. 또는 참기 힘든 일

인 인물이 천동설을 부정하고 지동설을 주장한 갈릴레이이다. 천동설을 지지하던 당시의 권력층은 그들의 막강한 힘

우주의 중심은 지구이고, 모든 천체는 지구의 둘레를 돈다는 학설   '용기 있는 이단자'의 예시 ①

을 이용하여 갈릴레이를 신의 권위에 도전하는 이단자로 욕하고 목숨까지 위협했다. 갈릴레이가 영원한 침묵을 맹세

하지 않고 계속 지동설을 주장했더라면 그는 단두대의 이슬로 사라졌을지도 모른다. 이처럼 천동설을 믿었던 당시의

사형대에서 처형되어 죽었을지도

사람들에게 갈릴레이는 진리의 창시자가 아니라 그저 불온한 이단자에 불과했다.   ▶ 기존의 천동설을 부정하고 지동설을 주장한 '갈릴레이'

서론 – 기존의 학문인 천동설을 부정하고 지동설을 주장했다가 곤욕을 치른 '갈릴레이'의 사례

본론 ② 당시의 사회적 통념으로 새로운 가설이 무시되고 과학의 발전이 늦춰질 뻔했던 사례가 또 있다. 1854년 8월 런

던의 브로드 가에 퍼진 콜레라는 불과 열흘 만에 주민 500명 이상의 목숨을 앗아 갔다. 당시 과학자들은 별다른 증거

콜레라(cholera) 콜레라균이 일으키는 소화 계통의 전염병. 심한 구토와 설사에 따른 증상, 근육의 경련 따위를 일으키며 사망률이 높다.   콜레라의 원인에 대한 당시의 잘못된 사회적 통념

없이 오염된 공기로 콜레라가 전염된다고 주장했다. 보통 악취가 나는 하수구나 늪지대 근방에서 전염병이 유행했기

때문에 공기로 병이 전염된다는 주장은 많은 사람의 지지를 얻었던 것이다.

▶ 콜레라가 오염된 공기로 전염된다고 믿었던 19세기의 통념

③ 그러나 영국의 의사 존 스노만은 예외였다.「그는 대담하게도 공기가 아니라 물이 콜레라균의 매개체라는 가설

'용기 있는 이단자'의 예시 ②   「」: '존 스노'의 가설 입증 과정

을 세우고 이를 입증하려고 했다. 그는 빈민가를 돌아다니면서 콜레라의 전염 양상을 관찰하고 발병자와 사망자의

집 위치를 조사하였다. 그 결과, 최초 발병자의 집 지하에 있는 정화조와 브로드 가 지하에 있는 상수도의 거리가 가

똥오줌을 하수도로 내보내기 전에 가두는 통   사람들이 쓸 물을 관을 통하여 보내 주는 설비

까운 것을 확인하였다. 이러한 자료를 근거로 그는 최초 발병자의 장에서 나온 세균이 정화조와 토양층을 통하여 브

로드 가의 상수도에 유입되었고, 그 상수도에서 물을 길어 먹었던 사람들이 콜레라에 감염되었다는 사실을 밝혀내었

다.」무모한 듯 보였던 존 스노의 연구는 콜레라의 전염 경로를 설명하여 콜레라 예방에 공헌했을 뿐 아니라 현대 의

학의 연구 방법에도 큰 밑거름이 되었다. 만약 존 스노가 오염된 공기로 병이 전염된다는 기존의 지배적 통념에 갇혀

있었더라면 더 많은 사람들이 콜레라에 감염되어 목숨을 잃었을지 모를 일이다.

▶ 기존의 지배적 통념을 개고 콜레라의 전염 경로를 설명한 '존 스노'

④ 새로운 생각에 대한 너그럽지 못한 태도가 과학에서뿐만 아니라 사회나 조직의 발전을 해치는 경우를 찾는 일

과학 분야의 사례를 통해 도출한 생각을 사회와 조직으로 확장함

은 어렵지 않다. 사회나 조직이 구축한 문화적 동질성은 구성원의 연대를 강화하고 구성원이 사회 공동의 목표에 집

여럿이 함께 일하거나 함께 책임을 짐

중하게 하는 순기능이 있지만, 기존의 제도나 학설에 도전하는 자를 처벌하려는 불합리한 면도 있기 때문이다.

▶ 과학뿐만 아니라 사회나 조직도 새로운 생각에 너그럽지 못함

⑤ 그러나 「지동설을 주장한 갈릴레이와 콜레라의 감염 경로를 밝힌 존 스노의 경우에서도 알 수 있듯이, 과학의 도
「」: 예시를 통한 결론 도출

약은 대개 이단적 발상을 통해 이루어졌다.」 용기 있는 이단을 수용할 때에 발전과 도약이 가능했던 것이다. 조직과

사회도 이와 같다. 사회 혁신의 동력은 기존의 권위에 도전하는 충심 어린 이단자들로부터 나온다는 것을 기억해야
　　　　　　　　　　　　　　　　　　　　　　　사회 발전을 위한 저항이기에 사용한 표현

한다.
　　　　　　　　　　　　　　　　　　　　　　　　　　　　　　▶ 조직과 사회가 이단적 발상을 수용해야 하는 이유

> 본론 - '갈릴레이'와 '존 스노'의 사례에서 알 수 있는 이단적 발상의 가치

결론 ⑥ 「영국의 시인 밀턴은 르네상스를 화려하게 꽃피운 이탈리아의 영광이 순식간에 몰락한 결정적 원인은 바로 갈릴
　　　　　「」: 주제를 강조하기 위해 권위 있는 사람의 말을 인용함

레이를 영원히 침묵하게 만든 탓이라고 했다.」 기존 사회의 편협한 시각에서 벗어나 '이상한 말'에 귀를 기울이라는 충
　　　　　　　　　　　　　　　　　편협(偏狹 / 褊狹)한 한쪽으로 치우쳐 도량이 좁고 너그럽지 못한.

고이다. 용기 있는 이단자들을 감싸고 그들을 활용하라. 그것이 우리 사회의 성장과 발전의 동력임을 명심하자.
　이 글의 주제 - 새롭고 다양한 의견을 수용해야 함　　　　　　　　　▶ 이단자를 받아들이는 것이 우리 사회의 성장과 발전의 동력임

－ 유정식, 『샘터』 －

> 결론 - 새로운 생각을 수용하는 문화 조성의 필요성

⊙ 핵심정리

갈래	칼럼	성격	설득적, 논증적
제재	갈릴레이와 존 스노의 사례.		
주제	새로운 생각을 수용하는 문화와 풍토를 조성해야 한다.		
특징	실재했던 과학적 사실을 근거로 들어 독자를 설득함.		

확인학습 ··········

01 이와 같은 설득하는 글을 쓰기 위해서는 생각이나 주장이 뚜렷해야 하고, 이를 뒷받침하는 근거가 합리적이고 이치에
　　맞아야 한다. O☐ X☐

02 이와 같은 글은 글의 내용 전개가 논리적이야 하고, 논리 전개가 '서론-본론-결론'에 따라 짜임새 있게 구성되어야
　　한다. O☐ X☐

03 이와 같은 글은 사회에 귀감이 될 만한 인물의 삶을 다루어야 한다. O☐ X☐

04 1854년 당시 과학자들은 별다른 증거 없이 콜레라가 오염된 공기로 전염된다고 주장했다. O☐ X☐

05 '존 스노'는 빈민가를 돌아다니며 콜레라의 전염 양상을 관찰하고 발병자와 사망자의 집 위치를 조사하였다 O☐ X☐

06 '갈릴레이'는 천동설을 부정하고 지동설을 주장했다가 진리의 창시자가 아닌 불온한 이단자로 폄하되었다. O☐ X☐

07 이 글에서는 유명한 과학자인 '갈릴레이'의 사례를 들어 독자의 관심을 환기하고 있다. O☐ X☐

08 이 글은 전문가를 예상 독자로 하여 작성되었다. O☐ X☐

09 이 글은 논리적이고 전문적인 용어를 활용하여 문제점을 구체적으로 지적하고 있다. O☐ X☐

10 이 글은 '새로운 생각을 수용하는 문화와 풍토를 조성해야 한다.'라는 주제에 맞는 내용을 전달하고 있다. O☐ X☐

11 이 글은 설득이라는 글의 목적에 맞게 구체적인 주장을 제시하고 있다. O☐ X☐

12 설득하는 글쓰기는 '소재 선정 → 쓰기 맥락 분석 → 자료 수집과 근거 마련 → 개요 작성 및 글 쓰기 → 고쳐쓰기'의
　　과정을 거친다. O☐ X☐

객관식 기본문제

[01~07] 다음 글을 읽고 물음에 답하시오.

1 과학사를 들춰 보면 기존의 학문 체계에 도전했다가 곤욕을 치른 인물들의 이야기를 자주 만날 수 있다. 대표적인 인물이 천동설을 부정하고 지동설을 주장한 갈릴레이다. 천동설을 지지하던 당시의 권력층을 그들의 막강한 힘을 이용하여 갈릴레이를 신의 권위에 도전하는 이단자로 욕하고 목숨까지 위협했다. 갈릴레이가 영원한 침묵을 맹세하지 않고 계속 지동설을 주장했더라면 그는 단두대의 이슬로 사라졌을지도 모른다. 이처럼 천동설을 믿었던 당시의 사람들에게 갈릴레이는 진리의 창시자가 아니라 그저 불온한 이단자에 불과했다.

2 당시의 사회적 통념으로 새로운 가설이 무시되고 과학의 발전이 늦춰질 뻔했던 사례가 또 있다. 1854년 8월 런던의 브로드 가에 퍼진 콜레라는 불과 열흘 만에 주민 500명 이상의 목숨을 앗아 갔다. 당시 과학자들은 별다른 증거 없이 오염된 공기로 콜레라가 전염된다고 주장했다. 보통 악취가 나는 하수구나 늪지대 근방에서 전염병이 유행했기 때문에 공기로 병이 전염된다는 주장은 많은 사람의 지지를 얻었던 것이다.

3 그러나 영국의 의사 존 스노만은 예외였다. 그는 대담하게도 공기가 아니라 물이 콜레라균의 매개체라는 가설을 세우고 이를 입증하려고 했다. 그는 빈민가를 돌아다니면서 콜레라의 전염 양상을 관찰하고 발병자와 사망자의 집 위치를 조사하였다. 그 결과, 최초 발병자의 집 지하에 있는 정화조와 브로드 가 지하에 있는 상수도의 거리가 가까운 것을 확인하였다. 이러한 자료를 근거로 그는 최초 발병자의 장에서 나온 세균이 정화조와 토양층을 통하여 브로드 가의 상수도에 감염되었고, 그 상수도에서 물을 길어 먹었던 사람들이 콜레라에 감염되었다는 사실을 밝혀내었다. 무모한 듯 보였던 존 스노의 연구는 콜레라의 전염 경로를 설명하여 콜레라 예방에 공헌했을 뿐 아니라 현대 의학의 연구 방법에도 큰 밑거름이 되었다. 만약 존 스노가 오염된 공기로 병이 전염된다는 기존의 지배적 통념에 갇혀 있었더라면 더 많은 사람들이 콜레라에 감염되어 목숨을 잃었을지 모를 일이다.

4 새로운 생각에 대한 너그럽지 못한 태도가 과학에서뿐만 아니라 사회나 조직의 발전을 해치는 경우를 찾는 일은 어렵지 않다. 사회나 조직이 구축한 문화적 동질성은 구성원의 연대를 강화하고 구성원이 사회 공동의 목표에 집중하게 하는 순기능이 있지만, 기존의 제도나 학설에 도전하는 자를 처벌하려는 불합리한 면도 있기 때문이다.

5 그러나 지동설을 주장한 갈릴레이와 콜레라의 감염 경로를 밝힌 존 스노의 경우에서도 알 수 있듯이, 과학의 도약은 대개 이단적 발상을 통해 이루어졌다. 용기 있는 이단을 수용할 때에 발전과 도약이 가능했던 것이다. 조직과 사회도 이와 같다. 사회 혁신의 동력은 기존의 권위에 도전하는 충심 어린 이단자들로부터 나온다는 것을 기억해야 한다.

6 영국의 시인 밀턴은 르네상스를 화려하게 꽃피운 이탈리아의 영광이 순식간에 몰락한 결정적 원인은 바로 갈릴레이를 영원히 침묵하게 만든 탓이라고 했다. 기존 사회의 편협한 시각에서 벗어나 ㉠'이상한 말'에 귀를 기울이라는 충고이다. 용기 있는 이단자들을 감싸고 그들을 활용하라. 그것이 우리 사회의 성장과 발전의 동력임을 명심하자.

---

01 이와 같은 글의 특징으로 적절하지 <u>않은</u> 것은?

① 논리적이고 설득적인 성격을 띤다.
② 서론, 본론, 결론의 짜임새로 글이 전개된다.
③ 글쓴이의 주장을 전달하여 독자의 의식이나 행동에 영향을 주는 것이 목적이다.
④ 문제에 대한 대립적인 입장을 소개하고 두 입장을 절충하는 글이다.
⑤ 주장이 뚜렷해야 하고, 이를 뒷받침하는 근거가 합리적이어야 한다.

02 이 글에 대한 설명으로 적절하지 <u>않은</u> 것은?

① 물음과 대답을 제시하는 방식으로 논지를 전개하고 있다.
② 주제를 강조하고 위해 권위 있는 사람의 말을 인용하고 있다.
③ 실재했던 과학적 사례를 근거로 들어 주장을 뒷받침하고 있다.
④ 전문적인 과학 지식을 지니지 않은 일반적인 독자를 대상으로 하고 있다.
⑤ 글의 첫 부분에 익숙한 사례를 제시하여 독자의 관심을 환기하고 있다.

03 ⓛ에 대한 설명으로 가장 적절한 것은?

① 열거의 방식으로 논지를 전개하고 있다.
② 특정 용어의 어원과 함께 개념을 소개하고 있다.
③ 글쓴이의 특수한 경험을 다양하고 구체적으로 제시하고 있다.
④ 일반인의 왜곡된 인식을 바로잡으며 주의를 환기시키고 있다.
⑤ 친숙한 사례를 제시하여 앞으로 전개할 주장에 대한 설득력을 높이고 있다.

04 ㉠이 의미하는 바로 가장 적절한 것은?

① 기존 학설의 내용을 보충하는 의견
② 기존의 통념과는 다른 새로운 생각
③ 사회의 혁신에 대해 조언하는 말
④ 기존 체제를 거스르는 이단적 발상
⑤ 사회의 발전과 도약을 위한 새로운 규칙

05 윗글에 대한 설명으로 적절하지 <u>않은</u> 것은?

① 독자의 관심과 흥미를 유발하기 위해 독자에게 익숙한 인물을 제시하고 있다.
② 과학 분야의 사례를 조직과 사회 분야에 적용하여 설명하고 있다.
③ 주제를 강조하기 위해 권위 있는 사람의 말을 인용하고 있다.
④ 여러 가지 가설을 제시하고 다양한 자료를 활용하여 타당성을 검증하고 있다.
⑤ 실재 했던 과학적 사실을 근거로 독자를 설득하고 있다.

06 윗글을 읽고 알 수 있는 내용으로 가장 적절한 것은?

① 갈릴레이는 천동설을 주장함으로써 당대의 진리의 창시자로 추앙받았다.
② 존 스노와 갈릴레이는 사회나 조직이 구축한 기존의 제도나 학설에 도전하는 사람이었다.
③ 갈릴레이가 살던 시대에 신의 권위에 도전하는 것은 당시의 권력층에게만 허용된 일이었다.
④ 1854년 당시 대부분의 과학자들은 콜레라가 하수구나 늪지대 근방에서 물을 통해 전염된다고 주장하였다.
⑤ 과학사의 혁신과 사회의 혁신은 이단적 발상보다는 문화적 동질성을 바탕으로 한 연대를 통해 이루어질 수 있다.

07 윗글에 대한 설명으로 적절하지 <u>않은</u> 것은?

① 주제를 강조하기 위해 권위 있는 사람의 말을 인용하였다.
② 실재했던 과학적 사례를 근거로 들어 독자를 설득하고자 하였다.
③ 과학 분야에서 얻은 결론을 다른 분야로 확장하여 적용하였다.
④ 많은 사람들이 알 법한 인물을 통해 글에 대한 흥미를 유발하고 있다.
⑤ 두 개의 대조적인 예시를 제시하여 변증법적으로 결론을 도출하였다.

[08~12] 다음 글을 읽고 물음에 답하시오.

(가) 과학사를 들춰 보면 기존의 학문 체계에 도전했다가 곤욕을 치른 인물들의 이야기를 자주 만날 수 있다. 대표적인 인물이 천동설을 부정하고 지동설을 주장한 갈릴레이이다. 천동설을 지지하던 당시의 권력층을 그들의 막강한 힘을 이용하여 갈릴레이를 신의 권위에 도전하는 이단자로 욕하고 목숨까지 위협했다. 갈릴레이가 영원한 침묵을 맹세하지 않고 계속 지동설을 주장했더라면 그는 단두대의 이슬로 사라졌을지도 모른다. 이처럼 천동설을 믿었던 당시의 사람들에게 갈릴레이는 진리의 창시자가 아니라 그저 불온한 이단자에 불과했다.

(나) 당시의 사회적 통념으로 새로운 가설이 무시되고 과학의 발전이 늦춰질 뻔했던 사례가 또 있다. 1854년 8월 런던의 브로드 가에 퍼진 콜레라는 불과 열흘 만에 주민 500명 이상의 목숨을 앗아 갔다. 당시 과학자들은 별다른 증거 없이 오염된 공기로 콜레라가 전염된다고 주장했다. 보통 악취가 나는 하수구나 늪지대 근방에서 전염병이 유행했기 때문에 공기로 병이 전염된다는 주장은 많은 사람의 지지를 얻었던 것이다.

(다) 그러나 영국의 의사 존 스노만은 예외였다. 그는 대담하게도 공기가 아니라 물이 콜레라균의 매개체라는 가설을 세우고 이를 입증하려고 했다. 그는 빈민가를 돌아다니면서 콜레라의 전염 양상을 관찰하고 발병자와 사망자의 집 위치를 조사하였다. 그 결과, 최초 발병자의 집 지하에 있는 정화조와 브로드가 지하에 있는 상수도의 거리가 가까운 것을 확인하였다. 이러한 자료를 근거로 그는 최초 발병자의 장에서 나온 세균이 정화조와 토양층을 통하여 브로드 가의 상수도에 유입되었고, 그 상수도에서 물을 길어 먹었던 사람들이 콜레라에 감염되었다는 사실을 밝혀내었다. 무모한 듯 보였던 존 스노의 연구는 콜레라의 전염 경로를 설명하여 콜레라 예방에 공헌했을 뿐 아니라 현대 의학의 연구 방법에도 큰 밑거름이 되었다. 만약 존 스노가 오염된 공기로 병이 전염된다는 기존의 지배적 통념에 갇혀 있었더라면 더 많은 사람들이 콜레라에 감염되어 목숨을 잃었을지 모를 일이다.

(라) 새로운 생각에 대한 너그럽지 못한 태도가 과학에서뿐만 아니라 사회나 조직의 발전을 해치는 경우를 찾는 일은 어렵지 않다. 사회나 조직이 구축한 문화적 동질성은 구성원의 연대를 강화하고 구성원이 사회 공동의 목표에 집중하게 하는 순기능이 있지만, 기존의 제도나 학설에 도전하는 자를 처벌하려는 불합리한 면도 있기 때문이다.

(마) 그러나 지동설을 주장한 갈릴레이와 콜레라의 감염 경로를 밝힌 존 스노의 경우에서도 알 수 있듯이, 과학의 도약은 대개 이단적 발상을 통해 이루어졌다. 용기 있는 이단을 수용할 때에 발전과 도약이 가능했던 것이다. 조직과 사회도 이와 같다. 사회 혁신의 동력은 기존의 권위에 도전하는 충심 어린 이단자들로부터 나온다는 것을 기억해야 한다.

(바) 영국의 시인 밀턴은 르네상스를 화려하게 꽃피운 이탈리아의 영광이 순식간에 몰락한 결정적 원인은 바로 갈릴레이를 영원히 침묵하게 만든 탓이라고 했다. 기존 사회의 편협한 시각에서 벗어나 '이상한 말'에 귀를 기울이라는 충고이다. 용기 있는 이단자들을 감싸고 그들을 활용하라. 그것이 우리 사회의 성장과 발전의 동력임을 명심하자.

08 이와 같은 설득하는 글을 읽는 방법으로 가장 적절한 것은?

① 글쓴이의 경험에 공감하며 읽는다.
② 글의 내용을 추론과 의견으로 구분하며 읽는다.
③ 글의 전개 과정이 개연성이 있는지 판단하며 읽는다.
④ 글쓴이의 주장과 그 근거가 타당한지 판단하며 읽는다.
⑤ 각 문단의 중심 문장과 주변 문장 간의 사실 관계를 파악하며 읽는다.

09 (다)에 대한 설명으로 가장 적절한 것은?

① 글쓴이의 주장과 그에 대한 근거를 요약하여 정리하고 있다.
② 역사적인 사건을 예로 들어 주제의 중요성에 접근하고 있다.
③ 주제를 강조하기 위해 권위 있는 사람의 말을 인용하고 있다.
④ 주제와 관련된 통계 자료를 활용하여 주장의 타당성을 높이고 있다.
⑤ 쉽게 접할 수 있는 익숙한 대상을 활용하여 주장을 뒷받침하고 있다.

10 이와 같은 글만의 특징으로 가장 적절한 것은?

① 생각이나 정서가 뚜렷해야 한다.
② 글의 전개가 짜임새 있게 구성되어야 한다.
③ 사회에 귀감이 될 만한 인물의 삶을 다루어야 한다.
④ 글의 내용 전개가 독자의 상상력을 불러일으켜야 한다.
⑤ 주장에 대한 근거가 구체적이고 공익을 담고 있어야 한다.

11 이 글에 대한 설명으로 가장 적절한 것은?

① 여러 가지 가설을 제시하고 그 타당성을 검증한다.
② 객관적인 태도로 사실을 정확하게 전달하는 것을 중시한다.
③ 문제에 대한 대립적인 입장을 소개하고 두 입장을 절충하고 있다.
④ 과학에 대한 과학자의 생각이 변화해 온 과정을 설명하고 있다.
⑤ 독자에게 널리 알려진 유명한 과학자의 사례를 들어 독자의 관심을 환기하고 있다.

12 이 글을 읽고 알 수 있는 내용으로 적절하지 않은 것은?

① 잘못된 사회적 통념이 과학적 발전을 늦출 수도 있음을 보여주고 있다.
② 천동설을 부정하고 지동설을 주장한 '갈릴레이'는 이단자로 취급당했다.
③ '존 스노'가 획기적인 연구로 콜레라의 발생 원인과 치료 방법을 밝혀냈음을 드러내고 있다.
④ 새로운 생각을 가진 사람이 사회를 발전시키고 사람의 목숨을 구하는 역사적 사실을 보여주고 있다.
⑤ '존 스노'의 연구는 콜레라 예방에 공헌했을 뿐 아니라 현대의 의학 연구 방법에도 큰 밑거름이 되었다.

객관식 심화문제

[01~06] 다음 글을 읽고 물음에 답하시오.

과학사를 들춰 보면 기존의 학문 체계에 도전했다가 (㉠)을 치른 인물들의 이야기를 자주 만날 수 있다. 대표적인 인물이 천동설을 부정하고 지동설을 주장한 갈릴레이이다. 천동설을 지지하던 당시의 권력층을 그들의 막강한 힘을 이용하여 갈릴레이를 신의 권위에 도전하는 이단자로 욕하고 목숨까지 위협했다. 갈릴레이가 영원한 침묵을 맹세하지 않고 계속 지동설을 주장했더라면 그는 단두대의 이슬로 사라졌을지도 모른다. 이처럼 천동설을 믿었던 당시의 사람들에게 갈릴레이는 진리의 창시자가 아니라 그저 불온한 이단자에 불과했다.

당시의 사회적 통념으로 새로운 가설이 무시되고 과학의 발전이 늦춰질 뻔했던 사례가 또 있다. 1854년 8월 런던의 브로드 가에 퍼진 콜레라는 불과 열흘 만에 주민 500명 이상의 목숨을 앗아 갔다. 당시 과학자들은 별다른 증거 없이 오염된 공기로 콜레라가 전염된다고 주장했다. 보통 악취가 나는 하수구나 늪지대 근방에서 전염병이 유행했기 때문에 공기로 병이 전염된다는 주장은 많은 사람의 지지를 얻었던 것이다.

그러나 영국의 의사 존 스노만은 예외였다. 그는 대담하게도 공기가 아니라 물이 콜레라균의 매개체라는 가설을 세우고 이를 입증하려고 했다. 그는 빈민가를 돌아다니면서 콜레라의 전염 양상을 관찰하고 발병자와 사망자의 집 위치를 조사하였다. 그 결과, 최초 발병자의 집 지하에 있는 정화조와 브로드가 지하에 있는 상수도의 거리가 가까운 것을 확인하였다. 이러한 자료를 근거로 그는 최초 발병자의 장에서 나온 세균이 정화조와 토양층을 통하여 브로드 가의 상수도에 (㉡)되었고, 그 상수도에서 물을 길어 먹었던 사람들이 콜레라에 감염되었다는 사실을 밝혀내었다. 무모한 듯 보였던 존 스노의 연구는 콜레라의 전염 경로를 설명하여 콜레라 예방에 공헌했을 뿐 아니라 현대 의학의 연구 방법에도 큰 밑거름이 되었다. 만약 존 스노가 오염된 공기로 병이 전염된다는 기존의 지배적 (㉢)에 갇혀 있었더라면 더 많은 사람들이 콜레라에 감염되어 목숨을 잃었을지 모를 일이다.

새로운 생각에 대한 너그럽지 못한 태도가 과학에서뿐만 아니라 사회나 조직의 발전을 해치는 경우를 찾는 일은 어렵지 않다. 사회나 조직이 구축한 문화적 동질성은 구성원의 연대를 강화하고 구성원이 사회 공동의 목표에 집중하게 하는 순기능이 있지만, 기존의 제도나 학설에 도전하는 자를 처벌하려는 불합리한 면도 있기 때문이다.

그러나 지동설을 주장한 갈릴레이와 콜레라의 감염 경로를 밝힌 존 스노의 경우에서도 알 수 있듯이, 과학의 (㉣)은 대개 이단적 발상을 통해 이루어졌다. 용기 있는 이단을 수용할 때에 발전과 (㉣)이 가능했던 것이다. 조직과 사회도 이와 같다. 사회 혁신의 동력은 기존의 권위에 도전하는 충심 어린 이단자들로부터 나온다는 것을 기억해야 한다.

영국의 시인 밀턴은 르네상스를 화려하게 꽃피운 이탈리아의 영광이 순식간에 몰락한 결정적 원인은 바로 갈릴레이를 영원히 침묵하게 만든 탓이라고 했다. 기존 사회의 (㉤)한 시각에서 벗어나 '이상한 말'에 귀를 기울이라는 충고이다. 용기 있는 이단자들을 감싸고 그들을 활용하라. 그것이 우리 사회의 성장과 발전의 동력임을 명심하자.

01 윗글의 내용과 일치하지 않는 것은?

① 문화적 동질성을 통해 사회 구성원이 연대할 때 비로소 사회는 전반적으로 변화를 이룰 수 있다.

② 많은 사람들이 믿고 있는 사실이 항상 옳은 것은 아니라는 사실이 여러 사례를 통해 밝혀진 바 있다.

③ '갈릴레이'와 '존 스노'는 글쓴이가 말하고자 하는 용기 있는 이단자들에 해당하는 인물이다.

④ 런던에 퍼진 콜레라는 짧은 시간에 확산되어 많은 사람들의 생명을 위협했다.

⑤ 갈릴레이의 주장은 천동설을 믿었던 사람들로부터 비판의 대상이 되었다.

02 윗글을 쓰기 위해 글쓴이가 작성한 메모의 내용으로 적절하지 <u>않은</u> 것은?

┤ 메모 ├

가. '새로운 생각을 수용하는 문화와 풍토를 조성해야 한다.'는 주제를 드러낼 것. ·············· ①

나. 실재했던 과학적 사례를 제시하여 독자의 흥미를 유발할 것. ·························· ②

다. 비유적 표현을 사용함으로써 내용의 전달력을 증대시킬 것. ·························· ③

라. 가설을 세우고 검증하는 방식으로 내용의 논리성을 확보할 것. ····················· ④

마. 주제를 설득력 있게 제시할 수 있도록 권위 있는 사람의 말을 인용할 것. ·············· ⑤

03 윗글과 관련하여 글쓰기 맥락을 다음과 같이 정리하였을 때 잘못된 것은?

	쓰기 맥락		정리한 내용
㉮	주제	→	새로운 생각을 수용하는 문화와 풍토를 조성해야 한다.
㉯	목적	→	독자의 의식이나 행동에 영향을 주는 것이 목적이다.
㉰	예상 독자	→	전문적 지식을 가진 일반인 독자로 정한다.
㉱	매체	→	잡지의 기고란에 쓰면 좋겠다.
㉲	표현 방법	→	과학 분야의 사례를 조직과 사회 분야에 적응하여 설명한다.

① ㉮　　　　② ㉯　　　　③ ㉰　　　　④ ㉱　　　　⑤ ㉲

04 〈보기〉에서 윗글을 읽고 난 후의 반응으로 적절한 것은?

┤ 보기 ├

예슬 : '존 스노'의 연구는 콜레라 예방에 공헌했을 뿐 아니라 현대 의학의 연구 방법에도 큰 밑거름이 되었어.

지우 : 과학사에서 기존의 학문 체계에 도전했다가 곤란을 겪은 인물이 많다는 것은 그 당시 사회의 경직성을 보여 줘.

현지 : 문화적 동질성을 이루려는 것은 기존의 권위에 도전하여 혁신을 추구하면서 사회적 안정을 바라는 것이라 볼 수 있어.

사랑 : 19세기 당시 과학자들은 객관적 증거 없이 오염된 공기로 콜레라가 전염된다고 주장하였어.

하은 : '이 글의 용기 있는 이단자들'의 사례로 '갈릴레이'와 '존 스노'와 '밀턴'이 이에 해당한다고 볼 수 있어.

① 예슬, 지우, 현지　　　　② 예슬, 지우, 사랑　　　　③ 예슬, 현지, 하은

④ 현지, 사랑, 하은　　　　⑤ 지우, 사랑, 하은

05 윗글의 밑줄 친 부분이 다음 〈보기〉의 '문제의식'과 가장 거리가 먼 것은?

┌─ 보기 ├─

　'문제의식'은 곧 일상성이 세계를 꿰뚫어 보는 의식이다. 이것은 모두를 문제가 없는 것으로 알고 있는 그 세계의 껍질을 벗기고, 그 속에 숨어 있는 문제성의 정체와 그 실상을 밝혀 보려는 의식이다. 모두가 "물론이죠"라고 응답할 때, "글쎄요"라고 회의(懷疑)하면서 현상의 표피를 뚫고 그 내용을 살펴보려는 의식이다. 특히 일상의 관습이 완강하게 받쳐 주고 있는 그 '물론'의 바탕과 내용을 파헤쳐 보려는 의식이다.

① 영원한 침묵　　　　　② 진리의 창시　　　　　③ 새로운 생각
④ 이단적 발상　　　　　⑤ 이상한 말

06 윗글의 ㉠~㉤에 들어갈 어휘와 의미의 연결이 바른 것은?

① ㉠곤혹 : 심한 모욕, 또는 참기 힘든 일
② ㉡유입 : 사람이나 물자, 자본 등을 필요한 곳에 넣음
③ ㉢관념 : 일반적으로 널리 통하는 개념
④ ㉣도약 : 더 높은 단계로 발전하는 것을 비유적으로 이르는 말
⑤ ㉤편견 : 한쪽으로 치우쳐 도량이 좁고 너그럽지 못함

[07~09] 다음 글을 읽고 물음에 답하시오.

(가) ① 과학사를 들춰 보면 기존의 학문 체계에 도전했다가 곤욕을 치른 인물들의 이야기를 자주 만날 수 있다. 대표적인 인물이 천동설을 부정하고 지동설을 주장한 갈릴레이다. 천동설을 지지하던 당시의 권력층은 그들의 막강한 힘을 이용하여 갈릴레이를 신의 권위에 도전하는 이단자로 욕하고 목숨까지 위협했다. 갈릴레이가 영원한 침묵을 맹세하지 않고 계속 지동설을 주장했더라면 그는 단두대이 이슬로 사라졌을지도 모른다. 이처럼 천동설을 믿었던 당시의 사람들에게 갈릴레이는 진리의 창시자가 아니라 그저 불온한 이단자에 불과했다.

(나) ② 당시의 사회적 통념으로 새로운 가설이 무시되고 과학의 발전이 늦춰질 뻔했던 사례가 또 있다. 1854년 8월 런던의 브로드 가에 퍼진 콜레라는 불과 열흘 만에 주민 500명 이상의 목숨을 앗아 갔다. 당시 과학자들은 별다른 증거 없이 오염된 공기로 콜레라가 전염된다고 주장했다. 보통 악취가 나는 하수구나 늪지대 근방에서 전염병이 유행했기 때문에 공기로 병이 전염된다는 주장은 많은 사람의 지지를 얻었던 것이다.

(다) ③ 그러나 영국의 의사 존 스노만은 예외였다. 그는 대담하게도 공기가 아니라 물이 콜레라균의 매개체라는 가설을 세우고 이를 입증하려고 했다. 그는 빈민가를 돌아다니면서 콜레라의 전염 양상을 관찰하고 발병자와 사망자의 집 위치를 조사하였다. 그 결과, 최초 발병자의 집 지하에 있는 정화조와 브로드 가 지하에 있는 상수도의 거리가 가까운 것을

확인하였다. 이러한 자료를 근거로 그는 최초 발병자의 장에서 나온 세균이 정화조와 토양층을 통하여 브로드 가의 상수 동에 유입되었고, 그 상수도에서 물을 길어 먹었던 사람들이 콜레라에 감염되었다는 사실을 밝혀내었다. 무모한 듯 보였던 존 스노의 연구는 콜레라의 전염 경로를 설명하여 콜레라 예방에 공헌했을 뿐 아니라 현대 의학의 연구 방법에도 큰 밑거름이 되었다. 만약 존 스노가 오염된 공기로 병이 전염된다는 기존의 지배적 통념에 갇혀 있었더라면 더 많은 사람들이 콜레라에 감염되어 목숨을 잃었을지 모를 일이다.

(라) ④ 새로운 생각에 대한 너그럽지 못한 태도가 과학에서뿐만 아니라 사회나 조직의 발전을 해치는 경우를 찾는 일은 어렵지 않다. 사회나 조직이 구축한 문화적 동질성은 구성원의 연대를 강화하고 구성원이 사회 공동의 목표에 집중하게 하는 순기능이 있지만, 기존의 제도나 학설에 도전하는 자를 처벌하려는 불합리한 면도 있기 때문이다.

(마) ⑤ 그러나 지동설을 주장한 갈릴레이와 콜레라의 감염 경로를 밝힌 존 스노의 경우에서도 알 수 있듯이, 과학의 도약은 대개 이단적 발상을 통해 이루어졌다. 용기 있는 이단을 수용할 때에 발전과 도약이 가능했던 것이다. 조직과 사회도 이와 같다. 사회 혁신의 동력은 기존의 권위에 도전하는 충심 어린 이단자들로부터 나온다는 것을 기억해야 한다.

(바) ⑥ 영국의 시인 밀턴은 르네상스를 화려하게 꽃피운 이탈리아의 영광이 순식간에 몰락한 결정적 원인은 바로 갈릴레이를 영원히 침묵하게 만든 탓이라고 했다. 기존 사회의 편협한 시각에서 벗어나 '이상한 말'에 귀를 기울이라는 충고이다. 용기 있는 이단자들을 감싸고 그들을 활용하라. 그것이 우리 사회의 성장과 발전의 동력임을 명심하자.

07 (가)에 대한 설명으로 가장 적절한 것은?

① 나열의 방식을 사용하여 논지를 전개하고 있다.
② 문제에 대한 대립적 입장을 설명하고 절충점을 모색하고 있다.
③ 과학적 사실에 대해 일반적으로 왜곡되어 왔던 내용을 바로잡고 있다.
④ 익숙한 사례를 제시하여 앞으로 전개할 주장에 대한 설득력을 높이고 있다.
⑤ 대조의 방식을 통해 사회 전반에 퍼진 인식을 바로잡으며 주의를 환기시키고 있다.

08 이 글의 성격과 특징을 설명한 내용 중 가장 적절하지 <u>않은</u> 것은?

① 논증적이고 설득적인 성격을 띤다.
② 제시된 정보가 정확하고 객관적이며 적절해야 한다.
③ 성격이 뚜렷해야 하고, 이를 뒷받침하는 근거가 합리적이어야 한다.
④ 논지에 따른 풍부한 자료를 수집하고 이를 논리적으로 선별해야 한다.
⑤ 글쓴이의 주장을 전달하여 독자의 의식이나 행동에 영향을 주는 것이 목적이다.

09 각 문단의 중심 내용과 근거 및 표현 방법을 정리한 내용 중 잘못된 것은?

	중심 내용	근거 및 표현 방법
1문단	기존의 학설에 도전하는 일은 이단자로 몰릴 수도 있는 어려운 일임	㉠
2~3문단	㉡	'존 스노'가 콜레라의 전염 경로를 밝힌 사례를 제시함
4~5문단	㉢	㉣
6문단	㉤	영국 시인 밀턴의 말을 인용함

① ㉠ – 갈릴레이의 예를 통해 가설을 세우고 증명해 가는 방식을 제시함
② ㉡ – 잘못된 사회적 통념이 과학의 발전을 늦출 수도 있음
③ ㉢ – 과학과 마찬가지로 사회나 조직도 용기 있는 이단을 수용하는 것이 필요함
④ ㉣ – 과학 분야의 사례를 조직과 사회 분야에 적응하여 설명함
⑤ ㉤ – 이단자를 포용하고 그들을 활용하는 것이 우리 사회의 성장과 발전의 동력이 됨

[10~12] 다음 글을 읽고 물음에 답하시오.

(가) 과학사를 들춰 보면 기존의 학문 체계에 도전했다가 곤욕을 치른 인물들의 이야기를 자주 만날 수 있다. 대표적인 인물이 천동설을 부정하고 지동설을 주장한 갈릴레이이다. 천동설을 지지하던 당시의 권력층은 그들의 막강한 힘을 이용하여 갈릴레이를 신의 권위에 도전하는 이단자로 욕하고 목숨까지 위협했다. 갈릴레이가 영원한 침묵을 맹세하지 않고 계속 지동설을 주장했더라면 그는 단두대이 이슬로 사라졌을지도 모른다. 이처럼 천동설을 믿었던 당시의 사람들에게 갈릴레이는 진리의 창시자가 아니라 그저 불온한 이단자에 불과했다.

(나) 당시의 사회적 통념으로 새로운 가설이 무시되고 과학의 발전이 늦춰질 뻔했던 사례가 또 있다. 1854년 8월 런던의 브로드 가에 퍼진 콜레라는 불과 열흘 만에 주민 500명 이상의 목숨을 앗아 갔다. 당시 과학자들은 별다른 증거 없이 오염된 공기로 콜레라가 전염된다고 주장했다. 보통 악취가 나는 하수구나 늪지대 근방에서 전염병이 유행했기 때문에 공기로 병이 전염된다는 주장은 많은 사람의 지지를 얻었던 것이다.

(다) (㉠) 영국의 의사 존 스노만은 예외였다. 그는 대담하게도 공기가 아니라 물이 콜레라균의 매개체라는 가설을 세우고 이를 입증하려고 했다. 그는 빈민가를 돌아다니면서 콜레라의 전염 양상을 관찰하고 발병자와 사망자의 집 위치를 조사하였다. (㉡), 최초 발병자의 집 지하에 있는 정화조와 브로드 가 지하에 있는 상수도의 거리가 가까운 것을 확인하였다. 이러한 자료를 근거로 그는 최초 발병자의 장에서 나온 세균이 정화조와 토양층을 통하여 브로드 가의 상수동에 유입되었고, 그 상수도에서 물을 길어 먹었던 사람들이 콜레라에 감염되었다는 사실을 밝혀내었다. 무모한 듯 보였던 존 스노의 연구는 콜레라의 전염 경로를 설명하여 콜레라 예방에 공헌했을 뿐 아니라 현대 의학의 연구 방법에도 큰 밑거름이 되었다. (㉢) 존 스노가 오염된 공기로 병이 전염된다는 기존의 지배적 통념에 갇혀 있었더라면 더 많은 사람들이 콜레라에 감염되어 목숨을 잃었을지 모를 일이다.

(라) 새로운 생각에 대한 너그럽지 못한 태도가 과학에서뿐만 아니라 사회나 조직의 발전을 해치는 경우를 찾는 일은 어렵지 않다. 사회나 조직이 구축한 문화적 동질성은 구성원의 연대를 강화하고 구성원이 사회 공동의 목표에 집중하게 하는 순기능이 있지만, 기존의 제도나 학설에 도전하는 자를 처벌하려는 불합리한 면도 있기 때문이다.

(마) 그러나 지동설을 주장한 갈릴레이와 콜레라의 감염 경로를 밝힌 존 스노의 경우에서도 알 수 있듯이, 과학의 도약은 대개 이단적 발상을 통해 이루어졌다. 용기 있는 이단을 수용할 때에 발전과 도약이 가능했던 것이다. 조직과 사회도 이와 같다. 사회 혁신의 동력은 기존의 권위에 도전하는 충심 어린 이단자들로부터 나온다는 것을 기억해야 한다.

(바) 영국의 시인 밀턴은 르네상스를 화려하게 꽃피운 이탈리아의 영광이 순식간에 몰락한 결정적 원인은 바로 갈릴레이를 영원히 침묵하게 만든 탓이라고 했다. 기존 사회의 편협한 시각에서 벗어나 '이상한 말'에 귀를 기울이라는 충고이다. 용기 있는 이단자들을 감싸고 그들을 활용하라. 그것이 우리 사회의 성장과 발전의 동력임을 명심하자.

---

10 (가)~(바)에 대한 설명으로 적절하지 <u>않은</u> 것은?

① (가)는 독자에게 익숙한 사례를 제시하여 앞으로 전개할 주장에 대한 설득력을 높이고자 한다.
② (나)와 (다)는 잘못된 사회적 통념이 과학의 발전을 늦출 수 있다는 것을 보여준다.
③ (라)는 과학 분야의 사례를 다른 분야에 적용하여 설명하고 있다.
④ (마)는 앞에서 제시한 예를 통해 결론을 도출하고 있다.
⑤ (바)는 인용을 바탕으로 또 다른 문제를 제기하고 있다.

11 이 글을 읽고 보인 반응으로 적절하지 <u>않은</u> 것은?

① 기존의 제도나 학설에 도전하는 일이 자신의 목숨을 위협하는 일이 되던 때도 있었구나.
② 일반인에게 많이 알려진 '갈릴레이'의 사례를 제시한 것은 예상 독자를 고려할 때 적절한 것 같아.
③ '존 스노'가 살았던 당시, 사람들은 별다른 증거 없이 비과학적 통념을 가지고 있었다는 것을 알 수 있어.
④ 글쓴이는 기존의 학문 체계나 사회적 통념에 대해 새로운 시각을 제시하는 사람들을 긍정적으로 보고 있군.
⑤ 과학자의 무모하고 무분별한 이론이 사회의 통합을 저해하고 사람들에게 혼란을 줄 수도 있음을 경계해야겠어.

12 문맥상 (다)의 ㉠~㉢에 들어갈 접속어로 적절한 것은?

	㉠	㉡	㉢
①	그러나	그런데	결코
②	그리고	그 결과	만약
③	그러나	그 결과	결코
④	그리고	그런데	결코
⑤	그러나	그 결과	만약

[13~14] 다음 글을 읽고 물음에 답하시오.

(가) 과학사를 들춰 보면 기존의 학문 체계에 도전했다가 곤욕을 치른 인물들의 이야기를 자주 만날 수 있다. 대표적인 인물이 천동설을 부정하고 지동설을 주장한 갈릴레이이다. 천동설을 지지하던 당시의 권력층을 그들의 막강한 힘을 이용하여 갈릴레이를 신의 권위에 도전하는 이단자로 욕하고 목숨까지 위협했다. 갈릴레이가 영원한 침묵을 맹세하지 않고 계속 지동설을 주장했더라면 그는 단두대의 이슬로 사라졌을지도 모른다. 이처럼 천동설을 믿었던 당시의 사람들에게 갈릴레이는 진리의 창시자가 아니라 그저 불온한 이단자에 불과했다.

(나) 당시의 사회적 통념으로 새로운 가설이 무시되고 과학의 발전이 늦춰질 뻔했던 사례가 또 있다. 1854년 8월 런던의 브로드 가에 퍼진 콜레라는 불과 열흘 만에 주민 500명 이상의 목숨을 앗아 갔다. 당시 과학자들은 별다른 증거 없이 오염된 공기로 콜레라가 전염된다고 주장했다. 보통 악취가 나는 하수구나 늪지대 근방에서 전염병이 유행했기 때문에 공기로 병이 전염된다는 주장은 많은 사람의 지지를 얻었던 것이다.

그러나 영국의 의사 존 스노만은 예외였다. 그는 대담하게도 공기가 아니라 물이 콜레라균의 매개체라는 가설을 세우고 이를 입증하려고 했다. 그는 빈민가를 돌아다니면서 콜레라의 전염 양상을 관찰하고 발병자와 사망자의 집 위치를 조사하였다. 그 결과, 최초 발병자의 집 지하에 있는 정화조와 브로드 가 지하에 있는 상수도의 거리가 가까운 것을 확인하였다. 이러한 자료를 근거로 그는 최초 발병자의 장에서 나온 세균이 정화조와 토양층을 통하여 브로드 가의 상수도에 감염되었고, 그 상수도에서 물을 길어 먹었던 사람들이 콜레라에 감염되었다는 사실을 밝혀내었다. 무모한 듯 보였던 존 스노의 연구는 콜레라의 전염 경로를 설명하여 콜레라 예방에 공헌했을 뿐 아니라 현대 의학의 연구 방법에도 큰 밑거름이 되었다. 만약 존 스노가 오염된 공기로 병이 전염된다는 기존의 지배적 통념에 갇혀 있었더라면 더 많은 사람들이 콜레라에 감염되어 목숨을 잃었을지 모를 일이다.

(다) 새로운 생각에 대한 너그럽지 못한 태도가 과학에서뿐만 아니라 사회나 조직의 발전을 해치는 경우를 찾는 일은 어렵지 않다. 사회나 조직이 구축한 문화적 동질성은 구성원의 연대를 강화하고 구성원이 사회 공동의 목표에 집중하게 하는 순기능이 있지만, 기존의 제도나 학설에 도전하는 자를 처벌하려는 불합리한 면도 있기 때문이다.

(라) 그러나 지동설을 주장한 갈릴레이와 콜레라의 감염 경로를 밝힌 존 스노의 경우에서도 알 수 있듯이, 과학의 도약은 대개 이단적 발상을 통해 이루어졌다. 용기 있는 이단을 수용할 때에 발전과 도약이 가능했던 것이다. 조직과 사회도 이와 같다. 사회 혁신의 동력은 기존의 권위에 도전하는 충심 어린 이단자들로부터 나온다는 것을 기억해야 한다.

(마) 영국의 시인 밀턴은 르네상스를 화려하게 꽃피운 이탈리아의 영광이 순식간에 몰락한 결정적 원인은 바로 갈릴레이를 영원히 침묵하게 만든 탓이라고 했다. 기존 사회의 편협한 시각에서 벗어나 '이상한 말'에 귀를 기울이라는 충고이다. 용기 있는 이단자들을 감싸고 그들을 활용하라. 그것이 우리 사회의 성장과 발전의 동력임을 명심하자.

13 윗글에 반영된 글쓰기 전략으로 적절하지 않은 것은?

① (가) : 많이 알려진 '갈릴레이'를 사례로 들어 독자의 관심을 환기하고 흥미를 이끌어내야겠어.

② (나) : 독자들이 '존 스노'에 대해 잘 모를 수 있으므로 그가 콜레라의 감염 경로를 밝힌 정보를 설명해야지.

③ (다) : '새로운 생각'을 바라보는 상반된 두 가지 관점을 제시하고 상호 보완적 태도의 필요성을 언급해야겠어.

④ (라) : 과학과 의학 분야의 사례들을 통해서 이끌어낸 사고를 '조직과 사회' 영역으로 확장하여 제시해야겠어.

⑤ (마) : 권위 있는 사람의 말을 인용하여 '이단자들'의 의견을 수용하라는 생각을 강조하고 설득력을 높여야겠어.

14 윗글에 대한 독자의 이해로 적절한 것을 〈보기〉에서 고른 것은?

┤ 보기 ├

ㄱ. 갈릴레이와 존 스노는 기존의 학문 체계에 도전했다가 목숨까지 위협받았군.

ㄴ. 지동설을 주장한 갈릴레이는 당시의 사람들로부터 결국 진리의 창시자라는 인정을 받았군.

ㄷ. 존 스노는 기존의 지배적 통념을 거부하고 대담하게 가설을 세웠으며 스스로 이를 입증해냈군.

ㄹ. 과학적으로 잘못된 통념에 맞서는 사람이 없었다면 많은 사람들이 목숨을 잃을 수도 있었겠군.

ㅁ. 사회나 조직의 문화적 동질성이 구성원의 연대를 강화하기도 하지만 사회와 조직의 발전을 해치는 경우가 더 많군.

ㅂ. 이단적 발상을 통해서 사회 혁신이 이루어지므로 그들의 새로운 의견을 포용하는 문화가 조성되어야 하겠군.

① ㄱ, ㄴ, ㄷ   ② ㄱ, ㄴ, ㄹ   ③ ㄱ, ㄴ, ㅁ   ④ ㄷ, ㄹ, ㅂ   ⑤ ㄹ, ㅁ, ㅂ

[15~18] 다음 글을 읽고 물음에 답하시오.

(가) 나라 고등학교의 상우는 교내 사진 동아리의 운영 위원으로 활동 중이다. '아름다운 웃음'이라는 주제로 전시회를 열기로 한 상우네 동아리는 전시회 장소를 찾던 중, ○○ 구청에서 강당을 무료로 빌려준다는 사실을 알게 된다. 상우는 강당을 빌리기 위해 직접 ○○ 구청을 찾아가 ○○구 공무원과 이야기해 보기로 한다.

상우 : 안녕하세요. 저는 나라 고등학교 일 학년 박상우입니다. 제가 학교에서 사진 동아리 활동을 하고 있는데, 이번에 '아름다운 웃음'이라는 주제로 사진 전시회를 열려고 합니다. 전시회를 할 장소로 구청 강당을 빌리고 싶어 이렇게 찾아왔습니다.

구 공무원 : 학생 동아리라면 학교에서든 전시회를 열 수 있을 텐데 굳이 구청 강당을 전시회 장소로 써야 할 이유가 있나요?

상우 : 이번 전시회는 우리 학교 학생뿐 아니라, 지역 주민도 함께 참여하는 행사로 기획했거든요. 그래서 전시회 장소로 학교보다는 구청 강당이 더 적절하다고 생각했습니다.

구 공무원 : 우리 구에서는 지역 주민을 위해 강당을 토론회나 교육 행사, 주민 모임 등의 주민 공동체 활동 장소로 빌려드립니다. 하지만 특정 단체의 이익을 목적으로 하는 행사나 상업적인 행사에는 강당을 빌려드리지 않습니다. 구청이 가진 공공시설로서의 성격에 맞지 않고 민원의 소지가 있기 때문이지요. 따라서 먼저 그 사진 전시회가 어떤 성격인지 알아야 강당을 빌려드릴 수 있습니다.

상우 : 이번 전시회에서는 고등학생인 저희가 친구들의 웃는 모습을 주제로 직접 찍은 사진을 전시할 거예요. 학업 때문에 힘들고 지친 고등학생들에게 힘을 주자는 의미도 있지요.

구 공무원 : 학업에 지친 고등학생들을 위로하고 그들에게 힘을 주자는 내용만으로는 전시회의 공공성이 좀 약합니다. 공공성 측면에서 좀 더 내세울 것이 있다면 우리 구의 사업으로 소개할 수도 있을 텐데요.

상우 : 네, 있습니다. 학생들이 친구들의 웃는 모습을 찍은 사진을 학교 사진 동아리 누리집에 올리면 한 장당 일정 금액이 모금됩니다. 그렇게 모금된 돈은 △△ 어린이 재단을 후원하는 데 사용할 거예요. 이 정도면 전시회의 공공성도 어느 정도 확보할 수 있다고 생각합니다.

구 공무원 : 동아리 누리집에 사진을 올리면 후원금이 모금되고 그것으로 △△ 어린이 재단을 후원한다니 참 좋은 생각이 네요. 그렇게 하면 사진 전시회를 우리 구의 사업으로 소개할 수 있겠습니다.

상우 : 네, 정말 잘 되었네요. 다음 주 목요일부터 일요일까지 4일 동안 전시회를 열 예정인데 그때 강당을 빌릴 수 있나요?

구 공무원 : 아, 그건 곤란합니다. 다음 주에는 지역 주민을 대상으로 한 강연회가 열릴 예정이라 강당을 빌려드릴 수 없습니다. 그리고 주중에는 저녁 10시까지, 주말에는 토요일 저녁 6시까지만 강당을 사용할 수 있고, 일요일에는 강당을 운영하지 않아요. 또한 우리 구에서는 다른 주민 및 단체와의 형평성을 고려하여 한 개인 및 단체당 최대 2일까지만 강당을 빌려주고 있습니다.

상우 : 그렇군요. 저희는 학교 수업을 마치고 전시회를 진행해야 해서, 평일에는 저녁 6시 이후부터 3시간씩 강당을 사용하려고 합니다. 전시를 하기에 2일은 기간이 너무 짧습니다.

구 공무원 : 음, 그렇다면 다음다음 주에 전시회를 하는 것은 어떨까요? 그때는 강당을 사용하는 행사가 없고, 아직 다른 단체에서 강당을 빌려 달라고 신청하지 않았거든요. 학생들이 강당을 빌려 쓰는 시간이 짧기도 하니, 이를 고려해서 3일간 강당을 쓸 수 있게 해 드리겠습니다.

상우 : 전시회 날짜를 바꾸는 것은 괜찮습니다만, 전시회 기간이 4일에서 3일로 줄면 관람객이 적어질 수 있어서 저희에게는 아쉬운 일입니다. 그래서 말씀드리고 싶은 것이 있는데요. 이번 전시회를 지역 주민에게 홍보해 주실 수 있나요?

구 공무원 : 전시회를 홍보해 달라고요?

상우 : 네, 전시회를 여는 3일 동안 최대한 많은 관람객을 모으고 싶은데, 학생들인 저희로서는 지역 주민에게 전시회를 널리 알리는 데 한계가 있어서요.

구 공무원 : 저희도 업무로 바쁘기는 하지만, 전시회의 성격이 좋고 공공성도 충분하니까 홍보할 방안을 찾아보겠습니다. 다음 주에 지역 주민을 대상으로 한 강연회가 있으니 그 시간을 활용하는 것도 좋겠네요.

상우 : 고맙습니다. 그럼 구청 일정에 맞추어 다음다음 주 목요일부터 토요일까지 3일 동안 강당을 빌리겠습니다.

구 공무원 : 제안하신 전시회는 우리 구가 지역 주민을 위한 문화 행사를 지원하고, 후원 사업에도 관심을 기울이고 있다는 사실을 홍보할 기회이므로 저희에게도 도움이 됩니다. 앞으로 구체적인 일정과 진행 방식을 더 논의해 봅시다.

상우 : 저도 동아리 사진 전시회를 열 공간이 마련되어 기쁩니다. 구에서 홍보를 도와주신다면 성공적인 전시회가 될 수 있겠네요. 다음에 구체적인 논의를 위해 다시 찾아오겠습니다. 안녕히 계세요.

(나) 과학사를 들춰 보면 기존의 학문 체계에 도전했다가 곤욕을 치른 인물들의 이야기를 자주 만날 수 있다. 대표적인 인물이 천동설을 부정하고 지동설을 주장한 갈릴레이다. 천동설을 지지하던 당시의 권력층을 그들의 막강한 힘을 이용하여 갈릴레이를 신의 권위에 도전하는 이단자로 욕하고 목숨까지 위협했다. 갈릴레이가 영원한 침묵을 맹세하지 않고 계속 지동설을 주장했더라면 그는 단두대의 이슬로 사라졌을지도 모른다. 이처럼 천동설을 믿었던 당시의 사람들에게 갈릴레이는 진리의 창시자가 아니라 그저 불온한 이단자에 불과했다.

당시의 사회적 통념으로 새로운 가설이 무시되고 과학의 발전이 늦춰질 뻔했던 사례가 또 있다. 1854년 8월 런던의 브로드 가에 퍼진 콜레라는 불과 열흘 만에 주민 500명 이상의 목숨을 앗아 갔다. 당시 과학자들은 별다른 증거 없이 오염된 공기로 콜레라가 전염된다고 주장했다. 보통 악취가 나는 하수구나 늪지대 근방에서 전염병이 유행했기 때문에 공기로 병이 전염된다는 주장은 많은 사람의 지지를 얻었던 것이다.

그러나 영국의 의사 존 스노만은 예외였다. 그는 대담하게도 공기가 아니라 물이 콜레라균의 매개체라는 가설을 세우고 이를 입증하려고 했다. 그는 빈민가를 돌아다니면서 콜레라의 전염 양상을 관찰하고 발병자와 사망자의 집 위치를 조사하였다. 그 결과, 최초 발병자의 집 지하에 있는 정화조와 브로드가 지하에 있는 상수도의 거리가 가까운 것을 확인하였다. 이러한 자료를 근거로 그는 최초 발병자의 장에서 나온 세균이 정화조와 토양층을 통하여 브로드 가의 상수도에 유입되었고, 그 상수도에서 물을 길어 먹었던 사람들이 콜레라에 감염되었다는 사실을 밝혀내었다. 무모한 듯 보였던 존 스노의 연구는 콜레라의 전염 경로를 설명하여 콜레라 예방에 공헌했을 뿐 아니라 현대 의학의 연구 방법에도 큰 밑거름이 되었다. 만약 존 스노가 오염된 공기로 병이 전염된다는 기존의 지배적 통념에 갇혀 있었더라면 더 많은 사람들이 콜레라에 감염되어 목숨을 잃었을지 모를 일이다.

　새로운 생각에 대한 너그럽지 못한 태도가 과학에서뿐만 아니라 사회나 조직의 발전을 해치는 경우를 찾는 일은 어렵지 않다. 사회나 조직이 구축한 문화적 동질성은 구성원의 연대를 강화하고 구성원이 사회 공동의 목표에 집중하게 하는 순기능이 있지만, 기존의 제도나 학설에 도전하는 자를 처벌하려는 불합리한 면도 있기 때문이다.

　그러나 지동설을 주장한 갈릴레이와 콜레라의 감염 경로를 밝힌 존 스노의 경우에서도 알 수 있듯이, 과학의 도약은 대개 이단적 발상을 통해 이루어졌다. 용기 있는 이단을 수용할 때에 발전과 도약이 가능했던 것이다. 조직과 사회도 이와 같다. 사회 혁신의 동력은 기존의 권위에 도전하는 충심 어린 이단자들로부터 나온다는 것을 기억해야 한다.

　영국의 시인 밀턴은 르네상스를 화려하게 꽃피운 이탈리아의 영광이 순식간에 몰락한 결정적 원인은 바로 갈릴레이를 영원히 침묵하게 만든 탓이라고 했다. 기존 사회의 편협한 시각에서 벗어나 '이상한 말'에 귀를 기울이라는 충고이다. 용기 있는 이단자들을 감싸고 그들을 활용하라. 그것이 우리 사회의 성장과 발전의 동력임을 명심하자.

– 유정식, 「샘터」 –

---

15 (가)와 (나)에 공통으로 사용된 설득 전략에 대한 설명으로 가장 적절한 것은?

① (가)와 (나)에서는 예상되는 반론을 미리 제시하여 설득력을 높이고 있다.
② (가)와 (나)에서는 자신의 주장에 대한 근거를 제시하며 설득력을 높이고 있다.
③ (가)와 (나)에서는 설득 대상의 요구에 대한 구체적 대안을 통해 설득력을 높이고 있다.
④ (가)와 (나)에서는 설득 대상의 이익과 자신의 이익이 서로 다르지 않음을 제시하고 있다.
⑤ (가)와 (나)에서는 권위 있는 사람의 의견을 통해 주장의 설득력을 높이는 전략을 사용하고 있다.

16 (가)에 대한 설명으로 가장 적절한 것은?

① 구청 공무원은 협상을 명확하게 하려고 상우에게 구청 강당이 필요한 이유를 묻고 있다.
② 상우는 구청 공무원이 요구하는 공공성 요건에 대한 대안이 없어 임기응변으로 대응하고 있다.
③ 구청 공무원은 강당 대여 규칙에 부합되지 않으면 대관이 불가능하다는 입장을 고수하고 있다.
④ 상우와 구청 공무원의 협상을 통해 결과적으로 한 측에만 일방적으로 유리한 결과가 도출되었다.
⑤ 상우는 최초 계획대로 전시회를 진행할 수 없다는 것에 대해 강하게 불만을 표시하며 상대를 압박하고 있다.

17 (가)의 협상에 대해 상우가 사후 평가를 할 때 제시할 수 있는 평가 기준으로 적절하지 <u>않은</u> 것은?

① 우리 측의 요구 사항을 상대측에 정확하게 전달했었나?
② 각자의 제안을 조정하는 과정에 진지하고 적극적인 자세를 보였는가?
③ 양측 모두가 만족할 수 있는 결과를 얻기 위해 양보하고 타협하였는가?
④ 상대의 의견을 경청하고 그들의 처지와 요구 사항을 정확히 이해했나?
⑤ 우리 측의 원칙에 맞지 않는 요구에 대해 예의를 지키면서도 단호하게 대응하였는가?

18 (나)를 이해한 내용으로 적절하지 <u>않은</u> 것은?

① 갈릴레이는 지동설을 끝까지 주장하지는 못했다.

② 브로드가의 콜레라는 공기가 아니라 오염된 물을 매개로 전염된 것이다.

③ 존 스노는 콜레라의 전염 양상을 조사하기 위해 발병자와 사망자의 거주지를 조사하였다.

④ 사회나 조직의 문화적 동질성이 기존의 제도에 대한 도전을 거부하는 경향으로 나타날 수 있다.

⑤ 사회 혁신을 이끌기 위해서는 모든 권위를 부정하고 적극적으로 저항하는 태도를 갖추고 있어야 한다.

[19~20] 다음 글을 읽고 물음에 답하시오.

　과학사를 들춰 보면 기존의 학문 체계에 도전했다가 곤욕을 치른 인물들의 이야기를 자주 만날 수 있다. 대표적인 인물이 천동설을 부정하고 ⊙지동설을 주장한 갈릴레이다. 천동설을 지지하던 당시의 권력층을 그들의 막강한 힘을 이용하여 갈릴레이를 신의 권위에 도전하는 이단자로 욕하고 목숨까지 위협했다. 갈릴레이가 영원한 침묵을 맹세하지 않고 계속 지동설을 주장했더라면 그는 단두대의 이슬로 사라졌을지도 모른다. 이처럼 천동설을 믿었던 당시의 사람들에게 갈릴레이는 진리의 창시자가 아니라 그저 불온한 이단자에 불과했다.

　당시의 사회적 통념으로 새로운 가설이 무시되고 과학의 발전이 늦춰질 뻔했던 사례가 또 있다. 1854년 8월 런던의 브로드 가에 퍼진 콜레라는 불과 열흘 만에 주민 500명 이상의 목숨을 앗아 갔다. 당시 과학자들은 별다른 증거 없이 오염된 공기로 콜레라가 전염된다고 주장했다. 보통 악취가 나는 하수구나 늪지대 근방에서 전염병이 유행했기 때문에 공기로 병이 전염된다는 주장은 많은 사람의 지지를 얻었던 것이다.

　그러나 영국의 의사 존 스노만은 예외였다. 그는 대담하게도 공기가 아니라 ⓒ물이 콜레라균의 매개체라는 가설을 세우고 이를 입증하려고 했다. 그는 빈민가를 돌아다니면서 콜레라의 전염 양상을 관찰하고 발병자와 사망자의 집 위치를 조사하였다. 그 결과, 최초 발병자의 집 지하에 있는 정화조와 브로드가 지하에 있는 상수도의 거리가 가까운 것을 확인하였다. 이러한 자료를 근거로 그는 최초 발병자의 장에서 나온 세균이 정화조와 토양층을 통하여 브로드 가의 상수도에 유입되었고, 그 상수도에서 물을 길어 먹었던 사람들이 콜레라에 감염되었다는 사실을 밝혀내었다. 무모한 듯 보였던 ⓒ존 스노의 연구는 콜레라의 전염 경로를 설명하여 콜레라 예방에 공헌했을 뿐 아니라 현대 의학의 연구 방법에도 큰 밑거름이 되었다. 만약 존 스노가 오염된 공기로 병이 전염된다는 기존의 지배적 통념에 갇혀 있었더라면 더 많은 사람들이 콜레라에 감염되어 목숨을 잃었을지 모를 일이다.

　새로운 생각에 대한 너그럽지 못한 태도가 과학에서뿐만 아니라 사회나 조직의 발전을 해치는 경우를 찾는 일은 어렵지 않다. 사회나 조직이 구축한 ②문화적 동질성은 구성원의 연대를 강화하고 구성원이 사회 공동의 목표에 집중하게 하는 순기능이 있지만, 기존의 제도나 학설에 도전하는 자를 처벌하려는 불합리한 면도 있기 때문이다.

　그러나 지동설을 주장한 갈릴레이와 콜레라의 감염 경로를 밝힌 존 스노의 경우에서도 알 수 있듯이, 과학의 도약은 대개 ⓜ이단적 발상을 통해 이루어졌다. 용기 있는 이단을 수용할 때에 발전과 도약이 가능했던 것이다. 조직과 사회도 이와 같다. 사회 혁신의 동력은 기존의 권위에 도전하는 충심 어린 이단자들로부터 나온다는 것을 기억해야 한다.

　영국의 시인 밀턴은 르네상스를 화려하게 꽃피운 이탈리아의 영광이 순식간에 몰락한 결정적 원인은 바로 갈릴레이를 영원히 침묵하게 만든 탓이라고 했다. 기존 사회의 편협한 시각에서 벗어나 '이상한 말'에 귀를 기울이라는 충고이다. 용기 있는 이단자들을 감싸고 그들을 활용하라. 그것이 우리 사회의 성장과 발전의 동력임을 명심하자.

− 유정식, 「용기 있는 이단자들의 반란」 −

19 윗글을 쓰기 위해 글쓴이가 〈보기〉를 바탕으로 수립한 계획으로 적절하지 <u>않은</u> 것은?

┤ 보기 ├

[쓰기 맥락의 분석]
- 주제 : 새로운 생각을 수용해야 하는 문화와 풍토를 조성해야 한다.
- 목적 : 독자를 설득하기 위함.
- 예상 독자 : 전문적인 과학 지식을 지니지 않은 일반적인 독자.
- 매체 : 일반인을 대상으로 하는 잡지의 기고란

① 결론 부분에서는 권위 있는 인물의 말을 인용하여 내 주장에 대한 설득력을 높여야겠어.

② 주장을 뒷받침할 수 있는 근거로 존 스노의 연구가 현대 사회에 기여한 점을 제시해야겠어.

③ 독자에게 과학과 관련된 내용을 쉽게 설명하기 위한 글이므로 사례들을 보다 구체적으로 소개해야겠어.

④ 과학 분야에만 한정되는 주제가 아니기 때문에 과학 분야의 사례를 사회나 조직으로 확장해 적용해봐야겠어.

⑤ 서론에 일반인들에게 익숙한 인물의 사례를 넣어 전문지식이 없는 일반 독자들도 쉽게 글을 읽을 수 있도록 해야겠어.

20 ㉠~㉤ 중 이상한 말이 의미하는 바와 가장 거리가 먼 것은?

① ㉠   ② ㉡   ③ ㉢   ④ ㉣   ⑤ ㉤

서술형 심화문제

[01~03] 다음 글을 읽고 물음에 답하시오.

(가) 과학사를 들춰 보면 기존의 학문 체계에 도전했다가 곤욕을 치른 인물들의 이야기를 자주 만날 수 있다. 대표적인 인물이 천동설을 부정하고 지동설을 주장한 갈릴레이이다. 천동설을 지지하던 당시의 권력층을 그들의 막강한 힘을 이용하여 갈릴레이를 신의 권위에 도전하는 이단자로 욕하고 목숨까지 위협했다. 갈릴레이가 영원한 침묵을 맹세하지 않고 계속 지동설을 주장했더라면 그는 단두대의 이슬로 사라졌을지도 모른다. 이처럼 천동설을 믿었던 당시의 사람들에게 갈릴레이는 진리의 창시자가 아니라 그저 불온한 이단자에 불과했다.

(나) 당시의 사회적 통념으로 새로운 가설이 무시되고 과학의 발전이 늦춰질 뻔했던 사례가 또 있다. 1854년 8월 런던의 브로드 가에 퍼진 콜레라는 불과 열흘 만에 주민 500명 이상의 목숨을 앗아 갔다. 당시 과학자들은 별다른 증거 없이 오염된 공기로 콜레라가 전염된다고 주장했다. 보통 악취가 나는 하수구나 늪지대 근방에서 전염병이 유행했기 때문에 공기로 병이 전염된다는 주장은 많은 사람의 지지를 얻었던 것이다.

(다) 그러나 영국의 의사 존 스노만은 예외였다. 그는 대담하게도 공기가 아니라 물이 콜레라균의 매개체라는 가설을 세우고 이를 입증하려고 했다. 그는 빈민가를 돌아다니면서 콜레라의 전염 양상을 관찰하고 발병자와 사망자의 집 위치를 조사하였다. 그 결과, 최초 발병자의 집 지하에 있는 정화조와 브로드가 지하에 있는 상수도의 거리가 가까운 것을 확인하였다. 이러한 자료를 근거로 그는 최초 발병자의 장에서 나온 세균이 정화조와 토양층을 통하여 브로드 가의 상수도에 유입되었고, 그 상수도에서 물을 길어 먹었던 사람들이 콜레라에 감염되었다는 사실을 밝혀내었다. 무모한 듯 보였던 존 스노의 연구는 콜레라의 전염 경로를 설명하여 콜레라 예방에 공헌했을 뿐 아니라 현대 의학의 연구 방법에도 큰 밑거름이 되었다. 만약 존 스노가 오염된 공기로 병이 전염된다는 기존의 지배적 통념에 갇혀 있었더라면 더 많은 사람들이 콜레라에 감염되어 목숨을 잃었을지 모를 일이다.

(라) 새로운 생각에 대한 너그럽지 못한 태도가 과학에서뿐만 아니라 사회나 조직의 발전을 해치는 경우를 찾는 일은 어렵지 않다. 사회나 조직이 구축한 문화적 동질성은 구성원의 연대를 강화하고 구성원이 사회 공동의 목표에 집중하게 하는 순기능이 있지만, 기존의 제도나 학설에 도전하는 자를 처벌하려는 불합리한 면도 있기 때문이다.

(마) 그러나 지동설을 주장한 갈릴레이와 콜레라의 감염 경로를 밝힌 존 스노의 경우에서도 알 수 있듯이, 과학의 도약은 대개 이단적 발상을 통해 이루어졌다. 용기 있는 이단을 수용할 때에 발전과 도약이 가능했던 것이다. 조직과 사회도 이와 같다. 사회 혁신의 동력은 기존의 권위에 도전하는 충심 어린 이단자들로부터 나온다는 것을 기억해야 한다.

(바) 영국의 시인 밀턴은 르네상스를 화려하게 꽃피운 이탈리아의 영광이 순식간에 몰락한 결정적 원인은 바로 갈릴레이를 영원히 침묵하게 만든 탓이라고 했다. 기존 사회의 편협한 시각에서 벗어나 '<u>이상한 말</u>'에 귀를 기울이라는 충고이다. 용기 있는 이단자들을 감싸고 그들을 활용하라. 그것이 우리 사회의 성장과 발전의 동력임을 명심하자.

01 (1) 위의 글에서 '이단자'를 찾아 쓰시오.

┤ 조건 ├

사람 이름을 쓸 것

(2) 위 글의 이단자들은 무엇에 도전했는지 쓰시오.

┤ 조건 ├

(나)와 (바) 두 곳에 있는 어휘나 어구를 반드시 활용하여 쓸 것

(3) (라)~(마)의 중심 내용이 무엇인지 〈조건〉에 맞게 쓰시오.

┤ 조건 ├

• '사회나 조직에서도 ~위해 ~을 ~필요하다'의 형태의 한 문장으로 쓸 것
• (마)글의 어휘나 어구를 활용하여 쓸것

(4) (바)에 있는 '이상한 말'의 문맥적 의미를 쓰시오. (2어절로 쓸 것)

02 윗글을 바탕으로 ㉮~㉰에 들어갈 알맞은 말을 각각 2음절로 쓰시오.

〈주제〉 새로운 생각을 수용하는 문화와 풍토를 조성해야 한다.		〈 ㉯ 〉 독자를 설득하기 위함
	쓰기 (㉮)	
〈 ㉰ 〉 일반인을 대상으로 하는 잡지의 기고란		〈예상 독자〉 전문적인 과학 지식을 지니지 않은 일반적인 독자

03 존 스노의 사례에서 〈보기〉의 ㉠과 ㉡에 해당되는 내용을 각각 서술하시오.

┤ 보기 ├

이 글은 ㉠기존의 체계를 반박하는 ㉡새로운 가설이 훗날 수용됨으로써 훗날 과학의 발전에 이바지할 수 있다는 사실을 보여주고 있다.

[01~06] 다음 글을 읽고 물음에 답하시오.

(가) S# 43. 병원 정원/오후

병원 정원에서 촬영이 진행 중이다.

미라가 촬영을 지켜보고 있고, 그 뒤로 어느샌가 슬그머니 나타난 장 씨. 그런데 장 씨의 옷차림이 예사롭지 않다. 한눈에도 평소보다 멋을 낸 느낌.

김 작가 : (승찬이의 큐 신호를 보고) 아름이는 혹시 누굴 좋아해 본 적 있어?

아름 : 좋아하는 사람이요? 많죠. 우리 엄마랑 아빠, 외할머니, 외할아버지. 또……. 아! 우리 옆집 짱가 할아버지도 좋아해요.

순간 우쭐해지는 장 씨.

아름 : (갑자기 사레들린 듯이) 콜록콜록.

미라 : 아름아, 괜찮아?

옆에서 지켜보던 미라가 달려든다. 자연스럽게 촬영이 중단된다. 멈출 줄 모르는 아름이의 기침.

Cut to. 촬영 팀, 촬영을 접고 있다.

이야기 중인 승찬이와 미라, 그리고 그 사이로 어슬렁거리는 장 씨.

승찬 : 오늘은 아무래도 힘들겠지?

미라 : (쏘아보며) 야! 넌 어떻게……. 보고도 몰라?

승찬 : 그치, 뭐 어쩔 수 없지. (주변을 맴도는 장 씨를 보며) 아! 아름이 옆집 할아버지시죠? 혹시 저희랑 인터뷰 좀…….

장 씨 : 아, 뭐……. 나요? 그럼 어디 앉을까요?

Cut to. 장 씨 인터뷰를 시도하는 촬영 팀. 장 씨, 바짝 얼어 있다.

승찬 : 자, 할아버지. 준비되셨죠? 한번 가 볼게요. (촬영 감독에게 신호 주며) 큐!

김 작가 : 아름이는 어떤 아이인가요?

장 씨 : (어색해하며) 어, 이아름 군은……. 아니자, 우리 한아름 군은…….

승찬 : 컷! (장 씨 보며) 할아버지, 그냥 평소처럼 하세요. 카메라 없는 데서 우리 작가랑 대화한다고 생각하시고요.

장 씨, 고개를 끄덕이지만 여전히 얼어 있다. 카메라도 제대로 바라보지 못하는 장 씨. '컷! 엔지!', '컷! 엔지!', 이어지는 장 씨의 엔지.

장 씨 : 어, 우리 한여름, 에고…….

장 씨 : 에이씨, 아름이 이놈 자식은요?

Cut to. 지친 촬영 팀. 승찬이도 이젠 거의 포기한 얼굴이다.

승찬 : 할아버지, 한 번만 더. 자, 큐!

김 작가 : 아름이는 어떤 아이인가요?

장 씨 : 음…… 음……. (드디어 카메라를 정면으로 본다.) 아름이는…… 친구요, 내 친구.

대답하는 장 씨의 얼굴에 진심이 묻어난다.

(나) S# 44. 병원 복도/오후

복도의 의자에 나란히 앉은 장 씨와 아름이. 장 씨가 아름이에게 따뜻한 물을 건넨다.

장 씨 : 방송 그거 쉬운 거 아니드만?

아름 : (웃으며) 그렇죠. (물 받으며) 감사합니다.

장 씨 : 좀 괜찮아?

아름 : 네. (알약을 삼키는 장 씨를 보며) 짱가. 어디 아파요?

장 씨 : 아, 이 나이에 안 아픈 게 이상한 거지.

아름 : (피식 웃으며) 그건 제가 좀 알죠. 그래도 짱가는 꽤 동안이에요.

장 씨 : 그치? 흐흐. (우당탕, 시끄럽게 지나가는 젊은이를 보며) 저것들은 몰라. 젊은게 얼마나 좋은 건지.

아름 : 너무 건강해서 자기들이 건강한지도 모를 거예요.

장 씨 : (음흉한 미소를 지으며) 그리고 쟤들이 모르는 게 또 있어.

아름 : 뭔데요?

장 씨 : 흐흐흐, 앞으로 늙을 일만 남은 거.

아름 : 아!

　　장 씨를 보며 말갛게 웃는 아름이. 마주 보며 씩 웃어 주는 장 씨.

(다) S# 51. 아름이의 병실/밤

의자에 앉은 아름이. 태블릿 컴퓨터를 보고 있는데 전자 우편의 끄트머리에 '아름아, 넌 언제 살고 싶어지니?'라는 문장이 보인다.
미동도 않고, 문장의 의미를 생각하던 아름이.
'답장'을 누르고 전자 우편을 쓰기 시작한다.

아름 : (소리) 살고 싶어지는 때?

S# 52. 몽타주, [서하와의 교신]

　　이미지. 푸른 하늘에 뭉게뭉게 떠 있는 하얀 구름.

아름 : (소리) 푸른 하늘에 하얀 뭉게구름을 볼 때…….

　　이미지. 트램펄린을 뛰고 있는 아이들의 모습. 아이들의 즐거운 까르르, 웃음소리.

아름 : (소리) 아이들의 해맑은 웃음소리를 들을 때……. 나는 살고 싶어져.

　　이미지. 햇살 아래, 빨랫줄에 걸려 있는 베갯잇. 나란히 누워 그 향기를 맡는 미라와 아름이.

아름 : (소리) 맑은 날 오후, 엄마와 함께 햇빛을 머금은 포근한 빨래 냄새를 맡을 때에도.
　　이미지. 동네 구멍가게 앞. 텔레비전 속 연속극을 보며 눈물을 훔치는 건장한 아저씨.

아름 : (소리) 무뚝뚝한 우리 동네 구멍가게 아저씨가 연속극을 보며 우는 걸 보고 살고 싶다고 생각한 적도 있고…….
　　이미지. 아름이가 나열하는 것들의 이미지가 아름답게 보인다.

아름 : (소리) 저녁 무렵, 골목길에서 밥 먹으라고 손주를 부르는 할머니의 소리가 울려 퍼질 때에도……. 여름날 엄마가 아빠 등목을 해 주며 찬물을 끼얹는 걸 볼 때에도……. 나는 살고 싶어져. 아빠와 함께 초승달이 뜬 초저녁 초롱초롱한 금성을 보면서도……. 반짝반짝 빛을 내며 야간 비행을 하는 비행기를 볼 때에도……. 살고 싶어지고는 해. 서하야, 너는 어때?

01 이와 같은 글의 특성으로 적절하지 <u>않은</u> 것은?

① 등장인물 수의 제약을 덜 받는다.
② 시간과 공간의 제약을 적게 받는다.
③ 상징적인 의미를 가진 대상이 보인다.
④ 대사와 지시문으로 인물 형상화 및 사건 전개를 한다.
⑤ 촬영 기법을 나타내는 특수한 용어가 사용된다.

02 〈보기〉를 참고하여 이 글을 감상한 내용으로 적절하지 <u>않은</u> 것은?

┤ 보기 ├

　　독자는 문학 작품을 읽으며 작품에 구현된 삶을 간접적으로 경험할 수 있고, 나아가 인물의 삶을 통해 자신의 삶을 되돌아보거나 생각을 확장할 수 있다. 이처럼 문학 작품을 감상하는 과정에서 독자는 자신의 삶과 자신이 속한 사회를 진지하게 성찰하며 우리 사회의 전망까지 고민하게 되다.

① 장애인 앞에서 활달하고 즐거운 분위기를 드러내는 것의 문제점을 깨닫게 되었어.
② 우리 사회가 사회적 약자와 함께 살아가기 위해 어떤 노력을 해야 할지 고민해 보았어.
③ 장애인을 대하는 우리의 태도가 바르고 적절한지 성찰하게 되었어.
④ 호기심이나 편견을 가진 사회적 시선이 장애인을 얼마나 불편하고 괴롭게 할지 생각해 보게 되었어.
⑤ 장애인을 대하는 일반 사람들의 태도가 가진 문제점을 장애인의 입장에서 생각해 보게 되었어.

03 이 글을 감상하는 방법으로 적절하지 <u>않은</u> 것은?

① 작품에 담긴 사회·문화적 가치를 이해하고 평가하며 감상한다.
② 작품에 반영된 삶의 모습을 통해 독자 자신의 삶을 성찰하며 감상한다.
③ 작품에 나타난 인물의 행동에 대해 그 적절성을 판단하며 감상한다.
④ 작품에 드러난 현실의 문제에 대한 해결 방안을 그대로 수용하며 감상한다.
⑤ 독자 자신의 생각과 가치관에 따라 작품의 의미를 새롭게 만들어내며 감상한다.

04 이와 같은 문학 작품이 독자의 삶에 미치는 긍정적 의미와 효과와 관련된 감상으로 적절하지 <u>않은</u> 것은?

① 문학 작품에 담긴 사회·문학적 가치를 이해하고 평가한다.
② 작품에 구현된 삶을 간접적으로 경험하며, 인물의 삶을 통해 자신의 삶을 되돌아본다.
③ 문학 작품에 나타난 어조와 문체를 통해 표현상의 특징을 발견 한다.
④ 작품 속 다양한 인물들의 모습을 통해 자신이 속한 사회를 진지하게 성찰하며 우리 사회가 나아가야 할 방향을 고민한다.
⑤ 자신의 생각이나 가치관에 따라 작품의 의미를 주체적으로 새롭게 만들어 내면서 문학 작품을 수용한다.

05 이 글과 〈보기〉를 읽은 독자의 반응으로 적절하지 <u>않은</u> 것은?

┤ 보기 ├

가난한 사랑 노래 – 이웃의 한 젊은이를 위하여

가난하다고 해서 외로움을 모르겠는가
너와 헤어져 돌아오는
눈 쌓인 골목길에 새파랗게 달빛이 쏟아지는데.
가난하다고 해서 두려움이 없겠는가
두 점을 치는 소리
방범대원의 호각 소리 메밀묵 사려 소리에
눈을 뜨면 멀리 육중한 기계 굴러가는 소리.
가난하다고 해서 그리움을 버렸겠는가
어머님 보소 싶소 수없이 뇌어 보지만
집 뒤 감나무에 까치밥으로 하나 남았을
새빨간 감 바람 소리도 그려 보지만.
가난하다고 해서 사랑을 모르겠는가
내 볼에 와 닿던 네 입술의 뜨거움
사랑한다고 사랑한다고 속삭이던 네 숨결
돌아서는 내 등 뒤에 터지던 네 울음.
가난하다고 해서 왜 모르겠는가
가난하기 때문에 이것들을
이 모든 것들을 버려야 한다는 것을.

① 다른 사람과 마찬가지로 사회적 약자도 사랑과 같은 기본적 욕망을 갖는다는 것을 깨달았어.
② 사회적으로 소외된 사람들에 대한 연민의 태도를 경계해야 함을 알게 되었어.
③ 일상적인 편견 속에서 살아가는 사회적 약자의 삶을 이해하게 되었어.
④ 장애인을 차별하면 안 되듯이, 가난한 사람을 다른 사람들과 다르게 대우해서는 안 된다는 것을 깨달았어.
⑤ 평범한 사람과 다르다는 이유로 어떤 사람의 삶에 대해 함부로 판단해서는 안 된다는 것을 알게 되었어.

06 (다)를 읽고 난 후의 반응으로 적절하지 <u>않은</u> 것은?

① 생에 대한 '아름'의 강한 의지를 알 수 있었어.
② 사람들 간의 정이 느껴지는 평화로운 순간이 '아름'이 살고 싶어지는 때임을 알 수 있었어.
③ 죽음을 앞둔 '아름'에게는 평범한 일상이 간절한 하루하루임을 이해할 수 있었어.
④ 건강한 사람들은 아무런 의식 없이 그 가치를 느끼지 못하는 순간이 '아름'에게 더없이 소중한 때임을 알 수 있었어.
⑤ '아름'은 자신이 살아 있음을 누구로부터 확인받는 순간이 찾아오길 기대하고 있음을 알 수 있었어.

[07~10] 다음 글을 읽고 물음에 답하시오.

(가) 과학사를 들춰 보면 기존의 학문 체계에 도전했다가 곤욕을 치른 인물들의 이야기를 자주 만날 수 있다. 대표적인 인물이 천동설을 부정하고 지동설을 주장한 갈릴레이이다. 천동설을 지지하던 당시의 권력층을 그들의 막강한 힘을 이용하여 갈릴레이를 신의 권위에 도전하는 이단자로 욕하고 목숨까지 위협했다. 갈릴레이가 영원한 침묵을 맹세하지 않고 계속 지동설을 주장했더라면 그는 단두대의 이슬로 사라졌을지도 모른다. 이처럼 ㉠천동설을 믿었던 당시의 사람들에게 갈릴레이는 진리의 창시자가 아니라 그저 불온한 이단자에 불과했다.

(나) 당시의 ㉡사회적 통념으로 새로운 가설이 무시되고 과학의 발전이 늦춰질 뻔했던 사례가 또 있다. 1854년 8월 런던의 브로드 가에 퍼진 콜레라는 불과 열흘 만에 주민 500명 이상의 목숨을 앗아 갔다. 당시 과학자들은 별다른 증거 없이 오염된 공기로 콜레라가 전염된다고 주장했다. 보통 악취가 나는 하수구나 늪지대 근방에서 전염병이 유행했기 때문에 공기로 병이 전염된다는 주장은 많은 사람의 지지를 얻었던 것이다.

(다) 그러나 영국의 의사 존 스노만은 예외였다. 그는 대담하게도 공기가 아니라 물이 콜레라균의 매개체라는 가설을 세우고 이를 입증하려고 했다. 그는 빈민가를 돌아다니면서 콜레라의 전염 양상을 관찰하고 발병자와 사망자의 집 위치를 조사하였다. 그 결과, 최초 발병자의 집 지하에 있는 정화조와 브로드가 지하에 있는 상수도의 거리가 가까운 것을 확인하였다. 이러한 자료를 근거로 그는 최초 발병자의 장에서 나온 세균이 정화조와 토양층을 통하여 브로드 가의 상수도에 유입되었고, 그 상수도에서 물을 길어 먹었던 사람들이 콜레라에 감염되었다는 사실을 밝혀내었다. 무모한 듯 보였던 존 스노의 연구는 콜레라의 전염 경로를 설명하여 콜레라 예방에 공헌했을 뿐 아니라 현대 의학의 연구 방법에도 큰 밑거름이 되었다. 만약 존 스노가 오염된 공기로 병이 전염된다는 기존의 지배적 통념에 갇혀 있었더라면 더 많은 사람들이 콜레라에 감염되어 목숨을 잃었을지 모를 일이다.

(라) 새로운 생각에 대한 너그럽지 못한 태도가 과학에서뿐만 아니라 사회나 조직의 발전을 해치는 경우를 찾는 일은 어렵지 않다. 사회나 조직이 구축한 ㉢문화적 동질성은 구성원의 연대를 강화하고 구성원이 사회 공동의 목표에 집중하게 하는 순기능이 있지만, 기존의 제도나 학설에 도전하는 자를 처벌하려는 불합리한 면도 있기 때문이다.

(마) 그러나 지동설을 주장한 갈릴레이와 콜레라의 감염 경로를 밝힌 존 스노의 경우에서도 알 수 있듯이, 과학의 도약은 대개 이단적 발상을 통해 이루어졌다. 용기 있는 이단을 수용할 때에 발전과 도약이 가능했던 것이다. 조직과 사회도 이와 같다. 사회 혁신의 동력은 기존의 권위에 도전하는 충심 어린 이단자들로부터 나온다는 것을 기억해야 한다.

(바) 영국의 시인 밀턴은 르네상스를 화려하게 꽃피운 이탈리아의 영광이 순식간에 몰락한 결정적 원인은 바로 갈릴레이를 영원히 침묵하게 만든 탓이라고 했다. ㉣기존 사회의 편협한 시각에서 벗어나 ㉤'이상한 말'에 귀를 기울이라는 충고이다. 용기 있는 이단자들을 감싸고 그들을 활용하라. 그것이 우리 사회의 성장과 발전의 동력임을 명심하자.

07 윗글의 저자가 고려한 글쓰기 전략이 아닌 것은?

① 실재했던 과학적 사실을 근거로 들어 독자를 설득해야겠군.
② 결말 부분에 권위 있는 사람의 말을 인용하면 주장의 설득력을 얻을 수 있겠군.
③ 독자에게 익숙한 인물을 사례로 제시하여 독자의 관심을 유발해야겠군.
④ 새로운 생각이나 이론을 제시하는 사람을 '이단자'에 비유해 독자의 흥미를 환기할 수 있겠어.
⑤ 주제를 강조하기 위해 사회구성원이 구축한 문화적 동질성의 순기능을 강조해야겠어.

08 윗글을 읽고 바르게 이해하지 <u>못한</u> 것은?

① 갈릴레이와 존 스노는 글쓴이가 말하는 '이단자'라 할 수 있다.

② 갈릴레이와 존 스노는 당시의 사회 조직의 발전을 해치고 위험에 빠지게 했다.

③ 존 스노는 기존의 지배적 통념이 아닌 새로운 가설과 아이디어로 의학의 발전에 공헌했다.

④ 갈릴레이와 존 스노의 경우처럼 과학의 발전은 대개 이단적 발상으로부터 이루어졌다.

⑤ 시인 밀턴에 의하면 새로운 생각을 받아들이지 못해서 이탈리아의 쇠락이 앞당겨진 것이다.

09 위의 ㉠~㉤ 중 그 의미가 나머지와 <u>다른</u> 것은?

① ㉠   ② ㉡   ③ ㉢   ④ ㉣   ⑤ ㉤

10 윗글의 쓰기 맥락을 파악하고 제시된 근거의 타당성을 분석했을 때, 적절하지 <u>않은</u> 것은?

① 주제: 새로운 생각을 수용하는 문화와 풍토를 조성해야 한다.

② 목적: 이단자를 받아들일 수 있도록 독자를 설득하기 위함.

③ 매체: 잡지의 기고란

④ 예상독자: 전문적인 과학 지식을 지닌 독자

⑤ 근거: 갈릴레이, 존 스노 등의 사례를 통해 주장의 타당한 근거를 제시함.

7

우리의 말과 글을 따라서

(1) 국어의 문법 요소

1 높임 표현

높임 표현은 화자가 대상의 높고 낮은 정도에 따라 언어적으로 구별하여 표현하는 국어의 문법 요소이다. 높임 표
높임 표현의 개념

현은 높임의 대상에 따라 상대 높임법, 주체 높임법, 객체 높임법으로 나뉜다.
높임 표현의 종류

상대 높임법은 청자를 높이거나 낮추는 방법이다. 「높임과 낮춤의
상대 높임법의 개념 　　　　　　　　　　　　　　　　　　「」: 상대 높임법의 실현 방법

정도에 따라 종결 어미가 달라진다. 화자 자신을 낮추는 '저', '제' 등

의 어휘를 쓰기도 한다.」

> **예**
> • 너는 어디로 가니? → 청자를 아주 낮춤.
> • 저는 집에 갑니다. → 청자를 아주 높임.

주체 높임법은 문장의 주체를 높이는 방법이다. 주격 조사 '이/가'
주체 높임법의 개념

대신 '께서'를 사용하고, 일반적으로 서술어에 선어말 어미 '-(으)시-'
주체 높임의 실현 방법 ① 　　　　　　　　　*주체 높임의 실현 방법 ②*

가 붙어 실현된다. '있다', '먹다' 같은 단어 대신 '계시다', '잡수시다'
　　　　　　　　　　　　　　　　　　　　　　주체 높임의 실현 방법 ③

같은 특수 어휘를 쓰기도 한다.

> **예**
> • 선생님께서는 우리를 사랑하신다.
> → 주격 조사 '께서'와 선어말 어미 '-시-'를 사
> 　용하여 문장의 주체인 '선생님'을 직접 높임.

객체 높임법은 문장의 목적어나 부사어가 지시하는 대상, 즉 서술
객체 높임법의 개념

의 객체를 높이는 방법이다. 서술의 객체가 화자보다 나이가 많거나

사회적 지위가 높을 때 사용한다. 「부사격 조사 '에게' 대신 '께'를 사
　　　　　　　　　　　　　　　　　　「」: 객체 높임법의 실현 방법

용하고, '만나다', '묻다' 같은 단어 대신 '뵈다', '여쭈다' 같은 특수 어휘를 쓰기도 한다.」

> **예**
> • 언니가 할머니께 선물을 드린다.
> → 부사격 조사 '께'와 어휘 '드리다'를 사용하
> 　여 서술의 객체인 '할머니'를 높임.

확인학습

01 선어말 어미 -(으)시-는 주체 높임법에서만 사용되는 실현 방법이다. 　　　　　　　○☐ ×☐

02 잡수시다, 드시다와 같은 특수어휘에는 계시다, 뵈다, 모시다 등을 들 수 있다. 　　　○☐ ×☐

03 주격 조사 '이/가' 대신 '께서'를 사용하는 것은 객체 높임법의 실현 방법이다. 　　　○☐ ×☐

04 객체 높임법에서의 객체란 목적이나 부사어가 지시하는 대상을 의미한다. 　　　　　○☐ ×☐

05 조사 '에게' 대신 '께'를 사용하는 것은 객체 높임법의 실현 방법이다. 　　　　　　○☐ ×☐

06 '손님, 커피 나오셨습니다.'는 간접 높임법을 올바르게 사용한 예이다. 　　　　　　○☐ ×☐

07 '할머니께서는 귀가 밝으시다'는 간접 높임법을 올바르게 사용한 예이다. 　　　　　○☐ ×☐

08 간접 높임법에서는 특수어휘를 사용하지 않고 선어말어미 '-(으)시-'를 결합하여 실현한다. 　○☐ ×☐

09 '선생님, 우리 어머니가 도시락을 안챙겨줬어요.'의 문장을 올바르게 높임표현을 하여 고쳐보고 어떠한 높임법이
　쓰였는지 적어보자. [　　　　　　　　　　　　　　　　　　　　　　　　　　　　　　]

2 시간 표현

시간 표현은 시간을 언어적으로 표현한 것으로, 시간 표현에는 시제와 동작상이 있다. 시제는 사건의 발생한 시점(사건시)이 그 사건을 언어로 표현하는 시점(발화시)보다 이전인지 이후인지, 아니면 일치하는지를 나타내는 국어의 _{시제의 개념}문법 요소이다. 시제에는 과거 시제, 현재 시제, 미래 시제가 있다.
_{시제의 종류}

과거 시제는 사건시가 발화시보다 앞서는 시제이다. 「과거 시제를 표현할 때에는 선어말 어미 '-았-/-었-'을 쓰며, 과_{과거 시제의 개념}   「 」: 과거 시제의 실현 방법
거의 일이나 경험을 회상하는 의미를 덧붙이고 싶을 때에는 선어말 어미 '-더-'를 쓴다. 관형사형 어미는 동사의 경우 '-_{체언 앞에서 체언을 꾸며 주는 품사}
(으)ㄴ'과 '-던'을, 형용사와 서술격 조사의 경우 '-던'을 쓴다. '어제', '아까', '이미' 등과 같은 부사어를 쓰기도 한다.」
                '이다'   과거를 나타내는 부사어

┌──┐
│ 예 • 어제 친구를 만나 영화를 보았다.   │
│   부사어   선어말 어미   │
│   • 동생이 먹은 빵은 유통 기한이 지난 것이다.   │
│   관형사형 어미   관형사형 어미 '-ㄴ'   │
└──┘

현재 시제는 사건시와 발화시가 일치하는 시제이다. 「현재 시제를 표현할 때에는 동사의 경우 선어말 어미 '-ㄴ-/-_{현재 시제의 개념}   「 」: 현재 시제의 실현 방법
는-'을 쓰는데, 형용사와 서술격 조사의 경우에는 현재 시제 표시가 따로 없다. 관형사형 어미는 동사의 경우 '-는'을,
형용사와 서술격 조사의 경우 '-(으)ㄴ'을 쓴다. '지금', '현재' 등과 같은 부사어를 쓰기도 한다.」
                                         현재를 나타내는 부사어

┌──┐
│ 예 • 나는 줄넘기를 한다.   │
│   선어말 어미 '-ㄴ-'   │
│   • 네가 지금 읽는 책의 제목이 무엇이니?   │
│   부사어 관형사형 어미   │
└──┘

미래 시제는 사건시가 발화시보다 뒤에 오는 시제이다. 「미래 시제를 표현할 때에는 선어말 어미 '-겠-', 관형사형_{미래 시제의 개념}   「 」: 미래 시제의 실현 방법
어미 '-(으)ㄹ'을 쓰거나 '-(으)ㄹ'에 의존 명사 '것'이 결합된 '-(으)ㄹ 것'을 쓰기도 한다. 예스럽게 표현할 때에는 선
어말 어미 '-(으)리-'를 쓴다. '내일', '장차' 등과 같은 부사어를 쓰기도 한다.」
                미래를 나타내는 부사어

┌──┐
│ 예 • 재민이는 장차 훌륭한 어른이 되겠다.   │
│   부사어   선어말 어미   │
│   • 우리는 내일 다시 만날 것이다. 그리고 우리의 꿈을 이루리라. │
│   부사어   관형사형 어미 + 의존 명사   선어말 어미 │
└──┘

확인학습 ···

01 '불었다'는 '불-+-었-+-다'로 분석되어 과거 시제 선어말 어미 '-었-'이 쓰였음을 알 수 있다.   ○☐ ×☐

02 '분다'는 '불-+-ㄴ-+-다'로 분석되어 관형사형 어미 -(으)ㄴ이 쓰였음을 알 수 있다.   ○☐ ×☐

03 '불겠다'는 '불-+-겠-+-다'로 분석되어 선어말 어미 -겠-이 쓰였음을 알 수 있다.   ○☐ ×☐

04 시간부사는 어제, 아까, 오늘, 지금, 내일, 곧 등 시제를 표현하는 부사를 의미한다.   ○☐ ×☐

05 시제를 표현하는 방법으로는 [   ]의 활용과 [   ]를 통해 실현된다.

시제가 사건시와 발화시의 선후 관계를 표현한다면, 동작상은 사건 또는 동작 자체의 시간적 속성을 표현한다. 예를 들어 '먹다'라는 동작은 과거에서부터 지금까지 먹고 있는 움직임이 진행 중인 상태와 먹는 움직임이 이미 끝난 상태로 분석할 수 있다. 이와 같이 <u>동작 내부의 시간적 흐름을 표현하는 국어의 문법 요소</u>를 동작상이라고 한다. 동작
동작상의 개념
상에는 <u>진행상과 완료상</u>이 있다.
동작상의 종류

진행상이란 <u>어떤 동작이 시간의 흐름 속에서 계속 이어지고 있을 때 사용하는 문법 요소</u>이다. 진행상을 표현할 때에
진행상의 개념
는「주로 <u>보조 용언</u> '-고 있다' 또는 '-아 가다/-어 가다'를 쓴다. 문장이 이어질 때에는 <u>연결 어미</u> '-(으)면서'를 쓴다.」
「」: 진행상의 실현 방법　　본용언 뒤에 붙어서 본용언의 뜻을 더해 주는 용언　　　　　　　　　　　　　　　　문장과 문장을 이어 주는 어미

> 예
> • 아까 널어 둔 빨래가 벌써 마르고 있다.
> 　　　　　　　　　　　　　보조 용언
> • 준현이가 반갑게 양손을 흔들면서 내게 다가온다.
> 　　　　　　　　　　　　연결어미

완료상이란 <u>어떤 동작이 시간의 흐름 속에서 이미 끝났거나 그 결과가 지속될 때 사용하는 문법 요소</u>이다. 완료상
완료상의 개념
을 표현할 때에는「주로 보조 용언 '-아 있다/-어 있다' 또는 '-아 버리다/-어 버리다'를 쓴다. 문장이 이어질 때에는
「」: 완료상의 실현 방법
연결 어미 '-고서'를 쓴다.」

> 예
> • 아까 널어 둔 빨래가 이미 말라 있다.
> • 준현이가 반갑게 양손을 흔들고서 내게 다가온다.

확인학습 ···

01 시제를 표현하는 선어말 어미는 시간을 드러내기 위한 기능만을 한다. 　　　　　　　　○☐ ×☐

02 과거 시제를 표현하는 '-았-/-었-'은 시제 표현 뿐만 아니라 진행상을 나타내는 기능도 한다. 　　○☐ ×☐

03 현재 시제를 표현하는 '-ㄴ-'은 시제 표현 뿐만 아니라 가까운 미래, 과거의 사건을 현장감 있게 표현하는 기능도 한다. 　　　○☐ ×☐

04 미래 시제를 표현하는 '-겠-'은 추측이나 의지를 나타내기도 한다. 　　　　　　　　　　○☐ ×☐

05 동작상은 어떠한 행위가 진행되는 것인 [　　　　　]과, 완료된 것인 [　　　　　]으로 구분된다.

❸ 인용 표현

인용 표현은 <u>다른 데에서 들은 말이나 읽은 글을 문장 속에 넣어서 전달하는 국어의 문법 요소이다.</u> 이때 문장 속
인용 표현의 개념

에 넣어진 말이나 글을 인용절이라고 한다. 인용 표현에는 <u>직접 인용과 간접 인용</u>이 있다.
인용 표현의 종류

직접 인용은 <u>다른 데에서 들은 말이나 읽은 글을 인용할 때 원래의 내용과 형식을 그대로 유지한 채 인용하는 방식</u>
직접 인용의 개념

이다. 직접 인용 표현을 할 때에는 <u>인용절에 큰따옴표를 하여 표시하고, 큰따옴표 뒤에 조사 '라고'를 쓴다.</u>
직접 인용의 표현 방법

간접 인용은 <u>다른 데에서 들은 말이나 읽은 글을 인용할 때 그 형식은 유지하지 않고 내용만 인용하는 방식이다.</u>
간접 인용의 개념

그래서 간접 인용 표현을 사용할 때에는 인용절의 시간 표현, 높임 표현, 지시어, 종결 어미 등을 문장에 맞도록 적절

히 바꾸어야 한다. 간접 인용은 직접 인용과 달리 <u>따옴표를 쓰지 않으며, 해당 인용절 다음에 조사 '고'를 쓴다.</u>
간접 인용의 표현 방법

인용 표현을 사용할 때에는 <u>원작자의 의도를 손상시키지 않아야 하고, 반드시 인용한 말이나 글의 출처를 밝혀야</u>
인용 표현을 사용할 때 지켜야 할 점

<u>한다.</u> 원문의 앞뒤를 잘라 내거나 일부만 뽑아서 자기가 전달하고 싶은 뜻에 끼워 맞추는 행위, 출처를 밝히지 않고

원문을 사용하는 행위 등은 인용의 윤리에 어긋날 뿐만 아니라 <u>저작권</u>을 침해하는 것이 된다.
만든 이가 창작물에 대하여 가지는 권리

확인학습 ···

01 인용하는 문장에 작은따옴표를 붙이고 조사 '라고'를 사용하는 것을 직접 인용이라 한다.　　　　○☐ ×☐

02 직접 인용에 '라고'를 사용하거나 간접 인용에 '고'를 사용하는 경우가 많으므로 주의해야 한다.　　　○☐ ×☐

03 간접 인용은 직접 인용과 달리 큰 따옴표 대신에 작은 따옴표를 하여 표시한다.　　　　　　　　　○☐ ×☐

04 간접 인용은 직접 인용과 달리 따옴표를 쓰지 않으며, 해당 인용절 다음에 조사 '고'를 쓴다.　　　　○☐ ×☐

05 인용 표현을 사용할 때 출처를 밝히지 않고 원문을 사용하는 행위는 인용의 윤리에 어긋나지만 저작권을 침해하는 것은 아니
다.　　○☐ ×☐

④ 피동 표현

피동 표현은 <u>주어가 다른 주체에 의해서 어떤 동작을 당하거나 영향을 받는 것을 표현하는 국어의 문법 요소</u>이다.
_{피동 표현의 개념}

제힘으로 움직이는 행위의 주체가 주어인 문장을 능동문이라 한다. 이와 달리 피동문은 행위의 주체가 아닌 행위의 대상이 주어가 된다. 위의 만화에서 '내가 오늘 붕어빵을 백 개나 팔았어.'라는 문장은 파는 주체이자 주어인 '나'에 초점을 둔 능동문이다. 한편 '오늘 붕어빵이 백 개나 팔렸어.'라는 문장은 파는 대상인 '붕어빵'에 초점을 두어 표현한 피동문이다.

피동문을 표현할 때에는 「피동 접미사 '-이-, -히-, -리-, -기-' 혹은 '-되다'를 쓰거나, 피동의 뜻을 나타내는 '-아지다/-어지다' 혹은 '-게 되다'를 쓴다.」
_{「」: 피동문의 실현 방법}

> 예 • 능동문: 그의 마지막 득점이 경기의 승부를 뒤집었다.
>
> → 피동문: 경기의 승부가 그의 마지막 득점으로 뒤집혔다.
> _{피동 접미사 '-히-'}

피동 표현을 쓸 때 피동사에 '-아지다/-어지다'나 '-게 되다'를 또 붙여서 <u>이중 피동</u>을 만드는 경우가 있는데, 이
_{피동이 이중으로 실현된 것}
는 잘못된 표현이다. 또 불필요한 피동 표현이 사용된 경우에는 능동 표현으로 바꾸어 써야 한다.

> 예 • 그 집이 사람들에게 <u>헐려졌다</u>. → 헐렸다.
> _{헐- + -리- + -어자- + -었- + -다 → 이중 피동}
> • 공사 과정에서 <u>발생된</u> 소음으로 피해가 크다. → 발생한
> _{발생- + -되(다) + -ㄴ → 불필요한 피동}

확인학습 ....

01 주어가 다른 주체에 의해서 동작을 당하게 되는 것을 나타내는 표현을 사동 표현이라고 한다. ○□ ×□

02 피동 표현은 능동사의 어간에 피동 접미사 '-되다', '-어지다', '-게 되다'가 붙어서 만들어진 피동사나, '-이-, -히-, -리-, -기-'같은 표현을 통해 실현된다. ○□ ×□

03 능동문이 피동문으로 바뀔 때에는 능동문의 목적어가 피동문의 주어가 되고, 능동문의 주어는 피동문의 부사어가 된다. ○□ ×□

04 불필요한 피동 표현이 사용된 경우에는 사동표현으로 바꾸어 써야 한다. ○□ ×□

05 '벌이 나를 쏘았다.'를 피동문으로 바꾸어 보고 문장 성분을 분석하시오.
[   ]

높임 표현	화자가 대상의 높고 낮은 정도에 따라 언어적으로 구별하여 표현하는 국어의 문법 요소.	
	상대 높임법	청자를 높이거나 낮추는 방법.
	주체 높임법	문장의 주체를 높이는 방법.
	객체 높임법	문장의 목적어나 부사어가 지시하는 대상을 높이는 방법.

시간 표현

• 시제: 사건이 발생한 시점(사건시)이 그 사건을 언어로 표현하는 시점(발화시)보다 이전인지 이후인지, 아니면 일치하는지를 나타내는 국어의 문법 요소.

시제	
과거 시제	사건시가 발화시보다 앞서는 시제.
현재 시제	사건시와 발화시가 일치하는 시제.
미래 시제	사건시가 발화시보다 뒤에 오는 시제.

• 동작상: 동작 내부의 시간적 흐름을 표현하는 국어의 문법 요소.

동작상	
진행상	어떤 동작이 시간의 흐름 속에서 계속 이어지고 있을 때.
완료상	어떤 동작이 시간의 흐름 속에서 끝났거나 그 결과가 지속될 때.

인용 표현	다른 데에서 들은 말이나 읽은 글을 문장에 넣어서 전달하는 국어의 문법 요소.	
	직접 인용	들은 말이나 읽은 글의 내용과 형식을 그대로 유지하여 인용.
	간접 인용	들은 말이나 읽은 글의 형식은 유지하지 않고 내용만 인용.

피동 표현	주어가 다른 주체에 의해서 어떤 동작을 당하거나 영향을 받는 것을 표현하는 국어의 문법 요소.	
	능동문	주어가 자기 힘으로 동작을 하는 문장.
	피동문	주어가 다른 주체에 의해 동작을 당하는 문장.

확인학습

01 상대 높임법은 [   ]표현을 통해 실현된다.

02 주체 높임법과 객체 높임법은 특수 어휘를 통해 실현되기도 한다.   O☐ ×☐

03 시간 표현은 시간을 드러내기 위해서만 사용한다.   O☐ ×☐

04 다음 문장의 시제를 구분해 보자.
  (1) 미현이는 지금 영화를 본다.   [   ]
  (2) 종현이는 어제 책을 읽었다.   [   ]
  (3) 상우는 다음 주에 유학을 갈 것이다.   [   ]

05 다음 문장을 바르게 고쳐 보자
  (1) 오늘은 책이 잘 읽혀지는 기분이다.   [   ]
  (2) 그녀는 내가 멋있다라고 말했다.   [   ]

객관식 기본문제

01 다음 중 높임법을 잘못 사용한 문장은?

① (동네 할머니에게) 저는 지금 집에 가는 길입니다.
② 부모님께서는 날 아껴주신다.
③ 저희 어머니께서도 어머니 나름의 생각이 계십니다.
④ 어제 누나가 나 몰래 할아버지께 선물을 드렸나봐.
⑤ 모르는 문제가 있으면 선생님께 여쭈어 봐라.

02 〈보기〉의 (가)를 참고했을 때, (나)의 문장에서 실현된 높임 표현으로 알맞은 것은?

> ┤ 보기 ├
> **(가)** 우리말의 높임 표현은 높임의 대상에 따라 상대 높임법, 주체 높임법, 객체 높임법으로 나뉜다. 그런데 실제 언어생활에서 높임 표현이 실현되는 양상은 복합적이다.
> **(나)** 채영아, 선생님께서 너를 찾으셔.

① 문장의 주체와 객체를 모두 높였다.
② 문장의 주체와 청자를 모두 높였다.
③ 문장의 주체는 높이고, 청자는 낮추었다.
④ 문장의 객체와 청자를 모두 높였다.
⑤ 문장의 객체는 높이고, 청자는 낮추었다.

03 〈보기〉의 ㉠~㉤을 통해 높임표현을 바르게 탐구한 내용을 올바르게 짝지은 것은?

> ┤ 보기 ├
> **조카** : 이모, 오셨어요.
> **이모** : 동호야, 오랜만이구나. 오늘 같이 밥을 못 먹어서 아쉽네. ㉠공부 열심히 하렴.
> **조카** : 네, 이모. 안타깝지만 시험 기간이 얼마 남지 않아서요.
> **이모** : 그래. ㉡엄마는 어디 가셨니? 외할머니께서도 오고 계시는지 전화 드려볼래?
> **조카** : 아, ㉢외할머니께서 병환이 있으셔서서 종일 누워계셨대요. 그래서 ㉣외할머니께서는 엄마와 함께 병원에 가셨다가 식당으로 가신다고 ㉤이모께 전해 드래요.
> **이모** : 그래? 그럼 나도 그리로 가봐야겠네.

> A : ㉠은 종결 어미를 사용하여 상대인 조카를 높이고 있다.
> B : ㉡은 선어말 어미를 사용하여 객체인 '엄마'를 높이고 있다.
> C : ㉢은 선어말어미를 사용하여 주체인 '외할머니'를 간접적으로 높이고 있다.
> D : ㉣은 선어말어미를 사용하여 주체인 '외할머니'를 직접적으로 높이고 있다.
> E : ㉤은 높임을 표시하는 부사격 조사를 사용하여 이모를 높이고 있다.

① A, E   ② A, B   ③ B, C   ④ C, D   ⑤ C, D, E

04 다음 〈보기〉의 ⊙~⑩에 대한 설명으로 옳은 것은?

┤ 보기 ├

⊙ 아범, 늦기 전에 어서 가게.

⊙ 영희야, 아버지 안 계시니?

ⓒ 아버지께 전화 드리고 얼른 나가자.

ⓔ 어머니께서 너 데리고 식당으로 오라셨어.

⑩ 이번 달 보름께 할머니를 뵈러 갈 생각이야.

① ⊙은 '격식체'를 사용하여 청자인 아범을 높이고 있어.

② ⓒ은 '계시다'를 사용하여 객체인 아버지를 높이고 있어.

③ ⓒ은 '께'를 사용하여 주체인 아버지를 높이고 있어.

④ ⓔ은 '께서'를 사용하여 주체인 어머니를 높이고 있어.

⑤ ⑩은 '께'와 '뵈다'를 사용하여 객체인 할머니를 높이고 있어.

05 〈보기〉의 높임 표현에 대한 설명으로 적절하지 <u>않은</u> 것은?

┤ 보기 ├

점원 : 손님, 무엇을 ⊙도와드릴까요?

손님 : 어머니 선물을 사러 왔어요. ⓒ저희 어머니께서 생신이거든요.

점원 : 이 립스틱은 어떨까요? 선물로 ⓒ드리시면 무척 좋아하실 겁니다.

손님 : 저희 어머니께서 ⓔ피부가 희셔서 잘 맞을지 모르겠네요. ⑩당신께서 짙은 화장을 싫어하셔서요.

점원 : 그러시면 다른 걸 좀 더 골라 보도록 하죠.

① ⊙ : 보조사 '-요'를 통해 듣는 상대를 높이고 있다.

② ⓒ : '저희'라는 자신을 낮추는 어휘를 사용하여 상대인 점원 높이고 있다.

③ ⓒ : 특수 어휘를 사용해서 선물을 주는 사람을 높이고 있다.

④ ⓔ : '어머니'가 높임의 대상이므로 그 신체의 일부가 주어로 올 때도 간접 높임 표현을 쓰고 있다.

⑤ ⑩ : 3인칭 주어 '어머니'를 다시 대명사로 언급하면서 높이고 있다.

06 〈보기〉의 높임 표현 ⊙~ⓔ이 <u>모두</u> 사용된 문장은?

┤ 보기 ├

우리말에는 일반적으로 ⊙<u>선어말 어미나 종결 어미</u>, ⓒ<u>조사</u> 등을 통해 높임을 표현하지만 어휘를 통해 높임을 표현하는 경우도 있다. 높임 표현에 쓰이는 어휘들은 ⓒ<u>주체를 높이는 용언</u>, 객체를 높이는 용언, 높여야 할 인물을 직접 높이는 명사, ⓔ<u>높여야 할 인물과 관련된 것을 높이는 명사</u>로 분류할 수 있다.

① 나는 아직 그분의 성함을 기억하고 있다.

② 누나는 여쭐 것이 있다며 할머니 댁에 갔다.

③ 연세가 많으신 할머니께서는 홍시를 잘 잡수신다.

④ 우리는 부모님을 모시고 바닷가로 여행을 떠났다.

⑤ 어머니께서는 몹시 피곤하셨는지 거실에서 주무신다.

07 다음 문장에 사용된 높임 표현에 대한 설명으로 적절하지 <u>않은</u> 것은?

> 어머니께서 할머니를 모시고 병원에 가셨다.

① 높임의 대상은 '어머니'와 '할머니'이다.
② 주격조사를 사용하여 문장의 주체를 높이고 있다.
③ 객체를 높이기 위해 높임을 나타내는 목적격조사를 사용하였다.
④ 문장의 주체를 높이기 위한 선어말어미를 사용하였다.
⑤ 문장의 목적어를 높이기 위해 특수어휘를 사용하였다.

08 〈보기〉의 밑줄 친 부분에 나타나는 높임 표현의 양상을 설명한 것으로 적절한 것은?

> ┤ 보기 ├
>
> ㉠ 어머니는 <u>할머니께</u> 과일을 <u>드렸다</u>.
> ㉡ 어머니는 <u>어제</u> 할머니를 <u>뵙고 오셨다</u>.
> ㉢ 어머니는 형을 잠깐 <u>만나러 오셨습니다</u>.
> ㉣ 아버지는 <u>할머니께</u> 커다란 선물을 <u>드리셨다</u>.
> ㉤ 아버지는 <u>할머니를</u> 아침 일찍 <u>모시러 왔습니다</u>.

① ㉠은 주체와 객체를 모두 높이고 있다.
② ㉡은 객체와 청자를 모두 높이고 있다.
③ ㉢은 주체와 청자를 모두 높이고 있다.
④ ㉣은 객체를 높이고, 주체는 낮추고 있다.
⑤ ㉤은 주체, 객체, 청자를 모두 동시에 높이고 있다.

09 담화 상황을 고려했을 때, 〈보기〉에서 높임 표현이 적절한 것을 고른 것은?

> ┤ 보기 ├
>
> ㄱ. (손자가 할아버지께) 할아버지, 아버지가 여기에 왔습니다.
> ㄴ. (식당에서 점원이 손님에게) 손님, 주문하신 커피가 나왔습니다.
> ㄷ. (교실에서 친구가 영수에게) 영수야, 선생님께서 너 교무실로 오시래.
> ㄹ. (학교 방송에서 학생들에게) 잠시 후, 교장 선생님 말씀이 계시겠습니다.

① ㄱ, ㄴ   ② ㄱ, ㄹ   ③ ㄴ, ㄷ   ④ ㄴ, ㄹ   ⑤ ㄷ, ㄹ

10 〈보기〉의 ㉠, ㉡이 모두 사용된 문장은?

> **┤ 보기 ├**
>
> 우리말에서는 일반적으로 선어말어미나 종결어미, 조사 등을 통해 높임을 표현하지만, 어휘를 통해 높임을 표현하는 경우도 있다. 높임 표현에 쓰이는 어휘들은 다음과 같이 분류할 수 있다.
> - 주체를 높이는 용언
> - ㉠객체를 높이는 용언
> - 높여야 할 인물을 직접 높이는 명사
> - ㉡높여야 할 인물과 관련된 것을 높이는 명사

① 작은아버지는 살림이 넉넉하시다.
② 나는 아직 그 분의 성함을 기억한다.
③ 이번 주말에 할머니를 뵈러 가야한다.
④ 선생님께 따님에 대한 칭찬을 해 드렸다.
⑤ 나는 전화로 할아버지께 안부를 여쭈었다.

11 다음 밑줄 친 시간 표현에 대한 설명으로 잘못된 것은?

① 그렇게 <u>어렵던</u> 수학문제가 이제 술술 풀린다. → 과거 시제
② 그는 언젠가는 <u>떠날</u> 사람이야. → 미래 시제
③ 들에 핀 꽃이 참 <u>곱다</u>. → 현재 시제
④ 그 애가 무거운 짐을 <u>들고서</u> 걸어간다. → 완료상
⑤ 미나가 의자에 <u>앉아 있다</u>. → 진행상

12 다음 〈보기〉의 ㉠~㉤에 대한 설명으로 적절하지 <u>않은</u> 것은?

> **┤ 보기 ├**
>
> ㉠ 우리의 꿈을 <u>이루겠다.</u>
> ㉡ 공기가 매우 <u>맑다.</u>
> ㉢ 어제 <u>먹은</u> 빵이 매우 맛있었다.
> ㉣ 철수가 양손을 <u>흔들고서</u> 나에게 다가온다.
> ㉤ 그는 은퇴 후에도 여전히 <u>바쁘고 있다.</u>

① ㉠은 사건시가 발화시보다 뒤에 오는 시제이다.
② ㉡의 '맑다'에는 시제 표시가 따로 없다.
③ ㉢의 '먹은'에는 선어말어미 '-(으)ㄴ'을 써서 과거 시제를 나타내었다.
④ ㉣의 밑줄 친 부분은 연결 어미 '-고서'를 써서 어떤 동작이 시간의 흐름 속에서 이미 끝났다는 것을 표현하였다.
⑤ ㉤의 밑줄 친 부분이 어색한 이유는 '바쁘다'가 형용사이기 때문이다.

13 (가)와 (나)를 비교한 내용으로 적절한 것은?

> (가) 고양이가 우유를 먹고 있었다.
> (나) 고양이가 우유를 먹어 버렸다.

① (가)는 가능성을, (나)는 추측을 나타낸다.
② (가)는 과거와의 단절을, (나)는 회상을 나타낸다.
③ (가)는 보조 용언으로, (나)는 선어말 어미로 동작상을 나타낸다.
④ (가)는 동작이 시간의 흐름 속에서 이어지고 있음을, (나)는 동작이 이미 끝났음을 나타낸다.
⑤ (가)는 발화시와 사건시가 일치하는 사건을, (나)는 사건시가 발화시보다 앞선 사건을 나타낸다.

14 〈보기〉는 시간을 표현하는 방법에 대해 조사한 것이다. 각 문장에 대한 시간 표현을 잘못 설명한 것은?

┤ 보기 ├

ㄱ. 발생한 시점(사건시)이 그 사건을 언어로 표현하는 시점(발화시)보다 이전인지 이후인지 아니면 일치하는지를 나타내는 문법 요소이다.

ㄴ. 동작상은 발화시를 기준으로 동작이 일어나고 있는 모습을 표현한 것인데, 동작이 진행되고 있음을 표현하는 진행상과 동작이 이미 완결되었음을 표현하는 완료상이 있다.

㉠	어제 친구를 만나 영화를 보았다.	부사와 선어말 어미를 써서 발화시보다 사건시가 앞서는 과거시제를 표현한다.
㉡	이렇게 비가 오니 농사는 다 지었다.	미래의 일을 확정적으로 받아들임을 나타낸다.
㉢	지난 여름에는 정말 덥더라.	과거 어느 때의 일이나 경험을 회상할 때에 사용한다.
㉣	나도 그건 할 수 있겠다.	미래 시제를 나타내는 것 이외에 능력을 표현하기도 한다.
㉤	그 책은 동생에게 줘 버렸고, 지금은 이 책을 읽고 있어.	발화시를 기준으로 동작이 둘 다 동시에 진행되고 있음을 표현하고 있다.

① ㉠   ② ㉡   ③ ㉢   ④ ㉣   ⑤ ㉤

15 밑줄 부분의 동작상을 나타낸 것으로 적절하지 <u>않은</u> 것은?

〈문장〉	〈동작상〉
① 철수가 빵을 <u>먹고 있을</u> 것이다.	진행상
② 널어둔 빨래가 <u>말라 버렸다</u>.	완료상
③ 철수가 그림을 거의 <u>그려 간다</u>.	완료상
④ 그녀가 손을 <u>흔들면서</u> 웃었다.	진행상
⑤ 그가 한 번 <u>웃고서</u> 내게 온다.	완료상

16 〈보기〉의 시간 표현에 대한 설명으로 적절한 것만을 고른 것은?

┤ 보기 ├

ⓐ 친구가 지금 읽는 책은 소설이다.

ⓑ 동생은 어제 교실 창문을 닦았다.

ⓒ 발표 준비하려면 오늘도 잠은 다 잤어.

ㄱ. ⓐ는 어미 '-는', '-은'을 사용하여 현재 시제를 표현하고 있다.

ㄴ. ⓑ는 부사와 선어말어미를 활용하여 과거 시제를 표현하고 있다.

ㄷ. ⓒ는 과거 시제 선어말어미 '-았-'을 사용하여 발화시보다 앞선 사건을 서술하고 있다.

① ㄱ   ② ㄴ   ③ ㄷ   ④ ㄴ, ㄷ   ⑤ ㄱ, ㄴ, ㄷ

17 밑줄 친 부분이 〈보기〉의 ⓐ와 가장 유사한 의미로 사용된 것은?

┤ 보기 ├

미래 시제를 나타내는 '-겠-'은 추측이나 ⓐ<u>의지</u>, 가능성 등의 의미도 나타낸다.

① 그 일을 혼자 다 할 수 있겠어?

② 내일은 하루 종일 비가 오겠습니다.

③ 지금쯤이면 그가 서울역에 벌써 도착했겠다.

④ 내년에는 저도 그 학교에 지원해 보겠습니다.

⑤ 잠시 후 대통령 내외분이 식장으로 입장하시겠습니다.

18 다음 문장과 같은 시제가 사용된 문장은?

> 이번 여름은 날씨가 정말 더웠다.

① 나는 내일 독도로 떠난다.
② 저는 지금 지하철을 탑니다.
③ 초등학교 때는 공부를 잘했었다.
④ 나 이제 우리 부모님한테 죽었다.
⑤ 해는 동쪽에서 떠서 서쪽으로 진다.

19 〈보기〉를 바탕으로 '동작상'에 대해 탐구한 내용으로 가장 적절한 것은?

> ┤ 보기 ├
>
> 시제가 사건시와 발화시의 선후 관계를 표현한다면, 동작상은 사건 또는 동작 자체의 시간적 속성을 표현한다. 예를 들어 '먹다'라는 동작은 과거에서 지금까지 먹고 있는 움직임이 진행 중인 상태와 먹는 움직임이 끝난 상태로 분석할 수 있다. 이와 같이, 동작 내부의 시간적 흐름을 표현하는 문법 요소가 동작상이다. 동작상에는 진행상과 완료상이 있다. 진행상이란 어떤 동작이 시간의 흐름 속에서 계속 이어지고 있을 때 사용하는 문법 요소이고, 완료상이란 어떤 동작이 시간의 흐름 속에서 이미 끝났거나 그 결과가 지속될 때 사용하는 문법 요소이다.
> ⓐ 그의 감기가 <u>낫고 있다</u>.
> ⓑ 화단에 꽃이 <u>피어 있다</u>.

① '그는 바람처럼 훌쩍 <u>떠나 버렸다</u>.'는 ⓐ와 같은 동작상의 예에 해당한다.
② '누나는 밥을 <u>먹으면서</u> 신문을 본다.'는 ⓑ와 같은 동작상의 예에 해당한다.
③ ⓐ는 시간이 흐름 속에서 '낫다'라는 동작이 끝난 후 그 결과가 지속되고 있음을 표현하고 있다.
④ ⓐ의 '낫고 있다'를 '-아/-어 가다'의 형태로 바꿔도 같은 의미의 문장이다.
⑤ ⓑ는 시간의 흐름 속에서 '피다'라는 동작이 계속 이어지고 있음을 표현하고 있다.

20 〈보기〉의 ⓐ~ⓒ에 해당하는 예로 적절한 것은?

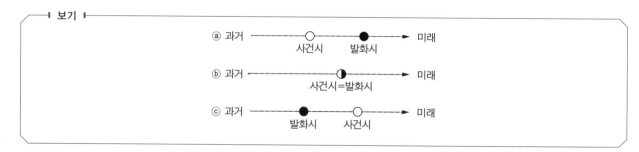

① ⓐ : 오늘 영희는 친구를 만나 영화를 볼 것이다.
② ⓐ : 지금 네가 하는 공부는 무슨 과목이니?
③ ⓑ : 철수는 장차 훌륭한 어른이 되겠다.
④ ⓑ : 조금 전만 해도 창밖에 비바람이 치고 있었다.
⑤ ⓒ : 이 식당은 주말에 개업식을 할 것이다.

21 과거 시제를 표현하는 방법으로 적절하지 <u>않은</u> 것은?

① 선어말 어미 '-았-/-었-'을 사용하여 과거 시제를 표현한다.

② 부사어 '어제', '아까', '이미' 등을 사용하여 과거 시제를 표현한다.

③ 과거 시제를 표현하기 위한 관형사형 어미로 동사의 경우 '-던'을 쓴다.

④ 과거 시제를 표현하기 위한 관형사형 어미로 형용사의 경우 '-(으)ㄴ'을 쓴다.

⑤ 과거의 일이나 경험을 회상하는 의미를 덧붙이기 위해 선어말 어미 '-더-'를 쓴다.

22 〈보기〉의 ⓐ, ⓑ에 대한 설명으로 적절하지 <u>않은</u> 것은?

┤ 보기 ├

　　동작 내부의 시간적 흐름을 표현하는 국어의 문법 요소를 동작상이라고 한다. 동작상에는 ⓐ<u>진행상</u>과 ⓑ<u>완료상</u>이 있다.

① ⓐ는 발화시를 기준으로 동작이 진행되고 있는 상황이다.

② ⓑ는 발화시를 기준으로 동작이 완료된 상황이다.

③ ⓐ의 예로서 '철수는 손을 흔들면서 집에 간다.'를 들 수 있다.

④ ⓑ의 예로서 '철수는 집에 가 버렸다.'를 들 수 있다.

⑤ ⓐ를 표현할 때는 주로 보조 용언 '-아/어 있다'를 쓰고, ⓑ를 표현할 때는 보조 용언 '-고 있다'를 쓴다.

23 다음 중 피동문이 <u>아닌</u> 것은?

① 어제 영어 시험을 망쳐서 스트레스가 쌓였어.

② 어느새 그의 눈가에 눈물이 맺혔다.

③ 제발 날 울리지 말아줘.

④ 아기가 엄마에게 안겼다.

⑤ 곧 놀라운 사실을 알게 될 거야.

24 〈보기〉에서 피동접미사를 사용한 피동 표현이 있는 문장만을 모두 고른 것은?

┌─── 보기 ───┐
ⓐ 붕어빵이 백 개나 팔렸다.
ⓑ 그의 독점으로 승부가 뒤집어졌다.
ⓒ 정보화 사회에는 잊힐 권리가 필요하다.
ⓓ 그녀 덕분에 막냇동생이 혼사를 이루게 되었다.
└─────────┘

① ㉠, ㉡　　　② ㉠, ㉢　　　③ ㉡, ㉢　　　④ ㉡, ㉣　　　⑤ ㉢, ㉣

25 잘못 쓰인 표현을 바르게 고친 것은?

① 내 이름이 불리게 되자 깜짝 놀랐다.
　→ 내 이름이 불려지자 깜짝 놀랐다.
② 그가 우승을 했더니 믿겨지지 않는다.
　→ 그가 우승을 했다니 믿어지지 않는다.
③ 나는 책에서 무엇이 배워졌는지 기록하였다.
　→ 나는 책에서 무엇을 배웠는지 기록되었다.
④ 공사 과정에서 발생된 소음으로 피해가 크다.
　→ 공사 과정에서 발생되어진 소음으로 피해가 크다.
⑤ 현서는 초등학교 3학년 때 백일장에 참가하게 되었다.
　→ 현서는 초등학교 3학년 때 백일장에 참가되었다.

26 〈보기〉의 ㉠이 사용되지 않은 것은?

┌─── 보기 ───┐
　㉠피동 표현은 주어가 다른 주체에 의해서 어떤 동작을 당하거나 영향을 받는 것을 말하는 국어의 문법 요소이다.
└─────────┘

① 친구가 나를 바보라고 놀렸다.
② 종이에 베인 그 상처가 꽤 깊다.
③ 엄마 등에 업힌 아이가 잠을 자고 있다.
④ 그가 내민 쪽지는 아주 작게 접혀 있었다.
⑤ 철수는 닫힌 문을 열지 못해 애를 쓰고 있다.

[27] 다음 글을 읽고 물음에 답하시오.

　요즈음 국어에서 피동 표현의 사용이 늘고 있다. 몇몇 사람들은 이러한 현상이 영어 번역 투에서 시작되었다고 본다. 영어를 한국어로 번역할 때 영어의 특성이 그대로 남아 있게 되고, 그 특성이 국어 사용에 영향을 준다는 것이다.

　(ㄱ) 기본문장 : 허균이 「홍길동전」을 지었다.
　(ㄴ) 한국어 문장 : 「홍길동전」은 허균이 지었다.
　(ㄷ) 영어 직역 문장 : 「홍길동전」은 허균에 의해 지어졌다.

　위와 같이 한국어 문장은 어순이 비교적 자유로워 문장의 첫머리에 서술의 대상이 와도 능동 표현이 가능하다. 하지만 영어에서는 문장의 첫머리에 오는 성분은 주어여야 하므로 같은 상황에서 서술어를 피동 형태로 바꾸어야 한다. 이처럼 한국어와 영어의 차이점을 고려하지 않고 ㉠영어 문장을 직역하면 불필요한 피동 표현을 쓸 수밖에 없다.

27 윗글을 읽은 후 나타난 반응으로 적절하지 않은 것은?

　① 우리말은 영어에 비해 어순이 비교적 자유롭구나.
　② 우리가 사용하는 말 중 불필요하게 피동 표현을 쓰는 경우가 많은가 봐.
　③ (ㄴ)은 능동 표현, (ㄷ)은 피동 표현이겠네.
　④ (ㄴ)에서 「홍길동전」은 문장의 첫머리에 왔으니 주어야.
　⑤ (ㄷ)은 우리말다운 표현이라고 말하기 어렵겠구나.

[28] 다음 글을 읽고 물음에 답하시오.

　제힘으로 움직이는 행위의 주체가 주어인 문장을 능동문이라 한다. 이와 달리 피동문은 행위의 주체가 아닌 행위의 대상이 주어가 된다. 따라서 능동문을 피동문으로 바꿀 때에는 능동문의 주어와 목적어를 각각 피동문의 부사어와 주어로 바꾸고, 능동문의 서술어에 알맞은 피동 접미사 '-이-, -히-, -리-, -기-' 혹은 '-되다', '-아지다/-어지다'혹은 '-게 되다'를 붙여 피동문의 서술어로 만든다.
　피동문을 쓸 때에는 지나친 피동 표현(ⓐ이중 피동)이 되지 않도록 유의해야 한다.

28 윗글을 참고하여 〈보기〉를 이해한 내용으로 적절하지 않은 것은?

> ┤ 보기 ├
> ㄱ. 태풍에 건물이 흔들린다.
> ㄴ. 작은 나룻배가 파도에 뒤집혔다.

　① ㄱ을 능동문으로 바꾸려면 '건물이'가 목적어가 되어야 한다.
　② ㄱ을 능동문으로 바꾸려면 '태풍에'가 행위의 대상이 되어야 한다.
　③ ㄱ의 '흔들리다'는 '흔들다'의 어간에 피동 접미사 '리'가 붙은 경우이다.
　④ ㄴ을 능동문으로 바꾸면 행위의 주체가 '파도'가 된다.
　⑤ ㄴ의 '뒤집혔다' 대신 '뒤집다'의 어간에 '-어졌다'를 붙여도 피동문이 된다.

29 인용 표현을 올바르게 사용한 문장은?

① 철수는 어머니께 사랑합니다라고 말했다.
② 인태는 "수정이가 방금 운동장에 나갔어."고 말했다.
③ 처음 바다를 본 동생은 바다가 정말 넓구나고 혼잣말을 했다.
④ 어머니께서는 실패란 하나의 사건일 뿐이라고 말씀하셨다.
⑤ 손님이 점원에게 "이 옷이 얼마냐?"고 물었다.

30 〈보기〉의 ⓐ~ⓓ에 들어갈 말을 올바르게 짝지은 것은?

┤ 보기 ├

직접인용 : 실망한 제게 어머니께서는 "실패란 하나의 사건일 뿐이다."라고 말씀해 주셨습니다.
간접인용 : 실망한 제게 어머니께서는 실패란 하나의 사건일 ___ⓐ___ 말씀해 주셨습니다.

직접인용 : 철수는 어머니께 "사랑합니다"라고 말했다.
간접인용 : 철수는 어머니께 ___ⓑ___ 말했다.

간접인용 : 인태는 수정이가 방금 운동장에 나갔다고 말했다.
직접인용 : 인태는 "수정이가 방금 운동장에 ___ⓒ___ 말했다.

간접인용 : 처음 바다를 본 그녀는 바다가 정말 넓다고 혼잣말을 했다.
직접인용 : 처음 바다를 본 그녀는 "바다가 정말 ___ⓓ___ 혼잣말을 했다.

	ⓐ	ⓑ	ⓒ	ⓓ
ㄱ	뿐이라고	사랑한다고	나갔어"고	넓구나"고
ㄴ	뿐이라고	사랑한다고	나갔어"라고	넓구나"라고
ㄷ	뿐이라고	사랑한다라고	나갔어"고	넓구나"고
ㄹ	뿐이라고	사랑한다라고	나갔어"고	넓구나"라고
ㅁ	뿐이라고	사랑한다라고	나갔어"라고	넓구나"고

① ㄱ   ② ㄴ   ③ ㄷ   ④ ㄹ   ⑤ ㅁ

31 직접 인용문을 간접 인용문으로 바꾼 것으로 적절하지 <u>않은</u> 것은?

① 오빠가 "저 집이다."라고 외쳤다.

　→ 오빠가 저 집이라고 외쳤다.

② 오빠는 "조용히 해라."라고 말했다.

　→ 오빠는 조용히 하라고 말했다.

③ 오빠가 내게 "많이 아프니?"라고 물었다.

　→ 오빠가 내게 많이 아프냐고 물었다.

④ 오빠는 "여기가 내가 사는 곳이야."라고 말했다.

　→ 오빠는 거기가 내가 사는 곳이라고 말했다.

⑤ 오빠는 어제 "선생님이 내일 오신다."라고 말했다.

　→ 오빠는 어제 선생님이 오늘 오신다고 말했다.

32 다음 표는 직접 인용을 간접 인용으로 바꾼 것이다. 적절하지 <u>않은</u> 것은?

	직접 인용		간접 인용
㉠	철수는 어머니께 "사랑합니다."라고 말했다.	→	철수는 어머니께 사랑한다고 말했다.
㉡	전화 통화 중 언니는 "거기에도 비가 와?"라고 물었다.	→	전화 통화 중 언니는 여기에도 비가 오냐고 물었다.
㉢	처음 바다를 본 그녀는 "바다가 정말 넓구나."라고 혼잣말을 했다.	→	처음 바다를 본 그녀는 바다가 정말 넓다고 혼잣말을 했다.
㉣	상이는 새로 짝꿍이 된 친구에게 "우리 앞으로 친하게 지내자."라고 말했다.	→	상이는 새로 짝꿍이 된 친구에게 앞으로 친하게 지내자고 했다.
㉤	태연이는 "모둠 활동에서 내가 발표를 맡을래."라고 외쳤다.	→	태연이는 모둠 활동에서 내가 발표를 맡겠다고 외쳤다.

① ㉠　　　　　② ㉡　　　　　③ ㉢　　　　　④ ㉣　　　　　⑤ ㉤

01 〈보기〉의 ⓐ∼ⓓ에 들어갈 말을 올바르게 짝지은 것은?

┌─ 보기 ├─

㉠ 미나 어머니께서는 "너희 어머니는 잘 지내니?"라고 물어 보셨다.
㉡ 미나 어머니께서는 우리 어머니께서 잘 지내시냐고 물어 보셨다.

㉠은 미나 어머니의 발화를 그대로 옮긴 직접 인용이고, ㉡은 미나 어머니의 발화를 풀어 쓴 간접 인용이다. 그런데 직접 인용을 간접 인용으로 바꿀 때나 간접 인용을 직접 인용으로 바꿀 때는 인용절 속의 어미, 인용 조사, 대명사, 지시 표현, 높임 표현 등에 변화가 생길 수 있다.

직접 인용	아들이 어제 저에게 "내일 병원에 모시고 갈게요."라고 말했습니다.

⇩

간접 인용	아들이 어제 저에게 (ⓐ) 병원에 (ⓑ) 말했습니다.
직접 인용	철수는 어머니께 "사랑합니다."라고 말했다.

⇩

간접 인용	철수는 어머니께 (ⓒ) 말했다.
직접 인용	선우가 "교실에서 조용히 합시다."라고 말했다.

⇩

간접 인용	선우가 교실에서 조용히 (ⓓ) 말했다.

	ⓐ	ⓑ	ⓒ	ⓓ
①	어제	모시고 간다고	사랑하냐고	하자고
②	오늘	데려 간다고	사랑한다고	하자고
③	오늘	모시고 간다고	사랑한다라고	하라고
④	오늘	데려 간다고	사랑하냐고	하자고
⑤	어제	데려 간다고	사랑한다고	하라고

02 〈보기〉의 ㉠~㉤을 고친 문장과 오류 내용이 모두 알맞은 것은?

┤ 보기 ├

㉠ 그녀는 아까 도서관에 가고 있어.

㉡ 철수야, 선생님이 너를 모시고 오시래.

㉢ 할아버지는 매일 이 시간이면 낮잠을 자.

㉣ 창문이 닫혀지지 않아 찬바람이 들어온다.

㉤ 사육장 관계자는 시설의 개선이 필요하다라고 말했습니다.

고친 문장	오류 내용
㉠ 그녀는 아까 도서관에 가고 있었어.	시제 오류
㉡ 철수야, 선생님이 너를 데리고 오라고 하셔.	높임 오류
㉢ 할아버지는 매일 이 시간이면 낮잠을 주무셔.	높임 오류
㉣ 창문이 닫히지 않아 찬바람이 들어온다.	사동 오류
㉤ 사육장 관계자는 시설의 개선이 필요하다고 말했습니다.	시제 오류

① ㉠ ② ㉡ ③ ㉢ ④ ㉣ ⑤ ㉤

03 〈보기〉의 ㉠~㉡에 해당하는 사례로 적절하지 않은 것은?

┤ 보기 ├

'피동'이란 주어가 스스로 행동하지 않고 남의 동작을 받는 것을 말한다. 타동사 어근에 피동 접미사 '-이-, -히-, -리-, -기-'가 붙어서 이루어진 ㉠파생적 피동과 용언의 어간에 '-어지다', '-게 되다'가 붙어서 이루어진 ㉡통사적 피동 등이 있다.

① ㉠ : 도둑이 경찰에게 잡혔다.

② ㉠ : 우연히 음악 소리를 들었다.

③ ㉡ : 나에 대한 오해가 풀어졌다.

④ ㉡ : 그는 결국 징역을 살게 되었다.

⑤ ㉡ : 경기의 승부가 그의 득점으로 뒤집어졌다.

04 〈보기〉를 바탕으로 높임 표현에 대해 탐구한 내용으로 적절하지 않은 것은?

┌─ 보기 ├─

ⓐ 아버지께서 저녁을 드시러 나가셨습니다.

ⓑ 선생님께 문제의 풀이 과정을 여쭤보았다.

ⓒ 어머니께서는 손이 아프셔서 무거운 짐을 드실 수 없어.

ⓓ (가게 안을 두리번거리는 손님에게) 손님, 무엇을 찾으십니까?

① ⓐ과 ⓑ에서 주어가 나타내는 대상을 높일 때 사용하는 조사가 드러난다.

② ⓑ은 특수 어휘를 사용하여 부사어가 나타내는 대상을 높이고 있다.

③ ⓒ은 '어머니'의 신체 부분을 높여 문장의 주체를 높이고 있다.

④ ⓓ은 종결 어미를 통해 듣는 상대를 아주 높여 말하고 있다.

⑤ ⓐ과 ⓓ은 주어가 나타내는 대상을 높일 때 사용하는 선어말 어미가 드러난다.

05 〈보기〉의 ㉠에 들어갈 문장으로 가장 적절한 것은?

┌─ 보기 ├─

  우리말의 높임 표현은 높임의 대상이 무엇이냐에 따라 세 종류로 나뉜다. 상대 높임법은 화자가 청자, 즉 상대를 높이거나 낮추는 방법으로 종결 어미에 의해 실현된다. 주체 높임법은 문장에서 서술의 주체를 높이는 방법으로 조사, 선어말 어미, 특수 어휘에 의해 실현된다. 또한, 객체 높임법은 문장에서 목적어와 부사어가 지시하는 대상, 즉 객체를 높이는 방법으로 조사와 특수 어휘에 실현된다.

  그런데 실제 언어생활에서 높임 표현은 위의 높임 표현 두세 가지가 동시에 사용되어 실현 양상이 복합적이다.

  예를 들어 '영수야, 할아버지 오셨어.'와 같은 문장은 상대는 낮추고 주체는 높여서 표현한 것이다. 그리고 _____는 상대를 높이고 주체와 객체도 높여서 표현한 것이다.

① 아버지께서는 할아버지를 뵙고 오셨어요.

② 할머니께서는 진지를 드시고 계셨습니다.

③ 철수가 손님들을 모시고 공원으로 갔어요.

④ 어머니께서는 나의 저녁밥을 차려 주었어.

⑤ 요즘 중간고사 시험 준비로 많이 힘드시죠?

06 〈보기1〉을 참고할 때, 〈보기2〉의 '-겠-'과 유사한 의미를 지닌 예로 가장 적절한 것은?

┤ 보기 1 ├

　　미래 시제를 나타내는 선어말 어미 '-겠-'은 용언의 어간에 붙어 미래 시제를 나타내는 것 이외에 추측이나 의지, 가능성이나 능력, 완곡하게 말하는 태도 등의 의미로 쓰인다.

┤ 보기 2 ├

영희야, 이 많은 일을 어떻게 혼자 다 하겠니?

① 하늘을 보니 내일은 비가 오겠다.
② 이 정도 수학 문제는 어린 아이도 풀 수 있겠다.
③ 지금쯤 이모네 가족들이 인천 공항에 도착했겠네.
④ 나는 이번 하반기 입사 시험에 합격하고야 말겠다.
⑤ 비가 그칠 때까지 잠시 옆자리에 앉아도 되겠습니까?

07 〈보기〉의 ㉠~㉢에 해당하는 예로 적절하지 <u>않은</u> 것은?

┤ 보기 ├

　　높임 표현은 화자가 대상의 높고 낮은 정도에 따라 언어적으로 구별하여 표현하는 국어의 문법 요소이다. 높임 표현은 높임의 대상에 따라 ㉠상대 높임법, ㉡주체 높임법, ㉢객체 높임법으로 나뉜다.

① ㉠ : 철수야, 학교에 잘 다녀오너라.
② ㉠ : 오늘의 영광을 부모님께!
③ ㉡ : 아버지께서는 집에 계신다.
④ ㉡ : 할아버지께서는 이미 진지를 잡수셨다.
⑤ ㉢ : 우리는 할머니를 모시고 여행을 갔다.

08 높임법에 맞게 고쳐 쓴 문장과 그 이유가 적절하지 <u>않은</u> 것은?

① 나는 집에 있어.

→ (부모님께) 저는 집에 있어요.

이유 : 부모님께는 자신을 낮춰야 한다.

② 할아버지께서는 이가 안 좋으시다.

→ 할아버지께서는 치아가 안 좋으시다.

이유 : 높임의 대상과 밀접한 사람이나 사물, 신체의 일부 등을 높임으로써 해당 인물을 높이는 간접높임을 사용하고 있다.

③ 나는 어머니께 꽃다발을 주었다.

→ 나는 어머니께 꽃을 주었다.

이유 : '주었다'에 어울리는 낱말은 '꽃'이므로 '꽃다발'은 어울리지 않다.

④ 안녕하세요, 회장님? 신입사원OO라고 합니다.

→ 안녕하십니까, 회장님? 신입사원 OO라고 합니다.

이유 : 공적인 자리에서는 격식체를 사용해야만 한다.

⑤ 동생이 할아버지를 보고 말을 했다.

→ 동생이 할아버지를 뵙고 말씀을 드렸다.

이유 : 객체를 높이기 위하여 높임의 의미가 있는 특수한 어휘를 사용하기도 한다.

09 〈보기〉의 밑줄 친 부분에 해당하는 예로 적절한 것은?

┤ 보기 ├

피동 표현을 쓸 때 피동사에 '-아지다/-어지다'나 '-게 되다'를 또 붙여서 이중 피동을 만드는 경우가 있는데, 이는 잘못된 표현이다. 또 불필요한 피동 표현이 사용된 경우에는 능동 표현으로 바꾸어 써야 한다. 한국어와 영어의 차이점을 고려하지 않고 영어 문장을 직역하면 불필요한 피동 표현을 쓸 수 밖에 없다. 그리고 이러한 문장에 익숙해지면 정작 피동 표현을 써야 할 때에 <u>이중 피동 표현</u>을 쓰게 된다. 그래야만 피동 표현이 강조되는 것처럼 느껴지기 때문이다. 한 예로, 인터넷상의 개인 정보를 삭제할 수 있는 권리는 '잊힐 권리'는 흔히 이중 피동 표현인 '잊혀질 권리'로 잘못 쓰인다.

① 많은 물고기가 국어선생님에게 잡혔다.

② 오래된 그 집이 사람들에게 헐리어졌다.

③ 내 이름이 불리자 깜짝 놀랐다.

④ 고분에서 많은 유물이 발굴되었다.

⑤ 경기의 승부가 그의 마지막 득점으로 뒤집혔다.

높임 표현은 화자가 대상의 높고 낮은 정도에 따라 언어적으로 구별하여 표현하는 국어의 문법 요소이다. 높임 표현은 높임의 대상에 따라 상대 높임법, 주체 높임법, 객체 높임법으로 나뉜다.

상대 높임법은 청자를 높이거나 낮추는 방법이다. 높임과 낮춤의 정도에 따라 종결 어미가 달라진다. 화자 자신을 낮추는 것 '저', '제' 등의 어휘를 쓰기도 한다.

주체 높임법은 문장의 주체를 높이는 방법이다. 주격 조사 '이/가' 대신 '께서'를 사용하고, 일반적으로 서술어에 선어말 어미 '-(으)시-'가 붙어 실현된다. ㉠'있다', '먹다' 같은 단어 대신 '계시다', '잡수시다' 같은 특수 어휘를 쓰기도 한다.

[A] ┌ 최근 '주문하신 커피 나오셨습니다.' '문의하신 상품은 품절이십니다.'처럼 서비스업이나 판매업 종사자들이 고객
    │ 을 존대하려는 의도로 불필요한 '-시-'를 넣은 표현을 적지 않게 사용하고 있다. 높여야 할 대상의 신체 부분, 성
    │ 품, 심리, 소유물과 같이 주어와 밀접한 관계를 맺고 있는 대상을 통하여 주어를 간접적으로 높이는 '간접 존대'에는
    │ '눈이 크시다.', '걱정이 많으시다', '선생님, 넥타이가 멋있으시네요.'처럼 '-시-'를 동반한다. 그러나 '주문하신 커
    └ 피 나오셨습니다.', '문의하신 상품은 품절이십니다.'처럼 '-시'를 남용하는 것은 바른 경어법이 아니다.

객체 높임법은 문장의 목적어나 부사어가 지시하는 대상, 즉 서술의 객체를 높이는 방법이다. 서술의 객체가 화자보다 나이가 많거나 사회적 지위가 높을 때 사용한다. 부사격 조사 '에게' 대신 '께'를 사용하고, ㉡'만나다', '묻다' 같은 단어 대신 '뵈다', '여쭈다' 같은 특수 어휘를 쓰기도 한다.

10 다음 중 ㉠, ㉡이 모두 사용된 문장은?

① 누나는 여쭈어볼 것이 있다며 선생님 댁에 갔다.
② 연세가 많으신 할머니께서는 아직도 홍시를 잘 잡수신다.
③ 어머니께서는 몹시 피곤하신지 오시자마자 거실에서 주무신다.
④ 할아버지를 모시고 식당으로 가서 무엇을 잡수실 건지 여쭙거라.
⑤ 아버지께서는 할머니를 뵙고 추석 선물을 드리며 반갑게 인사를 하셨다.

11 윗글의 [A]를 제대로 이해하지 못한 사람은?

① (선생님께) '오늘 입으신 옷이 멋지시네요.'는 옷을 통해 선생님을 간접적으로 높이려는 것이군.
② (미용실에서) '손님, 이제 머리 감기실게요.'는 문장의 주어인 손님을 높이려는 의도로 -시-를 썼군.
③ (사장님께) '사장님 따님이 참 착하시네요.'는 화자보다 사장의 딸이 어린 경우에는 사장을 높이기 위한 간접 존대에 해당해야겠군.
④ (상점에서) '손님 성격이 참 좋으시네요.'의 '성격'은 높여야 할 대상과 밀접한 관계를 맺고 있으므로 틀린 표현이 아니겠군.
⑤ (식당에서) '문의하신 날짜는 예약이 꽉차셔서 불가능하십니다.'는 '-시'의 남용에 해당하겠군.

[12] 다음 글을 읽고 물음에 답하시오.

높임 표현은 화자가 대상의 높고 낮은 정도에 따라 언어적으로 구별하여 표현하는 국어의 문법 요소이다. 높임 표현은 높임의 대상에 따라 상대 높임법, 주체 높임법, 객체 높임법으로 나뉜다.

㉮상대 높임법은 청자를 높이거나 낮추는 방법이다. 높임과 낮춤의 정도에 따라 종결 어미가 달라진다.

㉯주체 높임법은 문장의 주체를 높이는 방법이다. 주격 조사 '이/가' 대신 '께서'를 사용하고, 일반적으로 서술어에 선어말 어미 '-(으)시-'가 붙어 실현된다. 특수 어휘를 쓰는 단어도 있다.

㉰객체 높임법은 문장의 목적어나 부사어가 지시하는 대상, 즉 서술의 객체를 높이는 방법이다. 서술의 객체가 화자보다 나이가 많거나 사회적 지위가 높을 때 사용한다.

12 위 글의 예시로 적절하지 <u>않은</u> 것은?

① ㉮ : 저는 밥 먹으러 직접 가겠습니다.

② ㉮ : 어머님, 제가 무거운 것을 들고 가겠습니다.

③ ㉯ : 아버지께서는 안방에 계신다.

④ ㉯ : 선생님께서는 아름다운 따님이 두 명이나 계신다.

⑤ ㉰ : 영희가 할머니께 드릴 선물을 구입했어요.

13 다음 발표문에 대한 평가로 적절하지 <u>않은</u> 것은?

안녕? 나는 뽀로로라고 해.

문학에 관심이 많은 나는 초등학교 3학년 때 백일장에 참가되었어. 하루 종일 고생해서 시를 써냈지만 수상하지 못했지. 실망할 나에게 어머니께서는 "실패란 하나의 사건일 뿐이다."라고 말해 주었어. 실패는 끝이 아니라 과정이며, 실패를 통해 무엇이 배워졌는지가 더 중요하다는 사실을 깨달았지. 그 후 나는 8년간 계속해서 백일장에 참가하고 있어. 앞으로도 많이 실패하였지만 계속 도전할 거야.

① 부적절한 피동 표현은 능동 표현으로 고쳐쓴다.

② 잘못 쓰인 과거 시제와 미래 시제 표현을 수정한다.

③ 높임의 대상을 표현하기 위해 높임 표현을 사용해야 한다.

④ 직접 인용을 사용해야 하는 부분에 간접 인용을 사용하고 있다.

⑤ 공식적인 자리에서 발표하기 위해 청자를 높이는 표현으로 수정한다.

14 (가)~(마)에 대한 설명으로 옳지 <u>않은</u> 것은?

> ┤ 보기 ├
>
> (가) A는 연세가 많으시다.
>
> (나) A께서 낮잠을 주무신다.
>
> (다) A가 B께 용돈을 드렸다.
>
> (라) 저는 이곳이 처음입니다.
>
> (마) A께서 B를 모시고 떠나셨습니다.

① (가)에서 화자는 특수 어휘 '연세'와 선어말 어미 '-시-'를 사용하여 주체인 A를 간접적으로 높이고 있다.

② (나)에서 화자는 조사 '께서'와 선어말 어미 '-시-'를 사용하여 주체인 A를 직접 높이고 있다.

③ (다)에서 화자는 조사 '께'와 특수 어휘 '드리다'를 사용하여 객체인 B를 높이고 있다.

④ (라)에서 화자는 특수 어휘 '저'를 사용하여 자신을 낮추고, 종결 어미 '-ㅂ니다'를 사용하여 청자를 높이고 있다.

⑤ (마)에서 화자는 청자, 주체인 A, 객체인 B를 모두 높이고 있다.

15 각 쌍의 밑줄 친 부분에 대한 설명으로 옳지 <u>않은</u> 것은?

> ┤ 보기 ├
>
> (가) ㉠ 친구와 함께 영화를 <u>본다</u>.
>
>   ㉡ 친구와 함께 영화를 <u>보겠다</u>.
>
> (나) ㉢ 철수는 예전에 이 집에 <u>살았다</u>.
>
>   ㉣ 철수는 예전에 이 집에 <u>살았었다</u>.
>
> (다) ㉤ 동생이 <u>먹은</u> 빵이다.
>
>   ㉥ 기온이 <u>높은</u> 날씨다.
>
> (라) ㉦ 언니가 의자에 <u>앉고 있다</u>.
>
>   ㉧ 언니가 의자에 <u>앉아 있다</u>.
>
> (마) ㉨ 준현이가 손을 <u>흔들면서</u> 내게 다가온다.
>
>   ㉩ 준현이가 손을 <u>흔들고서</u> 내게 다가온다.

① (가) : ㉠은 사건시가 발화시보다 앞서고, ㉡은 발화시가 사건시보다 앞서는 것을 나타낸다.

② (나) : ㉢과는 달리 ㉣은 '과거의 시간이 현재와 다르든가 단절되어 있음'을 나타낸다.

③ (다) : 관형사형 어미 '-(으)ㄴ'은 ㉤에서는 과거 시제를, ㉥에서는 현재 시제를 표현하는 데 사용되었다.

④ (라) : ㉦은 어떤 동작이 '진행되고 있음'을, ㉧은 '이미 끝났거나 그 결과가 지속되고 있음'을 나타낸다.

⑤ (마) : (라)와 (마)를 비교해 보면, ㉨의 시제와 동작상은 (라)의 ㉦과 ㉩은 (라)의 ㉧과 동일하다고 할 수 있다.

16 국어 문법에 어긋나는 어색한 표현을 고쳐 쓴 문장 또는 그 이유가 적절하지 <u>않은</u> 것은?

① 어색한 표현 : 날이 벌써 <u>어두워 있다</u>.

어색한 이유 : 형용사를 동작상과 함께 사용하였다.

고쳐 쓴 표현 : 날이 벌써 <u>어둡다</u>.

② 어색한 표현 : 그 말은 정말 <u>믿겨지지</u> 않았다.

어색한 이유 : 이중 피동 표현을 사용하였다.

고쳐 쓴 표현 : 그 말은 정말 <u>믿기지</u> 않았다.

③ 어색한 표현 : 고객님, 신분증이 <u>계신가요</u>?

어색한 이유 : 물건은 높임의 대상이 아니다.

고쳐 쓴 표현 : 고객님, 신분증이 <u>있어요</u>?

④ 어색한 표현 : 형은 "노래는 내가 잘한다."<u>고</u> 말했다.

어색한 이유 : 조사를 잘못 사용하였다.

고쳐 쓴 표현 : 형은 "노래는 내가 잘한다."<u>라고</u> 말했다.

⑤ 어색한 표현 : 혜영아, 아까 어디에 가고 <u>있어</u>?

어색한 이유 : 부사어와 서술어의 시제가 불일치한다.

고쳐 쓴 표현 : 혜영아, 아까 어디에 가고 <u>있었어</u>?

17 〈보기1〉을 〈보기2〉로 고쳐 쓴 과정에서 반영되지 <u>않은</u> 조건은?

┤ 보기 1 ├

초등학교 4학년 때, 나는 백일장에 참가하였지만 입상하지 못했지. 어머니는 실망할 내게 실패는 끝이 아니라 하나의 과정이며, 실패를 통해 무엇이 배워졌는지가 더 중요하다고 말해 주었어. 그 후 나는 8년간 계속해서 백일장에 참가하고 있으면서 많이 실패하겠지만 앞으로 계속 도전할 거야.

┤ 보기 2 ├

초등학교 학년 때, 저는 백일장에 참가하게 되었지만 입상하지 못했습니다. 어머니께서는 실망한 제게 "실패는 끝이 아니라 하나의 과정이야. 실패에서 무엇이 배워졌는지가 더 중요하지."라고 말씀해 주셨습니다. 그 후 저는 8년간 계속해서 백일장에 참가하면서 많이 실패하였지만 앞으로 계속 도전할 겁니다.

① 청자를 높이는 표현으로 고쳐 쓴다.

② 간접 인용을 직접 인용으로 고쳐 쓴다.

③ 잘못 쓰인 높임 표현을 바르게 고쳐 쓴다.

④ 잘못 쓰인 시간 표현을 바르게 고쳐 쓴다.

⑤ 부적절한 피동 표현을 능동 표현으로 고쳐 쓴다.

18 ⊙~⑩의 잘못된 문장을 수정한 이유로 적절하지 <u>않은</u> 것은?

	잘못된 문장 → 수정한 문장
⊙	할아버지께서 우리에게 세뱃돈을 줬다. → 할아버지께서 우리에게 세뱃돈을 주셨다.
ⓛ	그의 말이 정말 믿겨지지 않았다. → 그의 말이 정말 믿기지 않았다.
ⓒ	그는 신발을 신고 있다. → 그는 신발을 신는 중이다.
ⓡ	그는 나에게 "밥 언제 먹을 거니?"고 물었다. → 그는 나에게 "밥 언제 먹을 거니?"라고 물었다.
⑩	그녀의 머릿결은 언제나 아름답고 있다. → 그녀의 머릿결은 언제나 아름답다.

① ⊙ : 서술어 '줬다'의 주체가 높임의 대상이기 때문이다.

② ⓛ : 이중 피동 표현을 사용하였기 때문이다.

③ ⓒ : 중의적 의미로 해석이 가능하기 때문이다.

④ ⓡ : 인용의 조사가 잘못되었기 때문이다.

⑤ ⑩ : 시제를 잘못 사용하였기 때문이다.

19 〈보기〉의 ⊙~ⓢ에 대해 설명한 것으로 적절하지 <u>않은</u> 것은?

┤ 보기 ├

　　내가 예전에 여기에 ⊙왔을 때 ⓛ본 나무들, 그토록 ⓒ예쁘던 그 꽃나무들은 다 어떻게 ⓡ돼 버렸을까? 그 나무들을 보면서 큰 기쁨을 ⑩느꼈었는데.

　　아, ⓑ초등학생이던 내가 손수 심은 나무들도 다 ⓢ사라졌구나.

① ⊙과 ⓢ은 선어말어미 '-았/었-'을 사용했으므로 과거시제이다.

② ⓛ은 관형사형 어미 '-ㄴ'이 붙어 과거시제가 되었으므로, '보다'의 품사는 동사이다.

③ ⓒ과 ⓑ에 관형사형 어미 '-던'이 붙어 과거시제가 되었으므로, 이들 품사는 동사이다.

④ ⓡ은 '-어 버리다'에 선어말어미 '-었-'이 결합한 것으로, 과거시제 완료상이다.

⑤ ⑩은 선어말어미 '-었었-'을 사용했으므로 현재에는 그렇지 않음을 나타내는 과거시제이다.

20 〈보기〉에 쓰인 높임표현을 탐구한 내용으로 적절하지 <u>않은</u> 것은?

┤ 보기 ├

ㄱ. 그녀가 할머니께 모자를 사 드렸다.

ㄴ. 삼촌께서 밖으로 나가시는 모습이 보인다.

ㄷ. 엄마, 숙부께서 할아버지를 뵙자고 하시네요.

ㄹ. 선생님, 이번에는 제 말씀을 좀 들어 보십시오.

① ㄱ의 '드렸다'는 주체를 높이기 위해 사용된 것이군.

② ㄴ과 ㄷ의 '께서'와 '-시-'는 주체를 높이기 위해 사용된 것이군.

③ ㄷ의 '뵙자고'는 객체를 높이기 위해 사용된 것이군.

④ ㄷ의 '요'는 비격식 상황에서 상대방을 높이기 위해 사용된 것이군.

⑤ ㄹ의 '-십시오'는 격식이 있는 상황에서 상대방을 높이기 위해 사용된 것이군.

21 〈보기〉의 ㉠에 들어갈 말로 가장 적절한 것은?

┤ 보기 ├

선생님 : 우리말의 높임 표현에는 주체 높임법, 객체 높임법, 상대 높임법이 있습니다. 그런데 실제 언어 생활에서 '높임 표현'이 실현되는 양상은 복합적입니다.

예문을 볼까요? '철수야, 선생님께서 찾으셔.'는 상대는 낮추고 주체는 높여서 표현한 것입니다. 그리고 (㉠)은(는) 상대를 높이고 객체도 높여서 표현한 것입니다.

① 내일 우리 같이 밥 먹어요.

② 제가 할머니를 모시고 왔습니다.

③ 이 손수건 좀 할아버지께 갖다 드려.

④ 요즘 여러 가지 일로 많이 바쁘시죠?

⑤ 어머니께서 아버지의 손수건을 만드셨어.

22 〈보기〉를 참고하여 '-겠-'의 의미가 나머지와 <u>다른</u> 하나는?

┤ 보기 ├

미래 시제를 표현하는 선어말 어미 '-겠-'은 미래 시제를 나타내는 것 이외에 추측이나 의지, 가능성이나 능력, 완곡하게 말하는 태도 등을 표현하기도 한다.

① 제가 마저 써도 되겠습니까?

② 책을 읽어봐도 괜찮겠습니까?

③ 이걸 어떻게 혼자 다 하겠니?

④ 내가 먼저 말해도 되겠니?

⑤ 어제 그만 돌아가 주시겠어요?

23 〈보기〉의 ㉠과 ㉡에 대한 설명으로 적절하지 <u>않은</u> 것은?

┌─ 보기 ┐

㉠ 깨끗한 경치를 보니 어머니를 모시고 오고 싶어.

㉡ 저는 따뜻한 차를 마시며 앉아 있으니 기분이 좋습니다.

└─────────────────────────────────┘

① ㉠은 사적이고 친근감이 나타나는 표현이고, ㉡은 공적이고 심리적 거리가 느껴지는 표현이다.

② ㉠과 청자를 낮추어 말하는 표현이고, ㉡은 청자를 높여 말하는 표현이다.

③ ㉠은 서술의 객체를 높여 말하는 표현이고, ㉡은 주체를 낮추어 말하는 표현이다.

④ ㉠과 ㉡은 형용사에 관형사형 어미 '-(으)ㄴ'을 써서 현재의 일을 나타내고 있다.

⑤ ㉠과 ㉡은 모두 사건이 발생한 시점과 그 사건을 언어로 표현하는 시점 사이에 시간 차이가 존재한다.

24 다음 중 문법 요소가 올바르게 쓰인 것은?

① 동생에게 사탕을 빼앗겼다.

② 나는 일이 잘 마무리되어지길 바란다.

③ 어제 동생이 "누나, 바다 보고 싶다."고 말했다.

④ 할아버지께서 병원에 혼자 가신다고 말해 주었어.

⑤ 편견 없는 사회가 만들어지려면 나부터 노력해야 해.

25 (가)~(다)에 대하여 시간표현 선어말어미의의미를 중심으로 설명한 것 중 가장 적절한 것은?

┌─────────────────────────────────┐

(가) 은경이는 어제 불암도서관에서 책을 빌리더라.

(나) 정일이는 어제 불암도서관에서 책을 빌렸어.

(다) 목감기로 승철이는 목구멍이 아직도 부었어.

└─────────────────────────────────┘

① **원균** : (가)와 (나)는 모두 이전에 일어난 사건에 대한 사실을 전달하고 있어.

② **은희** : (가)는 (나)와 달리 이전에 일어난 사건이 지금까지 지속되고 있음을 나타내고 있어.

③ **영재** : (가)와 (다)는 모두 이전에 일어난 사건이 지금까지 지속되고 있음을 나타내고 있어.

④ **영관** : (나)와 (다)는 모두 이전에 일어난 사건의 사실을 화자가 직접 경험하여 알게 되었음을 나타내고 있어.

⑤ **지현** : (다)는 (가)와 달리 이전에 일어난 사건의 사실을 전달하는 동시에 그 사실을 화자가 직접 경험하여 알게 되었음을 나타내고 있어.

[26~27] 다음 글을 읽고 물음에 답하시오.

'높임 표현'이란 말하는 이가 어떤 대상을 높이거나 낮추는 정도를 구별하여 표현하는 방법을 말한다. 국어에서 높임 표현의 대상에 따라 주체 높임, 상대 높임, 객체 높임으로 나누어진다.

주체 높임은 서술의 주체를 높이는 방법이다. 주체 높임을 실현하기 위해 선어말 어미 '-(으)시-'를 사용하며, 주격 조사 '이/가' 대신에 '께서'를 쓰기도 한다. 그 밖에 '계시다', '주무시다' 등과 같은 특수 어휘를 사용하여 높임을 드러내기도 한다. 그리고 주체 높임에는 직접 높임과 간접 높임이 있다. ㉠직접 높임은 높임의 대상인 주체를 직접 높이는 것이고, ㉡간접 높임은 높임의 대상인 주체의 신체 일부, 소유물, 가족 등을 높임으로써 주체를 간접적으로 높이는 것이다.

상대 높임은 말하는 이가 듣는 이를 높이거나 낮추어 말하는 방법이다. 상대 높임은 주로 종결 표현을 통해 실현되는데, 아래와 같이 크게 격식체와 비격식체로 나뉜다.

	하십시오체	예 합니다, 합니까? 등
격식체	하오체	예 하오, 하오? 등
	하게체	예 하네, 하는가? 등
	해라체	예 한다, 하냐? 등
비격식체	해요체	예 해요, 해요? 등
	해체	예 해, 해? 등

격식체는 격식을 차리는 자리나 공식적인 상황에서 주로 사용하며, 비격식체는 격식을 덜 차리는 자리나 사적인 상황에서 주로 사용한다. 그렇기 때문에 같은 대상이라도 공식적인 자리인지 사적인 자리인지에 따라 높임 표현이 달리 실현되기도 한다.

㉢객체 높임은 목적어나 부사어가 지시하는 대상, 즉 서술의 객체를 높이는 방법이다. 객체 높임은 '모시다', '여쭈다' 등과 같은 특수 어휘를 통해 실현되며, 부사격 조사 '에게' 대신 '께'를 사용하기도 한다.

26 윗글을 바탕으로 〈보기〉의 ⓐ~ⓔ를 탐구한 내용으로 가장 적절한 것은?

┤ 보기 ├

(복도에서 친구 선희와 만난 상황)
경화 : 선희야, ⓐ선생님께서 너 지금 교무실로 오라셔.
선희 : 응, 알았어.

(선희가 교무실로 선생님을 찾아간 상황)
선희 : 선생님, 부르셨어요?
선생님 : 그래. 방과 후에 있는 '탐구 논문 발표' 때 사용할 발표 자료를 점심시간 전까지 가져올 수 있니?
선희 : 점심시간 전까지 ⓑ선생님께 발표 자료를 드리기 어려운데요.
선생님 : 그러면 종례 끝나고 바로 발표 행사를 시작하니, 6교시 쉬는 시간까지는 제출해야 한다.
선희 : 발표 행사가 시작되면 바로 발표를 시작하나요?
선생님 : 아니. 행사를 시작하면 먼저 ⓒ교장선생님의 말씀이 있으실거야. 그 다음부터 순번대로 발표를 하게 될 거고. 너희가 첫 번째 순서이니까 미리 준비를 해야겠지?
선희 : 네. 그러면 6교시 쉬는 시간에 지현이와 함께 오겠습니다.

(6교시가 끝나고 지현이와 선희가 교무실로 선생님을 찾아간 상황)

지현 : 선생님, 발표 자료 여기 있어요.

선희 : ⓓ저희 열심히 준비했어요.

선생님 : 그래. 준비한 대로 발표 잘 하렴.

(발표 대회에서 발표를 하는 상황)

선희 : ⓔ이상으로 발표를 마칠게요.

미령 : 궁금한 점이 있는데, 질문해도 될까?

① 근화 : ⓐ는 서술의 주체인 선생님을 높이기 위하여 조사 '께서'와 오는 동작의 주체를 높이는 선어말어미 '-시-'를 사용하였어.

② 원균 : ⓑ는 서술의 주체인 선생님을 높이기 위하여 조사 '께'와 높임의 특수한 어휘인 '드리다'를 사용하였어.

③ 은희 : ⓒ는 높임의 대상인 주체와 관련된 사물을 높이기 위하여 '말씀'이라는 높임 어휘와 높임의 특수 어휘인 '있으시다'를 사용하였어.

④ 영재 : ⓓ는 듣는 사람인 선생님을 높이기 위하여 자신을 낮추는 표현을 사용하였어.

⑤ 영관 : ⓔ는 탐구 논문 발표라는 공식적인 자리에 맞게 높임을 나타내는 격식체의 종결 표현을 사용하였어.

27 윗글을 바탕으로 〈보기〉를 밑줄 친 ㉠, ㉡, ㉢에 해당하는 것으로 구분하여 묶은 것으로 가장 적절한 것은?

┤ 보기 ├

㉮ 교수님께서는 책이 많으시다.

㉯ 나는 할머니를 모시고 병원에 갔다.

㉰ 교장선생님의 말씀이 있으시겠습니다.

㉱ 아무래도 네가 선생님을 직접 뵈어야겠다.

㉲ 아버지께서 지병 때문에 매일 한약을 드신다.

	㉠직접 높임	㉡간접 높임	㉢객체 높임
Ⓐ	㉮, ㉲	㉰, ㉱	㉯
Ⓑ	㉯	㉮, ㉰	㉱, ㉲
Ⓒ	㉰	㉮, ㉲	㉯, ㉱
Ⓓ	㉱	㉮, ㉰	㉯, ㉲
Ⓔ	㉲	㉮, ㉰	㉯, ㉱

① Ⓐ　　　　② Ⓑ　　　　③ Ⓒ　　　　④ Ⓓ　　　　⑤ Ⓔ

[28~30] 다음 글을 읽고 물음에 답하시오.

(가) 높임 표현은 화자가 대상의 높고 낮은 정도에 따라 언어적으로 구별하여 표현하는 국어의 문법 요소이다. 높임 표현은 높임의 대상에 따라 상대높임법, 주체높임법, 객체높임법으로 나뉜다.

상대높임법은 청자를 높이거나 낮추는 방법이다. 높임과 낮춤의 정도에 따라 종결 어미가 달라진다. 화자 자신을 낮추는 '저', '제' 등의 어휘를 쓰기도 한다.

주체 높임법은 문장의 주체를 높이는 방법이다. 주격조사 '이/가' 대산 '께서'를 사용하고, 일반적으로 서술어에 선어말 어미 '-(으)시-'가 붙어 실현된다. '있다', '먹다' 같은 단어 대신 '계시다', '잡수시다' 같은 특수 어휘를 쓰기도 한다.

객체 높임법은 문장의 목적어나 부사어가 지시하는 대상, 즉 서술의 주체를 높이는 방법이다. 서술의 객체가 화자보다 나이가 많거나 사회적 지위가 높을 때 사용한다. 부사격 조사 '에게' 대신 '께'를 사용하고, '만나다', '묻다' 같은 단어 대신 '뵈다', '여쭈다' 같은 특수 어휘를 쓰기도 한다.

(나) 시간 표현은 시간을 언어적으로 표현한 것으로, 시간 표현에는 시제와 동장상이 있다. 시제는 사건이 발생한 시점(사건시)이 그 사건을 언어로 표현하는 시점(발화시)보다 이전인지 이후인지, 아니면 일치하는지를 나타내는 국어의 문법 요소이다. 시제에는 과거 시제, 현재 시제, 미래 시제가 있다.

과거 시제는 사건시가 발화시보다 앞서는 시제이다. 과거 시제를 표현할 때에는 선어말 어미 '-았-/-었-'을 쓰며, 과거의 일이나 경험을 회상하는 의미를 덧붙이고 싶을 때에는 선어말 어미 '-더'를 쓴다. 관형사형 어미는 동사의 경우 '-(으)ㄴ'과 '-던'을, 형용사와 서술격 조사의 경우 '-던'을 쓴다. '어제', '아까', '이미' 등과 같은 부사어를 쓰기도 한다.

현재 시제는 사건시와 발화시가 일치하는 시제이다. 현재 시제를 표현할 때에는 동사의 경우 선어말 어미 '-ㄴ-/-는-'을 쓰는데, 형용사와 서술격 조사의 경우에는 현재 시제 표시가 따로 없다. 관형사형 어미는 동사의 경우 '-는-'을, 형용사와 서술격 조사의 경우 '-(으)ㄴ'을 쓴다. '오늘', '지금', '현재' 등과 같은 부사어를 쓰기도 한다.

미래 시제는 사건시가 발화시보다 뒤에오는 시제이다. 미래 시제를 표현할 때에는 선어말 어미 '-겠-', 관형사형 어미 '-(으)ㄹ 것'을 쓰기도 한다. 예스럽게 표현할 때에는 선어말 어미 '-(으)리'를 쓴다. '내일', '장차' 등과 같은 부사어를 쓰기도 한다.

한편, 선어말어미 '-겠-'은 미래시제를 나타내는 것 이외에 추측이나 의지, 가능성이나 능력, 완곡하게 말하는 태도 등을 표현하기도 한다.

28 (가)를 읽고 〈보기〉를 설명한 것으로 적절하지 않은 것은?

┤ 보기 ├

동생이 할아버지를 모시고 병원에 간다. ······················· ㉠
언니가 할머니께 선물을 드린다. ······················· ㉡
아주머니, 저는 이곳이 처음입니다. ······················· ㉢
김과장이 맡았던 업무는 사장님께 여쭈어 보게 ······················· ㉣
용준아, 선생님께서 너를 데리고 오라셔 ······················· ㉤

① ㉠에서 높임의 대상은 '할아버지'이고 문장의 객체여서 특수어휘 '모시다'를 통해 실현하였다.

② ㉡에서 높임의 대상은 '할머니'이고 문장의 객체여서 부사격조사 '께'와 특수어휘 '드린다'를 통해 실현하였다.

③ ㉢에서 높임의 대상은 '아주머니'이고 듣는 이여서 '저'와 상대 높임의 종결어미 '-ㅂ니다'를 통해 높임을 실현하였다.

④ ㉣에서 높임의 대상은 '사장님'이고 문장의 주체여서 부사격조사 '께'를 사용하였고 특수어휘 '여쭈다'를 이용하여 높임을 실현하였다.

⑤ ㉤에서 높임의 대상은 '선생님'이고 문장의 주체에서 주격조사 '께서'와 선어말어미 '-시-'를 사용하여 높임을 실현하고 있다.

29 (나)의 내용과 일치하지 <u>않는</u> 것은?

① 시간 표현은 시제와 동작상이 있는데, 시간을 추상적으로 표현한 것이다.

② 시제는 사건시와 발화시의 선후 및 일치관계를 나타내는 국어의 문법요소이다.

③ 과거 시제는 사건시가 발화시보다 앞서는 시제로, 표현할 때에는 선어말 어미 '-았-/-었'을 쓴다.

④ 현재 시제는 사건시와 발화시가 일치하는 시제로 형용사와 서술격 조사의 경우에는 현재 시제 표시가 따로 없다.

⑤ 미래 시제는 사건시가 발화시보다 뒤에 오는 시제로, 미래이긴 하나 예스럽게 표현할 때에는 선어말 어미 '-(으)리'를 쓴다.

30 윗글을 읽고 〈보기〉의 ㉠~㉤에 대해 탐구한 결과로 적절하지 <u>않은</u> 것은?

┌─┤ 보기 ├────────────────────────────
│ ㉠ 막차를 놓쳤으니 나는 집에 다 갔다.
│ ㉡ 내가 떠날 때 비가 왔다.
│ ㉢ 거기에는 눈이 왔겠다.
│ ㉣ 그는 내년에 진학한다고 한다.
│ ㉤ 오늘 보니 그는 키가 작다.
└──────────────────────────────────────

① ㉠을 보니, 선어말 어미 '-았-'이 과거 시제를 나타내지 않는 경우도 있군.

② ㉡을 보니, 관형사형 어미 '-ㄹ-'이 붙을 때 미래의 사건을 나타내지 않는 경우도 있군.

③ ㉢을 보니, 선어말 어미 '-겠-'이 미래에 일어날 말을 완곡하게 표현하는 데 쓰이고 있군.

④ ㉣을 보니, 현재 시제 선어말 어미 '-ㄴ-'이 미래에 일어날 사건을 나타낼 때도 쓰이고 있군.

⑤ ㉤을 보니, 형용사에서 현재 시제를 나타낼 때 현재 시제 선어말 어미를 사용하고 있지 않고 있군.

[31] 다음 글을 읽고 물음에 답하시오.

(가) 시제가 사건시와 발화시의 선후 관계를 표현한다면, 동작상은 사건 또는 동작 자체의 시간적 속성을 표현한다. 예를 들어 '먹다'라는 동작은 과거에서부터 지금까지 먹고 있는 움직임이 진행 중인 상태와 먹는 움직임이 이미 끝난 상태로 분석할 수 있다. 이와 같이 동작 내부의 시간적 흐름을 표현하는 국어의 문법 요소를 동작상이라고 한다. 동작상에는 진행상과 완료상이 있다.

㉠진행상이란 어떤 동작이 시간의 흐름 속에서 계속 이어지고 있을 때 사용하는 문법 요소이다. 진행상을 표현할 때에는 주로 보조 용언 '-고 있다' 또는 '-아 가다/-어 가다'를 쓴다. 문장이 이어질 때에는 연결어미 '-(으)면서'를 쓴다.

㉡완료상이란 어떤 동작이 시간의 흐름 속에서 이미 끝났거나 그 결과가 지속될 때 사용하는 문법요소이다. 완료상을 표현할 때에는 주로 보조 용언 '-아 있다/-어 있다' 또는 '-아 버리다/-어 버리다'를 쓴다. 문장이 이어질 때에는 연결어미 '-고서'를 쓴다.

(나) 인용 표현은 다른 데에서 들은 말이나 읽은 글을 문장 속에 넣어서 전달하는 국어의 문법 요소이다. 이때 문장 속에 넣어진 말이나 글을 인용절이라고 한다. 인용 표현에는 직접 인용과 간접 인용이 있다.

직접 인용은 다른 데에서 들은 말이나 읽은 글을 인용할 때에 원래의 내용과 형식을 그대로 유지한 채 인용하는 방식이다. 직접 인용 표현을 할 때에는 인용절에 큰 따옴표를 하여 표시하고, 큰따옴표 뒤에 조사 '라고'를 쓴다.

간접 인용은 다른 데에서 들은 말이나 읽은 글을 인용할 때 그 형식은 유지하지 않고 내용만 인용하는 방식이다. 그래서 간접 인용 표현을 사용할 때에는 인용절의 시간 표현, 높임 표현, 지시어, 종결 어미 등을 문장에 맞도록 적절히 바꾸어야 한다. 간접 인용은 직접 인용과 달리 따옴표를 쓰지 않으며, 해당 인용절 다음에 조사 '고'를 쓴다.

인용 표현을 사용할 때에는 원작자의 의도를 손상시키지 않아야 하고, 반드시 인용할 말이나 글의 출처를 밝혀야 한다. 원문의 앞뒤를 잘라 내거나 일부만 뽑아서 자기가 전달하고 싶은 뜻에 끼워 맞추는 행위, 출처를 밝히지 않고 원문을 사용하는 행위 등은 인용의 윤리에 어긋날 뿐만 아니라 저작권을 침해하는 것이 된다.

31 ㉠과 ㉡의 예로 적절하지 <u>않은</u> 것은?

① ㉠ : 은서가 그림을 <u>그려 버렸다.</u>
② ㉠ : 아까 넣어 둔 빨래가 벌써 <u>마르고 있다.</u>
③ ㉡ : 준현이가 반갑게 양손을 <u>흔들고서</u> 내게 다가온다.
④ ㉡ : 토론대회 준비를 위해 나는 내일 학교에 <u>남아 있겠다.</u>
⑤ ㉡ : 국어시간에 너무 잠이 온 민호가 책상에 <u>엎드려 버렸다.</u>

32 〈보기〉를 참고할 때, '피동문'으로 바꿀 수 없는 것은?

┌─┤ 보기 ├───
│   피동사는 주어가 제 힘으로 행하는 동작을 나타내는 능동사 어간에 피동 접미사 '–이–, –히–, –리–, –
│ 기–' 등이 결합되어 만들어진 것이다.
│   이와 같은 피동문은 다음과 같은 과정을 통해 만들어진다.
│   A. 능동사가 서술어로 쓰인 문장 :
│   <u>사냥꾼이 호랑이를 잡았다.</u>
│   주어   목적어   서술어
│   B. 피동사가 서술어로 쓰인 문장 :
│   <u>호랑이가 사냥꾼에게 잡히었다.</u>
│   주어   목적어   서술어
│   A의 목적어가 B의 주어가 되고 A의 주어가 B의 부사어가 된다. 그리고 A의 능동사 '잡았다'의 어간에 '–
│ 히–'가 결합된 피동사 '잡히었다'가 B의 서술어가 된다. 그렇지만 모든 능동사 어간에 피동 접미사가 결합될
│ 수 있는 것은 아니다.
└──

① 아빠가 아기를 안았다.
② 뱀이 개구리를 먹었다.
③ 바람이 나뭇가지를 꺾었다.
④ 비바람이 사과를 세차게 흔들었다.
⑤ 영희가 귀갓길에 소나기를 만났다.

33 〈보기〉의 ㉠과 ㉡에 대한 설명으로 가장 적절한 것은?

┌─┤ 보기 ├───
│   ㉠ 너는 어디로 가니?
│   ㉡ 저는 집에 갑니다.
└──

① ㉠은 청자를 낮추어 말하는 표현이고, ㉡은 청자를 높여 말하는 표현이다.
② ㉠은 상대를 직접적으로 낮추는 표현이고, ㉡은 상대를 간접적으로 높이는 표현이다.
③ ㉠은 사적인 경우와 공적인 경우에 쓰는 표현이고, ㉡은 공적인 경우에 쓰는 표현이다.
④ ㉠은 문장의 주체를 낮추어 말하는 표현이고, ㉡은 문장의 주체를 높여 말하는 표현이다.
⑤ ㉠은 서술의 객체를 낮추어 말하는 표현이고, ㉡은 서술의 객체를 높여 말하는 표현이다.

34 과거 시제를 표현하는 방법으로 적절하지 <u>않은</u> 것은?

① 선어말 어미 '–았–/–었–'을 사용하여 과거 시제를 표현한다.
② 부사어 '어제', '아까', '이미' 등을 사용하여 과거 시제를 표현한다.
③ 과거 시제를 표현하기 위한 관형사형 어미로 동사의 경우 '–던'을 쓴다.
④ 과거 시제를 표현하기 위한 관형사형 어미로 형용사의 경우 '–(으)ㄴ'을 쓴다.
⑤ 과거의 일이나 경험을 회상하는 의미를 덧붙이기 위해 선어말 어미 '–더–'를 쓴다.

35 인용 표현을 할 때 유의점으로 적절하지 <u>않은</u> 것은?

① 직접인용은 다른 데에서 들은 말이나 읽은 글을 인용할 때 원래의 내용과 형식을 그대로 유지한 채 인용하는 방식이다.

② 간접인용은 다른 데에서 들은 말이나 읽은 글을 인용할 때 원래의 내용과 형식을 변형할 수 있다.

③ 직접 인용 표현을 할 때에는 인용절에 큰따옴표를 하여 표시하고, 큰따옴표 뒤에 조사 '–라고'를 쓴다.

④ 간접 인용 표현을 할 때에는 따옴표 없이 인용절 다음에 조사 '고'를 쓴다.

⑤ 간접 인용 표현을 할 때에는 인용절의 시간 표현, 높임 표현 등을 문장에 맞도록 적절히 바꾸어야 한다.

36 〈보기〉의 ㉠~㉤에 해당하는 문장으로 적절하지 <u>않은</u> 것은?

┤ 보기 ├

　　미래 시제를 표현할 때에는 선어말 어미 '–겠–', 관형사형 어미 '–(으)ㄹ'을 쓰거나 '–(으)ㄹ'에 의존 명사 '것'이 결합된 '–(으)ㄹ 것'을 쓰기도 한다. 선어말 어미 '–겠–'은 미래 시제를 나타내는 것 이외에 ㉠<u>추측</u>이나 ㉡<u>의지</u>, ㉢<u>가능성</u>이나 ㉣<u>능력</u>, ㉤<u>완곡하게 말하는 태도</u> 등을 표현하기도 한다.

① ㉠ : 지금 떠나면 저녁에 도착하겠구나.

② ㉡ : 다음에는 꼭 찾아뵙도록 하겠습니다.

③ ㉢ : 늦어도 어제는 고향에 소포가 도착했겠다.

④ ㉣ : 나도 그 정도의 문제는 풀 수 있겠다.

⑤ ㉤ : 선생님, 제가 잠시 들어가도 되겠습니까?

37 〈보기〉의 내용에 따를 때, 성격이 <u>다른</u> 하나는?

┤ 보기 ├

　　시제가 사건시와 발화시의 선후 관계를 표현한다면, 동작상은 사건 또는 동작 자체의 시간적 속성을 표현한다. 예를 들어 '먹다'라는 동작은 과거에서부터 지금까지 먹고 있는 움직임이 진행 중인 상태와 먹는 움직임이 이미 끝난 상태로 분석할 수 있다. 이와 같이 동작 내부의 시간적 흐름을 표현하는 국어의 문법 요소를 동작상이라고 한다. 동작상에는 진행상과 완료상이 있다.

① 홍구는 학교에 가고 있다.

② 은서가 그림을 그리고 있다.

③ 민호가 책상에 엎드려 버렸다.

④ 아까 넣어 둔 빨래가 벌써 마르고 있다.

⑤ 준현이가 반갑게 양손을 흔들면서 내게 다가온다.

38 〈보기〉의 ⊙, ⓛ이 <u>모두</u> 사용된 문장은?

┌─ 보기 ├───
　　우리말에서는 일반적으로 선어말 어미나 종결 어미, 조사 등을 통해 높임 표현을 하지만, 다음과 같이 특수한 어휘를 통해 높임을 표현하는 경우도 있다.
　　• 주체를 높이는 동사나 형용사
　　• 객체를 높이는 동사나 형용사 ‥‥‥‥‥‥‥‥‥‥‥‥‥‥‥‥‥‥‥‥ ⊙
　　• 높여야 할 인물을 직접 높이는 명사
　　• 높여야 할 인물과 관련된 것을 높이는 명사 ‥‥‥‥‥‥‥‥‥‥‥‥ ⓛ
──

① 교장 선생님께서 훈화 말씀을 하셨다.
② 아버지께서 할머니를 뵈러 큰댁에 가셨다.
③ 생신을 맞으신 할머니께서 홍시를 드신다.
④ 영희는 아직 선생님의 성함을 기억하고 있다.
⑤ 우리 가족은 할머니를 모시고 제주도로 여행을 갔다.

39 높임법에 맞게 고쳐 쓴 문장이 적절하지 <u>않은</u> 것은?

① 나는 이곳이 처음이다.
　　→ (청자를 높일 때) 저는 이곳이 처음입니다.
② 이 구두는 최신 유행 상품이다.
　　→ (청자를 높일 때) 이 구두는 최신 유행 상품입니다.
③ 민서는 할머니에게 사과를 주었다.
　　→ (객체를 높일 때) 민서는 할머니께 사과를 드렸다.
④ 어려운 문제를 선생님에게 물어 보았다.
　　→ (객체를 높일 때) 어려운 문제를 선생님께 물어 보았다.
⑤ 동생이 할아버지를 데리고 병원에 갔다.
　　→ (객체를 높일 때) 동생이 할아버지를 모시고 병원에 갔다.

40 〈보기〉에서 피동 표현이 바르게 사용된 문장만을 있는 대로 고른 것은?

┌─ 보기 ├───
　ㄱ. 밧줄을 세차게 당겼다.
　ㄴ. 컴퓨터 파일이 복구되었다.
　ㄷ. 새로운 사실이 그에 의해 밝혀졌다.
　ㄹ. 성금은 불우 이웃에게 쓰여질 것이다.
──

① ㄱ, ㄴ　　　② ㄱ, ㄷ　　　③ ㄴ, ㄷ　　　④ ㄱ, ㄴ, ㄷ　　　⑤ ㄴ, ㄷ, ㄹ

41 〈보기〉의 ㉠~㉤에 대한 설명으로 적절하지 않은 것은?

┤ 보기 ├

㉠ 친구가 읽는 책은 소설이다.
㉡ 고향에서는 벌써 추수를 끝냈겠다.
㉢ 학생들이 운동장에서 축구를 한다.
㉣ 언니는 입시 준비를 하느라 항상 바쁘다.
㉤ 오늘까지 발표 준비를 하려면 잠은 다 잤다.

① ㉠ : 관형사형 어미 '-는'으로 현재 시제를 나타내는군.
② ㉡ : 선어말 어미 '-겠-'으로 '추측'의 의미를 드러내고 있다.
③ ㉢ : 선어말 어미 '-ㄴ-'은 동사에 붙어 시제를 나타내는군.
④ ㉣ : 형용사는 선어말 어미가 없이 기본형으로 현재 시제를 나타내는군.
⑤ ㉤ : 선어말 어미 '-았-'으로 과거 시제를 나타내는군.

42 〈보기〉의 ㉠, ㉡의 예로 적절한 것끼리 묶은 것은?

┤ 보기 ├

시제는 문장 내에서 가리키는 사건이 일어난 시점인 '사건시'와 그 문장을 말하는 시점인 '발화시'의 관계로 나타낼 수 있는데, ㉠사건시가 발화시보다 먼저인 경우, 사건시와 발화시가 일치하는 경우, ㉡사건시보다 발화시가 먼저인 경우가 있다.

① ㉠ : 예쁜 꽃이 마당에 피어 있다.
　 ㉡ : 그 일은 혼자서도 할 수 있겠다.
② ㉠ : 그는 예전에 만나던 사람이다.
　 ㉡ : 동생이 밥을 먹는 모습이 보기 좋다.
③ ㉠ : 나는 다급하게 초인종을 눌렀다.
　 ㉡ : 네가 떠날 곳으로 곧 따라갈게.
④ ㉠ : 오늘 밤에도 별이 바람에 스친다.
　 ㉡ : 하늘을 보니 비가 오겠다.
⑤ ㉠ : 성규는 준호에게 생일 선물을 주었다.
　 ㉡ : 수지는 어제 서점에서 책을 보더라.

43 〈보기〉의 ㉠~㉢을 고친 문장과 그 이유가 모두 알맞은 것은?

┤ 보기 ├
㉠ 용욱아, 선생님이 너 교실로 오시래.
㉡ 수호는 자기가 먼저 간다라고 말했다.
㉢ 할아버지는 매일 이 시간이면 낮잠을 잔다.
㉣ 이 책은 사람들의 기억에서 잊혀진 책입니다.
㉤ 나는 서로 돕는 것이 옳은 일이라고 생각되어진다.

	고친 문장	고친 이유
ⓐ	㉠ 용욱아, 선생님께서 너 교실로 오시래.	높임 오류
ⓑ	㉡ 수호는 자기가 먼저 간다고 말했다.	시제 오류
ⓒ	㉢ 할아버지는 매일 이 시간이면 낮잠을 주무신다.	높임 오류
ⓓ	㉣ 이 책은 사람들의 기억에서 잊힌 책입니다.	피동 오류
ⓔ	㉤ 나는 서로 돕는 것이 옳은 일이라고 생각된다.	피동 오류

① ⓐ   ② ⓑ   ③ ⓒ   ④ ⓓ   ⑤ ⓔ

44 〈보기〉에서 ㉠~㉢의 높임법에 대한 설명으로 적절한 것은?

┤ 보기 ├
점원 : 손님, 어떤 옷을 ㉠찾으십니까?
손님 : 바지 좀 보려고요. ㉡아버지께 선물할 거거든요.
점원 : 이 바지는 어떠세요? 선물로 ㉢드리시면 무척 좋아하실 겁니다.
손님 : 저희 아버지는 키가 크신데 잘 맞을지 ㉣모르겠네요.
점원 : 아버님 ㉤모시고 한번 들러 주세요.

① ㉠은 특수 어휘를 사용하여 상대 높임을 나타내고 있다.
② ㉡은 조사 '께'를 사용하여 주체인 '아버지'를 높이고 있다.
③ ㉢은 특수어휘와 선어말 어미를 사용하여 객체와 주체를 높이고 있다.
④ ㉣은 선어말 어미를 사용하여 주체를 높이고 있다.
⑤ ㉤은 선어말 어미를 사용하여 객체인 '아버님'을 높이고 있다.

45 〈보기〉의 ㉠에 해당하는 문장으로 적절하지 <u>않은</u> 것은?

┤ 보기 ├

　제 힘으로 움직이는 행위의 주체가 주어인 문장을 능동문이라 한다. 이와 달리 ㉠피동문은 행위의 주체가 아닌 행위의 대상이 주어가 된다.

① 아이가 모기에 물렸다.
② 오늘은 붓글씨가 잘 써진다.
③ 그 집이 사람들에게 헐렸다.
④ 그는 친구들을 감쪽같이 속였다.
⑤ 그의 그림이 비싼 가격에 팔렸다.

[46] 다음 글을 읽고 물음에 답하시오.

　높임 표현은 화자가 대상의 높고 낮은 정도에 따라 언어적으로 구별하여 표현하는 국어의 문법 요소이다. 높임 표현은 높임의 대상에 따라 상대 높임법, 주체 높임법, 객체 높임법으로 나뉜다.

　상대 높임법은 청자를 높이거나 낮추는 방법이다. 높임과 낮춤의 정도에 따라 종결 어미가 달라진다. 화자 자신을 낮추는 '저', '제' 등의 어휘를 쓰기도 한다.

　㉠주체 높임법은 문장의 주체를 높이는 방법이다. 주격 조사 '이/가' 대신 '께서'를 사용하고, 일반적으로 서술어에 선어말 어미 '-(으)시-'가 붙어 실현된다. '있다', '먹다' 같은 단어 대신 '계시다', '잡수시다' 같은 특수 어휘를 쓰기도 한다.

　㉡객체 높임법은 문장의 목적어나 부사어가 지시하는 대상, 즉 서술의 객체를 높이는 방법이다. 서술의 객체가 화자보다 나이가 많거나 사회적 지위가 높을 때 사용한다. 부사격 조사 '에게' 대신 '께'를 사용하고, '만나다', '묻다' 같은 단어 대신 '뵈다', '여쭈다' 같은 특수 어휘를 쓰기도 한다.

46 다음 중 윗글의 밑줄 친 ㉠, ㉡이 모두 나타난 문장은?

① 아버지께서는 집에 들어 가셨다.
② 멀리서 오셨는데 물이나 한 잔 드시지요.
③ 선생님, 시험 끝나면 친구들과 뵈러 갈게요.
④ 어머니께서 할머니를 모시고 식당에 가셨어.
⑤ 아버지는 아직 할아버지 사진을 간직하고 계신다.

47 〈보기〉의 ㄱ~ㅁ에 대한 설명으로 적절하지 않은 것은?

보기

ㄱ. 네가 돌려준 책을 어머니께 받았어.

ㄴ. 고객님, 이것으로 하시겠습니까?

ㄷ. 형님, 어머님을 모시고 함께 나갈게요.

ㄹ. 손님, 여기 커피 나오셨습니다.

ㅁ. 선생님, 그것 제가 들어 드릴게요.

---

① ㄱ : 서술의 객체를 높이기 위해 부사격 조사와 특수어휘를 사용하였다.

② ㄴ : 종결어미를 사용하여 듣는 이를 높이고자 하는 상대 높임이 쓰였다.

③ ㄷ : 특수어휘를 사용하여 목적어를 높이고 있다.

④ ㄹ : 사물에 대한 지나친 높임 표현으로 높임의 대상이 잘못된 경우이다.

⑤ ㅁ : 화자 자신을 낮추는 어휘를 사용하여 청자를 높이고 있다.

48 〈보기〉의 ㄱ~ㅁ에 대한 설명으로 옳은 것은?

보기

ㄱ. 작년에 나는 심하게 아팠었다.

ㄴ. 저기 열심히 밥을 먹는 아이가 보인다.

ㄷ. 네가 읽은 책은 유명한 작가의 작품이야.

ㄹ. 문 닫을 시간이 지나서 그 가게는 끝났겠다.

ㅁ. 어제 학교 앞 교회에 사람이 참 많더라.

---

① ㄱ을 통해 '-았었-'은 과거 사태가 현재까지 영향이 있음을 보여줄 때 사용됨을 알 수 있다.

② ㄴ, ㄷ을 통해 동사가 관형사형 어미 '-은', '-는'과 결합하여 과거시제를 실현할 수 있음을 알 수 있다.

③ ㄱ, ㄴ, ㅁ을 통해 작년, 저기, 어제와 같은 부사어가 문장의 시제를 나타내는 역할을 함을 알 수 있다.

④ ㄹ을 통해 선어말어미 '-겠-'이 미래에 대한 주체의 의지를 나타냄을 알 수 있다.

⑤ ㅁ을 통해 '-더-'는 과거 자신이 직접 본 내용을 나타낼 때 사용됨을 알 수 있다.

서술형 심화문제

01 다음 문장에서 잘못 쓰인 표현을 찾아 바르게 고치시오. (단, 문장 부호는 고치지 않는다.) 그리고 고친 이유를 <u>각각</u> 한 문장으로 서술하시오.

┤ 보기 ├

1) 국어책은 다른 책보다 잘 읽혀진다.

2) 누군가 어둠 속에서 "철수가 바로 범인이다."고 소리쳤어.

02 다음 문장에서 잘못된 표현을 바르게 고치고, 이유를 서술하시오.

┤ 조건 ├

• 완성된 문장 형태로 고쳐 쓰고, 잘못된 이유를 정확하게 서술할 것

(1) 그는 은퇴 후에도 여전히 바쁘고 있다.

(2) 이 제품이 요즘 제일 잘 나가는 색상이세요.

03 〈보기〉의 문장을 〈조건〉에 따라 고쳐 쓰시오.

┤ 보기 ├

철수는 선생님에게 영희가 아프다고 말씀드렸습니다.

┤ 조건 ├

• 직접 인용으로 바꾸어 쓸 것
• 인용문의 종결 어미는 '−ㅂ니다'를 사용할 것
• 조사를 사용하여 객체높임법을 실현할 것

04 〈보기〉에서 상황에 따른 문법 요소의 활용이 적절하지 <u>않은</u> 곳을 <u>있는 대로</u> 찾아 〈조건〉에 따라 각각 올바른 형태로 고치시오.

┤ 보기 ├

　저는 그것이 옳지 않다라고 생각했기 때문에 선생님의 제안을 반대했다. 선생님께서는 그 프로그램이 우리 이웃들에게 유용하게 쓰여질 것이라고 확신하고 계셨기 때문에 반대 의견에 당황하셨다. 그때 충격을 받을 선생님의 표정이 지금까지도 잊혀지지 않는다.

┤ 조건 ├

• 잘못된 부분과 고친 내용을 어절 단위로 제시할 것.
• '먹었다 → 먹는다'의 형식으로 서술할 것.

05 〈보기〉의 글에서 밑줄 친 부분의 잘못된 표현을 바른 문장으로 고쳐 쓰고 그 이유를 서술하시오.

┤ 보기 ├

　안녕하세요? 저는 "이현서"라고 합니다.
　문학에 관심이 많은 저는 초등학교 3학년 때 백일장에 (1)<u>참가되었습니다</u>. 하루 종일 고생해서 시를 써냈지만 수상하지 못했습니다. 실망한 제게 (2)<u>어머니는</u> 실패란 하나의 사건일 뿐이라고 말씀 주셨습니다. 실패는 끝이 아니라 과정이며, 실패를 통해 무엇을 배웠는가가 더 중요하다는 사실을 깨달았습니다. 그 후 저는 8년간 계속해서 백일장에 참가하고 있습니다. 앞으로도 많이 (3)<u>실패하였지만</u> 계속 도전할 것입니다.

06 〈보기1〉을 참고하여 〈보기2〉에서 영희의 말을 〈작성 요령 및 채점 기준〉에 맞게 쓰시오.

┤ 보기 1 ├

(아버지와 영희에게)
아버지 : ㉠할머니한테 밥 먹었느냐고 물어볼래?
영희 : 예.

┤ 보기 2 ├

(영희가 할머니에게)
영희 : ＿＿＿＿＿＿＿＿＿＿＿＿＿＿＿＿＿＿＿＿＿
할머니 : 그래? 밥은 아까 먹었지.

〈작성 요령 및 채점 기준〉

가. 〈보기1〉의 ㉠은 직접 인용으로 표현할 것
나. '할머니', '아버지'를 각각 한 번씩만 사용하되, 모두 높임의 대상으로 표현할 것.
　　(*압존법으로 표현하지 않음)
다. 높임 표현, 시간 표현, 인용 표현 및 문장 부호 사용 등에 유의할 것

07 〈보기〉의 문장에 나타난 시제와 동작상에 대해 서술하시오.

┤ 보기 ├

(1) 정미는 어제 2교시도 시작하기 전에 간식을 먹어 버렸다.

(2) 민호는 지금 빨래를 하면서 노래도 부르고 있다.

┤ 조건 ├

• 시제와 동작상을 표현하기 위해 사용한 방법을 <u>각각</u> 서술하시오.

08 〈보기〉의 글에서 잘못된 표현을 〈조건〉에 따라 <u>모두</u> 찾아 쓰고 바른 문장으로 고쳐 쓰시오.

┤ 보기 ├

　안녕? 나는 ○○고등학교 1학년 학생이야. 2학기가 시작한 지 한 달이 지나는데도 아침에 일찍 일어나는 것이 정말 힘들어. 아침마다 지각을 피하려고 뛰어다녀서 앞으로도 따로 운동을 할 필요가 없는 정도야. 특히 영어듣기를 하는 시간에는 너무 졸려서 정신이 없게 돼. 그런 나에게 선생님께서는 항상 피곤해서 어떡하느냐라고 걱정을 하지. 매일 노력하는데도 생활습관을 바꾸기가 힘들어. 잘못된 습관을 바로 잡기는 정말 힘들 것 같아.

┤ 조건 ├

• 잘못 쓰인 높임 · 시간 · 인용 표현을 바르게 고쳐 쓴다.

　(단, 상대 높임법은 고치지말 것)

• 부적절하게 사용한 피동 표현을 능동 표현으로 고쳐 쓴다.

09 〈보기1〉과 〈보기2〉를 읽고, 〈조건〉에 따라 서술하시오.

┤ 보기 1 ├

1. 비로 인해 패인 땅을 복구한다.

2. 나는 아직도 그녀가 잊혀지지 않는다.

┤ 보기 2 ├

〈보기1〉에서 1, 2에 제시된 문장이 잘못된 이유는 (　　　　　　　　) 때문이다.

┤ 조건 ├

• 〈보기2〉에 빈칸을 채워 전체 문장을 쓰시오.

• 〈보기1〉에서 1, 2를 올바른 표현으로 고쳐 전체 문장을 쓰시오.

10 〈보기〉의 문장을 아래의 〈조건〉을 모두 적용하여 한 문장으로 적절하게 고치시오.

┤ 보기 ├

해리포터가 나에게 "나와 함께 해서 정말 기쁘지 않니?"라고 묻는다.

┤ 조건 ├

• 주어인 '해리포터'를 '선생님'으로 고쳐서 높임법에 맞게 고치되, 높임을 제외하고는 시제를 포함하여 어떠한 의미도 달라지지 않도록 표현할 것.
• 인용절 속의 인칭대명사는 반드시 높임의 의미를 지니는 인칭대명사로 고칠 것.
• 직접인용문을 간접인용문으로 고치되 어법에 맞게 표현할 것.

11 다음 제시된 〈보기〉의 문장을 문법 요소의 특성에 맞게 고쳐 쓰시오.

┤ 보기 ├

㉠ 주문하신 음료 나오셨습니다.
㉡ 손님, 가격께서는 모두 만 이천 원 되시겠습니다.
㉢ 그녀의 눈은 언제나 초롱초롱하고 아름답고 있다.

12 〈보기〉의 잘못된 높임 표현을 올바른 표현으로 고쳐 쓰시오.

┤ 보기 ├

ㄱ. 할아버지는 일찍 자고 일찍 일어난다.
ㄴ. 만수는 할머니를 산본역까지 데려다 드리셨다.
ㄷ. 나는 선생님에게 모르는 문제를 물어 보러갔다.

┤ 조건 ├

• 답안 작성 시에 주어와 서술어를 갖춘 완결된 문장으로 쓸 것.

13 다음 글을 읽고 〈조건〉에 맞게 수정하여 표를 완성하시오.

> 안녕하세요? 저는 이○○이라고 합니다. 문학에 관심이 많은 나는 초등학교 3학년 때 백일장에 참가하였습니다. 수상을 하지 않아 실망한 나에게 어머니께서는 "실패란 하나의 사건일 뿐이다."라고 말씀해 주었습니다. 많은 것을 깨달은 저는 앞으로도 많이 실패하였지만 계속 도전할 것입니다.

┤ 조건 ├

- 반복되는 건 쓰지 않는다.
- 직접 인용을 간접 인용으로 고쳐 쓴다.
- 문법 요소가 부적절하게 실현된 부분은 고쳐 쓴다.

수정 전	수정 후
㉠	㉡
㉢	㉣
㉤	㉥
㉦	㉧
㉨	㉩

14 〈보기〉의 잘못된 높임 표현을 올바른 표현으로 고쳐 쓰시오.

> 나는 "너가 빌려 준 물건은 돌려 주겠다."라고 말했다.

┤ 조건 ├

- 직접인용을 간접인용으로 바꿀 것.
- 대화 상황을 고려하여 바른 높임 표현으로 고칠 것.
  (상황 : 젊은 연기자가 중년의 관객에게 빌렸던 물건을 돌려주며 말하는 극중 대사)
- '하십시오체'로 종결할 것.

15 아래의 조건을 고려하여 ㉠, ㉡의 잘못된 표현을 바르게 고치시오.

> ㉠ 용준아, 선생님께서 너를 모시고 오시래.
> ㉡ 창문이 닫혀지지 않아 찬바람이 들어온다.

┤ 조건 ├

- 잘못된 표현을 고쳐 완성된 문장으로 작성할 것.
- 우리 국어의 어법에 맞게 작성할 것.

16 다음 (1), (2)의 높임법을 설명하고, 제시된 높임법에 맞게 문장을 바꾸어 쓰시오.

> (1) 할머니가 책을 읽고 있다.
>   주체 높임이란?
> (2) 나는 아버지에게 추석 선물을 주었다.
>   객체 높임이란?

17 다음에 제시된 문장이 잘못된 이유를 쓰고, 올바르게 고치시오.

> (1) 이 제품의 95 사이즈는 하나 남으셨습니다.
> (2) 세계 각국이 '잊혀질 권리'를 법적으로 보장하려고 한다.

18 다음 물음에 답하시오.

(1) 〈보기〉의 (가)부분 (㉠, ㉡이 '아버지'를 높이는 방법이 다른 이유)에 들어갈 내용을 서술하시오.

> ㉠ 아버지께 전화 드리고 밖으로 나가자.
> ㉡ 아버지께서는 귀가 밝으시다.
>
>   ㉠에서는 조사 '께'와 특수어휘 '드리고'를 사용하여 높임 표현을 나타내고 있고, ㉡에서는 조사 '께서'와 선어말어미 '시'를 사용하여 높임 표현을 나타내고 있다. 이렇듯 두 문장이 화자보다 높은 '아버지'를 높이기 위해 다른 방법을 사용하게 된 것은 (가)_____ 때문이다.

19 다음을 읽고 물음에 답하시오.

> ㉠ 연우가 어제 책상을 닦았어.
> ㉡ 연우가 어제 책상을 닦더라.
> ㉢ 네가 먹은 과자 맛있었어?

(1) 윗글 ㉠, ㉡의 밑줄 친 말에 따라 두 문장의 의미가 어떻게 <u>달라지는지</u> <u>한 문장</u>으로 서술하시오.

(2) 윗글 ㉢에 시제를 나타내는 어미를 <u>모두</u> 찾아 〈조건〉에 맞게 서술하시오.

┤ 조건 ├
• 어미의 구체적인 종류와 함께 완결된 문장으로 쓸 것.

20 다음 글을 읽고, 주어진 형식에 맞추어 글의 중심 내용을 완성한 후에 그대로 옮겨 쓰시오.

> 언어 예절이란 대화를 할 때 지켜야 할 예절로서, 상대방을 존중하는 마음을 언어로 표현하는 사회적 관습이다. 대화 내용 자체는 타당하더라도, 대화 상황이나 대화 상대에 맞게 적절하지 않으면 언어 예절에 어긋날 수 있다. 언어 예절을 지키지 않으면 다른 사람들과의 의사소통이 원활하게 이루어지기 어렵고, 원만한 인간관계를 유지하기 어려울 수도 있다. 따라서 대화할 때에는 대화 상황과 대화 상대에 맞게 언어 예절을 갖추어 말하도록 노력해야 한다.

> "언어 예절을 지키며 대화하기 위해서는 대화 상황과 대화를 고려해야 하며, 언어 예절을 잘 지켜야 하는 이유는 _____ 때문이다."

21 다음 글의 내용을 참고하여, 괄호 안에서 요구한 대로 표현을 바꾸어 쓰시오.

> 문장에서 어떤 동작이나 행위를 표현할 때, 주어가 자기 의지대로 한 것인지 다른 대상에 의해 당하는 것인지에 따라 표현이 달라진다. 전자를 능동 표현, 후자를 피동 표현이라 한다.
> 능동 표현을 피동 표현으로 바꿀 때 능동문의 주어는 피동문의 부사어가 되고, 능동문의 목적어는 피동문의 주어가 된다. 그리고 능동을 나타내는 동사의 어간에 피동 접사 '-이-, -히-, -리-, -기-'나 '-아지다/-어지다', '-게 되다'를 붙인다. 또한 일부 체언 뒤에 '-되다'를 붙여 만들기도 한다.

(1) 눈이 세상을 덮었다. (능동 표현을 피동 표현으로 바꾸기)

(2) 나는 이웃이 어려울 때 서로 돕는 것이 옳은 일이라고 생각되어진다. (잘못된 피동 표현을 바르게 고치기)

22 다음은 직접 인용 표현을 간접 인용 표현으로 바꾸는 방법을 탐구한 것이다. 이를 바탕으로 물음에 답하시오.

탐구 목표 : 직접 인용 표현을 간접 인용 표현으로 바꿀 때의 변화 양상을 이해할 수 있다.

탐구 자료

㉮ 수호는 "내가 먼저 갈게."라고 말했다.

　　→ 수호는 자기가 먼저 간다고 말했다.

㉯ 그는 아버지께 "저도 가야 합니까?"라고 물었다.

　　→ 그는 아버지께 자기도 가야 하냐고 물었다.

㉰ 간호사는 나에게 "거기 앉으세요."라고 말했다.

　　→ 간호사는 나에게 여기 앉으라고 말했다.

탐구 결과 : 직접 인용 표현을 간접 인용 표현으로 바꿀 때,

① 큰따옴표가 사라지고, 조사 '라고'가 조사 '고'로 바뀐다.

② 문장 종결 어미는 평서문(㉮)은 '-다'로, 의문문(㉯)은 '-냐'로, 명령문(㉰)은 '-(으)라'로 바뀐다.

③ 상대 높임 표현과 인칭 대명사, 지시 대명사 등이 달라진다.

---

(1) 다음 문장의 직접 인용 표현을 간접 인용 표현으로 바꾸시오.

그는 나에게 "너는 참 착해."라고 말했다.

---

(2) 위에서 탐구한 내용과 같이 직접 인용 표현을 간접 인용 표현으로 바꿀 경우, 표현 효과가 어떻게 달라지는지를 문맥을 고려하여 〈보기〉의 밑줄 친 부분에 써 넣으시오.

┤ 보기 ├

　직접 인용 표현은 대화를 직접 전하는 듯한 현장감과 생동감이 느껴진다. 이를 간접 인용 표현으로 바꿀 경우 현장감과 생동감을 덜하지만, 직접 인용 표현을 사용할 때보다 ＿＿＿＿＿＿＿＿＿＿.

---

23 〈보기〉의 문장을 〈조건〉에 따라 알맞게 고쳐 쓰시오.

┤ 보기 ├

아버지는 책을 읽고 나는 그 옆에서 일기를 썼어.

┤ 조건 ├

• 상대 높임법과 주체 높임법을 사용하여 문장을 바르게 고쳐 쓸 것

• 어머니를 청자로 하고, 비격식체의 높임법을 사용할 것

24 다음 문장을 조건에 맞게 고치시오.

> ㉠ 경기의 승부가 그의 마지막 득점으로 뒤집혔다.
> ㉡ 처음 바다를 본 그녀는 "바다가 정말 넓구나."라고 혼잣말을 했다.

┤ 조건 ├
- ㉠ - 능동문으로 고칠 것.
- ㉡ - 간접 인용문으로 고칠 것.

25 윗글을 참고하여 다음 문장에 대한 물음에 답하시오.

> 승주야, 아버지께 할머니께서 오셨는지 여쭈어 보아라.

(1) 위의 문장에 나타나는 높임의 양상을 다음의 표에 나타내려고 한다. +, ─를 순서대로 쓰시오. (상대 높임법이 사용되었으면 +로 한다. 높임과 낮춤의 구분이 아님)

주체 높임법	객체 높임법	상대 높임법

(2) (1)에서 '+'로 나타난 높임법의 실현 요소를 밝혀 쓰시오. 단, 높임법이 두 가지 이상 나타난 경우 각각을 구별하여 각각의 실현 요소를 쓰시오.

26 (A), (B)가 어색한 이유를 각각 문법적으로 구체적으로 서술하고, 자연스러운 문장으로 고쳐 쓰시오.

┤ 보기 ├
(A) 이 제품은 반응이 아주 좋으세요.
(B) 그는 은퇴 후에도 여전히 바쁘고 있다.

27 다음 설명의 ⓐ~ⓔ 중 〈보기〉에 나타난 시간 표현을 모두 찾고, 그렇게 파악한 이유를 구체적으로 서술하시오.

시간 표현은 시간을 언어적으로 표현한 것으로, 시간 표현에는 시제와 동작상이 있다. 시제는 사건이 발생한 시점(사건시)이 그 사건을 언어로 표현하는 시점(발화시)보다 이전인지 이후인지, 아니면 일치하는지를 나타내는 국어의 문법 요소이다. 시제에는 과거 시제, 현재 시제, 미래 시제가 있다.

ⓐ과거 시제는 사건시가 발화시보다 앞서는 시제이다. 과거 시제를 표현할 때에는 선어말 어미 '-았-/-었-'을 쓰며, 과거의 일이나 경험을 회상하는 의미를 덧붙이고 싶을 때에는 선어말 어미 '-더-'를 쓴다. 관형사형 어미는 동사의 경우 '-(으)ㄴ'과 '-던'을, 형용사와 서술격 조사의 경우 '-던'을 쓴다. '어제', '아까', '이미' 등과 같은 부사어를 쓰기도 한다.

ⓑ현재 시제는 사건시와 발화시가 일치하는 시제이다. 현재 시제를 표현할 때에는 동사의 경우 선어말 어미 '-ㄴ-/-는-'을 쓰는데, 형용사와 서술격 조사의 경우에는 현재 시제 표기가 따로 없다. 관형사형 어미는 동사의 경우 '-는'을, 형용사와 서술격 조사의 경우 '-(으)ㄴ'을 쓴다. '오늘', '지금', '현재' 등과 같은 부사어를 쓰기도 한다.

ⓒ미래 시제는 사건시가 발화시보다 뒤에 오는 시제이다. 미래 시제를 표현할 때에는 선어말 어미 '-겠-', 관형사형 어미 '-(으)ㄹ'을 쓰거나 '-(으)ㄹ'에 의존 명사 '것'이 결합된 '-(으)ㄹ 것'을 쓰기도 한다. 예스럽게 표현할 때에는 선어말 어미 '-(으)리-'를 쓴다. '내일', '장차' 등과 같은 부사어를 쓰기도 한다.

시제가 사건시와 발화시의 선후 관계를 표현한다면, 동작상은 사건 또는 동작 자체의 시간적 속성을 표현한다. 예를 들어 '먹다'라는 동작은 과거에서부터 지금까지 먹고 있는 움직임이 진행 중인 상태와 먹는 움직임이 이미 끝난 상태로 분석할 수 있다. 이와 같이 동작 내부의 시간적 흐름을 표현하는 국어의 문법 요소를 동작상이라고 한다. 동작상에는 진행상과 완료상이 있다.

ⓓ진행상이란 어떤 동작이 시간의 흐름 속에서 계속 이어지고 있을 때 사용하는 문법 요소이다. 진행상을 표현할 때에는 주로 보조 용언 '-고 있다' 또는 '-아 가다/-어 가다'를 쓴다. 문장이 이어질 때에는 연결 어미 '-(으)면서'를 쓴다.

ⓔ완료상이란 어떤 동작이 시간의 흐름 속에서 이미 끝났거나 그 결과가 지속될 때 사용하는 문법 요소이다. 완료상을 표현할 때에는 주로 보조 용언 '-아 있다/-어 있다' 또는 '-아 버리다/-어 버리다'를 쓴다. 문장이 이어질 때에는 연결 어미 '-고서'를 쓴다.

┤ 보기 ├

㉠ 나는 내일 의자에 앉아 있겠다.
㉡ 이것은 내가 읽은 책이고, 저것은 철수가 읽던 책이다.

(1) ⓐ~ⓔ 중 ㉠과 ㉡에 나타난 시간 표현을 모두 찾아 기호로 쓰시오.

(2) (1)과 같이 파악한 이유를 위의 설명을 참고하여 구체적으로 서술하시오.

28 다음 설명을 참고하여 〈보기〉를 바른 문장으로 고치고, 그렇게 고친 이유를 구체적으로 서술하시오.

> 상대를 높이는 방법은 종결 어미를 통해 청자를 높이거나 낮추는 방법, 화자 자신을 낮추는 어휘를 쓰는 방법이 있다. 그리고 주체를 높이는 방법은 주격 조사 '께서'를 붙이는 방법, 주체를 높이는 선어말 어미 '-(으)시-'를 어간에 붙이는 방법, 주체 높임의 특수한 용언을 쓰는 방법이 있다. 또한 객체를 높이는 방법은 부사어를 높이는 조사 '께'를 체언에 붙이는 방법, 객체 높임의 특수한 용언을 쓰는 방법이 있다. 그 외 특수한 어휘를 써서 어떤 대상을 높이는 방법도 있다.

⊣ 보기 ⊢
ㄱ 할아버지는 매일 이 시간이면 낮잠을 잔다.
ㄴ 나는 어머니에게 아버지가 안방에 있는지 물어 보았다.

(1) ㉠과 ㉡을 바른 문장으로 고치시오.

(2) ㉡을 (1)의 답과 같이 고친 이유를 위의 설명을 참고하여 구체적으로 서술하시오.

29 〈보기〉의 직접 인용문 (1)과 (2)를 간접 인용문으로 <u>각각</u> 바꾸어 쓰시오.

⊣ 보기 ⊢
(1) 아들이 어제 저에게 "내일 집에 계십시오."라고 말했습니다.
(2) 오빠는 어제 "나의 휴대 전화에 메시지를 꼭 보내라."라고 나에게 말했다.

30 다음은 어법을 잘못 사용하고 있는 글이다. 부적절하게 사용한 피동 표현이 있는 문장을 모두 찾아 피동 표현을 어법에 맞게 고치고, 고친 문장을 쓰시오. (피동 표현과 관련된 것만 고칠 것.)

> 안녕? 나는 이현서라고 해.
> 문학에 관심이 많은 나는 초등학교 3학년 때 백일장에 참가되었어. 하루 종일 고생해서 시를 써냈지만 수상하지 못했지. 실망할 나에게 어머니께서는 "실패란 하나의 사건일 뿐이다."라고 말해 주었어. 실패를 통해 무엇이 배워졌는지가 더 중요하다는 사실을 깨달았지. 그 후 나는 8년간 계속해서 백일장에 참가하고 있어. 앞으로도 많이 실패하였지만 계속 도전할 거야.

31 (1)~(4)를 바르게 고치고, 고친 문장을 쓰시오. 고친 이유를 구체적으로 서술하시오. (어떤 문법 요소의 오류로 인한 것인지 언급할 것.)

> (1) 혜영이는 아까 도서관에 가고 있어.
> (2) 할아버지는 매일 이 시간이면 낮잠을 자.
> (3) 창문이 닫혀지지 않아 찬바람이 들어온다.
> (4) 사육장 관계자는 시설의 개선이 필요하다라고 말했습니다.

32 다음 문장을 〈조건〉에 따라 바르게 고치시오.

> 친구가 동생에게 선물을 주었다.

┤ 조건 ├
- 주어를 '선생님'으로 바꾸고 조사와 서술어도 적절한 높임 표현으로 바꿀 것
- '관형사형 어미+의존명사'의 형태를 사용하여 발화시가 사건시보다 앞선 시제로 바꿀 것
- 주어진 조건 외 다른 표현은 바꾸지 말 것

33 〈보기〉를 바탕으로 물음에 답하시오.

┤ 보기 1 ├
선생님 : 인용표현은 다른 데서 들은 말이나 글을 문장 속에 넣어 전달하는 것을 말해요. 인용표현에는 직접 인용이나 간접 인용이 있습니다. 직접 인용은 남의 말이나 글을 그대로 문장 속에 가져오는 것을 말해요. 그렇다면 간접 인용은 무엇일까요?
학생 : 간접 인용은 (㉠)을(를) 말합니다.
선생님 : 잘했어요. 간접 인용에서는 시간표현, 높임표현 지시어, 종결어미 등을 조심해야 해요.

┤ 보기 2 ├
㉡ 어제 할아버지께서 "내일 밥을 사서 나에게 와라"라고 말씀하셨다.

(1) ㉠에 들어갈 말을 서술하시오.

(2) ㉡문장을 '간접 인용문'으로 바꿔서 서술하시오.

34 〈보기〉 ⓐ~ⓓ를 〈조건〉에 주어진 문장의 상대 높임 등급과 동일하게 고치시오. (단, 문장 종결 형식(평서형, 의문형, 명령형, 청유형, 감탄형 등) 및 의미는 바꾸지 말 것.)

┤ 보기 ├

ⓐ 시간이 너무 촉박합니다.

ⓑ 이 구간은 그냥 빨리 넘어가세.

ⓒ 이곳은 위험하니 저쪽으로 비키시오.

ⓓ 그토록 찾던 물건을 드디어 구했구려.

┤ 조건 ├

• 오늘 영업하는 약국은 어디니?

35 〈보기〉의 밑줄 친 문장이 잘못된 부분을 <u>모두</u> 찾아 잘못된 이유를 서술하고, 바르게 고쳐 쓰시오.

┤ 보기 ├

　높임법은 화자가 높이려는 대상이 누구인지에 따라 주체 높임법, 상대 높임법, 객체 높임법으로 구분된다. 주체 높임법은 주어가 나타내는 대상인 주체를 높이는 것이며, 상대 높임법은 대화의 상대인 청자를 높이거나 낮추는 것이고, 객체 높임법은 문장의 목적어나 부사어가 나타내는 대상인 객체를 높이는 것이다.

　예 (남동생이 누나에게)

　<u>어머니가 할머니를 데리고 병원에 가나요?</u>

36 ㉠에 대해 〈보기〉와 같이 인용하여 글을 썼다고 할 때, 〈보기〉를 쓴 사람이 지켜야 할 윤리를 서술하시오.

┤ 보기 ├

　글쓴이는 "영어 문장을 직역하면 불필요한 피동 표현을 쓸 수밖에 없다"라는 말을 하였으므로, 영어 문장을 직역하면 항상 우리말에 부정적인 영향을 줄 것이라는 생각을 하고 있음을 알 수 있다.

┤ 조건 ├

• '원작가'라는 단어를 반드시 사용할 것

• '~다.'로 끝나는 완결된 문장으로 서술할 것

[37] 다음 글을 읽고 물음에 답하시오.

제힘으로 움직이는 행위의 주체가 주어인 문장을 능동문이라 한다. 이와 달리 피동문은 행위의 주체가 아닌 행위의 대상이 주어가 된다. 따라서 능동문을 피동문으로 바꿀 때에는 능동문의 주어와 목적어를 각각 피동문의 부사어와 주어로 바꾸고, 능동문의 서술어에 알맞은 피동 접미사 '-이-, -히-, -리-, -기-' 혹은 '-되다', '-아지다/-어지다'혹은 '-게 되다'를 붙여 피동문의 서술어로 만든다.

피동문을 쓸 때에는 지나친 피동 표현(ⓐ이중 피동)이 되지 않도록 유의해야 한다.

37 〈보기〉에서 ⓐ에 해당되는 사례를 모두 찾아 조건에 맞게 적절한 피동 표현으로 바꾸어 쓰시오.

┤ 보기 ├

홍수 피해 주민들에 대한 구체적인 생계 지원 방안은 오늘 공개된 정부의 발표 자료에는 담겨져 있지 않았다. 또한 피해 대칙이 수도권 피해 복구 위주로 짜여지면서 지방 민심의 반발이 우려되는 상황이다. 이 같은 실수를 되풀이하지 않기 위해 좀 더 신속하고 정확한 피해 상황 집계 시스템 구축을 서둘러야 할 것으로 생각되어진다.

┤ 조건 ├

• 아래와 같이 한 개의 어절 단위로 찾아 쓸 것
  예 믿겨진다 → 믿긴다

38 〈보기〉는 직접 인용 표현이다. 이를 간접인용 표현으로 바꾸고 변화 양상을 4가지 쓰시오.

┤ 보기 ├

그가 나에게 "그쪽에서 무대가 보입니까?"라고 물었다.

39 다음 문장을 높임법에 맞게 고쳐 쓰고, 높임의 대상과 높임법의 실현 방법을 구체적으로 쓰시오. 〈문제〉에 높임법이 어떻게 실현되었는지 본문에 나타난 문법 용어를 사용하여 설명할 것.

┤ 예시 ├
나는 어머니를 데리고 시골집에 다녀왔다.
→ 나는 어머니를 모시고 시골집에 다녀왔다.
특수어휘 '모시고'를 사용하여 객체 '어머니'를 높였다.

┤ 문제 ├
할아버지는 걱정거리가 있다.

40 〈보기〉의 예문 ⊙~@ 중 밑줄 친 진행상과 완료상에 해당하는 예를 골라 쓰시오.

┤ 보기 ├
시간 영역 안에서 파악되는 동작의 모습들을 일정한 언어 형식으로 표현하는 것을 동작상이라고 한다. 동작상에는 진행상과 완료상이 있는데 진행상은 어떤 동작이 시간의 흐름 속에서 계속 이어지고 있을 때 사용하고, 완료상은 어떤 동작이 시간의 흐름 속에서 이미 끝났거나 그 결과가 지속될 때 사용하는 문법 요소이다.

⊙ 현수가 국어 공부는 하고 잤다.
ⓒ 어제 널어둔 빨래가 다 말라 간다.
ⓒ 아기가 미소를 지으면서 자고 있다.
@ 다른 학교 친구에게 내 책을 다 줘버렸다.

41 다음 문장의 동작상을 쓰고, 그 동작상을 나타내기 위해 어떤 표현을 사용하였는지 서술하시오.

민호가 책상에 엎드려 있다.

서술의 예 (만약 '-니'를 사용하였다면) :
종결 어미 '-니'를 사용하였다.

단원 종합평가

01 〈보기〉의 '걸다'를 피동으로 바꾼 예문으로 알맞은 것은?

┤ 보기 ├

걸다[동사] ① 벽이나 못 따위에 어떤 물체를 떨어지지 않도록 매달아 올려놓다.
　　　　　 ② 자물쇠, 문고리를 채우거나 빗장을 지르다.
　　　　　 ③ 기계 따위가 작동하도록 준비하여 놓다.
　　　　　 ④ 어느 단체에 속한다고 이름을 내세우다.
　　　　　 ⑤ 어떤 상태에 빠지도록 하다.

① '걸다①' : 그는 문단에 이름이 걸린 작가다.
② '걸다②' : 그는 걸려 있지 않은 문을 활짝 열었다.
③ '걸다③' : 나의 그림이 드디어 미술실 벽에 걸렸다.
④ '걸다④' : 그는 최면에 걸린 사람처럼 멍하게 서 있었다.
⑤ '걸다⑤' : 자동차의 시동이 걸리기까지 시간이 꽤 흘렀다

02 밑줄 친 말 중, 〈보기〉의 '쓰여진'과 유사한 사례로 볼 수 없는 것은?

┤ 보기 ├

　피동 표현은 주어가 남에 의해 동작을 당하게 되는 것을 나타내는 표현이다. 피동 표현은 동사의 어간에 피동 접미사 '-이-, -히-, -리-, -기-'를 결합하거나, 보조동사 '-어지다'를 붙여서 실현된다. 그런데 이 두 가지 방법을 겹쳐 쓰는 경우가 종종 있는데 이는 잘못된 표현이다. 예컨대, '잘못 쓰여진 말'이라는 표현의 경우, '쓰여진'이 아닌 '쓰인'이 올바른 표현이다. '쓰다'의 피동형은 '쓰이다'인데, 여기에 다시 피동 표현 '-어지다'를 겹쳐 쓰고 있기 때문이다.

① 양념이 잘 섞여졌다.
② 이름이 널리 알려졌다.
③ 산이 눈으로 덮여졌다.
④ 문이 저절로 닫혀졌다.
⑤ 그 일은 서서히 잊혀졌다.

03 밑줄 친 말에 주목하여 〈보기〉의 ㉠~㉤에 대해 탐구한 결과로 적절하지 않은 것은?

┤ 보기 ├

㉠ 거기에는 눈이 왔겠다. / 지금 거기에는 눈이 오겠지.

㉡ 그가 집에 갔다. / 막차를 놓쳤으니 나는 집에 다 갔다.

㉢ 내가 떠날 때 비가 올 것이다. / 내가 떠날 때 비가 왔다.

㉣ 그는 지금 학교에 간다. / 그는 내년에 진학한다고 한다.

㉤ 오늘 보니 그는 키가 작다. / 작년에 그는 키가 작았다.

① ㉠을 보니, 선어말 어미 '-겠-'이 미래의 사건을 추측하는 데에 쓰이고 있군.

② ㉡을 보니, 선어말 어미 '-았-'이 과거 시제를 나타내지 않는 경우도 있군.

③ ㉢을 보니, 관형사형 어미 '-ㄹ'이 붙을 때 미래의 사건을 나타내지 않는 경우도 있군.

④ ㉣을 보니, 현재 시제 선어말 어미 '-ㄴ-'이 미래의 사건을 나타낼 때도 쓰이고 있군.

⑤ ㉤을 보니, 형용사에서 현재 시제를 나타낼 때 시제 선어말 어미가 나타나지 않고 있군.

04 〈보기 1〉을 바탕으로 〈보기 2〉의 ㉠~㉤에 대해 탐구한 내용으로 적절한 것은?

┤ 보기 1 ├

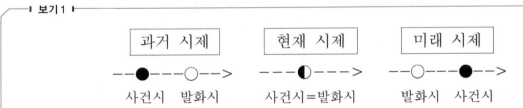

※ 사건시 : 발화의 내용인 어떤 상황이 발생하는 시점.
　발화시 : 발화하는 시점.

┤ 보기 2 ├

진수 : 어, 네가 ㉠보는 책은 지난주에 내가 ㉡읽은 책이야.

민희 : 그렇지? 네가 ㉢읽던 것을 보고 도서관에 ㉣간 참에 빌려 왔어.

진수 : 그랬구나. 난 남을 위해 살아가는 사람들의 이야기를 읽고 나서 내가 마음이 참 작은 사　람이라고 느꼈어.

민희 : 그래, 나도 이 사람들처럼 앞으로 나눔의 길을 ㉤걸어갈거야. 노력을 많이 해야겠지?

진수 : 대단해! 넌 잘 할 수 있을 거야.

① ㉠의 '-는'은 발화시와 사건시가 일치하는군.

② ㉠의 사건시는 ㉡의 사건시보다 앞서 있군.

③ ㉡의 '-은'과 ㉢의 '-던'은 발화시보다 사건시가 나중임을 나타내는군.

④ ㉣은 사건시가 발화시보다 나중임을 나타내는군.

⑤ ㉤은 발화시보다 사건시가 앞서 있음을 나타내는군.

05 '높임 표현'과 관련하여 〈보기〉의 ㉠~㉤에 대해 탐구한 내용으로 적절하지 <u>않은</u> 것은?

┌─┤ 보기 ├─
어머니 : 진우야, 엄마 좀 도와줄래? (손에 든 짐을 보여 주며) 할머니 ㉠ <u>댁에</u> 가져갈 건데 너무 무겁구나.

진　우 : ㉡ <u>잠시만요.</u> (한 손에 짐을 들고, 다른 팔로 어머니의 팔짱을 끼면서) 사모님, 같이 ㉢ <u>가실까요?</u>

어머니 : (웃으며) 얘도 참. 어서 가자. ㉣ <u>할머니께서</u> 기다리실 거야.

진　우 : 할머니 댁까지 ㉤ <u>모시게</u> 되어 영광입니다.
└──

① ㉠은 '할머니'와 관련된 대상을 높여 '할머니'를 높인 표현이다.

② ㉡에서는 보조사 '요'를 붙여 대화 상대방을 높인 표현이다.

③ ㉢은 주체 높임 선어말 어미 '-시-'를 사용하여 '어머니'를 높인 표현이다.

④ ㉣은 주격 조사 '께서'를 사용하여 '할머니'를 높인 표현이다.

⑤ ㉤은 '모시다'라는 특수 어휘를 사용하여 '할머니'를 높인 표현이다.

06 〈보기〉를 바탕으로 '높임법'에 대해 탐구한 결과로 적절하지 <u>않은</u> 것은?

┌─┤ 보기 ├─
　아버지의 생신이 가까워져 동생과 함께 선물을 준비하기로 했다. ㉠ <u>동생은 그동안 모은 용돈으로 아버지</u> <u>께 옷을 사 드리자고 했다.</u> ㉡ <u>아버지께서는 한 번도 당신을 위해 좋은 옷을 사 입으신 적이 없었다.</u> ㉢ <u>우리</u> <u>는 아버지를 모시고 백화점에 가서 옷을 골랐다.</u> '아버지, 생신 축하드립니다. ㉣ <u>우리 가족이 지금처럼 화목</u> <u>하게 지내면 좋겠습니다.</u>'라고 적은 편지도 드렸다. ㉤ <u>주름이 가득하신 아버지의 얼굴에 환한 미소가 번지자</u> <u>우리는 마음이 뭉클해졌다.</u>
└──

① ㉠은 특정한 어휘를 사용하여 '아버지'를 높이고 있군.

② ㉡은 조사를 사용하여 '아버지'를 높이고 있군.

③ ㉢은 선어말 어미를 사용하여 '아버지'를 높이고 있군.

④ ㉣은 종결 어미를 사용하여 '아버지'를 높이고 있군.

⑤ ㉤은 신체 일부분을 높임으로써 '아버지'를 간접적으로 높이고 있군.

07 〈보기〉의 ㉠~㉤에 대한 설명으로 옳은 것은?

> ┤ 보기 ├
>
> 높임법은 화자가 높이려는 대상이 누구인지에 따라 주체 높임법, 상대 높임법, 객체 높임법으로 구분된다. 주체 높임법은 주어가 나타내는 대상인 주체를 높이는 것이며, 상대 높임법은 대화의 상대인 청자를 높이거나 낮추는 것이고, 객체 높임법은 문장의 목적어나 부사어가 나타내는 대상인 객체를 높이는 것이다.
>
> **동생** : 학교 다녀왔습니다.
> **누나** : ㉠이제 오는구나.
> **동생** : 누나밖에 없어? ㉡아버지 안 계신 거야?
> **누나** : 응. 너 저녁 안 먹었지? ㉢아버지께 전화 드리고 얼른 나가자.
> **동생** : 무슨 일인데?
> **누나** : ㉣아버지께서 너 데리고 식당으로 오라셨어. ㉤할머니 모시고 저녁 먹으러 가자고 그러시더라.

① ㉠은 '-는구나'를 사용하여 상대인 동생을 높이고 있다.

② ㉡은 '계시다'를 사용하여 객체인 '아버지'를 높이고 있다.

③ ㉢은 '께'를 사용하여 주체인 '아버지'를 높이고 있다.

④ ㉣은 '께서'를 사용하여 객체인 '아버지'를 높이고 있다.

⑤ ㉤은 '모시다'를 사용하여 객체인 '할머니'를 높이고 있다.

08 〈보기 1〉을 참고할 때, 〈보기 2〉의 ㉠~㉢에 들어갈 말을 바르게 짝지은 것은?

> ┤ 보기 1 ├

높임 종류	높임 대상	높임 실현 방법
주체 높임	서술어의 주체	• '께서', '-(으)시-' 등 • '편찮다', '잡수다' 등
객체 높임	서술어의 객체	• '께' 등 • '여쭈다', '드리다', '뵙다' 등
상대 높임	화자의 말을 듣는 상대	• 종결 어미

> ┤ 보기 2 ├
>
> [분석 문장]
> "어머니, 아버지께서 할아버지께 선물을 드리러 큰댁에 가시었어요.

높임 종류	주체 높임	객체 높임	상대 높임
높임 대상	㉠	㉡	어머니
높임 실현 방법	께서, -시-	께, 드리다	㉢

	㉠	㉡	㉢
①	아버지	할아버지	-요
②	아버지	할아버지	께
③	할아버지	아버지	-시-
④	할아버지	아버지	-요
⑤	할아버지	아버지	께

09 다음 〈보기〉에 나타난 높임법에 대한 설명으로 <u>잘못된</u> 것은?

┤ 보기 ├

선생님 : 소영아, 너희 어머니ⓐ께서는 다음 주 금요일에 학교에 ⓑ오실 수 있니?

소영 : 예, ⓒ가능하실 것 같아요.

선생님 : 그래? 그러면 네가 아침에 등교할 때 ⓓ모시고 ⓔ오렴.

소영 : 예, 알겠습니다.

① ⓐ는 문장의 주체인 어머니를 높인 표현이다.

② ⓑ도 문장의 주체인 어머니를 높인 표현이다.

③ ⓒ에는 생략된 주어를 높이기 위한 선어말어미가 포함되어 있다.

④ ⓓ에는 문장의 객체를 높이기 위한 선어말어미가 포함되어 있다.

⑤ ⓔ는 듣는 이를 낮추는 표현이다.

10 〈보기〉를 참고하여 상대 높임의 체계를 바르게 연결한 것을 고르면?

┤ 보기 ├

상대 높임의 체계는 격식체와 비격식체로 나뉜다. 격식체에는 '하십시오체, 하오체, 하게체, 해라체'가 있고, 비격식체에는 '해요체, 해체'가 있다.

㉠	귀하는 귀하의 조국을 지키시오.	해요체
㉡	자네 눈에 내 상복이 안 보이는가.	하게체
㉢	조선이 유구히 흐른다면 역사에 그 이름 한 줄이면 된다.	해체
㉣	제가 다 숨겨주고 모른 척 해도 안 되는 거겠지요. 이놈은.	하오체
㉤	빼앗기면 되찾을 수 있으나 내어주면 되돌릴 수 없습니다.	해라체

① ㉠　　② ㉡　　③ ㉢　　④ ㉣　　⑤ ㉤

11 〈보기〉의 ㄱ~ㅁ에 대해 학습한 결과로 적절하지 <u>않은</u> 것은?

┤ 보기 ├

ㄱ. <u>내일</u> 가족 여행을 떠날 것이다.

ㄴ. 식탁 위에 남은 딸기를 <u>먹어 버렸다</u>.

ㄷ. 예전에 삼촌은 고향에 <u>방문했었다</u>.

ㄹ. 네가 <u>빌려준</u> 책은 재미있어 보여.

ㅁ. 운동장으로 <u>농구할</u> 친구가 오기로 했어.

① ㄱ은 시간을 나타내는 부사어 '내일'을 사용하여 시제가 미래임을 나타내는군.

② ㄴ은 보조용언 '-어 버리다'를 사용하여 동작이 완료됨을 나타내는군.

③ ㄷ은 선어말 어미 '-었었-'을 사용하여 과거에 일어난 사건을 현재와 단절된 것으로 표현하는군.

④ ㄹ은 관형사형 어미 '-ㄴ'을 사용하여 사건시와 발화시의 일치를 드러내는군.

⑤ ㅁ은 관형사형 어미 '-ㄹ'을 사용하여 사건이 나중에 일어날 것을 나타내는군.

12 〈보기〉에서 시제에 대한 설명으로 적절하지 <u>않은</u> 것만 묶은 것은?

┤ 보기 ├

ⓐ 과거 : 관형사형 어미로 동사의 경우 '-(으)ㄴ', '-던'을 쓴다.
ⓑ 과거 : 관형사형 어미로 형용사와 서술격 조사의 경우 '-(으)ㄴ'을 쓴다.
ⓒ 현재 : 형용사와 서술격 조사는 현재 시제 선어말 어미가 없다.
ⓓ 현재 : 동사의 경우 선어말 어미 '-ㄴ-/-는-'을 쓴다.
ⓜ 현재 : 관형사형 어미로 동사의 경우 '-(으)ㄴ', 형용사의 경우 '-는'을 쓴다.
ⓗ 미래 : 관형사형 어미 '-(으)ㄴ', 선어말 어미 '-(으)리-'를 쓴다.
ⓢ 미래 : 관형사형 어미에 의존 명사가 결합된 '-(으)ㄹ 것'을 쓸 수 있다.

① ⓐ, ⓒ, ⓓ   ② ⓑ, ⓜ, ⓗ   ③ ⓑ, ⓗ   ④ ⓒ, ⓓ, ⓢ   ⑤ ⓜ, ⓗ

13 〈보기1〉을 참고하여 〈보기2〉의 ㉠~㉤에 대해 설명한 것으로 적절하지 <u>않은</u> 것은?

┤ 보기 1 ├

　시간을 표현하는 방법에는 시제와 동작상이 있다. 시제는 화자가 말하는 시점인 발화시와 동작이나 사건이 일어나는 시점인 사건시의 관계에 따라 과거, 현재, 미래 시제로 나뉜다. 동작상은 발화시를 기준으로 동작이 일어나고 있는 모습을 표현한 것인데, 시간의 흐름 속에서 동작이 계속 이어지고 있음을 표현하는 진행상과 어떤 동작이 시간의 흐름 속에서 이미 끝났거나, 그 결과가 지속됨을 표현하는 완료상이 있다.

┤ 보기 2 ├

아버지 : 아이고, 바빠 죽겠는데 동생은 뭐 하고 있니?
아들 : 연주는 아까 밥 ㉠<u>먹고 있었어요</u>. 지금은 옷 입고 있어요.
아버지 : 아직도? 내가 못 살아. 근데 넌 왜 이런 옷을 입었어? 지금 ㉡<u>입고 있는</u> 바지 언제 샀어?
아들 : 가을에 입을 바지가 없어서 지난주에 학원 갔다 오다가 ㉢<u>사 버렸어요</u>.
아버지 : 어휴, 너희들 늦게 ㉣<u>데리고 가면</u> 너희 엄마한테 ㉤<u>혼나겠다</u>······.

① ㉠ : 과거에 동작이 이어지고 있었음을 나타낸다.
② ㉡ : 동작의 결과가 지속되고 있음을 나타낸다.
③ ㉢ : 동작이 이미 끝났음을 나타낸다.
④ ㉣ : 동작이 진행되고 있음을 나타낸다.
⑤ ㉤ : 발화시가 사건시에 앞선다는 것을 나타낸다.

14 〈보기〉의 ㄱ~ㄷ에 대한 설명으로 적절하지 <u>않은</u> 것은?

> ┤ 보기 ├
>
> 능동문을 피동문으로 바꿀 때에는 능동문의 주어와 목적어를 각각 피동문의 부사어와 주어로 바꾸고, 능동문의 서술어에 알맞은 피동 접미사 '-이-', '-히-', '-리-', '-기-' 혹은 '-이/어지다'를 붙여 피동문의 서술어로 만든다. 피동 표현을 쓸 때에는 이중 피동이 되지 않도록 유의해야 한다.
>
> ㄱ. 문이 바람에 닫히다.
>
> ㄴ. 동생이 모기에게 물리다.
>
> ㄷ. 나뭇가지가 바람에 꺾이다.

① ㄱ을 능동문으로 바꾸면 '바람'이 행위의 주체가 된다.

② ㄱ의 '닫히다'를 '닫혀지다'로 바꾸면 이중 피동 표현이 된다.

③ ㄴ의 '물리다'는 '물다'의 어간에 피동 접사가 붙은 경우이다.

④ ㄴ을 능동문으로 바꾸기 위해서는 '모기'를 목적어로 만들어야 한다.

⑤ ㄷ의 '꺾이다' 외에 '꺾다'의 어간에 '-어지다'를 붙여도 피동문이 된다.

15 다음 중 인용표현을 사용할 때의 유의점으로 적절하지 <u>않은</u> 것은?

① 원작자의 의도를 손상시키지 않도록 주의하며 인용표현을 사용한다.

② 인용한 부분의 출처가 어디인지 밝혀야 한다.

③ 글을 쓸 때 기존의 글을 참고한 부분이 있다면 무엇인지 명확하게 밝혀야 한다.

④ 간접 인용 표현을 할 때에는 따옴표 없이 인용절 뒤에 조사 '라고'를 쓴다.

⑤ 간접 인용 표현을 할 때에는 인용절의 지시어, 높임표현 등을 문장에 맞도록 적절히 바꾸어야 한다.

16 〈보기〉를 보고, 학생들이 수업 시간에 나눈 대화이다. 조건에 맞게 발표문 수정 의견을 내지 못한 학생은?

┤ 보기 ├

〈수정 시 검토할 조건〉

- 청자를 높이는 표현으로 고쳐 쓴다.
- 직접 인용을 간접 인용으로 고쳐 쓴다.
- 잘못 쓰인 높임 표현과 시간 표현을 바르게 고쳐 쓴다.
- 부적절하게 사용한 피동이나 사동 표현을 바르게 고쳐 쓴다.

〈수정할 자기 소개 발표문〉

　안녕? 나는 이현서라고 해. 문학에 관심이 많은 나는 초등학교 3학년 때 백일장에 ㉠참가되었어. 하루 종일 고생해서 시를 써냈지만 수상하지 못했지. 실망한 나에게 어머니께서는 ㉡"실패란 하나의 사건일 뿐이다."라고 말해 주셨어. 실패는 끝이 아니라 과정이며, 실패를 통해 ㉢무엇이 배워졌는지가 더 중요하다는 사실을 깨달았지. 그 후 나는 8년간 계속해서 백일장에 참가하고 있어. 앞으로도 많이 ㉣실패하였지만 계속 도전할 거야.

① **석희** : 발표는 공식적인 말하기니까 상대 높임 중 '하십시오체'로 수정을 하면 되겠군.
② **지수** : ㉠은 부적절한 사동표현이니까 '참가하였습니다.'로 고치면 자연스럽겠어.
③ **현민** : ㉡은 간접인용문으로 바꾸려면 '실패란 하나의 사건일 뿐이라고'로 고치면 되겠군.
④ **동건** : ㉢은 부적절한 피동문이니까 '무엇을 배웠는지가'로 수정하면 자연스런 문장이 된다고 봐.
⑤ **수연** : ㉣은 시간 표현이 어색하니까 '실패하겠지만'으로 시제를 수정해야 해.

17 〈보기〉의 ㉠~㉤에 대해 설명한 내용으로 적절하지 않은 것은?

┤ 보기 ├

희수 : 이모, 어서 오세요. 좀 늦으셨네요?
이모 : 생각보다 차가 밀리더구나. 다들 오셨니?
희수 : 아니요. 차가 밀리는지 ㉠할아버지께서도 아직 도착하지 못하셨어요.
이모 : ㉡엄마는 어디 계셔?
희수 : ㉢할머니를 모시고 조금 전에 결혼식장에 들어가셨어요. 근데 ㉣이모 무슨 걱정 있으세요?
이모 : 아니야, 멀미가 조금 나서 그래. 아침부터 엄마께서 많이 바쁘셨겠네. 너도 언니 결혼식 때문에 옆에서 이것저것 도와주느라 힘들었지?
희수 : 아니에요. 그것보다 이모께서 이렇게 멀리서 와 주셔서 ㉤언니가 정말 기뻐할 것 같아요.

① ㉠에서 문장의 주체인 '할아버지'를 높이기 위해 조사와 선어말 어미를 사용하고 있군.
② ㉡에서 문장의 주체인 '엄마'를 특수 어휘를 사용하여 직접 높임을 실현하고 있군.
③ ㉢에서 문장의 객체 '할머니'는 화자가 높여야 할 대상이므로 조사를 통해 높임을 실현하고 있군.
④ ㉣에서는 주체와 관련된 생각을 선어말 어미를 통해 높임으로써 주체를 간접적으로 높이고 있군.
⑤ ㉤에서는 청자가 화자보다 높은 대상이므로 '해요체'를 사용하여 상대 높임을 실현하고 있군.

넌 기억하고 있는지 모두 잊은 듯 지내는지
비 오는 그 날이면 널 떠올리곤 해
늘 함께 걷던 그 길이 이제는 낯설어질 만큼
그렇게 오랜 시간이 흐르긴 했나 보다
흩어져 버린 추억과 조각나 버린 마음이
뒤늦게 너를 데려와 마치 손에 닿을 만큼
후회로 물든 순간도 다 버릴 수가 없어서
기억 속에서 여전히 헤매이고 있는 나

– 빌리어코스티, 「소란했던 시절에」 –

우리 서로 사랑했던 그 시절엔
왜 그렇게 힘들고 또 아팠었는지
세상이 무너질 듯 펑펑 울던 네 모습이
한 번에 그려지지도 않는 게 어느새
너는 정말 괜찮은지
다 지운 채로 사는 건지
좀처럼 잊혀지지 않는 얼굴 보고 싶어
하루에도 몇 번씩 또 그리는 그게 나야
그 시절을 아직 살아가는 한 사람.

– 김동률, 「그게 나야」 –

18 다음은 시제를 실현하는 방법을 정리한 표이다. (가)~(다)에 해당하는 예를 윗글에서 찾아 바르게 짝지은 것은?

시제	선어말 어미	관형사형 어미
과거	(가) '-았-/-었-'	(나) '-(으)ㄴ'
현재	'-는-/-ㄴ-'	(다) '-는/-(으)ㄴ'

	(가)	(나)	(다)
①	사랑했던	잊은	그리는
②	있는	괜찮은	사는
③	했나	걷던	물든
④	사랑했던	내리는	괜찮은
⑤	했나	물든	잊은

MEMO

고등국어
HIGH SCHOOL

실전기출
문제은행

정답 및 해설

2A
2학기중간

비상 | 박안수

(1) 고릴라를 못 본 이유

확인학습
P.09

01 ○ 02 ○ 03 ○ 04 × 05 × 06 × 07 ○ 08 ×
09 ○ 10 ○ 11 × 12 ○ 13 × 14 ○ 15 ○

객관식 기본문제
P.10~18

01 ⑤	02 ⑤	03 ⑤	04 ③
05 ⑤	06 ⑤	07 ②	08 ②
09 ④	10 ⑤	11 ⑤	12 ④
13 ④	14 ②	15 ②	16 ③
17 ⑤	18 ①		

01 (마)문단은 유추의 방법을 사용한 것이 아니라, 앞 문단에서 개념 정의와 그 예를 든 것을 종합하여 작가의 생각을 나타내고 있다.

02 (라) 문단에서 '우리는 하나에 집중하면 다른 것은 눈에 뻔히 보여도 인식하지 못하고 지나칠 수 있다.'(관점에 따라 다른 것을 봄), (마) 문단에서 '서로 시각이 다른 현실에서 내 눈으로 본 것만이 옳다며 핏대를 세우거나 서로를 헐뜯는 일은 줄어들 것이다'(상대를 포용하는 태도 필요).'라고 작가의 생각이 드러나있다.

03 마지막 문단에서 '우리의 뇌는 이런 식으로 세상을 본다. 있어도 보지 못하거나 잘못 보는 경우도 많다. 그러므로 우리가 모든 것을 다 볼 수 없다는 사실을 제대로만 인정한다면, 서로 시각이 다른 현실에서 내 눈으로 본 것만이 옳다며 핏대를 세우거나 서로를 헐뜯는 일은 줄어들 것이다.'라고 알 수 있다.

04 윗글의 목적은 과학적 정보를 전달하는 글이기 때문에 상징적 표현의 의미를 추측하거나 삶에 비추어 읽는 글이 아니다.

05 신경 과학 분야의 국제 학술지인 「퍼셉션」에 「우리 가운데에 있는 고릴라」라는 제목으로 실린 논문을 예로 든 것이지 고릴라의 사전적 정의는 윗글과는 전혀 상관이 없다.

06 앞서서 스마트폰을 하더라도 물체를 보면서도 인지하지 못하는 경우인 '무주의 맹시'는 발생한다.

07 '문제에 대한 답이 틀리지 아니하다'의 뜻을 가진 '맞히다'가 알맞은 표현이다.

08 제목을 보고 예측했던 내용과 비교해 보는 것은 '읽기 후'의 과정이다.

09 3문단에 '나머지 절반은 고릴라를 알아보고 황당하다는 반응을 보였다' 라고 나타나 있다.

10 두 대상의 차이점을 찾는 것이 아니라 '무주의 맹시'의 개념을 설명하고 그 예를 들어 독자의 이해를 돕고 있다.

11 글쓴이의 주장이 아니라 제시된 정보의 정확성, 타당성, 적절성 등을 평가하며 읽는 것이 좋다.

12 '무주의 맹시'와 관련된 실험을 소개하여 독자의 이해를 돕고 있다.

13 시각 피질은 단일한 부위가 아니라 현재 밝혀진 것만 약 30개의 영역으로 구성된 복합적인 영역이다.

14 글 제목의 의미를 추론해 보는 것은 '읽기 전' 과정에서의 읽기 방법이다.

15 고릴라 실험의 목적은 우리가 얼마나 정확한 집중력을 발휘할 수 있는지를 알아보는 것이 아니라, 우리 눈에 보이는 것은 정말 '눈에 보이는 대로'만 존재하는 것인가에 대한 것이다.

16 윗글은 뇌의 정보처리 방식을 다룬 설명문으로 가설을 설정하고 사례를 들어 논증하는 글이 아니다.

17 규리 −(다)문단을 보면 눈알을 통과한 빛이 뒤통수 쪽에 위치한 뇌의 시각 피질로 들어가야만 우리가 비로소 세상을 '본다'(고 느낀다.)는 것을 알 수 있다. 민진 − (라)문단을 보면 V1~V5와 이 밖의 다른 영역은 각자의 역할을 가지고 있다는 것을 알 수 있다.

18 뇌는 수많은 정보에 즉각적으로 반응할 수 없기 때문에 우리 뇌가 선택한 전략은 선택과 집중, 적당한 무시와 엄청난 융통성이다.

객관식 심화문제
P.19~31

01 ④	02 ①	03 ③	04 ②
05 ④	06 ③	07 ②	08 ④
09 ②	10 ⑤	11 ①	12 ⑤
13 ③	14 ②	15 ①	16 ⑤
17 ①	18 ③	19 ④	20 ②
21 ⑤	22 ⑤	23 ③	24 ②
25 ③			

01 이 글에서 실험의 허점을 예로 든 부분도 없고, 과학적 지식에 대한 맹목적 신뢰를 깨고자 한 내용도 찾아보기 어렵다.

02 글 제목의 의미를 추론해보고, 글을 전체적으로 훑어보며 내용을 예측하는 방법이 글의 '읽기 전 활동'에 해당한다.

03 ㉠, ㉡, ㉣ − 위 글과 같은 정보전달 성격의 설명문을 읽는 방법이다.
㉢− 피실험자에게 실험 목적을 미리 알려주면 실험이 제대로 이루어지지 않는다.
㉤ − 인용구를 활용하여 글을 마무리 하는 내용은 이 글에 제시되어 있지 않다.

04 무주의 맹시는 물체를 보면서도 인지하지 못하는 경우를 말한다. 따라서 시각정보의 신뢰성에 문제를 제기한 ②이 가장 적절하다.

05 영역을 비롯하여 형태를 구성하는 V3가 둥근 모습을, 색을 담당하는 V4가 빨간 색깔을 구별하는 역할을 수행한다.

06 자신의 수준에 맞지 않는 부분이나 자신의 생각과 다른 부분을

건너뛰며 읽는 것은 읽기의 방법에 포함되어 있지 않다.

07 개념에 대한 다양한 관점을 제시한 것은 아니다.

08 사람은 오감(五感), 즉 시각, 청각, 후각, 미각, 촉각을 통해 세상을 인식한다.

09 고릴라를 보지 못한 사람들은 실험에 집중을 하지 않은 것이 아니라, 물체를 보면서도 인지하지 못한 경우이다.

10 시각 영역을 악기에 비유하여 설명하였듯이 언어를 순화하는 것을 방 청소에 비유하여 설명한 문장이다.

11 ㄱ – 1문단과 2문단에서 질문을 던지고 답하는 방식이 사용되었다.

ㄴ – 5문단과 7문단에서 구체적인 예시를 제시해 개념에 대한 이해를 돕고 있다.

12 집중력이 좋은 사람과 의견을 신뢰하라고 주장하는 부분은 본문에 제시되어 있지 않다.

13 '돌'은 남에게는 엄격해지고 내게는 너그러워지는 화자의 모습을 빗댄 대상이다.

14 글을 전체적으로 훑어보며 내용을 예측해 보는 것은 '읽기 전'의 전략이다.

15 a– 감각 중 가장 많은 역할을 하는 것은 시각으로, 사람이 습득하는 정보의 80퍼센트는 오로지 시각에 의존한 정보들이다.

b – 감각 기관으로 들어오는 정보를 고스란히 받아들이지 않고 제 입맛에 맞는 부분만 편식하는 것은 뇌의 보편적인 특성으로, 다른 감각도 마찬가지이다.

16 구체적인 예를 들어 자신의 주장을 구체적으로 뒷받침하고 있다.

17 뇌가 선택한 전략은 선택과 집중, 적당한 무시와 엄청난 융통성이다. 하지만 이것은 때와 장소, 현재의 관심 대상과 그 수준에 따라 달라진다.

18 시각이라는 한 영역에서 작동하는 시각 피질과 달리 보행은 뇌의 여러 영역이 작동하는 종합적인 행위이다.

19 8문단에서 시각피질 영역을 오케스트라에 비유하여 이해하기 쉽게 설명하고 있다.

20 6문단에 빛은 망막의 시각 세포에 의해 전기적 신호로 변환된다고 제시되어 있다.

21 글쓴이의 생각은 마지막 문단에 제시되어 있다. 따라서 현대인들이 주체적으로 가져야 할 절대적 관점의 중요성은 위 글에서 나오지 않는다.

22 정보전달 성격의 설명문을 읽는 방법으로는 ㄱ, ㄹ의 방법이 가장 적절하다.

23 시각 피질의 모든 영역이 각자의 역할에 맞게 일시에 조율되어야 세상을 바라볼 수 있다.

24 눈 자체가 세상을 인식하는 것은 아니다. 눈동자를 지나 눈알 안쪽으로 파고든 빛은 망막의 시각 세포에 의해 전기적 신호로 변환된다.

25 4, 5 문단에 제시되어 있다. – '무주의 맹시'는 물체를 보면서도 인지하지 못하는 경우를 말한다. 우리는 늘 이런 경험을 한다.

평소에는 주의 깊게 보지 않아서 인식하지 못했던 것을 비로소 오늘에서야 뇌가 인지한 것이다.

서술형 심화문제 P.32~35

01 (1)'무주의 맹시' 때문에 농구공의 패스 횟수를 세는 데 집중하여 실험 참여자 중 절반은 고릴라의 등장 사실을 전혀 인지하지 못하였다.
(2)보고도 인지하지 못한 대상을 비유적으로 표현하였다.

02 (1) 농구공 패스 횟수를 알아맞힐 수 있는지를 평가하려는 것이 아니라, 중간에 등장한 고릴라의 존재를 인지했는지의 여부를 실험한 것이다.
(2) 자신이 시각으로 얻은 정보를 신뢰했기 때문이다.

03 '고릴라 실험'은 우리가 보려고 하는 것에만 집중하여, 눈앞에 있는 것을 보고도 인식하지 못할 수 있음을 알려준다.

04 ㉠ 유추, 시각 피질의 영역과 오케스트라의 비슷한 속성을 토대로 논지를 전개하고 있다.

05 (1)글 제목의 의미를 추론해본다.
(2)글을 전체적으로 훑어보며 내용을 예측해본다.
(3)중요한 정보에 밑줄을 긋고 적어 둔다.
(4) 모르는 단어의 뜻을 찾아본다.

06 무주의 맹시는 우리 주변에서 흔히 일어날 수 있다.

07 무주의 맹시

08 ⓐ 있어도 보지 못하거나 잘못 보는 경우가 많다(보고도 인지하지 못하는 경우가 있을 수 있다).
ⓑ 자신이 본 것만이 옳다는 절대적 믿음으로부터 벗어나야 한다.

09 ② 읽기 전에 글의 세부적인 내용을 알 수 없다.

10 ㉠ 무주의 맹시 ㉡ 물체를 보면서도 인지하지 못하는 ㉢ 선택 ㉣ 무시
㉤ 흰옷을 선택하여 집중하고 고릴라를 무시했기

(2) 조선의 얼, 광화문

확인학습 P.40

01 × 02 × 03 ○ 04 × 05 × 06 × 07 × 08 ○
09 ○ 10 ○ 11 ○ 12 × 13 ○ 14 × 15 ×

객관식 기본문제 P.41~51

01 ③	02 ③	03 ③	04 ③
05 ④	06 ②	07 ⑤	08 ⑤
09 ②	10 ③	11 ③	12 ①
13 ④	14 ⑤		

01 2006년에 광화문을 제자리에 제대로 복원하는 작업이 시작되어 2010년에 비로소 복원되었다.

02 건축양식에 대한 내용은 윗글에 제시되어 있지 않으며, 건축양식에 대한 이해는 글의 주제에서 벗어난 내용이다.

03 (라)문단에 제시되어있다.

04 윗글에 글쓴이의 생각이 나타난 부분은 마지막 문단으로 '광화문 그 자체가 우리의 역사이자 숨결'이라고 말하고 있다. 따라서 흥망성쇠의 무상함을 한탄하는 내용은 어디에도 제시되어 있지 않다.

05 윗글에 역사적 자료를 인용한 내용은 제시 되어 있지만, 전문가의 견해를 인용한 부분은 제시되어 있지 않다.

06 '광화문이 철거된다는 소식이 돌자 몇몇 일본인 학자들도 조선 총독부의 처사가 부당하다고 지적하였으며, 광화문 철거를 반대하는 국내 여론은 더욱 거세졌'고 제시되어 있다.

07 ⓐ의 접다는 '자기의 의견, 주장 따위를 더 이상 내세우지 않고 거두어들이다'의 뜻이므로 ⑤과 의미가 가장 유사하다.

08 광화문을 만들 때를 의미하는 것이 아니라, 광화문이 헐릴 때를 의미한다.

09 「동아일보」에 실린 「헐려 짓는 광화문」이라는 제목의 고별사가 역사상 최초의 고별사라는 것은 이 글에서 확인 할 수 없다.

10 신문사들이 신문에 광화문이 철거 된다는 소식을 싣자 소식을 접하고 여론이 형성된 것을 통해 읽기가 사회적 상호작용을 함을 알 수 있다.

11 (다)의 두 번째 문단의 '울 줄도 알고 ~ 사람이 아니다', 세 번째 문단의 '조선의 하늘과~ 못 잊어 할 뿐이다' 등 글 전체에 걸쳐 유사한 문장을 반복적으로 사용하여 글쓴이의 견해를 강조하고 있다.

12 일제는 철거된 광화문 터가 아니라 경복궁 앞뜰에 조선 총독부 건물을 세웠다. 또한 일제는 광화문을 철거한다는 계획을 접고, 광화문의 자리를 옮기기로 결정하였다.

13 이 글에는 광화문의 과거에 대해서 언급하고 있긴 하지만 현재 사건의 원인이 과거에 있다고 말한 것은 아니다.

14 ⑪의 '너'는 광화문을 말한다. 광화문을 의인화여 광화문이 헐린다는 사실에 대한 안타까움을 광화문은 그 사실을 알지 말라고 서술한 것이다.

객관식 심화문제   P.52~64

01 ④	02 ①	03 ③	04 ④
05 ③	06 ①	07 ③	08 ④
09 ③	10 ④	11 ②	12 ④
13 ④	14 ⑤	15 ④	16 ⑤
17 ③	18 ①	19 ②	

01 이 글은 역사적 자료를 인용하여 광화문을 둘러싼 역사적 사실을 설명하는 글이므로, 건축사적 의미나 전통 예술로서의 가치는 이 글의 주제와 어울리지 않는다.

02 조선 총독부 청사를 짓기 이전부터 경복궁이 훼손되기 시작하였다.

03 광화문 때문에 조선 총독부 건물이 초라해 보였기 때문이 아니라, 광화문이 조선 총독부 앞을 가로막고 있는 형상이었기 때문

이다.

04 광화문에 대한 원망은 〈보기〉에 나타나 있지 않다.

05 (다) 문단에 제시 되어있다. 동아일보, 대한매일신보에 기사가 실리고, 여론이 거세지자 일제는 광화문의 자리를 옮기기로 결정하였다.

06 ㉯-1921년 5월, ㉰-1922년 10월 5일, ㉮-1925년 10월 26일, ㉱-㉮보다 며칠 앞서 실음. ㉲-1926년 8월 29일

07 압제 - '권력이나 폭력으로 남을 꼼짝 못 하게 강제로 누름'의 뜻을 가지고 있다. '다른 나라의 영토를 한데 어울러서 제 것으로 만듦'의 뜻은 가진 단어는 '병탄'이다.

08 〈보기〉에서 문화재 복원에 반대하는 의견에 대해 입장을 밝히고 있는 부분은 제시되어 있지 않다.

09 글 전체에 걸쳐 역사적 자료를 활용하여 중심화제에 대해 설명하고 있고, (다),(라) 문단에서는 신문 기사를 활용하여 중심화제에 대해 설명하고 있다.

10 원래 일직선상에 놓여 있었던 광화문이 본래의 자리를 뜨는 순간 그 존재 가치는 빛이 바래게 된다고 설명하고 있다.

11 '일제가 새 청사의 터로 선택한 것은 오백 년 조선 왕조를 호령했던 경복궁 앞뜰이었다'는 (나)의 첫 번째 문단 뒤에 들어가는 것이 '일제의 총독부 새 청사가 모습을 갖춰 갈수록 경복궁은 점점 더 초라한 몰골로 변해 갔다'는 (나)의 두 번째 문단과도 호응이 되므로 가장 적절하다.

12 '참담'은 끔찍하고 절망적임 혹은 몹시 슬프고 괴로움의 뜻을 가지고 있다. '어려운 시련을 비유적으로 이르는 말'의 뜻은 가진 단어는 '격랑'이다.

13 (라)문단에서 설의식은 「헐려 짓는 광화문」이라는 제목의 고별사를 통해 붓으로써 일제에 저항하였을 뿐, 광화문을 움직인다는 내용은 나타나 있지 않다.

14 광화문을 '너'로 지칭하여 의인화함으로써 글쓴이와 유대감을 느끼는 동등한 대상으로 표현하고 있으며, 오오, 가엾어라!(영탄법) 너의 마지막 운명을 우리는 알되 너는 모르니, 모르는 너는 모르고 지내려니와 아는 우리는 어떻게 지내라느냐.(반복법)을 통해 암울한 상황임을 드러내고 있다.

15 '헐려 짓는 광화문'은 1926년 8월 29일 「동아일보」의 「광화문 해체, 수일 전에 착수」라는 기사가 실리기 불과 며칠 전에 앞서 신문에 실린 글이다.

16 (라)의 화자는 광화문이 헐리는 데에 대한 슬픔과 참담함, 분노와 울분을 드러내고 있다. 황현의 시에서도 글 아는 자 구실하기가 힘들다며, 새, 짐승, 산, 바다에 감정이입하여 자신의 슬픔을 표현하고 있다.

17 (가)에서 광화문의 의미를 제시하였고, 글 전체에 걸쳐 시간의 흐름에 따라 통시적으로 광화문의 상황 변화를 설명하고 있다.

18 고별사 내용은 우리의 민족혼, 민족 문화가 말살되는 데 대한 분노와 울분을 강한 어조로 힘 있게 표현한 글이기 때문에 이를 접한 우리 백성들은 현실에 대한 강한 분노와 한을 느끼는 것이

가장 적절하다.

19 각 신문사들이 여론 조사를 실시한 것이 아니라, 신문사들이 신문에 광화문이 철거 된다는 소식을 신자 소식을 접하고 여론이 형성된 것이다.

01 민족의 정기를 바로 세우는 역사적인 사업이다.

02 ㉠: 일제가 조선 총독부를 짓기 이전부터 경복궁은 이미 훼손되고 있었다.
　　㉡: 민족혼과 민족 문화를 말살하려는 일제에 대해 글을 써서 저항의식을 나타냈다.

03 '고릴라 실험'은 우리가 보려고 하는 것에만 집중하여, 눈앞에 있는 것을 보고도 인식하지 못할 수 있음을 알려준다.

04 1. 오늘날 경복궁이 우리에게 주는 진정한 의미는 첫째, 외형적으로 건축의 아름다움이고 둘째, 내면적으로 조선 왕조의 법궁이라는 역사적 가치가 있다.
　　2. 외국인들이 경복궁을 통해서 보게 되는 것은 우리 역사의 만만치 않은 저력과 현재적 삶의 역사적 뿌리를 볼 수 있다.
　　3. 우리나라의 여러 문화재를 복원해야 하는 이유는 민족의 역사를 바로 세우는 일이자, 우리의 미래를 밝게 이끌어 가기 위한 일이기 때문이다.

(3) 전시회 공간을 빌려라

01 ×　02 ○　03 ○　04 ×　05 ○　06 ○　07 ○　08 ×
09 ○　10 ○

01 ④　　02 ②　　03 ①　　04 ③
05 ③　　06 ②　　07 ④　　08 ⑤
09 ⑤　　10 ③　　11 ②　　12 ③
13 ⑤

01 상우가 원했던 요구사항을 모두 만족한 것은 아니다. 상우는 전시회 기간을 4일로 하고 싶었지만, 협상 결과 3일이 되었기 때문이다.

02 협상은 상호간에 경쟁하는 것이 아니고 협의점을 찾아나가는 과정이다.

03 상우는 자기 측이 4일에서 3일로 전시 기간을 줄이는 대신 상대 측에게 자신들의 홍보를 해달라고 하였다.

04 협상은 상호 경쟁적이 아니고 상호 의존적이다.

05 상우와 구 공무원은 서로의 합의점을 찾아 양보할 것은 양보하고, 추가로 요청사항을 말해 서로의 의견을 조율하고 있다.

06 시작 단계에서 상우 동아리가 공공성이 없음을 확신한 것은 아니고, 공공성이 있어야지 전시를 할 수 있다고 알리며 전시의

성격이 어떤 것인지 묻고 있다. 조정단계에서는 전시 기간을 4일에서 3일로 줄이는 대신 구청 측이 전시 홍보를 해주기로 하였다.

07 상대방이 스스로 문제를 해결하도록 한 것이 아닌 발화자 스스로 해결 방안을 찾은 것이다.

08 해결 단계에서는 상우와 구청 측 모두 만족할 만한 협상 결과를 얻었다.

09 어린이들의 모습을 주제로 사진을 전시하는 것이 아니라 친구들의 모습을 찍고, 그 사진으로 얻은 수익금을 어린이 재단에 후원하는 것이다.

10 ㄹ. 갈등과 분쟁을 줄이기 위해서는 서로가 양보하며 타협해야 한다. 무조건 우리 측의 이익을 양보하는 것이 답은 아니다.
　　ㅁ. 상대의 주장에 대한 반박을 통해 상대측의 문제점을 제기하는 것은 협상이 아닌 토론이다.

11 ㄱ. 윗글에는 제 3자가 나타나지 않는다.
　　ㄷ. 협상은 상호 경쟁적이 아닌 상호 의존적이다.
　　ㄹ. 많은 참여자의 다양한 의견을 수합한 것이 아닌 협상 당사자 둘이 협상에 나선 것이다.

12 구 공무원은 강당을 사용하려면 특정 단체의 이익을 목적으로 하거나 상업적인 것을 목적으로 하면 안 된다고 하며, 전시회의 성격이 어떠한 것인지 묻고 있다.

13 상우는 사진전시회를 통해 구청에 도움이 된다는 사실은 언급하지 않고 있다. 구청에도 도움이 될 것같다고 말한 측은 구 공무원이다.

01 ⑤　　02 ⑤　　03 ③　　04 ⑤
05 ④　　06 ⑤　　07 ②　　08 ⑤
09 ⑤　　10 ④　　11 ⑤　　12 ①
13 ①　　14 ④　　15 ⑤　　16 ⑤

01 협상은 양쪽의 의견을 상호 협의적으로 나눠 합의점을 찾아가는 과정이다. 춤 동아리는 한 번에 긴 시간을, 요가는 매일 동작을 반복해야 하므로, 서로 합의한다고 하면 평일과 주말로 나눠 쓰면 적절하게 활용할 수 있다.

02 대학을 결정하는 상황은 서로의 합의점을 찾는 것이 아닌 개인의 결정이므로 협상이 필요하지 않다.

03 협상은 상호 경쟁적이 아닌 상호 의존적이다.

04 구 공무원은 업무 부담이 아닌 구청의 정해진 규칙과 이미 정해진 강당 예정에 따라야 한다고 말하며, 상우의 양보를 유도하고 있다.

05 상우 측에서 전시회 홍보를 하지 못하는 것은 둘의 합의문에 들어가지 않아도 된다.

06 즐거운 학교 문화를 만들기 위한 방법에 대한 논의는 서로 갈등하고 있는 부분이 아니므로 협상이 필요한 것은 아니다.

07 이 글은 협상에 대한 것으로, 협상은 서로가 상호 의존적인 관계에서 합의점을 도출해내는 과정이라고 할 수 있다.

08 전시회가 구청에 도움이 된다고 말한 것은 '구 공무원'쪽이다. 상우는 지역 주민이 행사에 참여하기 때문에 구청 강당에서 전시회를 해야 한다고 주장하고 있다.

09 상대측을 설득할 수 있는 대안을 마련하는 것은 (가)단계에 해야 한다.

10 구 공무원은 고등학생에게 힘을 주는 것만으로는 공공성이 부족하다고 말하고 있다. 그래서 상우는 모금된 돈을 어린이 재단에 후원한다고 말하면서 공공성을 더하고 있다.

11 ㄱ. 학교수업을 마치고 전시를 진행하려면 6시 이후에 진행해야 한다고 말했다. ㄴ. 전시회 참가비가 아닌 후원금을 모금한다고 하였다. ㄷ. 구청에서도 구가 지역 주민들을 위해 문화 행사를 진행하고 후원을 한다는 점을 알릴 수 있다는 점에 이익이 있다. ㄹ.학교 축제에서 준비할 것은 갈등관계에서 서로의 협상을 내야 하는 상황이 아니기 때문에 적절하지 않다.

12 이 협상의 단계는 조정 단계이다. 따라서 서로가 협상을 통해 얻고자 하는 바를 분명하게 정하는 단계라고 할 수 있다. 설득할 수 있는 대안 마련은 협상 전에, 서로의 입장을 확인하는 것은 시작단계에, 대안을 재구성하고 합의점을 찾는 것은 해결 단계이고, 제안을 서로 검토하고 입장 차이를 좁히는 것은 조정 단계에 해당한다.

13 서로의 처지와 관점을 파악해야 서로 원하는 합의점을 도출하기에 훨씬 수월해지기 때문에 이와 같은 자세로 협상에 임해야 한다.

14 상우는 전시 기간이 4일에서 3일로 줄었기 때문에 거기에서 오는 불이익을 줄이기 위해 홍보를 해달라고 하며 그 불이익을 최소화 하려고 한다.

15 전시회를 홍보하는 것에 대한 입장 차이는 드러나지 않으며, 상우와 구 공무원 모두 동의한 사항이다.

16 사형제도와 관련한 것은 가치 판단에 대한 논제이기 때문에 토론이 필요하다.

서술형 심화문제   P.87~88

01 전시회가 학교의 학생뿐 아니라 지역 주민도 함께 참여하는 행사로 기획된 것이기 때문이다.

02 전시회가 공공성을 띠고 있어야 한다.

03 상우네 동아리가 사진 전시회를 열기 위해 강당을 3일간 빌리는 것에 구청과 합의하였다.

04 학업 때문에 힘들고 지친 고등학생들에게 힘을 줄 수 있음. 사진으로 모금된 돈을 어린이 재단을 후원하는 데 씀.

05 학업 때문에 힘들고 지친 고등학생들에게 힘을 줄 수 있음. 사진으로 모금된 돈을 어린이 재단을 후원하는 데 씀.

단원 종합평가   P.89~95

01 ②	02 ④	03 ③	04 ④
05 ①	06 ④	07 ④	08 ③
09 ②	10 ②	11 ①	

01 사람이 습득하는 정보의 80퍼센트는 오로지 시각에 의존한 정보들이다. 대부분의 정보를 시각으로 받아들이면서 우리는 자연스럽게 시각의 능력을 높이 신뢰하게 된다.

02 ㄱ- 1문단 마지막 부분과 3문단 마지막 부분에 의문을 제기하는 방식으로 독자가 집중하도록 유도하고 있다.
ㄹ- 8문단에서 오케스트라에 비유하여 시각 피질을 쉽게 설명하고 있다.
ㅁ- 2문단에서 고릴라 실험을 소개하며 독자의 이해를 돕고 있다.

03 ㄹ- 다양한 심상을 활용해 글쓴이의 정서를 드러낸 부분은 윗글에 제시되어 있지 않다. ㅁ - 글을 전체적으로 훑어보며 내용을 예측하는 방법은 '읽기 전 활동'에 해당한다.

04 우리는 하나에 집중하면 다른 것은 눈에 뻔히 보여도 인식하지 못하고 지나칠 수 있다. 감각 기관으로 들어오는 정보를 고스란히 받아들이지 않고 제 입맛에 맞는 부분만 편집하는 것은 뇌의 보편적인 특성으로, 다른 감각도 마찬가지이다.

05 (마)문단에서 광화문을 완전히 무너뜨리는 것이 아니라 건춘문(경복궁의 동쪽 문) 옆으로 옮기는 것이라고 해도, 본래의 자리를 뜨는 순간 그 존재 가치는 빛이 바래게 된다고 말하고 있다.

06 '매각'은 '물건을 팔아 버림'의 뜻을 가지고 있다.
'헐거나 깨드려 못 쓰게 만듦'의 뜻을 가진 단어는 '훼손'이다.

07 신문사들이 신문에 광화문이 철거 된다는 소식을 싣자 소식을 접하고 여론이 형성된 되어 일제의 계획을 바꾼 것을 통해 읽기가 다른 구성원과 사회적 상호작용을 하며 의미를 구현하는 과정인 것을 알 수 있다.

08 '과도'는 정도에 지나침을 뜻한다.

09 ⓐ는 타협을 위한 우호적 자세이지만, ⓑ는 상대방의 의도를 파악하지 못한 발화이다.

10 재민이 이해한 정연의 처지이다.

11 정연은 밴드부 연습시간이 줄어든 것을 근거로 재민에게 음악실 청소 부탁을 하고 있다.

(1) 두근두근 내 인생

확인학습 P.99

01 × 02 ○ 03 ○ 04 × 05 × 06 ○ 07 ○ 08 ×
09 ○

확인학습 P.102

01 × 02 × 03 × 04 ○ 05 ○ 06 ○ 07 × 08 ○

확인학습 P.105

01 ○ 02 ○ 03 × 04 ○ 05 ○ 06 ○ 07 ○ 08 ○
09 ×

확인학습 P.108

01 × 02 ○ 03 × 04 × 05 ○ 06 ○

확인학습 P.111

01 ○ 02 × 03 × 04 ○ 05 ○ 06 ○ 07 ○ 08 ×

객관식 기본문제 P.112~124

01 ③	02 ⑤	03 ⑤	04 ③
05 ③	06 ③	07 ⑤	08 ⑤
09 ②	10 ④	11 ④	12 ①
13 ②. ⑤	14 ④	15 ①	16 ⑤
17 ②	18 ⑤	19 ②	

01 이 글에는 '아름'의 삶을 통해 힘든 상황에서도 웃음을 잃지 않고 사는 삶에 대해 생각해 볼 수 있다. 이 글은 문학 갈래의 하나인 극 갈래로 신뢰성을 판단할 필요는 없다.

02 문학작품을 읽을 때는 경제적 가치를 따질 필요는 없다. 또한 작품을 통해 삶을 간접적으로 체험해 볼 수 있으며, 독자의 삶에 미치는 영향을 보려면 문체를 통한 표현상의 특징을 살펴볼 필요는 없다.

03 이 글의 주인공인 '아름'과 가족들은 아름이 조로병에 걸려 모두가 힘든 상황이지만 웃음을 잃지 않고 살아가는 모습을 보이고 있다.

04 (다)의 내용을 보면 서하가 '살고 싶어지는 때?'라고 말하며 푸른 하늘, 아이들의 해맑은 웃음소리, 맑은 날 햇살아래 미라와 함께 있는 모습 등 평화로운 순간에 자신이 살고 싶어 한다고 말하고 있다.

05 이 글은 시나리오로 주로 대사와 지시문으로 사건이 전개된다. 장면의 전환이 어렵고 등장인물 수에 제약이 많고, 시·공간적 제약이 많은 것은 희곡에 해당한다.

06 윗글은 시나리오에 해당하며, 극 갈래는 현재형의 문학이다.

07 다양한 이미지와 소리가 나타난 것은 맞지만 아름이의 심리를 나타낸 것이 아니고, 아름이가 편지에 쓴 내용을 구체적으로 표현해 준다. 또한 그 이미지와 소리들이 복선 구실을 하는 것도 아니다.

08 S# 52에서는 아름이가 서하에게 답장을 보내는데, 아프지 않은 사람들이 지내는 일반적인 상황을 보며, 항상 살고 싶다는 생각을 한다는 것을 알 수 있다.

09 몽타주는 '따로 촬영된 화면을 떼어 붙이면서 새로운 장면이나 내용을 만드는 기법'으로 아름이가 현재 위치한 공간이 아닌 아름이의 편지 내용이 삽입되는 부분이므로 ⓐ에는 몽타주 기법이 적절하다.

10 S# 50은 건강한 아름이와 서하가 오솔길을 걸으며 기뻐하는 장면이며, 분위기가 평화롭다. 따라서 비트가 강한 음악은 적절하지 않다.

11 윗글에서는 배경이 인물의 처한 상황을 상징적으로 드러내지 않았다. 윗글은 시나리오이기 때문에 시간과 공간의 제약이 거의 없고 자유로우며, 갈등이 중심이 되고, 대사와 지시문을 통해 인물을 드러내고 사건을 전개한다.

12 서하의 답장에 있던 '아름아, 넌 언제 살고 싶어지니?'라는 문장을 통해 아름의 상상과 현실을 연결하고 있다.

13 ⓛ에서 서하가 잠에 들지 못하는 것은 병세의 악화가 아닌 서하를 보고 싶은 마음이 강해졌기 때문이다. ⓜ은 아름이가 서하의 모습을 상상하는 것이지, 서하의 모습이 궁금해서 아름이가 초조해하는 것은 아니다.

14 위와 같은 글은 '시나리오'로 현재의 문학에 해당한다. 과거와 현재가 교차하지 않는다.

15 '아름'의 편지 내용을 보면 일상적인 사람들에 대한 부러움이 나타나는 것을 확인할 수 있다.

16 그 어떠한 문학 작품에서도 작가의 생각에 100% 동의할 필요는 없다.

17 '효자 아저씨'는 나이 들어 보이는 아름을 데리고 나온 '대수'를 의미한다.

18 ⓔ에 들어갈 적절한 지시문은 '어색해 하며'이다.

19 Ⓑ는 'Insert'이며, Ⓐ, Ⓒ, Ⓓ, Ⓔ는 'Cut to'이다.

P.125~154

01 ②	02 ④	03 ⑤	04 ②
05 ②	06 ③	07 ④	08 ⑤
09 ③	10 ④	11 ①	12 ④
13 ③	14 ⑤	15 ③	16 ③
17 ⑤	18 ④	19 ③	20 ④
21 ②	22 ③	23 ⑤	24 ②
25 ①	26 ⑤	27 ②	28 ③
29 ②	30 ③	31 ①	32 ①

01 (가)에서 사람들은 아름이에게 호기심을 보이고 있는데, 그것은 아름이를 배려하는 태도라고 할 수 없다.

02 아름의 병이 옮을까봐 겁낸 것은 '남학생2'이다.

03 S# 11의 '불량한 학생들'은 '아름'이 병이 있다는 사실만으로 '아름'을 자신들보다 열등하다고 생각하여 호기심과 조롱, 괴롭힘의 대상으로 간주하고 있다.

04 (가)는 시나리오이기 때문에 인물의 심리가 대화와 행동을 통해 간접적으로 제시되고 있고, (나)는 소설이기 때문에 인물의 심리를 대화와 행동을 통한 간접 제시는 물론, 인물의 심리를 직접적으로 '걱정했다'처럼 표현한 직접제시가 나타나고 있다.

05 따로 촬영된 화면을 떼어 붙이면서 새로운 내용을 만들어낼 때 사용하는 영화의 기법은 '몽타주'이다.

06 그를 '춤추는 사람'에 빗대어 표현함으로써 다리를 저는 대상의 속성을 드러내고 있다.

07 (가)는 서사갈래로 작가를 대신해서 시에서 말하는 사람인 '화자'가 존재하며, '화자'를 통해 주제가 전달되고, (나)는 극갈래로 '화자'나 '서술자'가 없이 등장인물의 대사나 행동을 통해 주제를 전달한다.

08 '택시 안'은 '젊은 여자'처럼 적대적인 태도를 취하는 승객도 있지만, '30대 부부'와 같이 반가워하는, 적대적이지 않은 태도를 지니고 있는 승객도 확인할 수 있다. ©은 '그'가 열심히 세상을 살아가는 공간으로, 다른 사람들과 대비를 이루는 공간이라고 할 수 있다.

09 지시문을 통해 인물의 행동과 성격을 드러내는 것은 간접제시이다.

10 ②에 들어갈 적절한 시나리오 용어는 'Cut to'이다.

11 ③는 아름이가 속마음을 드러내지 않았다고 할 수 없다. ③는 몸이 아파서 친구들과 어울리지 못한 '아름'이 혼자 책을 읽으며 다양한 지식을 쌓았음이 드러난다.

12 이 작품에서는 장애인에 대한 경제적, 재정적 지원이 미흡하여 겪는 어려움은 드러나지 않는다.

13 〈보기〉는 '잠 못 든 이', '상처'등 힘든 이들을 위해 '함박눈'이 되어 그들에게 위로와 위안을 건네자고 말하고 있다. 또 윗글은 '힘든 상황 속에서도 웃음을 잃지 않고 서로를 보듬는 부모와 자식의 아름다운 사랑'이 주제이므로 두 작품이 공통적으로 말하고자 하는 바는 ③이 적절하다.

14 〈보기〉의 화자는 가난하지만 사랑을 안다고 말하며, 가난하기 때문에 이것들을 버려야 한다는 것을 알지만 그것을 버림으로써 극복했다고 할 수 없다.

15 무조건적으로 타인을 연민과 동정의 대상으로만 바라보는 것은 적절하지 않다. 이 글의 '아름이'와 가족들은 의젓하게 자신의 현실을 받아들이고 견뎌내고 있기 때문이다.

16 이 글의 갈래는 시나리오로 장면을 단위로 대사와 지시문을 통해 사건을 전개하며, 현재의 문학이다. 서술자는 존재하지 않는다.

17 윗글의 내용은 불량학생들의 잘못된 행동의 교화가 중심이 아닌, '아름이'와 같은 사회적 약자를 대하는 독자의 태도를 되돌아보는 것이 중심이다.

18 ©에서 대수가 경찰을 발로 찼지만, 그것이 경찰과의 새로운 갈등으로 이어진 것은 아니다. ②에서 '미라'는 아름이 당당하게 행동하지 못하는 것에 마음이 아파서 속상해 하는 것이다. 자신의 감정에만 몰입했다고 할 수 없고, 아름의 감정을 생각해서 한 말이라고 할 수 있다.

19 [A]는 시나리오의 일부로 인물의 심리를 대사와 행동을 통해 간접적으로 나타내고, 〈보기〉는 서사갈래인 소설이므로 서술자를 통해 인물의 심리를 직접적으로 제시하고 있다.

20 윗글의 '아름이'가 자신과 같은 사람에게 남들이 연민을 갖는 것을 바란다고 말 할 수 없다.

21 극 갈래와 서사 갈래는 대체로 갈등과 그 해결 과정을 통해 주제를 드러낸다. 현재화된 사건을 중심으로, 서사 갈래에 비해 공간의 제약이 크고, 서술자가 존재하지 않는 것은 극 갈래에 대한 설명이고, 함축적인 의미를 지닌 소재를 사용하는 것은 서정 갈래이나, 주제를 직접적으로 전달하는 것은 아니다.

22 '아름'은 '대수'와 '미라'에게 충분히 사랑 받으며 자랐고, 같이 소통할 수 있는 '장 씨'도 있다. 아름이가 고립적으로 살았다고 할 순 없다.

23 〈보기〉의 화자가 가족의 관심과 협조가 필요하다고 말하는 것은 아니다. 가족에 대한 그리움만 '어머님 보고 싶소'에 나타나 있고, 그 이외에 가족에 대한 것은 드러나지 않는다.

24 (가)에는 '살고 싶다'고 반복하는 아름이의 대사를 통해, (나)에는 '~을 모르겠는가'의 반복을 통해 인물의 심리를 강조하고 있다.

25 이 글은 사회 복지제도와는 큰 관련이 없다. 아름이가 힘든 것은 주변의 시선 때문이다.

26 '아름'이는 병에 걸려 시한부인 상황이지만 '서하'에 대한 사랑도 느끼고, 살고 싶다는 소망도 느끼며 인간적인 감정을 느낀다. (나)의 화자는 '가난하다고 해서 외로움을 모르겠는가'와 같은 설의적 의문을 통해 외로움, 사랑과 같은 감정을 포기해야만 하는 현실에 안타까움을 느끼고 있다.

27 (가)에서는 불량한 학생들과의 갈등에서 당당한 '대수'의 모습이 드러나 있고, (나)에는 부끄러워하는 아름과 달리 아름을 당당하게 여기는 '미라'의 태도가 드러나 있다.

28 윗글의 '불량한 학생들'이 '아름'을 괴롭히며 얕잡아 보는 것은 맞지만 열등감에 사로잡혔다고 할 수는 없다.

29 인서트는 '장면의 이음, 강조, 정리 등 영화의 여러 효과를 위해 삽입하는 화면'으로 주로 대사가 없는 인물, 사물, 배경 등을 삽입한다.

30 장애인을 무가치한 존재로 비하하는 사람들이 옳은 것은 아니지만 존중받을 가치가 없는 것은 아니다.

31 '불량한 학생들'은 아름의 입장을 전혀 배려하지 않고 함부로 말하고 있다. 또한 아름의 겉모습만 보고 조롱하고 비하하는데 이러한 것은 편견에 찬 차별적 시선이라고 할 수 있다.

32 관객들은 (나)에서 미라의 심리를 지시문이 아닌 대사를 통해 파악할 수 있다.

서술형 심화문제
P.155~159

01 (1) 건강한 사람들이 그 가치를 느끼지 못하는 평범한 일상이다. (2) 몽타주

02 장면 번호, 시간적 배경, 공간적 배경을 나타낸다.

03 자신의 상황을 알고 싶어 하는 모습에서 '아름'의 어른스러운 성격과 현실을 직시하고자 하는 용기있는 면모가 드러난다.

04 (1) 자신의 현재 상태를 직시하려는 용감한 성격이다. (2) '서하'의 답장을 계속 기다리는 조바심을 드러내고 있다. (3) 평범한 사람처럼 나이에 맞는 신체로 또래의 친구들을 만나고 싶다는 '아름'의 소망이 구체화된 모습이다.

(2) 마음을 움직이는 설득

확인학습
P.161

01 ○ 02 ○ 03 × 04 ○ 05 ○ 06 ○ 07 ○ 08 ×
09 × 10 ○ 11 ○ 12 ○

객관식 기본문제
P.162~165

01 ④ 02 ① 03 ⑤ 04 ②
05 ④ 06 ② 07 ⑤ 08 ④
09 ② 10 ⑤ 11 ⑤ 12 ③

01 이 글은 칼럼으로 글쓴이의 주장을 전달하고 행동에 변화를 주려는 글이다. 대립적인 입장과 그 두 주장을 절충하는 것은 아니다.

02 이 글에는 물음과 그에대한 대답은 드러나지 않는다. 밀턴과 같은 권위있는 사람의 말을 빌려 주장을 강조하고, 실제 있던 존 스노의 사례등 실제했던 사례를 들어 이해하기 쉽게 설명하고 있다.

03 ①에는 독자에게 익숙한 갈릴레이의 사례를 제시하여 글쓴이의 주장에 설득력을 더하고 있다.

04 갈릴레이나 존 스노가 했던 생각과 같은 당시의 사회적 통념을 넘어간 생각을 뜻한다.

05 이 글은 글쓴이의 주장과 설득이 나타나있을뿐 여러 가설을 제시한 것은 아니다.

06 존 스노와 갈릴레이는 당시 사회의 통념에 도전해서 사회의 성장과 발전을 도모한 사람이라고 할 수 있다.

07 변증법은 서로 대립하는 두 의견의 절충을 통해 결론내는 것을 말하는데 이 글의 예시들은 모두 공통되는 주장을 뒷받침 하는 것들이다.

08 이 글은 글쓴이가 자신의 주장을 말하고 설득하는 글인데 그러한 글에서는 글쓴이의 주장이 타당한지 확인하고 그 근거가 적절한지 판단하며 읽어야한다.

09 (다)에서는 영국의 의사 '존 스노'라는 권위있는 사람의 말을 빌려 글쓴이의 주장을 강조하고 있다.

10 이 글은 설득하는 글로 글쓴이의 주장과 그 근거가 적절한지 파악해가며 읽어야한다. 생각이나 정서, 상상력을 자극하는 글은 문학갈래의 글을 읽을 때 해당한다.

11 이 글은 갈릴레이와 같은 유명한 과학자의 사례를 들어 독자들이 글에 더 쉽게 접근하고 관심을 불러 일으킨다.

12 존 스노는 획기적인 연구로 콜레라의 전염 양상응 밝혀냈지만 발생 원인과 치료 방법을 밝힌 것은 아니다.

객관식 심화문제
P.166~177

01 ① 02 ④ 03 ③ 04 ②
05 ① 06 ④ 07 ④ 08 ②
09 ① 10 ⑤ 11 ⑤ 12 ⑤
13 ③ 14 ④ 15 ② 16 ①
17 ⑤ 18 ⑤ 19 ③ 20 ④

01 이 글은 사회구성원이 대체로 믿고 있는 사실이 옳지 않을 수 있으며 통념과 다른 방향의 연구를 통해 사회적 성장과 발전을 도모할 수 있다고 말한다. 문화적 동질성과 사회구성원의 연대는 모두가 비슷한 방향으로 생각하고 행동하는 것이므로 윗글의 내용과 일치하지 않는다.

02 이 글은 글쓴이의 주장을 구체적 예시와 권위자의 말을 빌려 강조하고 있는데 가설과 그에 대한 검증은 나타지 않는다.

03 이 글의 예상독자는 일반적인 독자들로, 전문적인 지식이 없어도 쉽게 읽을 수 있게 작성하였다. 전문가를 위한 글은 아니다.

04 현지는 문화적 동질성을 이루는 것이 기존의 권위에 도전하는 것이라 했는데 오히려 문화적 동질성은 기존의 권위에 순응하며 사회적 안정을 바라는 것이다. 하은이의 말에서 갈릴레이와 존 스노는 용기있는 이단자들이라 할 수 있는데 밀턴은 용기있는 이단자라기보단 그들을 예찬하고 그들을 감싸며 옹호하는 입장이라 할 수 있다.

05 보기의 문제의식은 모두가 그렇다고 할 때 아니라고 하며 새로운 관점으로 세상을 바라보는 것을 말하는데 윗글의 갈릴레이나 존 스노가 했던 생각과 일치한다. 따라서 영원한 침묵은 문제의식과 대조적이라고 할 수 있다.

06 곤혹은 곤란한 일을 당하여 어찌할 바를 모름, 유입은 문화, 지식, 사상 따위가 들어옴, 관념은 어떤 일에 대한 견해와 생각, 편견은 공정하지 못하고 한쪽으로 치우친 생각을 말하는데 ⑩에는 편견보다는 편협이 적당하다.

07 (가)에는 독자들에게 익숙한 갈릴레이의 사례를 들어 앞으로의 주장에 설득력을 더하고 있다.

08 정보의 정확성과 객관성을 따지는 것은 설명문에 해당하는데 이 글은 글쓴이의 주장을 설득하는 글이므로 적절하지 않다.

09 갈릴레이의 예를 든 것은 맞지만 가설을 세우고 증명한 것은 아니다.

10 (바)에서 또 다른 문제를 제기하지 않았다. (바)에서는 이 글을 마무리하며 주장하는 바를 한번 더 말하고 있다.

11 이 글은 통념과는 반대로 새로운 생각을 하여 사회의 성장을 도모한 이단자들의 이야기를 다루고 있는데 그들이 사회적 통합을 저해했다고 할 수 없다.

12 ㉠ 앞에는 일반적인 사람들이 사회적 통념에 따랐던 내용을 말하고 있고, 그 뒤에는 사회적 통념과 다르게 생각한 존 스노의 예가 나오므로 '그러나'가 적절하고 ㉡ 앞에는 존 스노가 한 조사가 나왔으므로 그 뒤의 결과와 어울리는 접속어는 '그 결과'이고 ㉢ 뒤에는 존 스노가 한 조사가 일어나지 않았다면 발생했을 일에 대한 설명이므로 '만약'이 적절하다.

13 (다)에는 새로운 생각을 바라보는 부정적인 관점만 언급되어있다.

14 ㄱ. 갈릴레이와 존 스노가 목숨까지 위협받은 것은 아니다.
ㄴ. 갈릴레이는 당시 사람들에게 인정 받은 것은 아니다.
ㅁ. 사회나 조직의 문화적 동질성이 발전을 더 해친다고는 말할 수 없다.

15 (가)에서 상우는 자신의 동아리가 지역주민도 함께 하는 전시를 기획했기 때문에 구청 강당을 빌려야한다고 주장하고, (나)의 글쓴이는 갈릴레이와 존 스노의 예를 근거로 기존 사회의 편협한 시각에서 벗어나 새로운 생각을 하자는 주장을 말하고 있다.

16 구청 공무원은 구청 강당을 빌리기 위해선 공공성이 강해야 한다며 전시회가 어떤 성격을 지니고 있는지 확인하고 있다.

17 구 공무원은 상우 측의 원칙에 맞지 않는 요구를 했다고 할 수 없다. 오히려 상우가 구청의 원칙에 어긋나는 요구를 했다고 할 수 있다.

18 (나)에서 기존의 통념에 저항해서 새로운 도전을 해야한다고 말했지만 모든 권위에 저항해야 한다고 한 것은 아니다.

19 이 글은 과학과 관련된 내용을 전달하기 위해 쓴 것이 아니다.

20 '문화적 동질성'은 사회 구성원들이 연대를 강화하고 사회 공동의 목표에 집중하게 하는 것인데 '이상한 말'은 사회 구성원들이 보편적으로 가진 통념에 도전하는 것이므로 둘은 서로 의미하는

바가 멀다고 할 수 있다.

01 (1) 갈릴레이, 존 스노
(2) 사회적 통념과 기존의 권위에 도전했다.
(3) 사회나 조직에서도 사회 혁신을 위해 용기있는 이단을 수용하는 것이 필요하다.
(4) 새로운 발상

02 ㉮: 맥락 ㉯: 목적 ㉰: 매체

03 ㉠ 오염된 공기로 병이 전염된다. ㉡ 물이 콜레라균의 매개체이다.

01 ③	02 ①	03 ④	04 ③
05 ②	06 ⑤	07 ⑤	08 ②
09 ⑤	10 ④		

01 이와 같은 글은 '시나리오'로 영화의 대본이다. 상징적인 대상을 나타내는 것은 '시'와 같은 '서정갈래'에 주로 나타난다.

02 이 글은 사회적 약자와 어떻게 살아가야 할지가 문제인 것이 아니고, 사회적 약자를 바라보는 시선과 태도에 대해 성찰해보아야 하는 것이 문제이다.

03 작품에 나타난 해결 방안 그대로 수용하는 것은 적절하지 못하다. 비판적인 읽기를 해야 한다.

04 문학 작품을 읽을 때, 자신의 생각이나 가치관에 따라 읽어야 하는 것은 맞지만 작품의 의미를 새롭게 만드는 것은 옳지 않다. 작가의 의도를 파악해가며 읽어야 한다.

05 이 글과 〈보기〉의 화자는 사회적으로 소외된 사람이라고 할 수 있다. 그렇다고 해서 그들에 대해 연민의 태도를 아예 갖지 말아야 한다는 것은 아니다.

06 '아름'은 누군가에게 자신이 살아 있음을 확인받는 것이 아니라 그저 평범한 일상을 살고 싶다고 말하고 있다.

07 이 글은 문화적 동질성의 순기능에 대해 말하는 것이 아닌 통념에 도전하는 사람들에 대해 말하고 있다.

08 갈릴레이와 존 스노는 당시 사회 조직의 발전을 해쳤다기보단 사회의 성장과 발전에 기여했다고 할 수 있다.

09 ㉠, ㉡, ㉢, ㉣은 사회적 통념에 대한 것이고 ㉤은 통념에 도전한 새로운 시각을 말한다.

10 이 글의 예상 독자는 일반 독자들이다. 전문적인 지식인을 위한 글이 아니다.

(1) 국어의 문법 요소

확인학습 P.188

01 ○ 02 ○ 03 × 04 ○ 05 ○ 06 × 07 ○ 08 ○

09 '선생님, 저희 어머니께서 도시락을 안챙겨주셨어요.' '께서', '주셨어–'에서 주체높임법, '저희'와 '–요'에서 상대 높임법

확인학습 P.189

01 ○ 02 × 03 ○ 04 ○ 05 어미, 시간 부사

확인학습 P.190

01 × 02 × 03 ○ 04 ○ 05 진행상, 완료상

확인학습 P.191

01 × 02 × 03 × 04 ○ 05 ×

확인학습 P.192

01 × 02 × 03 ○ 04 ×

05 '내가 벌에게 쏘였다.'

내가(주어), 벌에게(부사어), 쏘였다(서술어) → (쏘 + –이 – + – 다)피동 접미사가 쓰인 피동사

확인학습 P.193

01 종결 02 ○ 03 × 04 (1) 현재 시제, (2) 과거 시제, (3) 미래 시제

05 (1) 오늘은 책이 잘 읽히는/읽어지는 기분이다.

(2) 그녀는 "너는 멋있다."라고 말했다. 그녀는 내가 멋있다고 말했다.

객관식 기본문제 P.194~205

01 ③	02 ③	03 ⑤	04 ④
05 ③	06 ③	07 ③	08 ③
09 ①	10 ④	11 ⑤	12 ③
13 ④	14 ⑤	15 ③	16 ②
17 ④	18 ③	19 ④	20 ⑤
21 ④	22 ⑤	23 ③	24 ②
25 ②	26 ①	27 ④	28 ②
29 ④	30 ②	31 ④	32 ⑤

01 어머니의 생각은 간접 높임의 대상이다. 간접 높임은 선어말 어미 '–(으)시–'를 통해서만 가능하다. '계시다'라는 특수 어휘를 사용할 수 없다.

02 문장의 주체, 즉 주어 '선생님'을 높이고 듣는 이. 청자 '채영'이는 낮추고 있다.

03 '공부 열심히 하렴'은 대화 상대를 낮춰서 표현하는 것이고 주어 '엄마는'은 객체가 아닌 주체이다.

04 '께서'는 주체 높임의 조사이다.

05 '드리시다'는 문장의 주체와 객체를 높이고 있다. 선물을 주는 사람은 주체와 객체가 아니라 청자이므로 적절하지 않다.

06 선어말 어미 '많으신', 조사 '께서', 주체 높임의 용언 '잡수다' 간접높임 '연세'가 사용되고 있다.

07 객체 높임의 목적격 조사는 없다.

08 '오다'에 주체 높임의 선어말 어미 '–시–'가 사용되고 있고 '–ㅂ니다'를 통해 상대를 높이고 있다.

09 '오시래'는 영수를 높여주므로 '오라셔'로 고치는 것이 맞고, 교장 선생님의 '말씀'은 간접높임의 대상이므로 특수 어휘 '계시다'를 통해서 높이면 안되므로 '있으시다'로 고치는 것이 적절하다.

10 객체높임의 용언 '드리다'가 사용되고 '따님'이라는 간접 높임의 어휘가 사용되고 있다.

11 앉는 행위 자체는 이미 끝난 것으로 완료상이 맞다.

12 '–으(ㄴ)'은 선어말 어미가 아니라 관형사형 어미이다.

13 ⓒ에서 서하가 잠에 들지 못하는 것은 병세의 악화가 아닌 서하를 보고 싶은 마음이 강해졌기 때문이다. ⑩은 아름이가 서하의 모습을 상상하는 것이지, 서하의 모습이 궁금해서 아름이가 초조해하는 것은 아니다.(가)는 '–고 있다'를 통해 진행상을, (나)는 '–어 버리다'를 통해 완료상을 나타내고 있다.

14 '줘 버렸고'에 사용된 '–어 버리다'는 완료상을 나타낸다.

15 '그려 간다'는 행위가 아직 진행 중이므로 진행상이다.

16 과거시간 부사어 '어제', 선어말 어미 '–았–'을 통해 과거시제를 나타내고 있다.

17 학교에 지원하겠다는 의지를 드러내고 있으므로 ④번이 제일 적절하다.

18 '이번 여름은 날씨가 정말 더웠다'는 과거 시제이다. ③번도 과거시제이다.

19 '낫고 있다', '나아 가다' 모두 진행상을 나타낸다.

20 식당 개업은 미래의 일이므로 사건시가 발화시보다 나중인 미래 시제가 적절하다.

21 형용사의 경우 과거시제를 나타내는 관형사형 어미는 '–던'이 사용된다.

22 진행상의 경우 '–고 있다'를 주로 사용하고 완료상의 경우 '–아/어 있다'를 주로 사용한다.

23 ③의 '울리지'는 피동이 아닌 사동 표현이다.

24 ㉠은 '팔다'의 피동 표현 '팔리다', ㉢은 '잇다'의 피동 표현 '잇히다'가 사용되고 있다.

25 '믿겨지지'는 '믿다'에 피동 접사 '–기', 피동문을 만드는 어미 '–어지다'가 함께 쓰인 이중피동표현으로 '믿어지지' 혹은 '믿기지'

로 고치는 것이 적절하다.

26 '놀렸다'는 기본형이 '놀리다'로 남을 욕보이는 행위를 뜻한다. 어간 자체에 '리'가 포함된 단어이므로 피동접미다 '리'가 쓰였다고 볼 수 없다.

27 '지었다'라는 서술어의 주체가 홍길동전이 아닌 허균이므로 허균이 주어이다.

28 태풍이 행위의 주체가 되어야 한다.

29 직접인용에는 큰따옴표의 문장에 '라고'가 결합하고 간접인용문엔 '고'가 결합한다.

30 뿐이라고, 사랑한다고(간접인용), "나갔어"라고 "넓구나"라고 (직접인용)

31 오빠가 있는 현재 위치를 나타내므로 여기를 거기로 바꿀 필요는 없다.

32 '내가 발표를 맡겠다'고가 아니라 '자기가 발표를 맡겠다'고로 바꿔주는 것이 적절하다.

객관식 심화문제   P.206~229

01 ②	02 ①	03 ②	04 ①
05 ①	06 ②	07 ②	08 ③
09 ②	10 ④	11 ②	12 ④
13 ④	14 ②	15 ①	16 ③
17 ⑤	18 ⑤	19 ③	20 ①
21 ②	22 ③	23 ⑤	24 ①
25 ①	26 ④	27 ④	28 ④
29 ①	30 ③	31 ①	32 ⑤
33 ①	34 ④	35 ②	36 ③
37 ③	38 ②	39 ④	40 ③
41 ⑤	42 ③	43 ④	44 ③
45 ④	46 ④	47 ①	48 ⑤

01 인용절 속의 어미, 인용 조사, 대명사, 지시 표현, 높임 표현 등에 변화를 주의하며 문맥상 매끄러울 수 있는 답은 ②이다.

02 ㉡은 주격조사 '이'를 '께서'로 바꿔야 한다. ㉢은 '할아버지께서는'이 옳다. ㉣은 사동오류가 아닌 이중피동의 오류이다. ㉤은 시제오류가 아니라 인용표현의 오류이다.

03 ②의 들었다는 피동표현이 아니다.

04 ㉠의 '께서'는 주체를 높이는 조사가 맞지만 ㉡의 '께'는 객체를 높이는 표현이다.

05 '아버지께서는'에서의 '께서'는 주체 높임이고 할아버지를 '뵙고'에서 객체 높임 표현도 알 수 있다.

06 〈보기2〉의 -겠-은 가능성이나 능력의 의미로 쓰이므로 ②가 가장 적절하다. ① 추측, ③ 추측, ④ 의지, ⑤ 완곡하게 말하는 태도.

07 '께'는 객체 높임이다.

08 '나는 어머니께 꽃다발을 드렸다.'가 옳은 높임 표현이다.

09 '헐리어졌다'는 '헐리었다', 혹은 '헐어졌다'로 고쳐써야 한다.

10 '모시고' → 객체 '잡수실-' → 주체 '여쭙거라' → 객체

11 주체높임법이 아닌 상대높임법을 쓰면 되는 경우이다. '감기실 게요'는 -시-의 남용이므로 '감기겠습니다.'의 종결어미를 씀으로서 청자인 손님을 높이는 상대높임법을 쓰는 것이 적절하다.

12 간접높임 표현에서는 특수어휘 ('계시다')가 사용될 수 없으므로 있으시다로 바꿔야 한다.

13 올바른 직접 인용을 사용하였다.
① 참가되었어 → 참했어.
② 실패하였지만 → 실패하겠지만
③ 말해 주었어 → 말씀해 주셨어.
⑤ 발표문이므로 공적인 자리에서 사용할 상대 높임법의 종결어미들을 사용해야 한다.

14 주무신다는 주무시(어간) + 다(종결어미)이다. '주무시'의 '시'는 선어말 어미가 아니다.

15 ㉠은 사건시와 발화시가 일치하는 현재 시제이다.

16 고객의 신분증이므로 간접 높임의 대상이 될 수있으나 간접 높임에는 특수어휘의 사용은 적절 하지 않다.

17 〈보기1〉의 참가하였지만 (능동) → 〈보기2〉의 참가하게 되었지만 (피동)

18 시제는 둘 다 현재 시제이다. 아름답고 있다는 문맥상 어색하므로 아름답다로 고쳐 쓴다.

19 예쁘던의 품사는 형용사이며 초등학생이던의 '이던'은 서술격조사 '이다'이다.

20 '드렸다'는 객체를 높이기 위해 사용된 것이다.

21 객체인 할머니를 '모시고'의 특수어휘로 높이고 '습니다'의 종결어미를 써서 상대도 높이고 있다.

22 ③만 가능성이나 능력을 의미하고 나머지 보기는 완곡하게 말하는 태도를 의미한다.

23 ㉠에는 발화시와 사건시 간의 시간 차이가 존재하지만 ㉡은 발화시와 사건시가 일치하여 시간 차이가 존재 하지 않는다.

24 ②는 불필요한 피동표현이므로 '마무리되길'이 적절하다. ③은 직접인용이므로 '라고'를 붙여 준다. 4번은 주체인 할아버지를 높여야 하므로 말씀해 주셨어가 적절하다. 5번은 만들어지려면을 만들려면으로 불필요한 피동표현을 줄인다.

25 '어제'라는 시간 부사를 통해 시제가 과거 시제임을 알 수 있다.

26 ① 오는 동작의 주체는 이 문장에서 객체인 선희이다.
② '께'와 '드리다'는 객체 높임의 표현이다.
③ '있다'의 특수어휘는 '계시다'이다.
⑤ 공적인 자리에서는 -해요체 보다는 -하십시오체가 적절하다.

27 가. 간접 높임(교수님의 책) 나. 객체 높임(객체인 할머니를 높이는 '모시고') 다. 간접 높임(교장 선생님의 말씀) 라. 객체 높임(객체인 선생님을 높이는 '뵈어야겠다') 마. 주체 높임(주체인 아버지를 높이는 특수어휘 '드신다')

28 높임의 대상은 '사장님'이고 문장의 객체여서 부사격조사 '께'를 사용하였고 특수어휘 '여쭈다'를 이용한다.

29 시간을 언어적으로 표현한 것이다.

30 미래에 일어날 말을 추측하는 데 쓰이고 있다.

31 진행상은 -고 있다. -아/-어 있다를 쓴다. -어 버리다는 완료
상이다.

32 만났다에는 피동 접미사가 결합될 수 없다.

33 ㉠과 ㉡ 모두 상대높임의 종결표현이 사용되고 있다.

34 형용사의 경우 과거 시제를 표현하기 위한 관형사형 어미로 '-
던'을 쓴다.

35 간접인용은 형식은 변형할 수 있지만 내용을 변형하는 것은 아
니다.

36 '늦어도 어제는 고향에 소포가 도착했겠다'는 '능력'의 의미가 아
니라 '추측'의 의미이다.

37 ③은 '-어 버리다'를 사용한 완료상이다. ①, ②, ④, ⑤는 모두
진행상이다.

38 객체 높임의 동사 '뵈다'가 사용되고 높임의 명사 '큰댁'이 사용
되고 있다.

39 '물어 보았다' 또한 '여쭈어 보았다'로 고치는 것이 적절하다.

40 ㄱ에서는 피동표현이 사용되고 있지 않고, ㄴ은 체언에 접사 '-
되다'가 붙어 피동표현이 사용되고 있고, ㄷ은 '밝히다'에 '-어
지다'가 결합하여 피동의 의미를 나타낸다. ㄹ은 '쓰다'에 피동
접미사 '-이-'와 '-어지다'가 동시에 붙은 잘못된 이중피동 표
현이다.

41 선어말 어미 '-았-'이 사용되고 있는 것은 맞지만 과거 시제가
아니라 미래 추측의 의미를 나타내고 있다.

42 사건시가 발화시보다 먼저인 것은 과거시제이고 사건시보다 발
화시가 먼저인 것은 미래시제이다. '나는 다급하게 초인종을 눌
렀다'는 선어말 어미 '-었-'을 통해 과거시제를 나타내고, '네가
떠날 곳으로 곧 따라갈게'는 관형사형 어미 '-ㄹ'을 통해 미래시
제를 나타내고 있다.

43 '잊혀진'은 '잊다'에 피동 접미사 '-히-'와 어미 '-어지다'가 동
시에 사용된 이중 피동으로 올바르지 않은 표현이다. 둘 중에
하나만 사용하는 것이 올바른 피동 표현이다.

44 객체높임의 특수 어휘 '드리다'와 주체 높임의 선어말 어미 '-시
-'가 사용되고 있다.

45 '속이다'는 '속다'에 사동접미사 '-이-'가 붙은 것이다. 피동의
의미는 찾을 수 없다.

46 주체높임의 조사 '께서', 객체높임의 특수 어휘 '모시다'가 사용
되고 있다.

47 '께'라는 객체높임의 조사가 사용되고 있지만 특수어휘는 사용
되고 있지 않다.

48 '-더-'를 통해 주체의 과거 회상의 의미를 나타내고 있다.

---

01 (1) 국어 책은 다른 책보다 잘 읽힌다. 이중 피동이 쓰였다.

　(2) 누군가 어둠 속에서 "철수가 바로 범인이다"라고 소리쳤다. 인용격 조사가
적절하지 않다.

02 (1) 그는 은퇴 후에도 여전히 바쁘다. 형용사는 동작상으로 쓸 수 없다.

　(2) 이 제품이 요즘 제일 잘 나가는 색상이에요. 높임 표현이 잘못 쓰였다.

03 철수는 선생님께 "영희가 아픕니다"라고 말씀드렸습니다.

04 저는 → 나는, 않다라고 → 않다고, 쓰여질 → 쓰일, 받을 → 받으신,
잊혀지지 → 잊히지

05 (1) 참가하였습니다-잘못된 피동표현이므로 수정해야 한다.

　(2) 어머니께서는-주격 조사로 주체 높임을 나타내야 한다.

　(3) 실패하겠지만-미래 시제로 수정해야 한다.

06 아버지가 할머니께 "식사 하셨어요?"라고 여쭤 보셨어요.

07 (1) 과거 시제, 완료상-과거 시제 선어말 어미 -었-과 완료의 보조용언 '-어
버리다'를 사용했다.

　(2)현재 시제, 진행상-현재를 나타내는 시간 부사 '지금', 진행을 나타내는 보
조용언 '-고 있다'를 사용하였다.

08 지나는데도→지났는데도, 없게 돼→ 없어 어떡하느냐고 → 어떡하냐고,
걱정을 하지 → 걱정을 하시지, 힘들 것 같아 → 힘든 것 같아

09 〈보기1〉에서 1, 2에 제시된 문장이 잘못된 이유는 이중 피동 때문이다. 비로
인해 파인 땅을 복구한다. 나는 아직도 그녀가 잊히지 않는다.

10 선생님께서 나에게 당신과 함께 해서 정말 기쁘지 않냐고 물어보신다.

11 ㉠ 주문하신 음료 나왔습니다. ㉡ 손님, 가격은 모두 만 이천원 되겠습니다.
　㉢ 그녀의 눈은 언제나 초롱초롱하고 아름답다.

12 ㄱ.할아버지께서는 일찍 주무시고 일찍 일어나신다.
　ㄴ.만수는 할머니를 산본역까지 모셔다 드렸다.
　ㄷ.나는 선생님께 모르는 문제를 여쭤보러 갔다.

13 ㉠나는 → ㉡저는, ㉢나에게 → ㉣제게,
　㉤말씀해 주었습니다 → ㉥말씀해 주셨습니다.
　㉦실패하였지만 → ㉧실패하겠지만,
　㉨어머니께서는 "실패란 ～ "라고 말씀해 주었습니다. → ㉩어머니께서는 실
패란 하나의 사건일 뿐이라고 말씀해 주셨습니다.

14 저는 당신께서 빌려주신 물건을 돌려드리겠다고 말씀드렸습니다.

15 ㉠ 용준아 선생님께서 너를 데리고 오라셔
　㉡ 창문이 닫히지 않아 찬바람이 들어온다.

16 (1) 문장의 주체인 주어를 높이는 높임법, 할머니께서 책을 읽고 있으시다(계
시다).

　(2) 문장의 객체인 목적어나 부사어를 높이는 높임법, 나는 아버지께 추석 선
물을 드렸다.

17 (1) 잘못된 높임 표현: 이 제품의 95 사이즈는 하나 남았습니다.

　(2) 이중피동: 세계 각국이 '잊힐 권리'를 법적으로 보장하려고 한다.

18 (1) ㉠은 높임 대상인 '아버지'를 직접 높이는 문장이고, ㉡은 아버지의 신체
일부를 간접적으로 높이는 문장이기 때문이다.

19 (1) ㉠은 단순히 연우가 어제 책상을 닦은 사실만 전달하는 반면 ㉡은 화자의
연우가 책상을 닦은 사실을 전달하는 동시에 연우가 그 사실을 화자가 직접
경험하여 알게 되었음을 드러낸다.

　(2) 관형사형 어미 '-은', 선어말 어미 '-었-'이다.

20 언어 예절을 지키며 대화하기 위해서는 대화 상황과 대화를 고려해야 하며, 언
어 예절을 잘 지켜야 하는 이유는 다른 사람과 원활하게 의사소통을 하고 원
만한 인간관계를 유지할 수 있게 하기 때문이다.

21 (1) 세상이 눈에 덮였다.

　(2) 나는 이웃이 어려울 때 서로 돕는 것이 옳은 일이라고 생각한다.

22 (1) 그는 나에게 내가 참 착하다고 말했다.

　(2) 매끄럽고 간결한 느낌을 준다.

23 아버지께서는 책을 읽으셨고, 저는 그 옆에서 일기를 썼어요.

24 ㉠ 그의 마지막 득점이 경기의 승부를 뒤집었다.

㉡ 처음 바다를 본 그녀는 바다가 정말 넓다고 혼잣말을 했다.

25 (1) +, +, +

(2) 주체 높임: 할머니께서(주격 조사 '께서'), 오셨는지(선어말 어미 '-시-'), 객체 높임: 아버지께(부사격 조사 '께'), 여쭤어(특수 어휘), 상대 높임: 보아라(종결어미 '-아라'로 해라체를 사용)

26 (A)지나친 높임- 이 제품은 반응이 아주 좋아요

(B)형용사는 동작상과 결합할 수 없다- 그는 은퇴 후에도 여전히 바쁘다

27 (1) ㉠- ⓒ, ⓔ / ㉡- ⓐ, ⓑ

(2) ㉠의 '내일'이라는 부사어, 선어말 어미 '-겠-'을 통해 미래 시제를 나타내며, '앉아 있겠다'는 보조 용언 '-아 있다'는 완료상을 나타낸다. ㉡의 관형사형 어미 '-던'과 '-은'은 과거 시제를, 시제 표시가 없는 서술격 조사'-이다'는 현재 시제를 나타낸다.

28 (1) ㉠ 할아버지께서는 매일 이 시간이면 낮잠을 주무신다. ㉡ 나는 어머니께 아버지께서 안방에 있으신지(계신지) 여쭤 보았다.

(2) 주격 조사와 특수 어휘로 주체 높임을 나타내야 한다. 주격 조사와 부사격 조사, 특수 어휘, 주체 높임 선어말 어미로 주체와 객체 높임을 나타내야 한다.

29 (1) 아들이 어제 저에게 오늘 집에 있으라고 말했습니다

(2)오빠는 어제 자신의 휴대 전화에 메시지를 꼭 보내라고 나에게 말했다.

30 참가되었어 → 참가하였어(참가했어),

무엇이 배워졌는지가 → 무엇을 배웠는지가

31 (1) 혜영이는 아까 도서관에 갔어-시제의 일치의 오류

(2) 할아버지께서는 매일 이 시간이면 낮잠을 주무셔- 잘못된 높임 표현

(3) 창문이 닫히지 않아 찬바람이 들어온다-이중피동

(4) 사육장 관계자는 시설의 개선이 필요하다고 말했습니다- 올바르지 않은 인용격 조사의 사용

32 선생님께서 동생에게 선물을 주실 것이다.

33 (1) 다른 데서 들은 말이나 읽은 글을 인용할 때 그 형식은 유지하지 않고 내용만 인용하는 방식

(2) 어제 할아버지께서 오늘 진지를 사서 할아버지께 오라고 말씀하셨다.

34 ⓐ-시간이 너무 촉박하다.

ⓑ-이 구간은 그냥 빨리 넘어가자.

ⓒ-이곳은 위험하니 저쪽으로 비켜라.

ⓓ-그토록 찾던 물건을 드디어 구했구나.

35 주체 높임(어머니가, 가나요)과 객체 높임(데리고)이 올바르게 쓰이지 않았다.

어머니께서 할머니를 모시고 병원에 가시나요?

36 원작가의 의도를 손상시키고 있다.

37 담겨져 → 담기어(담겨), 짜여지면서 → 짜이면서, 생각되어진다 → 생각된다.

38 큰따옴표가 사라진다. 조사 '라고'가 '고'로 바뀐다. '-입니까'가 '-냐'로 바뀐다. 높임법이 바뀐다. 지시 대명사가 '그쪽'에서 '이쪽'으로 바뀐다.

39 할아버지께서는 걱정거리가 있으시다. 높임의 선어말 어미 '-시-'를 활용하여 할아버지의 생각인 '걱정거리'를 높여 주체를 간접적으로 높였다.

40 (1) 진행상: ㉡, ㉢

(2) 완료상: ㉠, ㉣

41 보조 용언 '-어 있다'로 완료상을 나타내고 있다.

단원 종합평가　　　　　　　　　　　　　　P.246~254

01 ②	02 ②	03 ①	04 ①
05 ⑤	06 ③	07 ⑤	08 ①
09 ④	10 ②	11 ④	12 ②
13 ④	14 ④	15 ④	16 ②
17 ③	18 ①		

---

01 '걸려 있지 않은 문'은 '자물쇠, 문고리를 채우거나 빗장을 지르다'의 의미를 지닌 '걸다'에 피동 접사 '-이-'가 붙은 것이다.

02 '알리다'에 '-어지다'가 붙은 것으로, '알리다'는 피동의 의미가 없으므로 이중 피동이 아니다.

03 ㉠의 두 문장 모두 미래의 사건을 추측하는 것이 아니라 현재의 사건을 추측하고 있다.

04 '보는'은 현재시제로 사건시와 발화시가 일치한다.

05 '모시다'는 특수 어휘에 의한 객체높임으로 '할머니'를 높이는 것이 아닌 '어머니'를 높이는 표현이다.

06 '모시고'는 어간 '모시-'에 어말어미 '-다'가 결합한 것으로 선어말 어미는 사용되지 않는다.

07 '모시다'는 문장의 목적어인 '할머니'를 높이는 객체 높임법이다.

08 '아버지께서'의 조사 '께서', '할아버지께'의 조사 '께'가 '가시었어요'의 '해요체'가 각각 높임으로 사용되고 있다.

09 현대국어에서 객체를 높이는 선어말 어미는 없다. '모시다'는 어간이 '모시-'이다.

10 '보이는가'는 예사낮춤의 '하게체'이다.

11 ㄹ은 사건시와 발화시가 일치하는 현재시제가 아니라 사건시가 발화시보다 앞서 있는 과거시제이다.

12 ㉡:형용사와 서술격 조사는 과거시제를 나타내는 관형사형 어미 '-던'을 사용한다.

㉢: 동사의 경우 '-는'이 현재시제를 나타내고 형용사의 경우 '-(으)ㄴ'을 사용한다.

㉣: 미래시제를 나타내는 관형사형 어미는 '(으)ㄹ'을 사용한다.

13 ㉣은 미래시제의 상황에서 완료상의 가정을 나타내는 말이다.

14 ㄴ을 능동표현으로 바꾸면 '모기가 동생을 물었다'로 목적어는 '모기'가 아니라 '동생'이 된다.

15 조사 '고'를 쓴다.

16 부적절한 피동표현이기 때문에 '참가하였어'로 수정한다.

17 객체높임 특수어휘 '모시다'를 통해 높임을 실현하고 있다.

18 (가) 어간 '사랑하-'에 선어말어미 '-었'이 붙어 축약된 '했'이 과거시제를 실현한다.

(나) '잊은'은 어간 '잊-'에 관형사형 어미 '-(으)ㄴ'이 붙어 과거시제를 실현한다.

(다) '그리는'은 어간 '그리-'에 관형사형 어미 '-는'이 붙어 현재시제를 실현한다.

MEMO

MEMO

MEMO

고등
국어

HIGH SCHOOL

실전기출 문제은행